Casório?!

CB022771

CÓPIA NÃO AUTORIZADA É CRIME
ABDR
ASSOCIAÇÃO BRASILEIRA DE DIREITOS REPROGRÁFICOS
RESPEITE O DIREITO AUTORAL

Marian Keyes

***

Melancia

FÉRIAS!

SUSHI

Casório?!

É Agora... ou Nunca

LOS ANGELES

Um Bestseller pra chamar de meu

Tem Alguém Aí?

Cheio de Charme

A Estrela Mais Brilhante do Céu

CHÁ DE SUMIÇO

Mamãe Walsh

A mulher que roubou a minha vida

Casório?!

Marian Keyes

15ª EDIÇÃO

Tradução
RENATO MOTTA

Título original: *Lucy Sullivan Is Getting Married*

Capa: Carolina Vaz

Editoração: DFL

Texto revisado segundo o novo
Acordo Ortográfico da Língua Portuguesa

2016
Impresso no Brasil
Printed in Brazil

CIP-Brasil. Catalogação na fonte
Sindicato Nacional dos Editores de Livros, RJ

K55c
15ª ed.
Keyes, Marian, 1963-
Casório?!/ Marian Keyes; tradução de Renato Motta. – 15ª ed. – Rio de Janeiro: Bertrand Brasil, 2016.
644p.

Tradução de: Lucy Sullivan is getting married
ISBN 978-85-286-1130-4

1. Romance inglês. I. Motta, Renato. II. Título.

05-1707
CDD – 823
CDU – 821.111-3

EDITORA BERTRAND BRASIL LTDA.
Rua Argentina, 171 – 2º andar – São Cristóvão
20921-380 – Rio de Janeiro – RJ
Tel.: (0xx21) 2585-2070 – Fax: (0xx21) 2585-2087

Atendimento e venda direta ao leitor
mdireto@record.com.br ou (0xx21) 2585-2002

AGRADECIMENTOS

Gostaria de agradecer às seguintes pessoas que me ajudaram quando eu estava escrevendo este livro:

A Kate Cruise O'Brien, minha editora, por ser cruel e me devolver os três primeiros capítulos, argumentando que eu era uma escritora melhor do que eu mesma pensava e mandando que começasse tudo de novo. Mais tarde, pelo seu infinito entusiasmo e elogios, depois que confiei nela e assumi alguns riscos. Finalmente, pela sua paciência nos momentos em que eu não confiava em mim mesma, achava que não era uma escritora de verdade e que tudo fora um terrível erro. Realmente, sinto-me muito grata.

Agradeço a todos na Poolbeg, que trabalharam tanto por este livro. Obrigada a Nicole Hodson e a Lucy Keogh, que iam lendo o manuscrito enquanto eu ia escrevendo e, com isso, me davam muitos incentivos e me faziam ver que estava no caminho certo. Obrigada a Paula Campbell por ter apreciado tanto a cena do restaurante russo. Queria fazer um agradecimento especial a Brenda Dermody, por seu trabalho árduo e extrema paciência com o "vocês sabem o quê".

Obrigada a Louise Voss e Jenny Boland, que leram o livro, capítulo por capítulo, enquanto era escrito e insistiam (às vezes chegavam a forçar a barra) que eu escrevesse logo o seguinte. Era bem capaz de eu jamais ter conseguido terminar se não fosse assim. Palavras não conseguem expressar o quanto agradeço pelo entusiasmo de vocês e o incentivo constante.

Obrigada a Belinda Flaherty, que leu o produto pronto e fez comentários, sugestões e deu a sua aprovação, antes de eu liberá-lo.

Obrigada a Jill Richter e a Ann Brolan por terem lido o início e me encorajado a ir em frente.

Obrigada a Paula Whitlam pelo "selo" de aprovação.

Obrigada a Geoff Simmonds pelas bordoadas.

Obrigada a Eileen Prendergast por todos os conselhos e pelo trabalho pesado que enfrentou. Um agradecimento especial por deixar que eu roubasse a história de sua locadora de vídeo.

Obrigada a meu querido Tony por tudo. Por me aturar enquanto eu trabalhava durante a nossa lua de mel, e por não reclamar quando eu dava mais atenção ao meu laptop do que ao dele. Por ser corajoso o suficiente para me fazer críticas construtivas, e desculpe pelo olho roxo. Obrigada por seus elogios extravagantemente absurdos, por rir bem alto durante os trechos engraçados, por cuidar de toda a limpeza da casa, para que eu pudesse continuar escrevendo. Pela constante e paciente confiança em mim, por me fazer escrever "excitante" mais de mil vezes, e pelos conselhos em tudo, desde o desenvolvimento dos personagens até a gramática. Um agradecimento especial pelos chocolates e pelas jujubas Solero.

Eu realmente não teria conseguido escrever este livro sem ele.

Para Liam

CAPÍTULO 1

Quando Meredia me lembrou de que nós quatro, do escritório, havíamos marcado uma consulta com uma taróloga na segunda-feira, meu estômago se revirou ligeiramente, pelo choque.

— Você esqueceu — acusou Meredia, balançando a cara gorda.

Eu esquecera mesmo.

Espalmando as mãos por sobre a mesa, ela me avisou:

— Nem mesmo *pense* em dizer que não vai.

— Saco — murmurei, porque era exatamente isso que eu pensara em fazer.

Não que eu tivesse objeções sobre conhecer o futuro. Pelo contrário, isso era até um pouco divertido. Especialmente quando chegava a parte onde as videntes me diziam que o homem dos meus sonhos estava para aparecer a qualquer momento, essa parte era sempre *hilária*.

Às vezes, até mesmo *eu* ria.

Só que eu estava duranga. Embora tivesse acabado de receber o salário, minha conta parecia um país arrasado, pós-holocausto, com cadáveres por toda parte, pois no dia em que recebi o contracheque gastei uma fortuna em óleos aromáticos que prometiam me rejuvenescer, me energizar e levantar meu astral.

Além de me levar à falência, embora não especificassem isso na embalagem. Acho que a ideia era me deixar rejuvenescida, energizada e com o astral tão alto que eu não ia me importar com o resto.

Assim, quando Meredia lembrou que eu me comprometera a pagar trinta libras a uma mulher para que ela me dissesse que eu ia viajar por sobre o mar e possuía um pouco de mediunidade, compreendi que ia ficar sem almoçar por duas semanas.

— Acho que não vou poder pagar... — disse, nervosa.

— Você não pode dar para trás agora! — trovejou Meredia. — A Sra. Nolan vai nos dar um desconto. Nós três vamos ter que pagar mais caro se você não for.

— Quem é essa tal de Sra. Nolan? — perguntou Megan, desconfiada, interrompendo o jogo de paciência e olhando por cima do computador.

— A taróloga — respondeu Meredia.

— Mas que tipo de nome é esse, "Sra. Nolan"? — quis saber Megan.

— É um nome irlandês.

— Não! — Megan sacudiu os cabelos louros, aborrecida. — Estou perguntando que tipo de nome é esse, "Sra. Nolan", para uma *taróloga*? Ela devia se chamar Madame Zora ou algo desse tipo. Ela não pode ter esse nome, "Sra. Nolan". Com um nome desses, como é que a gente vai acreditar no que ela prevê?

— Bem, é o nome dela. — Meredia parecia magoada.

— Mas por que ela não troca? — insistiu Megan. — Deve ser fácil fazer isso. Pelo menos é o que me disseram. O que acha você, que todas as pessoas se chamam Meredia?

Uma pausa para fazer suspense.

— Ou elas deveriam chamar você de "Carol"? — continuou Megan, triunfante.

— Não, não deveriam — respondeu Meredia. — Porque o meu nome é Meredia.

— Claro que é — afirmou Megan, com sarcasmo.

— É mesmo — retrucou Meredia, com raiva.

— Então mostre a sua certidão de nascimento — desafiou Megan.

Megan e Meredia não se cruzavam na maioria dos assuntos, e especialmente a respeito do nome de Meredia. Megan era uma australiana toda prática, com um alarme antimentiras eternamente ligado. Desde que começara a trabalhar no escritório há três meses, como estagiária, vinha insistindo que Meredia não era o nome verdadeiro da colega. Talvez ela estivesse certa. Embora gostasse muito de Meredia, eu tinha de reconhecer que o seu nome possuía um ar assim meio de coisa inventada às pressas, de improviso.

Só que, ao contrário de Megan, eu não me importava com isso.

— Então não é mesmo "Carol"? — Megan pegou um caderninho na bolsa e riscou um dos nomes de uma lista.

— Não — respondeu Meredia, com firmeza.

— Certo — disse Megan. — Acabei com a letra "C". Hora de passar para o "D". Seu nome é Daphne? Deirdre? Dolores? Denise? Diana? Dinah?

— Não enche! — reagiu Meredia. Estava quase chorando

— Parem vocês duas. — Hetty colocou a mão com delicadeza no braço de Megan, porque esse era o tipo de coisa que Hetty fazia. Embora fosse toda elegante, ela era uma boa pessoa, que vivia colocando paninhos quentes nas brigas. Por causa disso, é claro que não era muito divertida, mas ninguém é perfeito.

Assim que a gente a conhecia, dava para notar que ela pertencia à classe alta. Não só porque parecia um cavalo, mas também porque tinha roupas horríveis. Embora tivesse só uns trinta e cinco anos, usava saias de tweed e vestidos floridos que mais pareciam relíquias de família. *Jamais* comprava roupas novas, o que era uma pena, porque uma das melhores formas de as mulheres do escritório se relacionarem bem era estourarem o salário logo no dia seguinte para exibir roupas novas umas para as outras.

— Como eu queria que aquela vaca australiana fosse embora daqui! — murmurou Meredia para Hetty.

— Provavelmente é o que vai acontecer logo, logo — tranquilizou-a Hetty.

Então, completou com uma coisa bem elegante:

— Cabeça para cima!

— Quando é que você vai embora daqui, hein? — Meredia quis saber de Megan.

— Assim que juntar uma grana, sua gorducha — replicou Megan.

Megan planejava viajar por toda a Europa, mas estava temporariamente sem dinheiro. Assim que conseguisse juntar o bastante, ela ia viajar, como constantemente nos lembrava, para a Escandinávia, ou para a Grécia, ou para os Pirineus, ou para a Costa Oeste da Irlanda.

Até esse momento, Hetty e eu tínhamos de separar as brigas terríveis que quase sempre pintavam.

Eu tinha quase certeza de que muito da animosidade entre elas vinha do fato de que Megan era alta, bronzeada e linda, enquanto Meredia era baixa, gorda e feia. Meredia tinha inveja da beleza de Megan, enquanto esta desprezava o excesso de peso de Meredia. Quando Meredia não conseguia achar roupas que servissem nela, em vez de soltar gemidos animadores como o resto de nós, Megan esbravejava:

— Pare de choramingar, rolha de poço, e faça uma droga de dieta!

Meredia jamais fez isso. Assim, estava condenada a fazer os carros se desviarem, assustados, cada vez que pisava na rua. Porque, em vez de tentar disfarçar seu tamanho avantajado com listras verticais e cores escuras, ela parecia querer chamar ainda mais a atenção para o seu peso. Costumava usar o visual "em camadas". Camadas em cima de camadas e mais camadas de tecido. Sério, gente, era muito pano! Hectares de panos, metros e mais metros de veludos, drapeados, franzidos, dobrados e amarrados, ancorados por broches, acompanhados de lenços de pescoço que desciam e se prendiam em volta de sua gigantesca circunferência.

E quanto mais cores, melhor. Carmesim, vermelhão, laranja forte, vermelho-fogo e fúcsia.

E tudo isso só no cabelo. Ela adorava usar hena.

— Ou ela vai embora daqui ou quem sai sou eu — murmurou Meredia enquanto olhava com ar ameaçador para Megan.

Mas isso era tudo onda. Meredia já trabalhava no escritório há muito tempo. Pelo que ela contava, desde a pré-história. Na verdade, estava só com oito anos de empresa, e jamais conseguira mudar de função. Nem fora promovida. Jogava a culpa disso na administração, que era preconceituosa com o seu tamanho (embora não houvesse nenhum empecilho à ascensão rápida dos homens rechonchudos, o que os levava a alcançar os postos mais elevados da companhia).

Enfim, como eu tinha coração mole, nunca discutia com Meredia. Consegui até mesmo me convencer de que ficar sem dinheiro ia ser até bom. Ver-me forçada a ficar sem almoço por duas semanas ia ser um golpe fatal para a dieta perpétua que eu fazia.

E Meredia me lembrou de um detalhe que eu esquecera:

— Você acabou de terminar com o Steven — disse ela. — Está precisando *mesmo* visitar uma taróloga.

Embora eu não gostasse de reconhecer, talvez ela tivesse razão. Agora que acabara de descobrir que Steven não era o homem dos meus sonhos, era só uma questão de tempo antes de eu começar a fazer algumas pesquisas paranormais, a fim de descobrir *quem*, exatamente, seria. Esse era o tipo de coisa que minhas amigas e eu fazíamos, embora fosse tudo farra, e ninguém pretendesse *acreditar,* de verdade, na cartomante. Pelo menos nenhuma de nós ia *admitir* que acreditara nela.

Pobre Steven. Que grande decepção ele fora.

Especialmente depois de as coisas terem começado de forma tão promissora. Achei que ele era lindo. Sua beleza apenas mediana tinha sido ampliada, pelos meus olhos, ao nível de Adônis, por causa dos seus cabelos louros encaracolados, as calças pretas de couro e a moto. Ele parecia selvagem, perigoso e despreocupado. Bem, isso era de esperar, não é? Para que serviam as motos e as calças pretas de couro, a não ser para representar o uniforme de um homem selvagem, perigoso e despreocupado?

Evidentemente, achei que não tinha a mínima chance de conquistá-lo, que alguém maravilhoso como ele teria um monte de garotas à sua disposição, e é claro que não ia demonstrar nenhum interesse por alguém tão comum como eu.

Porque eu *era* comum mesmo. Certamente parecia comum. Tinha um cabelo castanho ondulado, bem comum, e gastava tanta grana em alisantes que não receberia salário algum se o meu contracheque fosse pago diretamente à farmácia que ficava perto do trabalho. Tinha olhos castanhos comuns e, como castigo por ter pais irlandeses, exibia uns oito milhões de sardas bem comuns, uma para cada irlandês que morreu de fome na época da grande escassez, como meu pai costumava dizer quando estava meio alto e um pouco sentimental a respeito da "velha terrinha".

Apesar de todas as minhas características comuns, Steven me chamou para sair e agia como se gostasse de mim.

A princípio, eu mal conseguia entender como é que um homem tão sexy quanto Steven queria ficar comigo.

Evidentemente, eu não acreditava em uma só palavra que saía de sua boca. Quando dizia que eu era a única garota em sua vida, imaginava que ele estava mentindo; quando dizia que eu era adorável, eu me perguntava por qual ângulo, e dava voltas para inspecionar o meu reflexo e descobrir o que é que ele queria de mim.

Na verdade, não me importava com as mentiras, simplesmente achava que esse era o tipo de coisa que a gente tinha de aceitar para ter um homem como Steven.

Levou algum tempo para eu compreender que ele estava sendo sincero, e *não dizia* a mesma coisa para todas as garotas.

Então, resolvi que estava maravilhada com aquilo, mas, na verdade, estava era confusa. Tinha certeza de que ele levava outra vida, totalmente secreta, uma vida sobre a qual eu não deveria saber nada: saídas no meio da noite em cima da sua Harley, para fazer sexo na praia com mulheres desconhecidas, esse tipo de coisa. Ele parecia ser assim.

Esperava ter um breve caso com ele, bem passional, uma montanha-russa de sentimentos, em que meus nervos iam viver retesados à espera de seu telefonema, para finalmente eu sentir o corpo inundado pelo êxtase quando ele *realmente* me telefonava.

Só que ele sempre ligava na hora que marcava. E sempre dizia que eu estava linda, não importa a roupa que eu usasse. Em vez de me sentir feliz, comecei a me sentir pouco à vontade.

O que eu via era exatamente o que havia para ver, e me senti cortada, de forma estranha.

Ele começou a gostar demais de mim.

Certa manhã, acordei e lá estava ele, apoiado no cotovelo, olhando para mim. "Você é linda", ele murmurou, e tudo me pareceu totalmente *errado*.

Quando transávamos, ele dizia: "Lucy, Lucy, ai, meu Deus, Lucy", milhões de vezes, todas elas de forma quente e passional, e eu tentava me juntar a ele, repetindo os gemidos quentes e passionais, mas acabava me sentindo simplesmente uma idiota.

E quanto mais ele parecia se apegar a mim, mais eu me desligava, até chegar a um ponto em que mal conseguia respirar perto dele.

Sentia-me sufocada por tanta adulação, estrangulada por tanta admiração. Eu não era assim *tão* atraente, não podia deixar de perceber, e se ele achava que eu era, isso queria dizer que havia algo de muito errado com ele.

— Por que você gosta de mim? — vivia perguntando a ele.

— Porque você é linda! Ou porque você é sexy! Ou porque você é muito feminina! — Eram as respostas nauseantes que ele me dava.

— Não, não sou — replicava eu, desesperada. — Como é que você pode dizer que sou?

— Até parece que você está querendo me dar o fora — dizia ele, sorrindo carinhosamente.

Foram os carinhos dele que provavelmente me deixaram louca. Seus sorrisos suaves, seus olhares suaves, seus beijos suaves, suas carícias suaves, tanta *suavidade* era um pesadelo.

E ele era todo grudento comigo. Senhor Grude, eu não aguentava mais!

A todo lugar que íamos, ele segurava a minha mão, orgulhosamente me exibindo como "sua mulher". Quando estávamos no carro, ele plantava a mão na minha coxa; quando assistíamos à televisão, ele só faltava subir em mim. Estava sempre pegando em mim, passando o dedo no meu braço, fazendo cafuné ou coçando minhas costas, até eu não aguentar mais e empurrá-lo para o lado.

"Homem-velcro" era como eu o chamava secretamente, depois de um tempo.

No final, já estava dizendo isso na cara dele.

À medida que o tempo passava, eu queria me rasgar toda e arrancar a pele fora cada vez que ele me tocava, e só de pensar em fazer sexo com ele já me deixava enjoada.

Um dia, ele me disse que adoraria ter um jardim imenso e um punhado de filhos, e aí eu disse: "Chega!"

Terminei com ele imediatamente.

Não conseguia entender como foi que um dia pude achá-lo tão atraente, porque, a essa altura, eu não conseguia imaginar homem algum na face da Terra que fosse mais repulsivo. Ele continuava com os mesmos cabelos louros, as calças de couro e a moto, mas isso tudo já não me enganava.

Eu o desprezava por gostar tanto de mim. Ficava me perguntando como é que ele podia se contentar com tão pouco.

Nenhuma das minhas amigas conseguiu entender o motivo de eu ter terminado com ele. "Mas ele era tão legal!", era uma das frases que todas diziam. "Mas ele era tão bom para você..." era outra. "Ele é um tremendo partido!", protestavam todas. Diante disso, eu replicava: "Não, não é. Um tremendo partido não é assim tão fácil de conseguir."

Ele me desapontara.

Eu esperava desrespeito, e em vez disso consegui dedicação. Esperava infidelidade, e em vez disso consegui um compromisso. Esperava uma relação tumultuada, e em vez disso consegui uma relação previsível. Além de tudo (e esse era o maior desapontamento de todos), eu esperava um lobo e acabei com um cordeiro.

Sei que é desagradável quando o cara legal de quem você tanto gosta demonstra ser um canalha completo, mentiroso e com duas caras. Mas é quase tão mau quando o cara que você pensava ser um galinha em quem não se pode confiar prova que é, na verdade, um sujeito descomplicado e legal.

Passei uns dois dias tentando descobrir por que eu gostava dos caras que não eram bons para mim. Por que eu não conseguia gostar dos que eram?

Será que eu ia sempre desprezar todos os homens que me tratassem bem? Será que era o meu destino querer apenas os homens que não me quisessem?

Acordei no meio da noite, me perguntando a respeito do meu amor-próprio. Por que eu só me sentia confortável quando me tratavam mal?

Foi quando entendi que a frase "mulher gosta de apanhar" já rolava há centenas de anos, e então relaxei — afinal, não fui eu que fiz as regras.

E daí se o meu homem ideal era um sujeito egoísta, confiável, infiel, leal, traidor, traiçoeiro, um paquerador adorável que me achava o máximo, nunca ligava na hora em que combinava, fazia me sentir a mulher mais especial de todo o universo e tentava ganhar todas as minhas amigas? Era minha culpa que eu quisesse um namorado tipo "metamorfose ambulante", um homem que fosse várias coisas conflitantes ao mesmo tempo?

CAPÍTULO 2

Parecia haver uma ligação direta entre a dificuldade de se chegar à casa de uma taróloga e a sua reputação. Quanto mais inacessível e desanimadora a localização de sua residência, melhores e mais confiáveis eram as suas previsões. Essa era a ideia geralmente aceita.

Isso significava que a Sra. Nolan devia ser brilhante, porque ela morava em um subúrbio distante e horroroso nos arredores de Londres. Tão obscuro e escondido que tivemos de ir até lá no carro de Hetty.

— Por que não podemos ir de ônibus? — perguntou Megan, ao ouvir Hetty avisar que todo mundo ia ter de rachar a gasolina.

— Os ônibus não vão mais até lá — disse Meredia, de forma vaga.

— Por que não? — insistiu Megan.

— Porque não — explicou Meredia.

— Mas por quê? — eu continuava intrigada.

— Houve um... problema — resmungou Meredia, e isso foi tudo o que explicou sobre o assunto.

Na segunda-feira, às cinco em ponto, Megan, Hetty, Meredia e eu nos encontramos na escadaria externa do nosso local de trabalho. Hetty foi buscar o carro onde o deixara estacionado a vários quilômetros dali, pois estacionar no centro de Londres era assim mesmo. Finalmente, partimos.

— Vamos deixar para trás este lugar amaldiçoado — sugeriu uma de nós. Não sei exatamente qual de nós pronunciou esta frase, porque sempre dizíamos isso na hora de ir para casa. Embora ache que não deve ter sido Hetty.

A viagem foi um pesadelo. Passamos horas no tráfego engarrafado ou então passando por subúrbios desconhecidos, até que entramos em uma rodovia. Depois de andarmos por mais algumas décadas, viramos em uma estrada secundária e, finalmente, chegamos a um conjunto residencial.

E que conjunto residencial.

Eu e meus dois irmãos (Christopher Patrick Sullivan e Peter Joseph Mary Plunkett Sullivan, como eles foram batizados por minha mãe, católica fanática) fomos criados em uma casa de conjunto residencial, de forma que me permito criticar esses conjuntos e seu aspecto desumano sem correr o risco de ser chamada de liberal radical. Só que o conjunto em que fui criada não tinha um aspecto tão apocalíptico como aquele em que a Sra. Nolan morava.

Dois imensos blocos de apartamentos pintados de cinza pareciam torres de sentinela acima de centenas de casinhas cinzentas paupérrimas. Dois vira-latas vagavam por ali, sem rumo, com a esperança de achar alguém para morder.

Não havia jardins, nem plantas, nem árvores. Nem grama.

Ao longe, havia uma pequena fileira de lojas. Quase todas fechadas por tábuas, com exceção de um bar, uma loteria e um depósito de bebidas. Talvez tenha sido obra da minha imaginação muito ativa, mas, em meio à escuridão do entardecer, eu poderia *jurar* que vi quatro homens a cavalo passando na frente do bar. Até ali, tudo bem. A Sra. Nolan, pelo jeito, era ainda melhor do que eu imaginara.

— Meu Deus! — disse Megan, com a cara retorcida de nojo. — Que buraco.

— É mesmo, não é? — sorriu Meredia, com orgulho.

No meio de todo aquele panorama cinzento havia um pequeno terreno que algum paisagista achou, obviamente, que poderia ser um oásis de jardins verdejantes, onde famílias sorridentes se espalhariam, tomando sol. Só que já fazia muito tempo que não nascia grama ali.

Sob a luz difusa dava para ver um grupo formado por umas quinze crianças reunidas naquele espaço. Estavam todas amontoadas em volta do que parecia, de forma preocupante, um carro incendiado.

Embora estivéssemos em um dia frio de março, à noitinha, nenhuma das crianças estava de casaco (nem mesmo casaquinhos leves). Assim que nos viram, interromperam a atividade criminal que deviam estar planejando e correram em nossa direção, aos berros.

— Minha nossa! — gritou Hetty. — Tranquem as portas!

As quatro portas foram travadas ao mesmo tempo, enquanto as crianças cobriam o carro como um enxame, olhando para nós com seus olhinhos sofridos e experientes.

O que as fazia parecer ainda mais assustadoras era o fato de estarem com o rosto sujo de fuligem, provavelmente do óleo ou da tinta do carro incendiado. Aquilo parecia pintura de guerra.

Elas abriam e fechavam a boca, parecendo dizer algo.

— O que é que elas estão falando? — perguntou Hetty, aterrorizada.

— Acho que estão perguntando se viemos para ver a Sra. Nolan — respondi, sem muita certeza.

Abri a janela uns poucos centímetros e, em meio ao tumulto e à algazarra, consegui descobrir que era exatamente aquilo que elas estavam nos perguntando.

— Ufa! Os nativos são amigáveis. — Sorriu Hetty, enxugando o suor da testa com estardalhaço e respirando fundo, aliviada.

— Fale com eles, Lucy!

Nervosa, abaixei o vidro um pouco mais.

— Hã... Viemos ver a Sra. Nolan — disse eu.

Uma cacofonia de vozes estridentes foi a resposta:

— A casa dela é aquela ali.

— Ela mora lá.

— É aquela!

— Vocês podem deixar o carro aqui mesmo.

— A casa dela é aquela.

— Bem ali.

— Vou mostrar para vocês.

— Não, deixe que eu mostro!

— Não, *sou eu* que vou mostrar!

— Não, *eu* é que vou mostrar!

— Mas fui eu que vi primeiro!

— Você ficou com o último grupo!

— Vá se foder, Cherise Tiller!

— Não, *vá você* se foder, Claudine Hall!

Um arranca-rabo violento estourou entre quatro ou cinco das garotas menores, enquanto continuávamos sentadas dentro do carro, esperando que elas parassem.

— Vamos saltar. — Megan parecia um pouco entediada com aquilo. Era preciso mais do que um bando de crianças semisselvagens para assustá-la. Abrindo a porta com determinação, saltou e passou por cima de duas crianças que se engalfinhavam na calçada.

Então Hetty e eu saímos também.

Assim que Hetty colocou o pé fora do carro, uma garotinha esquelética que parecia ter trinta e cinco anos começou a puxar o seu casaco.

— Olha, eu e minha amiga aqui vamos tomar conta do seu carro — prometeu ela.

A amiga, que era menorzinha, ainda mais esquelética e parecia um macaco pouco amigável, concordou com a cabeça, em silêncio.

— Obrigada — disse Hetty, com horror estampado no rosto enquanto tentava tirar a garotinha da sua frente.

— Vamos ficar olhando para que nada de mau aconteça com ele — disse a garotinha, seca como um graveto, dessa vez com a voz um pouco mais ameaçadora e ainda segurando a ponta do casaco de Hetty, com força.

— Dê algum dinheiro para elas — sugeriu Megan, irritada. — Na verdade é isso que ela está querendo.

— Como assim? — perguntou Hetty, indignada. — Não vou fazer isso. É chantagem.

— Você quer que as rodas ainda estejam no carro quando a gente voltar ou não? — insistiu Megan.

A garotinha e a amiga com carinha de macaco observavam pacientemente o diálogo, com os braços cruzados. Agora que uma mulher experiente e sensata como Megan entrara no papo, elas sabiam que o resultado ia ser favorável.

— Tomem — disse eu, dando uma libra para a menininha de trinta e cinco anos.

Ela aceitou com um aceno de cabeça.

— *Agora*, será que podemos ir ver o que nos reserva o futuro, por favor? — perguntou Megan, impaciente.

Meredia, a gorda covarde, permanecera escondida no carro durante todo o primeiro contato com as Crianças do Inferno. E esperou até que todas elas se afastassem antes de sair do carro.

Porém, no instante em que as crianças a viram emergir do carro, voltaram correndo a toda velocidade. Não era todo dia que uma mulher gigantesca, vestida de vermelho dos pés à cabeça, em veludo pregueado e o cabelo combinando, aparecia rolando em seu caminho. Quando tal fato acontecia, porém, elas sabiam como tirar o maior proveito, reconhecendo uma diversão gratuita de imediato, fazendo pouco e debochando.

Os guinchos, urros e risadas que surgiram daquelas paródias de crianças foram de arrepiar os cabelos.

Os comentários variavam de "porra! olha que vaca gorda!" a "porra! ela vestiu as cortinas da mãe!", "porra! aquilo não é horrível?" a "porra! onde estão os barcos do Greenpeace?".

Pobre Meredia! Com o rosto tão vermelho quanto todo o resto, ela atravessou toda a curta distância até a porta da frente da Sra. Nolan como se fosse o Flautista de Hamlin, com um enxame de horríveis fedelhos correndo e dançando atrás dela, rindo e atirando insultos. Uma atmosfera de carnaval se estabeleceu, como se o circo estivesse chegando à cidade, enquanto Hetty, Megan e eu nos acotovelávamos de forma protetora em volta de Meredia, fazendo inúteis tentativas com as mãos para enxotar as crianças dali.

Então chegamos à casa da Sra. Nolan. Só podia ser aquela.

Tinha revestimento de pedra, janelas de vidro duplo e uma pequena varanda envidraçada, que se projetava para fora. Todas as janelas tinham cortinas finas, rendadas, e lindas persianas de lâminas estreitas. Os peitoris das janelas estavam lotados de enfeites, cavalinhos de louça, cachorros de vidro e canecas de metal, além de bichinhos peludos em pequenas cadeiras de balanço de madeira. Evidentes sinais de prosperidade que faziam a casa se sobressair de todas as outras em volta. A Sra. Nolan devia ser uma espécie de estrela entre as tarólogas.

— Toque a campainha — disse Hetty para Meredia.

— Eu não. Toque você — reagiu Meredia.

— Mas você já esteve aqui antes — explicou Hetty.

— Deixem que *eu* toco — suspirei, esticando o braço e apertando o botão.

Quando os primeiros acordes de *Greensleeves* começaram a soar pela sala, Megan e eu tivemos de prender o riso.

Meredia se virou e nos lançou um olhar furioso, cochichando:

— Calem a boca. Mostrem um pouco de respeito. Esta mulher é a melhor. Ela é o máximo.

— Ela está vindo. Ai, meu Deus, ela está vindo — sussurrou Hetty, rouca de empolgação ao ver uma sombra que se moveu por trás do vidro fosco da porta da varanda.

Hetty não costumava sair muito de casa.

— Nossa, Hetty, você precisa aprender a se controlar! — disse Megan, com desdém.

A porta se abriu e em vez de uma mulher exótica, sombria e com cara de médium, um rapaz de cara emburrada nos encarava.

Uma criança pequena com o rosto todo sujo colocou a cabeça de fora, por trás das pernas do rapaz.

— Sim? — disse ele, olhando para cada uma de nós. Seus olhos se arregalaram, mostrando um leve choque ao avistar Meredia em toda a sua vermelhidão.

Nenhuma de nós falou. Todas tínhamos nos vestido em estilo classe média, bem discretas. Até mesmo eu, que era mais para classe operária.

Hetty deu uma cotovelada de leve em Meredia, que deu uma leve cotovelada em Megan, que, por sua vez, me cutucou de leve com o cotovelo.

— Fale alguma coisa — soprou Hetty.

— Não, fale você — murmurou Meredia.

— E então? — indagou mais uma vez o rapaz de cara fechada, de forma pouco gentil.

— A Sra. Nolan está? — perguntei.

Ele me olhou desconfiado, e então decidiu que eu tinha um ar confiável.

— Ela está ocupada — murmurou.

— Fazendo o quê? — quis saber Megan, impaciente.

— Está tomando chá — respondeu ele.

— Bem, então podemos entrar e esperar por ela? — perguntei.

— Ela está nos esperando — arriscou Meredia.

— Viajamos de muito longe — explicou Hetty.

— Viemos seguindo uma estrela do Oriente — completou Megan, prendendo o riso atrás de nós.

Todas três se viraram para ela ao mesmo tempo e franziram a testa.

— Desculpem — resmungou ela.

O rapaz se mostrou mortalmente ofendido pela falta de respeito com a sua mãe, avó ou seja lá o que a Sra. Nolan fosse dele, e fez menção de fechar a porta.

— Não, por favor, não faça isso! — implorou Hetty. — Ela já pediu desculpas.

— Pedi sim — confirmou Megan com ar alegre e sem parecer nem um pouco arrependida.

— Está certo então — disse ele, a contragosto, deixando-nos entrar em uma sala minúscula.

Mal havia espaço para nós quatro.

— Esperem aqui — ordenou ele, e entrou em outro cômodo. Devia ser a cozinha, pelo barulho de louça, a fumaça e o cheiro de ovos fritos que vieram lá de dentro quando ele abriu a porta, desaparecendo tudo em seguida assim que ele tornou a fechá-la.

Não havia um só centímetro nas paredes que não estivesse coberto com quadros, barômetros, tapeçarias ou ferraduras. Meredia se moveu ligeiramente e derrubou da parede a fotografia de uma família muito grande. Ao se agachar para pegar a foto que caíra no chão, seu traseiro derrubou outras dez fotos.

Durante décadas ficamos ali na sala, andando de um lado para outro, totalmente ignoradas, enquanto os sons de risos e conversa continuavam a vir de trás da porta fechada.

— Estou *morrendo* de fome — disse Megan.

— Eu também — concordei. — O que será que eles estão comendo, hein?

— Isso tudo é ridículo — declarou Megan. — Vamos embora.

— Por favor, esperem — pediu Meredia. — Ela é maravilhosa. Sério, ela é mesmo.

Finalmente, a Sra. Nolan terminou o chá e surgiu no meio de nós. Não consegui evitar o desapontamento ao avistá-la. Ela parecia tão comum... Não tinha a cabeça coberta por um lenço vermelho, e não havia sequer uma argola de ouro à vista.

Usava óculos, fizera permanente no cabelo, vestia um blusão bege com calça de moletom e, o pior de tudo, estava de *chinelos*. Além do mais, era *baixinha*! Não sou muito alta, e ela mal batia na minha cintura!

— Certo, meninas — disse ela, de forma rápida e decidida, com sotaque de Dublin. — Quem é a primeira?

Meredia foi na frente. Depois, Hetty. Em seguida, eu. Megan ficou por último, a fim de esperar para ver se nós três achávamos que o dinheiro tinha valido a pena.

CAPÍTULO 3

Quando chegou a minha vez, entrei no que era, evidentemente, a "sala boa" da casa. Mal consegui passar da porta, porque o ambiente estava entulhado com móveis e tralhas. Havia um biombo todo trabalhado junto de um enorme aparador de mogno que rangia sob o peso de uma pilha de outros enfeites. Havia banquinhos e mesinhas por todo lado que olhássemos, além de um conjunto estofado em veludo marrom que ainda estava coberto com o plástico original.

A Sra. Nolan estava sentada em uma das poltronas cobertas de plástico e fez um gesto para que eu me sentasse na poltrona na frente dela.

Enquanto entrava, abrindo caminho por entre os móveis até chegar à poltrona, comecei a me sentir nervosa e empolgada. Porque, apesar de a Sra. Nolan ter a aparência de quem se sentiria mais à vontade ajoelhada, limpando o chão da cozinha de Hetty, ela conseguira a sua maravilhosa reputação como vidente *por algum motivo*. O que ela me dirá?, eu me perguntava. O que o futuro havia reservado para mim?

— Sente-se, minha querida — disse ela.

Eu me sentei, com o traseiro apoiado na ponta da poltrona coberta de plástico.

Ela olhou para mim. De forma astuta? De forma sábia?

E falou. Em forma de profecia? Em forma de presságio?

— Você percorreu um longo caminho para chegar até aqui, minha querida — disse ela.

Dei um pulo. Não esperava que já fôssemos começar tão depressa. E que ela fosse acertar na mosca logo de cara. Sim, era verdade, eu percorrera realmente um longo caminho, desde os tempos da minha infância no conjunto residencial em Uxbridge.

— Sim — concordei, hesitando um pouco, ainda abalada por sua percepção profunda.

— O tráfego estava engarrafado, querida?

— *Quê?* O *quê*? Hã... o... tráfego? Não, até que não — consegui responder.

Entendi. Ela estava só puxando assunto. A sessão de leitura de cartas ainda não começara. Que desapontamento. Bem, deixem pra lá.

— Sim, minha querida — suspirou ela. — Se eles conseguirem terminar aquela porcaria de viaduto, vai ser um milagre. Atualmente, com o engarrafamento e a fila de carros buzinando a noite toda, a gente nem consegue dormir direito.

— Hã... sim — concordei.

Por algum motivo, conversar sobre o tráfego e os engarrafamentos naquele momento não me parecia apropriado.

Então ela foi direto ao que interessava:

— Bola ou cartas? — perguntou, de repente.

— Co... como disse? — perguntei, com educação.

— Bola ou cartas? Bola de cristal ou cartas de tarô?

— Ah! Bem, deixe ver... Qual é a diferença?

— Cinco libras.

— Não, estou falando... deixa pra lá. Cartas, por favor.

— Certo — disse a Sra. Nolan e, com isso, começou a embaralhar as cartas com a habilidade de um jogador de pôquer veterano.

— Agora você deve embaralhá-las um pouco, querida — disse ela, entregando-me as cartas. — Mas tenha cuidado! Haja o que houver, não as deixe cair no chão.

Deixá-las cair no chão devia representar má sorte, avaliei, compreendendo tudo.

— Tenho problemas de coluna — explicou ela. — O médico disse "nada de se abaixar". Agora, faça uma pergunta a si mesma, querida — orientou-me ela. — Uma pergunta que você queira ver respondida pelas cartas, querida. Mas não me conte nada, querida. Não preciso saber qual é a pergunta — e fez uma pequena pausa, olhando para os meus olhos de forma significativa —, minha querida.

Eu podia ter escolhido uma de várias perguntas. Por exemplo: "haveria um fim para a fome no mundo?", "os cientistas iam descobrir a cura da Aids?", "haveria paz no planeta?", "será que alguém ia conseguir fechar o buraco na camada de ozônio?". De forma curiosa, porém, descobri que a pergunta para a qual eu realmente queria uma resposta era: "Algum dia vou conhecer um homem legal?" Engraçado isso.

— Já decidiu qual é a sua pergunta, querida? — quis saber ela, pegando o baralho de volta.

Fiz que sim com a cabeça. Ela começou a arremessar as cartas por sobre a mesa a uma velocidade espantosa. Eu não sabia o que aquelas figuras significavam, mas achei que não pareciam muito promissoras. Parecia haver um monte de espadas em várias delas, e isso não podia ser coisa boa, não é?

— Sua pergunta tem relação com um homem, querida? — perguntou ela.

Mas isso não impressionou nem mesmo a *mim*.

Isto é, eu era uma mulher jovem. Tinha poucas preocupações na vida. Bem, na verdade, tinha muitas. Uma jovem da minha idade só ia pensar em buscar a ajuda de uma cartomante por dois motivos: carreira ou vida amorosa. E se ela estivesse com problemas na carreira, provavelmente ia fazer alguma coisa de útil a respeito por conta própria.

Como ir para a cama com o chefe.

Assim, restava apenas a opção da vida amorosa.

— Sim — respondi, com jeito cansado —, tem a ver com um homem.

— Você tem tido pouca sorte no amor, querida — disse, com ar compreensivo.

Novamente, não me deixei impressionar por aquilo.

Sim, eu andava tendo pouca sorte no amor. No entanto, mostrem-me uma mulher que não seja assim!

— Há um homem louro no seu passado, querida — afirmou ela.

Imagino que ela estivesse se referindo a Steven. Mas, pensei, quem é que *não tinha* um homem louro em seu passado?

— Ele não era o homem certo para você, querida — continuou ela.

— Obrigada — disse eu, um pouco aborrecida, porque esse fato eu já descobrira sozinha.

— Não desperdice lágrimas por causa dele, querida — aconselhou-me ela.

— Pode deixar.

— Porque há outro homem a caminho, querida — afirmou ela, abrindo um sorriso imenso.

— Sério? — quis saber, deliciada com aquilo, inclinando-me mais para perto dela e sentindo o plástico da poltrona guinchar por baixo das minhas coxas. — Agora sim!

— É verdade — disse ela, analisando as cartas. — Estou vendo casamento, aqui.

— É mesmo? — eu quis saber. — De quem? Meu?

— Sim, querida — disse ela. — Seu.

— Sério mesmo? Quando?

— Antes que as folhas caiam no chão pela segunda vez, querida.

— Como disse?

— Antes que as quatro estações passem uma vez e metade de outra — explicou ela.

— Desculpe, mas acho que ainda não estou entendendo — disse eu, sem graça.

— Em um ano — decidiu ela, parecendo um pouco chateada.

Fiquei um pouco desapontada. Se era em um ano, ia acontecer no inverno, e eu sempre me imaginara casando na primavera! Isto é, nas raríssimas vezes em que eu me imaginara casando.

— Não dá para esticar este prazo para um pouco mais de um ano, dá? — perguntei.

— Minha querida — respondeu ela, com firmeza —, não sou eu que determino essas coisas. Sou simplesmente a mensageira.

— Desculpe — murmurei.

— Bem — continuou ela, em um tom de voz mais gentil —, vamos dizer que a previsão vai acontecer em até dezoito meses, para garantir.

— Obrigada — disse, achando que aquilo tinha sido muito respeitável da parte dela. Então eu ia me casar!, pensei. Isso era algo monumental. Especialmente se considerarmos que eu já ficaria feliz com um namorado.

— Estou me perguntando quem poderá ser ele... — falei.

— Você precisa ter cuidado, querida — avisou ela. — A princípio, pode ser que você não o reconheça como a pessoa que realmente é.

— E vou conhecê-lo em uma festa?

— Não — disse ela, com ar profético. — No primeiro momento, pode ser que ele não pareça ser quem é.

— Ah, quer dizer que ele vai mentir para mim — disse, compreendendo tudo. — Bem, acho que é sempre assim mesmo. Por que este aí seria diferente?

E dei uma risada.

A Sra. Nolan pareceu aborrecida.

— Não, querida — explicou, irritada. — Eu quis dizer que você precisa tomar cuidado para não usar antolhos nessa procura. Talvez você tenha que buscar este homem e olhar para ele com visão clara, sem medos. Pode ser que ele não tenha dinheiro, e você não deve humilhá-lo. Pode ser que ele não seja bonito, mas você não deve zombar dele.

Que ótimo!, pensei. Eu devia saber! Um mendigo todo deformado.

— Entendo — respondi. — Então ele vai ser feio e pobre.

— *Não*, querida — replicou a Sra. Nolan, já desesperada, deixando de lado o linguajar místico. — Estou dizendo que pode ser que ele não seja o seu tipo preferido de homem.

— *Entendo* — respondi.

Se ao menos ela tivesse falado isso logo de cara. Visão clara e sem medo, tá bom!...

— Então — continuei —, quando Jason, o garoto de dezessete anos, todo sardento, que usa aquelas roupas largas horrorosas me encontrar na sala da xerox e me convidar para sair, a fim de curtir umas drogas, eu não devo mais rir na cara dele e responder que só no Dia de São Nunca.

— Essa é a ideia, querida — disse a Sra. Nolan, parecendo satisfeita —, pois a flor do amor pode brotar nos lugares mais inesperados, e você deve estar sempre pronta para colhê-la.

— Compreendo — balancei afirmativamente a cabeça.

Mesmo assim, eu tinha de estar muito a perigo para Jason ter alguma chance. Mas não havia necessidade de contar isso à Sra. Nolan.

Enfim, se ela era realmente boa naquilo, já sabia de tudo. Começou a apontar com rapidez para as cartas e soltar frases curtas, indicando desse modo que a sessão estava chegando ao fim.

— Você vai ter três filhos, duas meninas e um menino, querida.

E continuou:

— Jamais vai conseguir ser rica, mas vai ter muita felicidade, querida.

Disse também:

— Você tem uma inimiga no trabalho, querida. Ela tem inveja do seu sucesso.

Nessa eu tive que rir. Foi um riso meio amargo. Ela também ia cair na risada se soubesse como o meu emprego era humilhante e horrível.

Nesse ponto ela fez uma pausa.

Olhou para as cartas e, então, olhou para mim. Algo que parecia preocupação estava estampado em seu rosto.

— Vejo uma nuvem sobre você, querida — disse ela, bem devagar. — Uma escuridão, uma tristeza...

De repente, para meu horror, senti um nó na garganta. Uma nuvem escura, era exatamente assim que eu descrevia as crises de depressão que às vezes me atacavam. Não era aquele tipo comum de depressão, como "bem que eu gostaria de ter uma saia de camurça", embora eu sofresse *desse* tipo de depressão também. Desde os dezessete anos, porém, eu tinha crises de depressão clínica, de verdade.

Balancei a cabeça, quase sem conseguir falar.

— Sim — sussurrei.

— Você vem carregando este peso há muitos anos — disse baixinho, olhando para mim com muita solidariedade e compreensão.

— Sim — sussurrei de novo, sentindo os olhos se encherem de lágrimas.

— E você vem carregando o fardo quase totalmente sozinha — disse, com gentileza.

— Sim — concordei, sentindo uma lágrima descer lentamente pelo rosto. Ai, meu Deus! Aquilo era horrível. Pensei que tinha ido até ali para me divertir. Em vez disso, aquela mulher, uma completa estranha, conseguira enxergar a minha essência, e me tocara em um lugar onde poucos seres humanos haviam conseguido.

— Desculpe — funguei, enxugando o rosto com a mão.

— Não se preocupe, querida — disse ela, entregando-me um lenço de papel que pegou em uma caixa que, obviamente, estava ali ao lado para esse tipo de coisa. — Isso sempre acontece.

Esperou mais alguns instantes enquanto eu me recompunha, e então começou a falar novamente:

— Tudo bem, querida?

— Sim... — funguei. — Obrigada.

— Tudo vai melhorar, querida. Mas você não pode se afastar das pessoas que querem ajudá-la. Como poderão ajudá-la se você não permitir que elas se aproximem de você?

— Não sei exatamente o que a senhora está querendo dizer — resmunguei.

— Talvez não saiba, querida — concordou ela, com ar gentil —, mas espero que descubra.

— Obrigada — tornei a fungar —, a senhora foi muito gentil. Obrigada pelo namorado, por me ver casada e tudo o mais. Foi muito bom ouvir isso.

— Não há de quê, querida — disse ela, parecendo satisfeita. — São trinta libras, por favor.

Paguei a ela e me levantei da cadeira com o plástico barulhento.

— Boa sorte, querida — disse ela. — Por favor, pode mandar vir a próxima jovem?

— Quem é a próxima? — pensei alto. — Ah, é a Megan, não é?

— Megan! — exclamou a Sra. Nolan. — Não é um lindo nome? Ela deve ser do País de Gales.

— Não, na verdade é australiana — retruquei e sorri. — Obrigada mais uma vez. *Bye-bye*.

— *Bye-bye*, querida — concordou ela, sorrindo. Voltei para a sala minúscula, onde as outras três caíram em cima de mim, cheias de perguntas. "E então?", "o que foi que ela disse?", e "valeu a pena gastar essa grana?" (essa última foi feita por Megan).

— Sim — disse a ela. — Vale a pena você entrar.

— Só entro se vocês todas me prometerem não comentar nada umas com as outras até eu sair e estarmos juntas novamente — anunciou Megan, com cara feia. — Não quero perder nada!

— Por mim, tudo bem — suspirei.

— Vaca egoísta — murmurou Meredia.

— Cuidado, gorducha — disse Megan, entre dentes.

CAPÍTULO 4

Quando Megan surgiu de volta, uns vinte minutos depois, já estava na hora de enfrentar novamente a noite escura, a fim de descobrir o que os filhos do Demo tinham feito com o carro.

— Ele vai estar inteiro, não vai? — perguntou a pobre Hetty, ansiosa e já quase correndo.

— Sinceramente, espero que sim — respondi, caminhando apressada, logo atrás dela. Esperava que sim, *de verdade*. As chances de conseguir chegar em casa de algum outro modo eram muito pequenas.

— Jamais devíamos ter vindo — disse ela, sentindo-se horrível.

— Ora, mas é claro que devíamos — replicou Megan, com espírito de grupo. — Eu me diverti muito.

— Eu também — veio a voz de Meredia, arrastando-se pesadamente, uns cinquenta metros atrás de nós.

De forma incrível, o carro estava inteiro.

Assim que aparecemos na esquina, a garotinha que devia estar tomando conta do carro surgiu do nada. Não sei que olhar ameaçador lançou a Hetty, mas foi o bastante para que ela imediatamente tateasse em busca da bolsa, a fim de pegar mais umas duas libras para dar à garotinha.

Não vimos nenhuma das outras crianças, mas dava para ouvir os gritos, berros e guinchos, além do barulho de vidro se quebrando, em algum lugar ali perto.

Ao passarmos de carro pelo conjunto, vimos um punhado delas. Estavam fazendo alguma coisa com uma caminhonete. Destruindo-a completamente, me pareceu.

— Essas crianças já não deviam estar na cama? — perguntou Hetty, ansiosa e assustada pelo seu primeiro encontro com um bairro pobre. — Onde estão os pais delas? O que estão fazendo? Certamente deviam tomar *alguma* providência.

As crianças adoraram nos ver novamente. À medida que o carro se aproximava delas, começaram a rir, a gritar e a apontar para nós às gargalhadas. Obviamente, pareciam ainda estar com grande interesse em Meredia. Três ou quatro meninos começaram a perseguir o carro; conseguiram correr ao lado do veículo por algum tempo, rindo e fazendo caretas para nós, e levou algum tempo até que conseguíssemos nos livrar deles.

Assim que percebemos que conseguíramos escapar ilesas dos pirralhos, relaxamos. Era a hora de contar tudo o que a Sra. Nolan dissera, e nós quatro estávamos muito empolgadas. Todas queriam saber o que as outras "ganharam", como garotinhas na barraca de pescaria em uma festa junina, comparando seus prêmios. "O que você conseguiu? Mostre a sua prenda. Olhe só a minha."

O barulho dentro do carro era ensurdecedor, com Meredia e Megan disputando para contar suas histórias.

— Ela descobriu que eu era australiana! — exclamou Megan, empolgada. — Disse que vai haver uma espécie de ruptura com o passado, um corte na minha vida, mas coisas boas vão acontecer por causa disso, e vou conseguir encarar tudo de forma maravilhosa, do jeito que costumo fazer — disse o finalzinho da frase de forma um pouco convencida. — Então talvez seja a hora mesmo de pôr o pé na estrada novamente — continuou. — De qualquer modo, não vou precisar olhar mais para as caras feias de vocês por muito tempo!

— Ela disse que eu ia receber um dinheiro — disse Meredia, feliz.

— Que bom! — exclamou Hetty, parecendo estranhamente amarga. — Assim você vai poder me pagar as vinte libras que me deve.

Reparei que Hetty estava mais quieta do que de costume. Não estava fazendo bagunça conosco, nem entrando no clima de gozação e empolgação. Continuava apenas dirigindo o carro, olhando direto para a frente.

Será que seu corpo sensível ainda estava em estado de choque pelo contato próximo com aquelas crianças da classe operária? Ou será que era alguma outra coisa?

— O que foi que ela lhe disse, Hetty? — perguntei, um pouco preocupada. — Previu alguma coisa de ruim para você?

— Sim — respondeu Hetty, baixinho. Parecia que estava quase chorando.

— O que foi? O que ela previu? — explodimos todas ao mesmo tempo, chegando o rosto mais para perto dela, ansiosas por ouvir as previsões terríveis: acidentes, doenças, mortes, falências, execuções de hipotecas, aquecedores explodindo, sei lá.

— Ela me disse que muito em breve vou encontrar o grande amor da minha vida — explicou, quase chorando.

Um silêncio profundo baixou sobre o carro. Puxa vida! Isso era mau. Muito mau.

Muito mau mesmo.

Pobre Hetty!

É desagradável, para uma pessoa, descobrir que vai encontrar o grande amor de sua vida quando já é casada e tem dois filhos.

— Ela disse que vou ficar com a cabeça totalmente virada por ele — fungou Hetty. — Vai ser horrível! Jamais aconteceu um caso de divórcio na minha família! E quanto a Marcus e Montague? (Ou poderia ter sido Troilus e Tristan? ou Cecil e Sebastian?) Eles já estão achando o colégio interno tão difícil de aguentar, como é que vão lidar com o embaraço adicional de ter uma mãe largada?

— Ora, querida — disse eu, tentando ser simpática —, foi tudo brincadeira. Provavelmente nada disso vai acontecer.

Isso só serviu para fazer as lágrimas de Hetty aumentarem.

— Mas *por que* não posso encontrar o grande amor da minha vida? Eu *quero* encontrá-lo

Megan, Meredia e eu trocamos olhares chocados. Minha nossa! Aquilo era muito irregular. Será que a normalmente calma, sã e controlada (eu diria até mesmo chata) Hetty estava tendo algum tipo de chilique?

— Por que *eu* não posso me divertir um pouco? Por que *eu* tenho que ficar atrelada a vida inteira com o velho Dick, aquele chato de galochas? — quis saber ela.

E batia com a palma da mão no volante a cada vez que dizia "eu", fazendo o carro se desviar da estrada de forma alarmante, invadindo a outra pista. Em volta de nós, todos estavam buzinando, apavorados, mas Hetty parecia não perceber.

Eu estava assombrada. Já trabalhava com Hetty há uns dois anos e, apesar de jamais termos sido almas gêmeas, achei que a conhecia muito bem.

Houve um silêncio de embaraço no carro enquanto Meredia, Megan e eu engolíamos em seco, tentando encontrar, sem conseguir, um jeito de dizer coisas consoladoras.

Foi a própria Hetty que salvou a situação. Não era à toa que ela tinha uma prima em décimo quarto grau, transferida três vezes de local de trabalho, sempre funcionando como assistente da rainha. Hetty não frequentara uma escola caríssima para sair de lá sem ter aprendido a amenizar situações sociais desconfortáveis.

— Sinto muito — disse ela, subitamente voltando a ser a Hetty de sempre, a educação e gentileza em pessoa, elegante, serena, reservada e de volta ao seu lugar, com firmeza. — Sinto muito, meninas — repetiu. — Vocês precisam me desculpar.

Limpando a garganta, colocou as costas eretas e levantou os ombros, indicando que não havia mais nada a comentar sobre aquele assunto. Dick e a sua chatice extrema não eram mais assuntos para discussão.

Que pena! Sempre tive vontade de saber mais sobre aquilo Porque, para ser franca, Dick me parecia, mesmo, ser *extremamente* chato. Por outro lado, como já disse, e falo isso da forma mais gentil possível, também achava Hetty uma chata.

— E então, Lucy? — perguntou ela, falando rápido e desviando as últimas migalhas de interesse para longe dela. — O que a Sra. Nolan predisse para você?

— Para mim? — perguntei. — Ah, sim... ela disse que vou me casar.

Outro silêncio desceu sobre o carro.

Outro silêncio daqueles, provocados pelo choque.

A descrença de Megan, Meredia e Hetty era tão palpável que até parecia uma quinta pessoa dentro do carro. Mais um pouco e ela ia acabar tendo de rachar a gasolina também!

— Sério? — perguntou Hetty, conseguindo, não sei como, pronunciar dezesseis sílabas com uma só palavra.

— Foi — respondi, na defensiva. — O que há de tão estranho nisso?

— Na verdade, nada — disse Meredia, de forma gentil. — É que, sabe, você não tem tido muita sorte com os homens.

— Não que a culpa seja sua, é claro — acudiu Hetty, apressada, com todo o tato.

Hetty tinha muito tato.

— Bem, foi isso o que ela me falou — confirmei, com cara amarrada.

Elas realmente não sabiam o que dizer diante daquilo, e a conversa ficou meio parada, até que finalmente voltamos à civilização. Fui a primeira a saltar, porque morava em Ladbroke Grove. A última coisa que ouvi, ao sair do carro, foi Meredia contando para quem quisesse ouvir que a Sra. Nolan vira para o futuro dela uma viagem por sobre o mar, e também afirmou que ela possuía um pouco de mediunidade.

CAPÍTULO 5

Eu dividia um apartamento com duas outras garotas, Karen e Charlotte. Karen tinha vinte e oito anos, eu, vinte e seis, e Charlotte, vinte e três. Éramos um mau exemplo umas para as outras, e gastávamos muito do nosso tempo bebendo garrafas de vinho e pouco do nosso tempo lavando o banheiro.

Quando entrei em casa, Karen e Charlotte já estavam dormindo. Normalmente íamos para a cama cedo nas noites de segunda-feira, para nos recobrarmos dos excessos do fim de semana.

Karen deixara um bilhete sobre a mesa da cozinha, avisando que Daniel ligara para mim.

Daniel era um amigo meu e, embora fosse o mais próximo que se possa ter da ideia de um homem fixo em minha vida, não me envolveria romanticamente com ele nem que o futuro da raça humana dependesse de nós. Portanto, isso serve para dar a vocês uma ideia do quanto a minha vida estava sem uma presença masculina.

Minha vida estava na variedade "homem em quantidades reduzidas", o tipo de vida "homem light".

Daniel era maravilhoso, realmente era. Os namorados vinham, os namorados iam (e podem acreditar, eles iam *mesmo*), mas eu sempre podia contar com Daniel para representar o papel de namorado na minha vida, me chatear com comentários machistas e dizer que preferia a saia mais curta e mais apertada.

E ele não era feio não, pelo menos foi o que me falaram. Todas as minhas amigas diziam que ele era lindo. Até Dennis, meu amigo gay, dizia que ele não chutaria Daniel para fora da cama nem se ele estivesse comendo um saquinho de batatas fritas embaixo dos lençóis. Sempre que Karen atendia o telefone e era ele, começava a fazer caras e bocas, como se estivesse tendo um orgasmo. Às vezes, Daniel vinha até o nosso apartamento e, depois que ele ia embora, Karen e Charlotte se deitavam na ponta do sofá em que ele estivera sentado e se retorciam todas, fazendo ruídos com a boca como se estivessem em êxtase.

Eu não entendia o porquê de toda aquela agitação. Afinal, Daniel era amigo do meu irmão Chris, eu já o conhecia há anos, anos e mais anos. Simplesmente o conhecia bem demais para me interessar por ele. Ou para ele se interessar por mim, tanto faz.

Houve um momento, certa vez, milhares de anos-luz atrás, em que Daniel e eu lançamos um para o outro sorrisos tímidos durante uma música do Duran Duran, e pensamos em trocar uns beijinhos. Mas, pensando bem, acho que isso não aconteceu realmente. Pelo menos não me *lembro* com clareza de nenhuma vez em que tivesse me sentido desse jeito com ele. Acho que apenas imaginei que sim, porque, em meio às emoções desenfreadas da minha adolescência, naquela época eu vivia a fim de quase todo mundo do sexo oposto.

No fundo, foi bem melhor que Daniel e eu não sentíssemos atração um pelo outro, porque, se *tivéssemos* transado, Chris teria de se dar ao trabalho de tentar espancar Daniel, por ele ter violado a honra de sua irmã, e eu não queria trazer esse tipo de problema para ninguém.

Karen e Charlotte, equivocadamente, invejavam o meu relacionamento com Daniel.

Costumavam balançar a cabeça, incrédulas, dizendo:

— Sua sortuda de uma figa! Como é que você consegue se sentir tão à vontade perto dele? Como é que consegue até ser engraçada e fazê-lo rir? A gente mal consegue pensar em alguma coisa para falar!

Mas isso era fácil para mim, porque eu realmente não sentia interesse por ele. Quando me interessava *de verdade* por alguém, entrava em pânico, derrubava as coisas e puxava assunto, dizendo coisas como "você já imaginou como se sentiria se fosse um radiador?".

Olhei para o bilhete que Karen deixara para mim — havia até mesmo uma mancha no papel que ela marcara com uma seta, explicando "isso é baba" — e me perguntei se devia ligar para o Daniel. Decidi que não, porque ele podia já estar na cama.

Acompanhado, se é que me entendem.

Ah, que se danassem o Daniel e sua vida sexual! Eu *queria* falar com ele.

O que a Sra. Nolan me dissera estava entulhando minha cabeça. *Não* aquela parte sobre eu me casando, pois é claro que eu não era tola o bastante para levar isso realmente a sério. O que ela dissera, porém, sobre me ver debaixo de uma nuvem escura me fizera lembrar das crises de depressão e do quanto elas foram terríveis. Eu *podia* acordar Karen e Charlotte para conversar, mas resolvi que não. Além do fato de que elas iam virar umas araras enfurecidas se fossem despertadas do sono por outra razão que não fosse uma festa improvisada, nenhuma das duas sabia nada a respeito da minha depressão.

É claro que, às vezes, eu dizia que estava deprimida, e quando elas me perguntavam "mas por quê?", e eu lhes contava a respeito de um namorado infiel, ou um dia ruim no trabalho, ou não conseguir entrar na saia que comprara no verão passado, elas se mostravam mais do que solidárias.

Mas não imaginavam que, às vezes, eu ficava deprimida com "D" maiúsculo. Daniel era uma das poucas pessoas fora da minha família que realmente sabiam.

Eu tinha vergonha de me sentir assim. As pessoas achavam que a depressão era uma doença mental e que, em consequência dela, eu era uma doida completa com quem precisavam falar bem devagar e de quem era melhor se manter longe. Ou, mais frequentemente, achavam que não existia essa história de depressão, e tudo era apenas um conceito vago e neurótico. A versão atualizada da pessoa que "sofre dos nervos", que todo mundo considerava como "uma pessoa que sente pena de si mesma, sem motivos". Ou achavam que eu estava simplesmente de frescura, entregando-me a alguma ansiedade adolescente que já passara totalmente da data de validade. E que tudo o que eu tinha de fazer era simplesmente "me controlar", "sair fora dessa" e "levar a vida na esportiva".

Eu conseguia entender essa atitude, porque *todo mundo* fica deprimido de vez em quando. Faz parte da vida, faz parte do pacote, dias ensolarados e outros com dor de ouvido.

As pessoas ficam deprimidas por causa de dinheiro (por não terem o bastante, é claro, não a preocupação do tipo "o dinheiro não está indo muito bem na escola" ou "ele perdeu muito peso ultimamente"). Coisas desagradáveis aconteciam com as pessoas: relacionamentos eram rompidos, empregos eram perdidos, os aparelhos de televisão enguiçavam dois dias depois de acabar a garantia e assim por diante. E as pessoas se sentiam péssimas a respeito dessas coisas.

Eu *sabia* de tudo isso, mas a depressão que me acometia não era uma crise ocasional de tristeza, ou uma dose da insatisfação brava do tipo Holly Golightly,* embora eu também sentisse essas coisas, aliás, com frequência. Mas também um monte de gente sente isso, especialmente se tiver bebido muito e dormido pouco a semana inteira, mas esse tipo de tristeza e de insatisfação brava era coisa de criança se comparado com os demônios negros e assassinos que desciam sobre mim de vez em quando para brincar de crucificar a minha cabeça.

A minha não era uma depressão comum, ah, *não,* a minha era o modelo super, de luxo, topo de linha, versão completa.

Não que isso parecesse óbvio de imediato na primeira vez em que a pessoa me via. Eu não me sentia podre o tempo *todo*. Na verdade, durante boa parte do tempo eu era brilhante, envolvente e tinha personalidade marcante. Mesmo quando me sentia terrível, fazia força para não aparentar. Só quando as coisas começavam a ficar tão desesperadoras que já não dava mais para esconder é que eu me enfiava na cama por um período que variava de dois dias a uma semana, e esperava aquilo passar. O que invariavelmente acontecia, mais cedo ou mais tarde.

A pior crise de depressão que tive foi, na verdade, a primeira.

Tinha dezessete anos, era o verão em que terminara a escola e então, sem motivos, a não ser os óbvios, enfiei na cabeça a ideia de que o mundo era um lugar muito triste, solitário, injusto, cruel e doloroso.

Ficava deprimida por causa de coisas que estavam acontecendo com pessoas de recantos longínquos do mundo, gente que não conhecia nem, provavelmente, viria a conhecer, ainda mais se considerarmos que o motivo principal de eu me sentir daquele jeito era o

---

* Personagem em conflito interno, protagonista do filme *Bonequinha de Luxo* e interpretada por Audrey Hepburn. (N.T.)

fato de eles estarem morrendo de fome, ou de alguma praga contagiosa, ou pelo fato de que a sua casa lhes tinha caído por sobre a cabeça durante um terremoto.

Chorava diante de qualquer notícia que visse ou ouvisse, fossem elas desastres de carro, povos famintos, guerras, programas de tevê sobre as vítimas da Aids, histórias de mães que morreram e deixaram filhos pequenos, reportagens sobre esposas espancadas, entrevistas com homens que perderam o emprego nas minas de carvão, aos milhares, e sabiam que, mesmo tendo apenas quarenta anos, jamais conseguiriam emprego novamente. E também artigos de jornal a respeito de famílias de seis pessoas que eram obrigadas a se alimentar com cinquenta libras por semana, além de imagens de mulas maltratadas. Até mesmo aquela vinheta que mostravam no final do noticiário, em que aparecia um cão correndo em volta de uma bicicleta, dizendo "quero salsicha!", me causava uma dor profunda, porque eu sabia que era apenas uma questão de tempo até que o cãozinho acabasse morrendo.

Um dia achei uma luva de criança na calçada perto de casa. Era toda em lã azul e branca, e a dor que isso me provocou foi insuportável. Pensar em uma pequena mãozinha enregelada, ou na outra luvinha, tão sozinha sem a sua companheira era tão pungente que eu derramava lágrimas quentes, soluçando sem parar a cada vez que olhava para a luva.

Depois de algum tempo, já não saía de casa. E logo depois, nem levantava mais da cama.

Era horrendo. Eu sentia como se estivesse envolvida pessoalmente com cada foco de tristeza que havia no mundo. Era como se eu tivesse uma rede mundial de dor dentro da cabeça, uma rede maior do que a Internet, e cada átomo de pesar que já havia existido estivesse sendo canalizado através de mim, antes de ser empacotado e enviado a diversas áreas, como se eu fosse a centralizadora da miséria humana.

Minha mãe entrou em ação. Com a eficiência de um ditador que se sente ameaçado por um *golpe de Estado*, me impôs uma restrição total de notícias. Fui banida da frente da televisão e, por coincidência, essa foi uma daquelas vezes em que meus pais tinham deixado alguns pagamentos em atraso — provavelmente o aluguel —, e os oficiais de justiça apreenderam vários itens da nossa mobília, incluindo a televisão, levando-os sob custódia, de modo que eu não teria assistido à tevê de qualquer jeito.

Todas as noites, quando meus irmãos chegavam, minha mãe os revistava na porta da frente e recolhia qualquer jornal que eles pudessem ter escondido em algum bolso, para só então permitir que entrassem em casa.

Não que a sua repressão à imprensa fizesse alguma diferença. Eu tinha uma admirável capacidade de localizar uma tragédia, por menor que fosse, em qualquer lugar, e conseguia chorar até mesmo diante da descrição de pequenos bulbos de flores que morriam sob as nevascas, no inverno, conforme soube por uma revista de jardinagem, meu único material liberado para leitura.

Finalmente, o doutor Thornton foi chamado, não sem antes se passar um ou dois dias em que toda a casa foi limpa e arrumada de forma frenética, em homenagem à sua chegada. Ele diagnosticou depressão e — surpresa, surpresa! — me prescreveu antidepressivos, que eu não queria tomar.

— De que vão adiantar esses remédios? — eu soluçava, olhando para ele. — Os antidepressivos vão trazer de volta os empregos daqueles pobres homens em Yorkshire? Vão ajudar a encontrar o par dessa... dessa... (a essa altura, eu já estava ofegante e falando de forma incompreensível, por causa do choro)... dessa LUVINHA!? — lamentei.

— Ah, quer calar a boca e parar de falar nessa porcaria de luvinha? — repreendeu a minha mãe, com rispidez. — Ela já me encheu o saco com essa história de luvinha de lã, doutor. Pode deixar que ela vai adorar tomar essas pílulas.

Minha mãe era como muitas daquelas pessoas que não conseguiram terminar os estudos, e acreditava que qualquer um que tivesse frequentado a universidade, especialmente os médicos, eram pessoas parecidas com o papa, em sua infalibilidade. Tomar narcóticos prescritos por eles era uma espécie de coisa mística e sagrada.

(Eu não sou digno de recebê-lo, mas diga apenas uma palavra e serei curado.)

Além do mais, ela era irlandesa, tinha um tremendo complexo de inferioridade e achava que tudo o que os ingleses sugeriam tinha de estar certo (o doutor Thornton era inglês).

— Deixe comigo! — minha mãe assegurou ao doutor Thornton. — Vou fazer com que ela tome os remédios.

E foi o que fez.

Depois de algum tempo, comecei a me sentir melhor. Não feliz, nem nada desse tipo. Ainda sentia que estávamos todos condenados e que o futuro era um lugar desolado, todo cinza, mas não ia fazer mal se eu me levantasse da cama por meia hora para assistir a *Eastenders*.*

Depois de quatro meses, o doutor Thornton disse que já era hora de eu parar de tomar os antidepressivos. Toda a família segurou a respiração, esperando para ver se eu ia conseguir voar com minhas próprias asas ou mergulhar em parafuso de volta para aquele terrível inferno da luvinha abandonada.

Só que a essa altura eu já começara as aulas de secretariado e readquirira a fé no futuro, ainda que de forma frágil.

Novos horizontes se abriram com o curso. Aprendi muitas coisas estranhas e fantásticas. Fiquei surpresa ao saber que a veloz raposa marrom pula sobre o cão preguiçoso,** que antes de "b" e "p" sempre se usa "m", e nunca "n", e que se eu começar uma carta dizendo "Prezado Senhor" e terminar com a palavra "Afetuosamente", o mundo pode se acabar de uma hora para outra.

Aprendi a dominar a difícil arte de me sentar com um notebook fininho no colo e de cobrir uma página inteira com cobrinhas e rabiscos. Trabalhei duro para ser a secretária perfeita, avançando rapidamente para o nível de quatro Bacardis e Cocas light em uma única noitada com as garotas, e o meu conhecimento sobre os produtos em estoque na Miss Selfridges*** era, nessa época, enciclopédico.

Jamais me ocorreu que talvez eu devesse ter feito alguma outra coisa na vida. Por muito tempo, achei que era uma honra tão grande ter a chance de fazer treinamento para secretária que nem sequer percebi o quanto aquilo me entediava. E mesmo que eu *tivesse* percebido o quanto aquilo me entediava não teria conseguido escapar

---

* A mais popular telenovela inglesa, no ar há vários anos. (N.T.)

** No original, *The quick brown fox jumps over the lazy dog*, frase usada, em inglês, para testar teclados de computador, pois todas as letras do alfabeto são usadas para escrevê-la. (N.T.)

*** Conhecida loja de roupas da Inglaterra. (N.T.)

porque a minha mãe, uma mulher muito determinada, mostrava-se inflexível sobre aquilo ser o melhor para mim. Ela chegou a chorar de alegria no dia em que peguei o meu diploma, o qual provava que eu conseguia movimentar os dedos tão rápido que dava para escrever quarenta e sete palavras por minuto.

Se o mundo fosse mais justo, *ela* teria se matriculado nos cursos de datilografia e estenografia, e não eu, mas não foi assim que as coisas aconteceram.

Da escola, fui a única garota da sala que fez secretariado. Tirando Gita Pradesh, que fez faculdade de educação física, todas as outras ficaram grávidas, se casaram, arrumaram emprego de repositoras de prateleiras nas lojas Safeway, ou uma combinação dessas três opções.

Eu era muito boa na escola, ou, pelo menos, tinha muito medo das freiras e da minha mãe para ser um fracasso completo.

Só que também tinha medo de algumas das outras garotas na sala para ser um sucesso total. Havia uma gangue de garotas "espertas" que fumavam, usavam delineador, tinham peitos muito desenvolvidos para a idade e, segundo os boatos, faziam sexo com os namorados. Eu vivia doida para me tornar uma delas, mas não tinha chance, porque, às vezes, tirava boas notas.

Certo dia tirei sessenta e três em uma prova de biologia e tive sorte de escapar com vida, o que não foi muito justo, já que as questões eram sobre o sistema reprodutor humano, e elas provavelmente sabiam muito mais a respeito do assunto do que eu, e teriam tirado notas muito mais altas se pelo menos tivessem se dado ao trabalho de aparecer para fazer a prova.

Sempre que havia um teste na escola, porém, elas traziam atestados de doença falsos, assinados pelas mães.

As mães eram ainda mais assustadoras do que as filhas, e se as freiras levantavam alguma dúvida a respeito da autenticidade dos atestados e tascavam uma merecida punição nas alunas, as mães — e, às vezes, até os pais — vinham até a escola e provocavam o maior tumulto, ameaçando agredir as freiras, acusando-as de chamar as filhas de mentirosas e avisando aos berros que iam "dar parte" delas.

Uma vez, quando Maureen Quirke trouxe três atestados no mesmo mês, cada um deles pedindo para que ela fosse dispensada da prova por estar menstruada, a irmã Fidelma a esbofeteou e perguntou: "Você acha que sou idiota, garota?" Poucas horas depois, a Sra. Quirke chegou à escola como um anjo vingador. (Como Maureen contou, tempos depois, a parte mais engraçada de tudo aquilo era que, na verdade, ela estava grávida naquela época, embora ainda não soubesse disso quando escreveu os atestados.) A Sra. Quirke berrou para a irmã Fidelma: "Ninguém tem o direito de encostar o dedo em minhas filhas. Ninguém, a não ser eu e o Sr. Quirke! Vá arrumar um homem, sua ameixa seca ridícula, e deixe minha Maureen em paz!"

Então, marchou de forma arrogante através dos portões da escola, arrastando Maureen pela mão e dando tapas nela por todo o percurso até em casa. Eu soube disso com detalhes porque, ao chegar em casa na hora do almoço, meu pai voou em cima de mim, doido para saber das novidades, dizendo: "Eu vi a filha dos Quirke passando com a mãe pela rua ainda há pouco, e a mãe estava metendo a porrada na filha. Conte logo, o que aconteceu?"

Assim, quando parei de tomar antidepressivos e fui estudar secretariado, minha depressão não voltou com toda a fúria, mas também não foi embora de vez. E, por estar morrendo de medo de ficar deprimida novamente, eu, que não queria mais tomar remédios, dediquei a minha vida a encontrar as melhores formas de manter a nuvem escura a distância, *au naturel*.

Queria banir por completo a depressão da minha vida, mas tive de me contentar em deixá-la represada, constantemente reforçando minhas trincheiras emocionais.

Desse modo, junto com a natação e a leitura, combater a depressão se transformou em um hobby. Na verdade, a natação não era assim um hobby no sentido literal. Seria mais apropriado colocá-la sob o gênero Combate à Depressão, subgênero Exercícios, categoria leve.

Eu lia tudo o que caía em minhas mãos a respeito do assunto "depressão", e nada me levantava mais o astral do que uma história boa e suculenta sobre alguém famoso que sofria horrores por causa dela.

Reportagens sobre pessoas que passavam meses a fio na cama, sem comer, sem falar, só olhando para o teto, com as lágrimas descendo lentamente pelas faces e desejando energia suficiente para se matar me deixavam extremamente empolgada.

Eu estava em companhia de gente muito importante.

Churchill chamava a própria depressão de "meu cão negro", só que, aos dezoito anos, isso me deixava confusa, porque eu adorava cães. É claro que isso foi antes de a imprensa inventar os pit bulls. Depois disso, passei a compreender exatamente o que Winston sentia.

Sempre que eu entrava em uma livraria, fingia que estava só dando uma olhada nas novidades e, antes de perceber, já passara direto pelos lançamentos, pelas seções de ficção, crime, ficção científica, culinária, decoração e histórias de horror, continuava em frente pela seção de biografias (dando só uma paradinha para ver se alguma vítima de depressão publicara recentemente a história de sua vida) e, de algum modo, como em um passe de mágica, sempre acabava na seção de autoajuda, onde passava horas a fio lendo livros que pudessem me consertar ou apresentassem a solução mágica que levaria embora, ou pelo menos aliviaria, as garras corrosivas que estavam quase sempre comigo.

É claro que muitos desses livros de autoajuda aconselhavam tantas coisas doidas que eram capazes de jogar a pessoa mais feliz e equilibrada no desespero. Havia alguns que até mesmo um daqueles malucos nascidos em San Francisco teria dificuldade de encarar sem cair na risada. Títulos como *Fobia de Ir para a Rua? Não Saia de Casa sem Este Livro* ou *Cleptomania — Um Guia para Você se Servir à Vontade* não estavam muito fora das possibilidades.

Apesar disso, eu normalmente gastava algum dinheiro em um pequeno volume que me encorajava a "sentir o medo e ir em frente assim mesmo" ou quem sabe "curar a minha vida", ou que ensinasse que talvez não fosse uma má ideia "redescobrir a minha criança interior", ou que me levasse a refletir sobre "por que preciso de alguém que me ame antes de gostar de mim mesma".

Do que eu precisava mesmo era de um livro de autoajuda que me ajudasse a parar de comprar livros de autoajuda, porque eles não ajudavam em nada.

Como diria meu pai, eles "só serviam para uso sanitário", o que é que isso significasse.

Os livros me faziam sentir culpada. Não bastava apenas lê-los. Para que funcionassem, eu tinha de *fazer coisas* como, por exemplo, ficar em pé na frente de um espelho e dizer para mim mesma cem vezes que eu era linda. Isso se chamava "afirmação". Ou passar meia hora todas as manhãs imaginando que estava embebida em amor e afeição. Isso se chamava "visualização". Ou fazer listas de todas as coisas boas na minha vida. Isso se chamava "fazer listas de todas as coisas boas na minha vida".

Normalmente eu lia o livro, fazia tudo o que ele sugeria durante dois dias e depois ficava cansada, ou entediada, ou era pega de surpresa pelos meus irmãos enquanto conversava de modo sedutor olhando para o meu reflexo. (Nunca esqueci a gigantesca gozação que tive de aturar por causa *desse* mico.)

Então eu me sentia deprimida *e* culpada. Dizia a mim mesma que as instruções do livro estavam fundamentalmente erradas por não me fazerem sentir melhor, e acabava abandonando o projeto todo com a consciência limpa.

Tentei um monte de outras coisas: óleo de prímula vespertina, vitamina B6, exercícios em excesso, fitas de autoajuda de ação subconsciente, para tocar quando dormimos, ioga, pilates, tanque de flutuação, massagem aromaterápica, shiatsu, reflexologia, a dieta do levedo, a dieta que corta o levedo, a dieta que corta o açúcar, comida vegetariana, a dieta "encha-se de carne" (não sei se existe um nome para isso), um ionizador, um curso de pensamento positivo, terapia do sonho, regressão a vidas passadas, oração, meditação e terapia da luz solar (um feriado em Creta, para ser precisa). Por algum tempo não comi nada a não ser laticínios, mas depois abandonei os laticínios por completo (entendi errado o artigo, na primeira vez que li), e finalmente senti que se eu tivesse de passar mais um dia sem comer uma barra de chocolate iria acabar me matando de qualquer jeito.

Apesar de nenhuma dessas medidas ter se mostrado como a Solução Definitiva, pelo menos funcionaram por algum tempo, e nunca mais fiquei tão deprimida quanto na primeira vez.

Só que a Sra. Nolan dissera algo sobre a ajuda estar ao meu alcance, se ao menos eu a buscasse. Gostaria de ter levado um gravador para a sessão, porque não conseguia me lembrar exatamente do que ela falara.

O que ela queria dizer com aquilo?

A única coisa na qual conseguia pensar era que talvez ela estivesse insinuando que eu devia procurar ajuda profissional e me consultar com algum tipo de conselheiro ou terapeuta, ou um psicoisso ou aquilo. O problema é que, um ano antes, eu já fora me consultar com uma espécie de terapeuta. Resolvi vê-la por algum tempo, pelo menos por umas oito semanas, e aquilo acabou sendo um desperdício de tempo.

CAPÍTULO 6

Seu nome era Alison, e eu costumava me consultar com ela uma vez por semana. Sentávamos em uma salinha simples e tranquila para tentarmos descobrir o que havia de errado comigo.

Apesar de termos descoberto um monte de coisas interessantes, como o fato de que eu ainda guardava mágoa de Adrienne Cawley por ela ter me presenteado com um jogo que dizia na caixa "para crianças de dois a cinco anos", no meu sexto aniversário, não me pareceu que eu estivesse descobrindo mais do que já conseguira por mim mesma, em incontáveis noites de insônia.

Naturalmente, a primeira coisa que Alison e eu fizemos foi uma psicoterapêutica caça às bruxas que se chamava "Cherchez la Famille", onde tentávamos jogar na minha família a culpa por tudo o que havia de errado com a minha psique danificada.

Mas não havia nada de estranho com a minha família, a não ser as esquisitices normais.

Tinha um relacionamento perfeitamente normal com meus dois irmãos, Chris e Peter. Isto é, passei toda a infância odiando-os profundamente, e eles retribuíam isso de modo fraternal e bem tradicional, fazendo da minha vida um inferno. Obrigavam-me a ir ao mercado para eles quando eu não queria, monopolizavam a televisão, quebravam meus brinquedos, rabiscavam o meu dever de casa, diziam que eu era adotada e os meus pais verdadeiros estavam na cadeia por roubarem um banco. Depois confessavam que era tudo brincadeira e a minha mãe verdadeira, na realidade, era uma bruxa. E quando mamãe e papai saíam para ir ao pub, contavam-me que eles haviam fugido, nunca mais iam voltar e eu ia ser levada para um orfanato, onde seria espancada e só poderia comer mingau queimado e tomar chá frio. As tradicionais brincadeiras entre irmãos.

Contei tudo isso para Alison, e quando cheguei à parte sobre pa pai e mamãe irem ao pub ela se agarrou nesse detalhe, com alegria:

— Conte-me tudo sobre as vezes em que seus pais saíam para beber — pediu ela, recostando-se na cadeira e remexendo-se toda para ficar mais confortável, pronta para a imensa torrente de revelações que esperava que se seguissem.

— Não posso lhe contar nada — expliquei. — Minha mãe não bebe.

Alison pareceu desapontada.

— E o seu pai? — perguntou ela, esperançosa, vendo que nem tudo estava perdido.

— Bem, *ele* bebe — respondi.

Ela adorou ouvir isso.

— Bebe? — perguntou ela, em um tom de voz extragentil. — E você quer conversar sobre isso?

— Bem, quero — respondi, meio confusa. — Só que não há nada de especial para contar a respeito disso. Quando falei que ele bebe, não quis dizer que ele tem um problema.

— Hummmmm — concordou ela, gentilmente, entendendo tudo. — E o que você quer dizer com "tem um problema"?

— Não sei — respondi. — Acho que estou falando de meu pai ser alcoólatra. E ele não é.

Ela não disse nada.

— Ele não é. — Ri. — Desculpe, Alison, eu adoraria contar a você que o meu pai passou toda a minha infância embriagado, que nunca tínhamos dinheiro suficiente, que ele batia em todos, gritava conosco, tentava fazer sexo comigo e dizia para a minha mãe que estava arrependido por ter se casado com ela.

Alison não me acompanhou na risada e me senti ligeiramente tola.

— O seu pai *realmente* dizia que estava arrependido por ter se casado com a sua mãe? — perguntou ela, com calma e dignidade.

— Não — respondi, meio sem graça.

— Não? — insistiu Alison.

— Bem, quase nunca — admiti. — E só quando estava bêbado. E isso era quase nunca também.

— E você *achava* que a sua família jamais tinha dinheiro suficiente? — perguntou ela.

— Não, jamais tivemos pouco dinheiro — respondi, com firmeza.

— Ótimo — disse Alison.

— Olhe, isso não é bem verdade — eu me vi forçada a admitir. — Sempre estávamos com pouco dinheiro, mas isso não acontecia porque o meu pai bebia, é que simplesmente a gente... não tinha muito dinheiro.

— E por que vocês não tinham muito dinheiro? — quis saber Alison.

— Porque meu pai não conseguia arrumar emprego — expliquei, ansiosa. — Veja só, ele não possuía nenhuma qualificação profissional porque teve que largar os estudos aos catorze anos, quando seu pai morreu e ele foi obrigado a tomar conta da mãe.

— Entendo — disse ela.

Na verdade, papai costumava dizer um monte de outras coisas a respeito do seu desemprego, mas eu me senti estranhamente relutante em contar isso a Alison.

Uma das memórias mais claras da minha infância era a de papai sentado à nossa mesa da cozinha, explicando de forma passional os defeitos do sistema econômico. Costumava dizer que no mercado de trabalho inglês os irlandeses sempre ficavam com "a ponta cagada do bastão", e que Seamus O'Hanlaoin, Michael O'Herlihy e o resto deles não passavam de uma cambada de vermes e "baba-ovos", porque puxavam o saco dos chefes ingleses pela frente, mas metiam o pau neles pelas costas. E que, embora Seamus O'Hanlaoin e Michael O'Herlihy e todo o resto pudessem ter seus empregos, pelo menos ele, Jamsie Sullivan, tinha integridade.

Isso devia ser muito importante para ele, porque vivia repetindo essa frase.

E repetiu ainda mais vezes no dia em que Saidbh O'Herlihy e Siobhán O'Hanlaoin foram para a Escócia com uma excursão da escola, e eu não.

Não queria contar nada disso a Alison porque temia que isso pudesse ofendê-la, caso ela tomasse a condenação de meu pai aos possíveis chefes ingleses como algo contra ela.

Comecei a contar a Alison sobre os empregos que meu pai tentou e não conseguiu, mas ela cortou as minhas lembranças:

— Vamos ter que deixar isso para a semana que vem. — E se levantou.

— Oh, já está na hora? — perguntei, abalada pela forma abrupta como a sessão terminara.

— Sim — disse Alison.

Uma onda de culpa me inundou. Eu preferia não ter parecido desleal com papai.

— Olhe, não quero que você fique achando que o meu pai não era um homem legal ou algo desse tipo — disse, desesperada. — Ele é adorável, e eu o amo muito.

Alison lançou-me um sorriso de Mona Lisa, sem deixar transparecer nada, e disse:

— Vejo você na semana que vem, Lucy.

— Estou falando sério, ele é ótimo — insisti.

— Sim, Lucy — e sorriu mais, dessa vez mostrando os dentes. — Vejo você na semana que vem.

E a semana seguinte foi pior ainda. De algum modo, Alison conseguiu arrancar de mim a história de eu não ter ido à Escócia com a excursão da escola.

— Você não se importou? — quis saber ela.

— Não — respondi.

— Não sentiu raiva do seu pai? — perguntou.

— Não — respondi novamente.

— Mas por que não? — A essa altura, ela já estava me parecendo desesperada. Foi a primeira vez em que eu a vi mostrar alguma emoção.

— Porque simplesmente não fiquei com raiva — expliquei.

— Qual foi a reação do seu pai quando ficou claro que você não poderia ir? — perguntou ela. — Você se lembra?

— É claro que lembro — disse, surpresa. — Ele me falou que a sua consciência estava limpa.

Na verdade, "minha consciência está limpa" era uma coisa que papai dizia muitas vezes. "Consigo pegar no sono assim que caio na cama" era outra. E ele tinha razão. Muitas vezes ele conseguia pegar no sono muito antes de ir para a cama. Isso normalmente acontecia nas noites em que ele havia bebido um pouco.

De algum modo, também acabei contando tudo isso para Alison.

— Conte-me sobre essas noites em que ele... hã... bebia um pouco — pediu ela.

— Ai, você faz isso parecer tão ruim — reclamei. — Não era assim tão mau, era até legal. Ele apenas, sabe, cantava e chorava um pouco.

Alison olhou para mim sem dizer nada e, para quebrar o silêncio, eu me apressei em completar:

— Mas não era triste quando ele chorava, porque eu sabia que, de um modo curioso, ele estava contente por estar triste, se você entende o que quero dizer.

Alison obviamente não entendia.

— Vamos continuar a conversar sobre isso na semana que vem — disse ela. — A sessão terminou.

Mas nós não voltamos a conversar sobre aquilo na semana seguinte, porque eu nunca mais voltei ao consultório de Alison.

Eu me sentira manipulada por ela, obrigada a ser cruel a respeito de papai, e a sensação de culpa era horrível. Além disso, era eu que estava deprimida, portanto não conseguia compreender por que razão duas sessões inteiras haviam sido devotadas ao meu pai e a quanto ele bebia ou não bebia.

Do mesmo modo que seguir dietas faz você engordar, senti que fazer análise lhe traz problemas. Portanto, sinceramente esperava que a Sra. Nolan não estivesse sugerindo que eu fosse procurar outra Alison, porque eu não queria fazer isso não.

CAPÍTULO 7

Teríamos esquecido tudo sobre a Sra. Nolan e a experiência seria relegada a algum sótão escuro e empoeirado de nossas lembranças se duas coisas não tivessem ocorrido.

A primeira coisa que aconteceu foi a previsão de Meredia, que se tornou realidade. Bem... mais ou menos...

No dia seguinte à nossa ida à cartomante, Meredia chegou ao trabalho balançando alguma coisa acima dos cabelos tingidos, com jeito triunfante.

— Olhem só! — comandou. — Olhem, olhem, olhem!

Hetty, Megan e eu pulamos das nossas mesas e fomos até Meredia para olhar. A coisa que ela estava balançando sobre a cabeça era um cheque.

— Ela disse que eu ia receber um dinheiro, e *recebi* mesmo — gritou Meredia, toda excitada, enquanto executava alguns passos imprudentes de dança que derrubaram nove ou dez pastas no chão e lançaram ondas sísmicas por todo o prédio.

— Mostre, mostre — implorei, tentando agarrar o cheque da mão dela. Só que, para uma mulher tão grande, ela era surpreendentemente ágil.

— Vocês sabem há quanto tempo estou esperando por este dinheiro? — lançou ela, olhando de uma para outra. — Vocês têm *ideia* de quanto tempo faz que estou à espera disto?

Mudas, nós três balançamos a cabeça. Meredia certamente sabia como manter a plateia hipnotizada.

— Pois saibam que estou à espera disto há *meses* — bramiu ela, jogando a cabeça para trás. — Literalmente, *meses*.

— Que maravilha — disse eu. — Isto não é incrível?

— De quem é este cheque? — quis saber Hetty.

— De quanto é? — quis saber Megan, perguntando a única coisa realmente importante.

— É um reembolso do Clube do Livro — cantou Meredia, alegremente. — Vocês simplesmente não conseguem *imaginar* o número de cartas que tive que mandar para eles até conseguir essa grana de volta. Já estava a ponto de ir até Swindon pessoalmente, para reclamar.

Megan, Hetty e eu, confusas, trocamos olhares.

— Isso é do... *Clube do Livro*? — perguntei, lentamente. — Um reembolso do Clube do Livro?

— Sim — confirmou Meredia, suspirando de forma dramática. — Foi a maior lengalenga. Eu disse que não queria o livro do mês, mas eles o enviaram mesmo assim, e então...

— Quanto foi que você recebeu? — interrompeu Megan, de forma abrupta.

— Sete cinco zero — disse Meredia.

— E isso são setecentos e cinquenta libras ou sete libras e cinquenta? — perguntei, já temendo pelo pior.

— Sete *libras* e cinquenta — disse Meredia, parecendo aborrecida. — Que papo é esse de setecentos e cinquenta? O livro do mês tinha que ser de ouro maciço para que eu pagasse tanto assim por ele. Fala sério, Lucy, às vezes acho você meio estranha!

— Entendo — disse Megan, de forma realista. — Você recebeu um cheque de sete libras e cinquenta, a *quarta* parte do que pagou para a Sra. Nolan abrir as cartas, e está achando que a previsão dela de que ia entrar em uma grana preta se realizou? Foi isso mesmo o que aconteceu?

— Foi — disse Meredia, indignada. — Ela não falou *quanto* dinheiro eu ia receber. Disse apenas que o dinheiro vinha.

— E veio mesmo! — acrescentou ela, na defensiva.

— O que há de errado com vocês? — gritou, enquanto todas nos voltávamos de mansinho para nossas mesas, com o rosto cheio de desapontamento. — As expectativas de vocês são altas demais! Esse é o problema.

— Por um instante achei que as previsões iam todas se realizar. Só que, pelo jeito, não vou encontrar o grande amor da minha vida... — disse Hetty, com tristeza.

— E não vou ver o corte que vai ser o divisor de águas da minha vida — disse Megan. — A não ser que seja um corte de tecido.

— E eu não vou me casar — disse eu.

— Sem chance — concordou Megan.

— Nenhuma — disse Hetty, dando um suspiro longo.

O papo foi interrompido pela chegada do nosso chefe, Ivor Simmonds. Ou Ivor Veneno, como às vezes o chamávamos. Ou "aquele cretino sem-vergonha", como outras vezes também o chamávamos.

— Caríssimas damas — cumprimentou-nos, com uma cara que dizia que ele achava que nós éramos qualquer coisa, menos damas.

— Bom-dia, Sr. Simmonds — disse Hetty, com um sorriso educado.

— Nham-nham-nham... — ruminou o resto de nós.

Isso foi porque nós o odiávamos.

Sem nenhum motivo em particular. Não era por causa de sua ausência completa de senso de humor — como Megan dizia, os médicos deviam ter removido cirurgicamente todo o seu carisma quando ele nasceu. Também não era por sua baixa estatura, ou o cabelo ralo cor de cenoura desbotada, ou sua barba medonha também da cor de cenoura desbotada. Ou os óculos escuros vagabundos, ou seus lábios gorduchos e vermelhos que sempre pareciam molhados ou, o pior de tudo, seu traseiro redondo e caído, com formato feminino, ou seu terno curto vagabundo e sebento que mal cobria o dito traseiro, ou a marquinha do elástico da cueca que dava para ver nos fundilhos da calça do terno sebento.

É claro que todos esses fatores *ajudavam*. Basicamente, porém, nós o odiávamos porque ele era o chefe. Essa era a *regra* geral.

A repugnância que sentíamos por ele era muito útil de vez em quando. Certo dia, quando Megan estava toda enjoada depois de uma noitada regada a cerveja com licor de pêssego, esse nojo foi de grande ajuda.

— Se pelo menos eu conseguisse colocar tudo para fora — reclamou ela —, ia melhorar um pouco.

— Imagine que está transando com o Ivor — sugeri, ansiosa para ajudar.

— É — disse Meredia, toda alegrinha. — Imagine que você está dando um beijo de língua nele, com aquela boca e aquela barba. Argh!

— Nossa — murmurou Megan, arrotando de leve. — Acho que está funcionando...

— E aposto que ele beija fazendo barulho — completou Meredia, com o rosto deliciosamente retorcido de horror.

— Depois, pense em como ele fica só de cuecas — sugeri. — Imagine só, aposto que ele não usa cuecas normais. Nada de cuecas largas, dessas com corte moderno.

— Não, ele não usa essas mesmo — confirmou Hetty, que normalmente não entrava na nossa pilha.

Viramo-nos para ela, todas ao mesmo tempo.

— Como é que *você* sabe? — perguntamos, em uníssono.

— Porque... hã... dá para ver... vocês sabem... a marca do elástico. — E Hetty corou delicadamente.

— Certo, a gente aceita — concordamos.

— Aposto que ele usa calçolas — disse eu, toda empolgada. — Calçolas daquelas bem grandes, cor-de-rosa, bordadas, com a cintura quase nas axilas, e a mulher dele tem que comprá-las para o marido em lojas de senhoras, porque não dá para encontrar nenhum tamanho que sirva nele em lojas comuns.

— E imagine só como é que deve ser o pinto dele — sugeriu Meredia.

— É!... — disse eu, já sentindo o estômago começar a se revirar. — Aposto que é pequeno e mirrado, meio ressecado, e ele deve ter pentelhos cor de cenoura desbotada e...

Isso foi o bastante. Megan saiu em disparada da sala e voltou, toda sorridente, dois minutos depois.

— Uau! — sorriu ela. — Que torpedo. Alguém tem pasta de dentes?

— Francamente, Megan — disse Hetty, com frieza. — Você às vezes me cansa.

Megan, Meredia e eu trocamos olhares e levantamos as sobrancelhas, imaginando o que tinha deixado Hetty, normalmente agradável e educada, tão irritada.

Por uma feliz coincidência, o Sr. Simmonds parecia nos odiar tanto quanto nós a ele.

Lançava-nos olhares furiosos, entrava em sua sala e batia a porta.

Meredia, Megan e eu nos mexíamos, parecendo atarefadas, e ligávamos os computadores. Hetty não fazia nada disso, porque o seu já estava ligado.

Hetty fazia quase todo o serviço do escritório.

Houve um período muito preocupante assim que Megan chegou à empresa; ela trabalhava muito, muito mesmo. Não só aparecia na hora, como também *começava logo a trabalhar se chegasse mais cedo*. Não abria o jornal, olhando para o relógio e dizendo "mais três minutos. Esses canalhas não vão ter nem um segundo a mais do que me pagam", como o resto de nós fazia.

Meredia e eu a levamos para um canto e explicamos que ela não só estava colocando os nossos empregos em risco como também poderia acabar com o próprio emprego, se houvesse redução no quadro. ("E *aí*, quem é que ia para a Grécia?") Depois desse dia ela maneirou um pouco, e chegou até a dar algumas mancadas. Passamos a nos dar muito melhor depois disso.

"Deixa isso pra Hetty fazer" era o lema do escritório. Só que Hetty não sabia disso.

Eu não conseguia imaginar por que motivo Hetty trabalhava. Certamente ela não precisava do salário. Meredia e eu chegamos à conclusão de que os quadros de todas as instituições de caridade em Londres deviam estar lotados, quando Hetty resolveu que estava entediada e precisava se distrair, então ela baixou suas pretensões e veio trabalhar para nós.

O que não era muito *diferente* de fazer caridade.

Na verdade, Meredia e eu costumávamos dizer, brincando, que trabalhar para a Companhia Wholesale Plásticos e Metais era exatamente a mesma coisa que fazer um trabalho caritativo, já que nossa remuneração era patética de tão irrisória.

O dia seguia. Voltamos ao trabalho. Mais ou menos.

Ninguém voltou a mencionar a Sra. Nolan, nem o grande amor da sua vida, nem as grandes mudanças e cortes bruscos, nem receber dinheiro ou eu me casar.

Mais tarde, nesse mesmo dia, minha mãe telefonou, e me preparei para ouvir a descrição de algum desastre, porque ela jamais me ligava só para bater papo, jogar conversa fora e me ajudar a desperdiçar alguns preciosos minutos do tempo da empresa. Não, ela ligava apenas para relatar catástrofes, de forma tensa. Mortes eram o seu tema favorito, mas qualquer coisa parecida servia. A possibilidade de diminuição do número de funcionários na empresa em que meu irmão trabalhava, um caroço na tireoide do meu tio, um incêndio em um celeiro em Monaghan ou uma prima solteira que engravidou (essa era uma das favoritas, disputando o posto com mortes entre as lâminas de uma colhedeira de grãos).

— Você conhece Maisie Patterson? — perguntou ela, animada.

— Sim — respondi, pensando "Maisie *quem*?...", mas sabendo por experiência própria que era melhor dizer que conhecia, senão ia ficar ali o dia inteiro conhecendo a árvore genealógica de Maisie Patterson. ("Ela era uma das filhas dos Finertan, antes de se casar... mas é *claro* que você sabe quem são os Finertan, não se lembra da vez em que você era pequena e eu a levei na casa deles, uma casa bonita, muito grande, com portões verdes, que ficava logo depois da casa dos Nealon?... Você *sabe* quem são os Nealon, não se lembra de Bridie Nealon, naquele dia em que ela lhe trouxe dois biscoitos Marietta, mas é claro que você sabe o que são biscoitos Marietta, não se lembra de que você ficava espremendo o recheio para ele sair pelos furinhos?...")

— Bem... — disse a minha mãe, fazendo um pouco de suspense. Maisie Patterson fora, obviamente, ao encontro do Criador, mas não tinha graça contar apenas isso.

— Sim — disse eu, paciente.

— Ela foi enterrada ontem! — exclamou, por fim.

— Mas por que eles a enterraram? — perguntei, docemente. — Ela os estava perturbando? Quando é que vão deixá-la sair lá de dentro?

— Rá... Você é muito engraçadinha — disse minha mãe, com tom amargo, chateada pelo fato de a notícia não ter me deixado espantada nem abalada. — Você precisa lhes mandar um cartão de condolências.

— Mas como foi que isso aconteceu? — perguntei, tentando deixá-la mais animada. — Ela prendeu a cabeça nas lâminas da colhedeira de grãos? Foi soterrada no silo por toneladas de milho? Ou será que foi atacada por uma galinha?

— Nada disso — respondeu ela, aborrecida. — Não seja ridícula! Você não lembra que ela já estava morando em Chicago há um tempão?

— Ah... hã... é mesmo.

— Não, foi terrivelmente triste — afirmou ela, baixando a voz alguns decibéis em sinal de respeito, e nos quinze minutos que se seguiram me colocou a par de todo o histórico clínico de Maisie Patterson. As misteriosas dores de cabeça que ela começou a sentir de repente, o monte de remédios que lhe receitaram para curar as dores de cabeça, a tomografia computadorizada que teve de fazer quando os remédios não adiantaram nada, os raios X, a mudança de medicação, as torturas pelas quais passou no hospital, sendo espetada e apalpada por especialistas perplexos, os resultados que finalmente saíram, todos negativos, assegurando que ela não tinha nada e, finalmente, o Toyota vermelho que a atropelou de frente, rompeu-lhe o baço e a fez entrar no outro mundo dando cambalhotas.

CAPÍTULO 8

Na quinta-feira, o dia começou mal e depois piorou.

Ao acordar sentindo-me péssima, não poderia saber que a "previsão" de Megan estava destinada a se tornar realidade naquele mesmo dia.

Se eu *soubesse* disso, talvez conseguisse sair da cama com mais facilidade.

Do jeito que eu estava, era duvidoso saber se ia conseguir me livrar do abraço quente e amoroso dos meus lençóis.

Sempre achei difícil levantar da cama de manhã cedo. Esse foi um dos legados da crise de depressão da adolescência ou pelo menos era isso que eu gostava de dizer.

Provavelmente era só um caso de preguicite aguda, mas chamar de depressão fazia com que eu me sentisse menos culpada.

Mal consegui me arrastar até o banheiro e, ao chegar lá, tive um trabalhão para me obrigar a tomar banho.

Meu quarto estava congelando, não consegui achar calcinhas limpas e não passara nenhuma roupa, portanto fui obrigada a usar as mesmas roupas que usara para trabalhar na véspera, as quais eu jogara no chão na noite anterior; e também não achei nenhuma calcinha limpa no armário de Karen nem no de Charlotte, então acabei indo para o trabalho com a parte de baixo do biquíni.

Ao chegar à estação do metrô, vi que todos os jornais bons já haviam esgotado e acabara de perder um trem. Enquanto esperava pelo seguinte, achei que devia comprar um pacote de gotas de chocolate na máquina da plataforma e, pela primeira vez, a porcaria de máquina funcionou direito. Comi as gotinhas deliciosas em dois segundos e imediatamente comecei a me sentir culpada, preocupando-me com o fato de que talvez estivesse com algum distúrbio alimentar, para ficar colocando tanto chocolate dentro do estômago assim, logo de manhã cedo.

Fiquei arrasada.

O tempo estava frio e úmido e parecia haver tão pouco de bom no dia que se iniciava que me deu vontade de estar em casa, em minha cama quentinha, assistindo a *Richard e Judy*,* enchendo-me de batatas fritas e biscoitos, com pilhas de revistas coloridas do lado.

Megan olhou por cima do jornal quando entrei no escritório, me arrastando, vinte minutos mais tarde.

— Você nem tirou a roupa para dormir esta noite? — perguntou alegremente.

— Como assim? — perguntei, com ar cansado.

— Você dormiu vestida? — disse ela.

— Ah, não enche — respondi. Em dias como aquele, só o sotaque australiano de Megan já era demais para mim.

— De qualquer modo — continuei —, se você acha que pareço malvestida por fora, não vai nem querer saber o que coloquei em vez das calcinhas.

Mesmo que Megan tivesse dormido apenas por cinco minutos a noite inteira, ela conseguia se levantar a tempo de passar a roupa com que ia para o trabalho. E se não tivesse nenhuma calcinha limpa, conseguia sair de casa com antecedência, a fim de dar uma passada em algum lugar para comprar calcinhas novas. Não que fosse possível Megan ficar sem calcinhas limpas, porque ela sempre lavava as roupas todas muito antes de sua gaveta de calcinhas ficar vazia.

Mas os australianos são assim mesmo. Organizados. Trabalhadores. Capazes.

O dia prosseguia sem novidades. De vez em quando, fantasiava que ia acontecer um desastre aéreo igual ao que houve na cidade de Lockerbie, e que um avião ia despencar do céu bem em cima do meu escritório. De preferência bem em cima da minha mesa, só para garantir. Eu não ia mais precisar ir para o trabalho durante séculos. Poderia estar morta, é claro, mas e daí? Mesmo assim, continuava sem precisar ir trabalhar.

---

* Famoso programa matinal de variedades na televisão inglesa. (N.T.)

A porta da sala do Sr. Simmonds ficava se abrindo a toda hora, ele saía pisando duro com a bunda balançando e jogava alguma coisa na minha mesa, ou na de Meredia, ou na de Megan, e gritava: "quarenta e oito erros só nesta folha! Você está melhorando!", ou "qual de vocês anda comprando ações do Liquid Paper?", ou algo desagradável desse tipo.

Ele jamais era cruel com Hetty, porque tinha medo dela. Sua elegância servia para lembrar ao chefe que ele era apenas um garoto da classe média que subira um pouco na vida, mas ainda usava ternos de tecido sintético.

Mais ou menos às dez para as duas, quando eu estava quase cochilando na mesa enquanto lia um artigo a respeito de como o café na verdade pode ser muito bom para a saúde, de novo, e Meredia estava roncando baixinho na mesa dela, com uma imensa barra de chocolate ao alcance da mão, um pequeno drama explodiu no escritório. A retumbante previsão de Megan começou a se tornar real.

De certo modo...

Megan entrou de repente, cambaleando, com o rosto branco como o de quem viu um fantasma e sangue escorrendo pela boca.

— Megan! — berrei, alarmada, pulando da cadeira. — O que *houve* com você?

— Ahn? Que foi? — perguntou Meredia, acordando com um solavanco, meio confusa, com um fino fio de baba pendendo do lado esquerdo da boca.

— Não foi nada — respondeu Megan, mas parecia hesitante, e se sentou sobre a minha mesa. O sangue escorria pelo queixo e pingava na blusa.

— Preciso chamar uma ambulância — continuou Megan.

— Nossa, claro que não! — disse eu, em pânico, entregando-lhe um monte de lenços de papel, que ficavam empapados de sangue no mesmo instante. — Deixe que eu faço isso! É melhor você descansar um pouco aqui. Meredia, mexa esse rabo gordo e me ajude a recostá-la um pouco!

— Não, não é para mim, idiota — disse Megan, irritada, afastando Meredia para longe dela. — É para o cara que voou da bicicleta e aterrissou em cima de mim.

— Ai, meu Deus! — exclamei. — Ele está muito machucado?

— Não — respondeu Megan, lacônica —, mas garanto que vai ficar depois que eu acabar com ele, ah, vai. Vão precisar de um saco preto para levá-lo, e não de uma ambulância.

— Onde ele está? — quis saber Meredia.

— Bem aí na frente, caído na rua, atrapalhando o tráfego — respondeu Megan.

Ela estava, realmente, *muito* revoltada.

— Alguém está cuidando dele? — perguntou Meredia, com um lampejo de cobiça nos olhos.

— Um monte de gente! — berrou Megan. — Vocês, ingleses, adoram um bom acidente, não é?

— Bem, é melhor eu ir até lá para dar uma olhada nele, mesmo assim — disse Meredia, arremessando-se pesadamente em direção à porta. — Pode ser que ele esteja em estado de choque, e posso cobri-lo com o meu xale.

— Não precisa não — reclamou Megan, com o sangue brotando enquanto falava. — Alguém já jogou um casaco em cima dele.

Mas Meredia já se fora. Ela sabia reconhecer quando uma oportunidade batia na sua porta. Embora tivesse um rosto bonito (apesar de muito gordo), fazia pouco sucesso com os homens. Os únicos homens que regularmente a perseguiam eram aqueles que tinham uma "quedinha" por mulheres altamente obesas. E, como Meredia costumava dizer, com dignidade, "quem quer um homem que só a deseja por causa de seu corpo?".

Só que a alternativa era quase tão ruim quanto isso, na minha opinião. Ela gostava de conhecer homens quando eles estavam se sentindo vulneráveis, tanto emocional quanto fisicamente; cuidava deles, tornava-se indispensável, oferecia todo o apoio que uma pessoa fragilizada poderia precisar.

O único ponto fraco dessa tática é que, no instante em que eles melhoravam o bastante para andar com as próprias pernas, era exatamente isso que faziam. Davam no pé e fugiam dos abraços amorosos de Meredia com o máximo de velocidade que suas pernas recém-curadas permitiam.

— Bem, é melhor eu cuidar deste caos aqui — disse Megan, limpando a boca com a manga da blusa.

— Não seja ridícula! — exclamei. — Você vai ter que levar uns pontos.

— Não, nada disso — retrucou ela, com cara de deboche —, isso não foi nada. Você já viu o que as lâminas de uma colhedeira de grãos podem fazer com os braços de um homem quando...

— Ai, deixe de ser tão... tão... *australiana*! — exclamei. — Você precisa levar pontos. Precisa ir até o hospital. Vou com você.

Se ela achava que eu ia perder a oportunidade de ficar uma tarde inteira longe do trabalho, podia tirar o cavalinho da chuva.

— Não, é claro que você não precisa ir comigo — disse, com cara azeda. — O que você acha que sou? Uma criança pequena?

Nesse instante, a porta do escritório se abriu e Hetty entrou, voltando do almoço. Pareceu adequadamente estarrecida diante da mostra de *Apocalipse Now* que tomara conta do rosto de Megan.

Dois segundos depois, o Sr. Simmonds também chegou, igualmente vindo do almoço. Almoçaram separados, era o que ele parecia peculiarmente interessado em demonstrar. Parece que os dois tinham se encontrado por acaso na porta do prédio, ao voltar do almoço. Não que alguém estivesse ligando para isso.

Ele também pareceu estarrecido. Estava obviamente preocupado com o sangue de Megan que estava sendo derramado, mas acho que ele ainda estava mais preocupado com o *lugar* onde o sangue de Megan estava sendo derramado. Sobre as mesas e pastas e telefones e cartas e documentos do seu pequeno império precioso.

Disse que, evidentemente, era melhor que Megan fosse até o hospital, e é claro que eu devia ir com ela também, e quando Meredia voltasse para avisar que a ambulância chegara, poderia ir até lá, junto conosco. Quanto a Hetty, era melhor que ela ficasse, porque ele precisava de alguém para segurar as pontas ali no forte.

Enquanto eu desligava alegremente o meu computador e pegava o casaco, de repente me ocorreu que, seja o que for que o Sr. Simmonds queria que Hetty segurasse, certamente não era o seu forte.

CAPÍTULO 9

Ao entrarmos na ambulância, não havia lugar para Meredia. Senti mal-estar por causa daquilo. Só que com todo o equipamento, os dois paramédicos, o ciclista ferido, Megan e eu, simplesmente não sobrava lugar para colocar uma mulher do tamanho de um elefante.

Sem se deixar abater, ela avisou que ia pegar um táxi e se encontraria conosco lá.

Enquanto saíamos do local do acidente, me senti assim como uma espécie de pop star, talvez por causa das janelas fumê e a pequena multidão de curiosos que olhavam para nós.

Todos estavam relutantes em ir embora, agarrando-se aos minutos finais da empolgação causada pelo acidente, antes de voltar a cuidar de suas vidas, desapontados por ver o drama se encerrar e ainda mais desapontados por ninguém ter morrido.

— Ele parecia estar bem, não parecia? — comentou um transeunte com outro.

— Parecia — foi a resposta entristecida.

Passamos horas sentados em cadeiras duras, no ambulatório de acidentados completamente lotado, sobrecarregado de vítimas e enlouquecido. Gente com ferimentos muito piores do que os de Megan ou os de Shane (o ciclista de quem, a essa altura, já estávamos íntimos) se sentava conosco, igualmente à espera, com firme resignação, segurando no colo os membros ou órgãos que haviam perdido e conseguira recuperar. Macas com gente morrendo passavam por nós, sendo empurradas a toda velocidade. Ninguém sabia informar o que estava acontecendo, nem quando Megan e Shane iam ser atendidos. A máquina de café não estava funcionando. A lanchonete estava fechada. O lugar estava congelando.

— Pensem só... — Fechei os olhos, em absoluto êxtase. — Nós poderíamos estar no escritório agora.

— É mesmo — suspirou Megan, com pedaços de sangue seco despencando do rosto enquanto falava. — Que sorte a nossa, não é?

— Puxa. — Sorri. — Estava me sentindo tão *infeliz* hoje cedo. Mal sabia que esta imensa curtição estava a caminho.

— Espero que me atendam logo — disse Shane, parecendo ansioso e confuso. — Porque eles estão esperando estes documentos lá no escritório central. Falaram que era urgente. Alguém viu o meu rádio?

Shane era um mensageiro e estava cumprindo uma missão de entrega, quando desviou de mau jeito e atropelou Megan.

Ele continuou ali, cochilando, e de vez em quando se sacudia, assustado, e voltava a falar da entrega urgente no escritório central. Megan e eu trocamos olhares de resignação quando ele tocou no assunto pela décima vez, enquanto Meredia sorria para o rapaz, como se ele fosse um garotinho. Aos poucos, começamos a achar que talvez ele não fosse um palerma total e tivesse realmente sofrido uma concussão cerebral.

A não ser por essas rajadas regulares de Shane, a conversa era superficial.

— Bem, olhe pelo lado bom — sorri para Megan, referindo-me à sua boca mutilada. — Você conseguiu o corte que lhe prometeram. Só que aposto que não imaginava que seria um corte nos lábios.

Diante disso, Meredia se levantou de um salto, como se tivesse levado um tapa nas costas, e agarrou meu pulso, enfiando-me as unhas.

— Meu Deus — sussurrou ela, fitando um ponto à sua frente, com um brilho peculiar nos olhos. Um brilho de loucura, essa é a palavra mais apropriada. Um brilho *louco* nos olhos.

— Ela tem razão — disse, ainda com a voz sussurrada e continuando a olhar para o ponto a meia distância. — Meu Deus, ela tem razão!

— Eu tenho nome — reclamei, aborrecida com as suas caretas. E o meu pulso doía.

— Ei, é verdade, você tem razão — disse Megan, começando a rir. — Aii!... — gemeu ela quando viu que a gargalhada fizera o corte começar a sangrar de novo.

— Que ruptura — continuou ela, rindo muito, com o sangue jorrando pelos lados do rosto como se fosse as cataratas do Niágara. — Foi mesmo, consegui o meu grande corte. Exatamente como ela previu. Só que não consigo ver o que pode me acontecer de bom a partir deste fato.

— Talvez as coisas só comecem a ficar mais claras com o tempo — disse Meredia, com a voz misteriosa, lançando olhares mal disfarçados para Shane e piscando sugestivamente para Megan, antes de apontar com a cabeça de novo na direção de Shane.

— Se é que você me entende... — continuou Meredia, aumentando a ênfase.

— Sim, acho que entendo — riu Megan, com descontração.

Eu não tinha certeza se Meredia estava pensando em Shane para si mesma ou para Megan, mas, pelas experiências do passado, achei que Meredia o queria para si mesma. Aquela situação tinha todo o jeito dela.

Embora, por direito, eu achasse que o rapaz deveria ficar com Megan. Não fora ela que havia amenizado a sua queda? Encarara todo aquele trauma de forma tão corajosa que merecia um prêmio.

— Com isso, só falta a Hetty, além de você, Lucy — disse Megan. — Logo, logo, vai ser a sua vez de ver a previsão se tornar realidade.

— As palavras "saci" e "cruzar as pernas" significam alguma coisa para você? — perguntei, rindo.

— Ah, você parece São Tomé — reprovou Meredia. — Mas tem que admitir que isto tudo é muito significativo.

— Não, não acho. — respondi. — Não sejam tolas. Podemos ajustar qualquer fato que aconteça para encaixá-lo nas previsões que ouvimos, se quisermos.

— Tanto ceticismo em alguém tão jovem — comentou Meredia, balançando a cabeça com tristeza.

— Alguém viu o meu rádio? — grasnou Shane, voltando ao assunto. — Preciso falar com o meu supervisor.

— Não, não, não, querido, acalme-se, está tudo bem — disse Meredia, confortando-o enquanto forçava a cabeça dele a repousar em seu ombro.

Ele resmungou uma espécie de protesto abafado, mas não adiantou nada.

— Espere só — me avisou Meredia, de forma ameaçadora, falando por cima da cabeça confusa de Shane. — Você vai ver. Tudo vai se tornar realidade. E então você vai se arrepender.

Sorri de forma resignada para Megan, na esperança de que ela me retornasse o sorriso, porém, para meu grande susto, ela não o fez. Estava muito ocupada, balançando a cabeça em sinal de concordância com Meredia.

Caramba! Pensei, sentindo o estômago se apertar com o choque. Será que o cérebro dela poderia ter sido afetado pelo acidente? Isto é, Megan era possivelmente a pessoa mais descrente que eu já conhecera na vida, incluindo a mim mesma, e eu tinha orgulho de possuir os maiores índices de descrença. Havia dias em que eu era capaz de deixar no chinelo os principais descrentes do mercado.

Megan, assim como eu, era tão descrente em tudo que nem mesmo se empolgava com Daniel. "Ele não me engana, com os modos educados e aquela beleza toda", disse, após vê-lo pela primeira vez.

O que acontecera com ela?

Evidentemente, ela não podia achar que as previsões dela e as de Meredia haviam se concretizado, não é? E o que é pior, ela não podia achar que, por causa daquilo, as previsões de Hetty e as minhas iam se concretizar também, não é?

Finalmente, quando acabou o estoque de vítimas de infarto e outras pessoas à beira da morte no ambulatório, as enfermeiras deram alguns pontos no rosto de Megan e falaram que Shane não tinha concussão cerebral alguma, estava só se fazendo de vítima.

E fomos, afinal, todos liberados.

— Onde você mora? — perguntou Meredia a Shane, ao chegarmos ao estacionamento do hospital.

— Greenwich — disse ele, cansado.

Isso ficava ao sul de Londres. *Muito* ao sul de Londres.

— Que sorte — disse Meredia, com rapidez. — Podemos tomar um táxi para casa, juntos.

— Mas... — pensei em protestar, lembrando a Meredia que ela morava em Stoke Newington, que ficava a nordeste de Londres, muito *longe* de Greenwich.

Ela me fitou com um olhar assassino, que matou meus palpites na mesma hora.

— Mas eu preciso pegar a minha bicicleta — disse Shane, afastando-se, assustado — e também tenho que entregar estes documentos.

— Não seja tolo — disse Meredia, cheia de sorrisos. — Você pode fazer tudo isso amanhã. Vamos agora! Boa-noite, meninas, vejo vocês amanhã, no escritório. Se eu estiver conseguindo andar — murmurou, meio de lado, mas alto o bastante para Shane ouvir e franzir as sobrancelhas.

— Vocês entendem o que quero dizer, não entendem? — E olhou com malícia, gesticulando na direção da parte que ficava abaixo do seu umbigo. E com uma piscada final, muito significativa, lá se foi ela, arrastando o aterrorizado Shane pelo braço.

Ele ainda olhou para trás, de forma suplicante, para Megan e para mim, e o seu rosto formou um imenso pedido de socorro, mas não havia nada que pudéssemos fazer por ele.

Um cordeiro inocente ia ser sacrificado.

CAPÍTULO 10

No dia seguinte, o prédio ficou em polvorosa quando Megan e Meredia notificaram a todas as pessoas do mundo inteiro que eu ia me casar. Na verdade, elas não contaram a todas as pessoas do mundo inteiro, avisaram apenas Caroline, a recepcionista da empresa. Só que isso era tão eficaz, provavelmente até mais eficaz, na verdade, do que contar a todas as pessoas do mundo.

Meredia e Megan haviam decidido, não obstante a minha falta de namorado, que as previsões da Sra. Nolan para mim iam todas se tornar realidade, da mesma forma que as previsões delas.

É claro que elas, mais tarde, se desculparam, e disseram que não tinham feito aquilo com má intenção, que estavam só brincando etc. etc., mas, a essa altura, o mal já estava feito e a ideia já fora plantada na minha cabeça, e comecei a achar que talvez um namorado fosse uma coisa legal, uma alma gêmea, alguém com quem pudesse me sentir segura, alguém com quem pudesse ter intimidade.

Isso reabriu antigos anseios. Comecei a *desejar* que alguma coisa acontecesse na minha vida, o que era sempre um erro.

Só que tudo aquilo ainda estava muito longe de mim quando o despertador tocou, e me senti péssima na *mesma* hora.

A única coisa boa é que era sexta-feira.

Quando acordei, estava com tudo tão desorganizado quanto na véspera. Ainda não tinha colocado minhas roupas para lavar e, portanto, continuava sem calcinhas limpas. Tive de usar uma cueca de Steven, que ele deixara no meu quarto quando o forcei a cair fora de modo inesperado, umas três semanas antes. Eu a tinha lavado, com a vaga intenção de devolvê-la para ele e, por isso, estava limpa. Pelo menos isso.

Na estação do metrô, a máquina de chocolate foi bem cretina. Funcionou... de novo! As máquinas me odiavam. Ela cuspiu um tablete com frutas e nozes, e não tive força de vontade suficiente para *não* comê-lo. Estava ficando a cada instante mais convencida de que estava sofrendo de algum distúrbio alimentar. As gotas de chocolate tinham só cento e setenta calorias, enquanto um tablete de frutas com nozes tinha duzentas e sessenta e sete. Ou será que eram duzentas e sessenta e nove? Enfim, sei que tinha *mais* calorias. Eu estava piorando, em vez de melhorar. No dia seguinte, provavelmente, ia tentar pegar um daqueles tabletes gigantescos, tamanho família, na máquina, meditei, e dali a mais uma semana ia estar devorando uma caixa de dois quilos de bombons antes do café da manhã.

Finalmente cheguei ao trabalho e estava muito, muito atrasada, mesmo para os meus padrões.

Ao passar correndo pela recepção, quase fui derrubada pelo Sr. Simmonds, que ia em alta velocidade na direção do toalete. Sua bunda ia correndo uns três metros atrás dele, tentando acompanhar sua pressa. Ele pareceu nervoso, agitado, e seus olhos estavam um pouco vermelhos. Na verdade, se achasse que aquele homem era capaz de emoções humanas, teria jurado que ele estava chorando. Alguma coisa obviamente o deixara chateado.

Meu astral melhorou.

Sorri alegremente para Caroline, a recepcionista, porque a minha vida valia bem mais do que não fazê-lo. Ela ficava ofendida à toa, e ia segurar todos os meus telefonemas pessoais se achasse que eu a esnobara. Ela me retribuiu a mesma alegria com um sorriso. Ao passar correndo, ouvi quando me disse algo. Na verdade, a frase que ela me lançou pareceu ser, estranhamente, "meus parabéns!", mas eu estava ansiosa demais para descobrir qual o desastre que se abatera sobre o Sr. Simmonds para parar.

Entrei voando no escritório, não mais preocupada com o atraso. O Sr. Simmonds, pelo jeito, tinha peixes maiores para fritar.

As marcas roxas haviam surgido de forma magnífica em Megan, e um curativo branco cobria o lado direito do seu rosto, perto do maxilar.

Parei na mesma hora quando reparei que Megan e Meredia não estavam brigando. Na verdade, a imagem das duas me deixou ainda mais confusa, pois conversavam uma com a outra de forma civilizada.

Que estranho, pensei. Algum tipo de cessar-fogo devia estar em andamento. Elas estavam juntas em volta dos biscoitos. O cantinho dos biscoitos era uma área muito popular para contatos. Sussurravam uma com a outra de modo furtivo.

Era pouco provável que estivessem conversando sobre os ferimentos de Megan ou a vida sexual de Meredia. Era preciso um evento muito maior do que qualquer um desses dois para unir Megan e Meredia.

O que significava que alguma coisa estava acontecendo.

Ótimo! Meu astral melhorou mais ainda. Eu adorava um pouco de emoção. Talvez o Sr. Simmonds tivesse sido demitido. Ou talvez a sua mulher o tivesse abandonado. Alguma coisa boa assim, eu esperava.

Dei uma olhada em volta, por todo o escritório. Onde estava a eficiente Hetty?

— Lucy! — exclamou Meredia, de forma dramática. Como quase sempre fazia. — Graças a Deus você chegou! Temos uma coisa que você *precisa* ouvir.

— Que foi? — quis saber, com um arrepio de expectativa percorrendo-me a espinha. — É com você, Meredia? Você se deu bem com Shane?

Uma sombra fugaz passou pelo rosto de Meredia, que disse:

— Depois falamos a respeito disso. Não, a história tem a ver com a gente, aqui dentro.

— *Sério?* — arfei de excitação. — Logo vi que devia ter acontecido alguma coisa... Acabei de passar pelo Ivor Veneno no saguão e ele estava...

— Lucy, é melhor você se sentar — interrompeu Megan.

— O que houve? — quis saber, absolutamente *morta* de curiosidade.

— Aconteceu uma coisa — disse Meredia, em um sussurro dramático, feito para criar clima. — Uma coisa que você deve saber.

— Bem, se eu devo saber, por que vocês não contam logo de uma vez? — quase gritei.

— É a Hetty — disse Megan, com ar solene, pronunciando as palavras pelo canto da boca que não estava machucado.

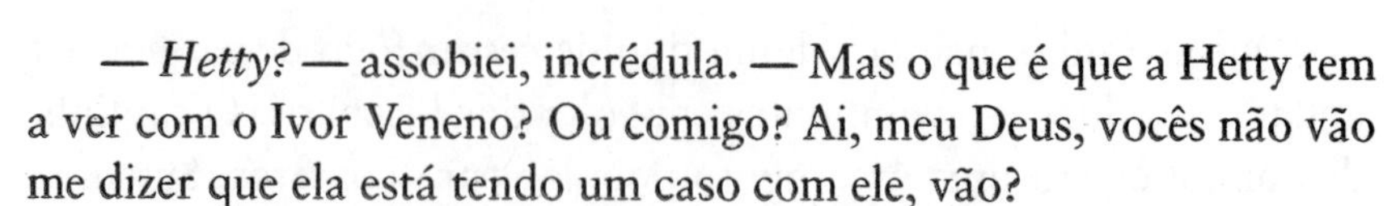

— *Hetty?* — assobiei, incrédula. — Mas o que é que a Hetty tem a ver com o Ivor Veneno? Ou comigo? Ai, meu Deus, vocês não vão me dizer que ela está tendo um caso com ele, vão?

— Não, não, não — respondeu Meredia, estremecendo. — Não, é uma coisa *boa.* Ela não vem trabalhar por uns dias, porque aconteceu uma coisa com ela.

— Bem, então vocês se incomodariam de me contar o que é esta coisa? — perguntei, rabugenta. — Ou vou ter que ficar sentada aqui o dia todo, esperando vocês desfiarem a história?

— Nossa! Tenha um pouco de paciência! — aconselhou Meredia, não muito satisfeita.

— Conte logo a ela — disse Megan com a boca torta, parecendo um gângster.

— Contar o quê? — perguntei, como já era de esperar.

— Hetty... — começou Meredia. E fez uma pausa. Só para fazer suspense. Cristo, como ela era irritante!

— Hetty... — repetiu. Outra pausa.

Fiquei me controlando para não gritar.

— Hetty encontrou o grande amor de sua vida — entoou Meredia, por fim.

Seguiu-se um silêncio. Daria para ouvir uma pluma cair no chão.

— Sério? — consegui articular, com a voz rouca.

— Foi o que você ouviu — confirmou Meredia, com um sorriso convencido. Olhei para Megan. Esperava um pouco de sanidade e normalidade. Mas ela simplesmente balançou a cabeça para a frente e deu o mesmo sorriso convencido.

— Ela encontrou o grande amor da vida dela, abandonou Dick e vai morar com Roger, de imediato — completou Meredia.

— E Ivor Veneno ficou com o coração partido. — Megan soltou uma gargalhada, dando um tapa na coxa magra e dourada.

— Não seja ridícula — disse eu, com ar distante. — Ele nem tem coração.

Explodiram mais gargalhadas de Megan e Meredia, mas não consegui me juntar a elas.

— Acho que ele tinha o maior tesão pela Hetty — disse Megan. — Argh, coitada dela, imagine só! Ele devia andar por aí, para cima e para baixo, com o pau duro.

— Cale a boca, Megan — implorei —, senão vou acabar vomitando!

— Eu também — disse Meredia.

— Então, deixe ver se entendi — disse eu, com a voz fraca. — Roger é esse outro cara?

— Sim — sorriu Meredia.

— Mas a Hetty não faz esse tipo de coisa — disse eu.

Eu estava chateada e confusa. Isto é, Hetty realmente *não fazia* esse tipo de coisa. Bem, pelo menos ela não costumava fazer, disso eu tinha certeza. Estava tudo errado. Hetty era estável, responsável, confiável, inabalável e todas as outras palavras terminadas com "ável". Não ficava por aí conhecendo o grande amor da sua vida, abandonando o marido e esse tipo de coisa. Ela *não era* assim.

Eu me senti tão angustiada e desorientada quanto me sentiria se a Terra começasse a girar para o lado oposto e o Sol nascesse no oeste, em vez de no leste, ou se eu deixasse uma torrada tombar da mão e ela caísse no chão com a manteiga virada para cima.

Hetty largar o marido contradizia tudo aquilo em que eu acreditava como verdade absoluta. As fundações do meu universo ficaram abaladas.

— Você não ficou feliz por ela? — perguntou Meredia.

— Quem é esse Roger? — perguntei, de repente. — Quem é esse grande amor da vida dela?

— Espere só até ouvir — respondeu Meredia, saboreando a informação.

— Sim, escute só — interrompeu Megan, também sentindo um gostinho especial.

— O grande amor da vida dela é, nada mais, nada menos, do que o irmão de Dick — explicou Meredia, com um floreio.

— O irmão de Dick? — perguntei, em um murmúrio. As coisas estavam ficando mais bizarras a cada instante. — Mas... o que aconteceu? Ela já conhecia o sujeito por todos esses anos e, subitamente, descobriu que o ama?

— Não, não, não... — explicou Meredia, sorrindo para mim como se eu fosse uma criança levada. — É tão romântico! Ela jamais o tinha visto, até uns três dias atrás, e assim que os dois puseram os olhos um no outro, *voilà!, um coup de foudre, l'amour, je t'adore,* hã... humm... *la plume de ma tante...* — e parou subitamente, pois o estoque de frases em francês para descrever o amor de Hetty havia acabado.

— Mas, como é que pode ela nunca ter se encontrado com ele? — perguntei. — Ela está casada há anos!

E então, uma ideia me assaltou.

— Ah, não — disse eu, com temor. — Não acredito que tenha sido desse jeito.

— De que jeito? — disseram Megan e Meredia, em uníssono e ofegantes.

— Por favor, não me digam que ele é o irmão mais novo de Dick, que andou viajando pelo exterior, talvez no Quênia, ou em Burma, ou outro lugar assim, durante os últimos vinte anos, como um personagem do livro *Os Últimos Dias do Rajá*, e que voltou de repente, todo bronzeado, com os cabelos louros soltos, ficou desfilando por aí usando um terno de linho branco, sentando em cadeiras de ratã, bebendo gim e olhando para Hetty com os olhos lânguidos do tipo "vamos para a cama". Se for isso, eu não *aguento*. Seria o cúmulo do clichê.

— Francamente, Lucy — ralhou Meredia —, você tem muita imaginação, sabia? Não, não foi nada disso.

— Ele não a presenteou com um bracelete de marfim? — perguntei.

— Bem, se ele fez isso, ela não mencionou — afirmou Meredia, meio em dúvida.

— Ufa. — suspirei em sinal de alívio. — Ótimo!

— É o irmão *mais velho* de Dick — informou Meredia.

— Ótimo! — repeti. — Assim a coisa já foge um pouco do lugar-comum.

— E Hetty jamais se encontrara com ele porque parece que havia uma espécie de briga dentro da família — continuou Meredia. — Dick e Roger ficaram sem se falar por muitos anos. Em compensação, agora, se transformaram em grandes amigos... embora, pensando bem, talvez não, já que Hetty se apaixonou pelo outro...

Fiquei paralisada, olhando para as caras de felicidade e empolgação das duas.

— O que há de errado com você, sua vaca desolada? — quis saber Megan.

— Não sei — respondi. — Não acho certo.

— Claro que é — cantarolou Meredia. — A cartomante falou que ela ia encontrar o grande amor da vida dela, e agora ela encontrou mesmo!

— Mas está tudo errado — disse eu, desesperada. — Já havia algo errado com Hetty e Dick. Estava na cara, pelo jeito que ela ficou chateada no caminho de volta da Sra. Nolan.

Meredia e Megan se sentaram, caladas e de cara feia.

— Em vez de resolver o problema com o marido — continuei —, ela acreditou nas histórias da carochinha do primeiro charlatão ou, no caso, da cartomante que apareceu.

— Ela *não é* uma charlatã — interrompeu Meredia, zangada. — Eu não a vi mudar de cor!

— Isso é *camaleão*, não charlatão — disse eu, exasperada. — Enfim, ela ouviu a cartomante prever que ia encontrar o grande amor da vida dela, então agarrou o primeiro homem que encontrou, um homem que não teve sequer a decência de usar um terno de linho e se sentar em uma cadeira de ratã e, sem pensar nem sequer por um segundo nas consequências, Hetty resolveu fugir com ele!

— Por falar nisso — acrescentei —, acho que estava rolando um flerte, ou algo assim entre ela e Ivor Veneno, pelo jeito que ele está arrasado.

E fiz uma pausa, para o caso de uma das duas precisar vomitar.

Elas estavam pálidas, suadas, e esperei um pouco, antes de continuar:

— Gente, não fizemos nada de errado em consultar a cartomante, mas não era para levar as previsões a sério. Era só para nos divertirmos um pouco, e não para conseguirmos uma solução para os problemas verdadeiros.

As duas continuaram caladas.

— Vocês não enxergam isso? — implorei, diante delas, mas me evitaram e desviaram os olhos para analisar os sapatos. — Isso não é o certo para a Hetty.

— Como é que você pode saber? — perguntou Meredia. — Por que você não tem um pouco de fé? Por que não acredita na Sra. Nolan?

— Porque Hetty tem problemas reais com o seu casamento — respondi —, e eles não vão ser resolvidos só porque ela quer acreditar que encontrou o grande amor de sua vida. Isso é escapismo.

— Você está é apavorada — soltou Megan de forma súbita e passional, com a boca torta. Ela parecia zangada e seu rosto afogueado mostrava grande emoção.

Com as marcas roxas e o curativo, aquilo parecia uma cena de *Sons and Daughters* ou *Home and Away*.*

— Apavorada com o quê? — perguntei, surpresa.

— Está apavorada para admitir que as previsões deram certo para mim, para Meredia e Hetty, porque então vai ser obrigada a admitir que a *sua* previsão também vai dar certo.

— Megan — disse eu, já desesperada —, o que há com você? Estou contando com você para ser a voz da sanidade por aqui, a voz da razão!

Meredia se encrespou toda, zangada, e seu corpo pareceu inchar de indignação, o que foi algo fantástico, pois ela normalmente já parecia estar a ponto de explodir.

— Olhe, Megan — continuei —, você não pode estar realmente acreditando em toda essa baboseira sobre previsões! Diga que não acredita!

— Os fatos falam por si mesmos — disse ela, de forma arrogante.

— É... — concordou Meredia, com desdém, agora mais segura, depois que viu que Megan estava do seu lado. Chegou a fazer beicinho. — Isso mesmo! Os fatos falam por si mesmos. Portanto, é melhor encarar a verdade. Você vai se casar!

— Não aguento mais ouvir essa besteirada — disse eu, bem calma. — Não quero brigar com nenhuma de vocês por causa disso, mas, no que me diz respeito, este assunto está encerrado.

As duas trocaram um olhar engraçado (de preocupação?... culpa, talvez?), que preferi ignorar.

Sentei-me à mesa, liguei o computador, resisti bravamente à súbita e forte tentação de me enforcar e dei início ao meu dia de trabalho.

Depois de algum tempo, reparei que as duas continuavam sem fazer trabalho algum. Não que isso fosse estranho, especialmente se

* Novelas australianas que fizeram sucesso na tevê inglesa. (N.T.)

considerando que o Sr. Simmonds ainda não retornara. Mas, em vez de ficarem dando telefonemas pessoais para a Austrália, folheando a *Marie Claire* ou comendo o almoço antes da hora (coisa que Meredia fazia, quase todos os dias, por volta de dez e meia da manhã), elas simplesmente estavam sentadas, me olhando de um jeito esquisito.

Parei de digitar e olhei para elas.

— O que foi? — perguntei, exaltada. — Por que vocês duas estão tão estranhas hoje?

— Conte a ela — murmurou Meredia para Megan.

— Eu não — disse Megan, com um risinho sombrio. — Eu não. Não mesmo! Foi ideia sua, então você é que vai ter que contar a ela.

— Sua piranhazinha! — exclamou Meredia. — Aquilo não foi ideia minha. Foi ideia *nossa*!

— Vá à merda! — berrou Megan. — Foi você que começou com toda essa história!...

Meu telefone tocou, interrompendo a troca de amabilidades. Consegui atender, sem tirar o olho das duas, que já estavam avançando com tudo, uma contra a outra. Eu detestava perder uma boa briga, e sempre podia contar com Meredia e Megan para esse tipo de emoção. Era engraçado ver o quanto o período de trégua e cordialidade entre elas tinha sido curto.

— Alô? — atendi.

— Lucy — disse uma voz.

Ai, meu Deus! Era uma das amigas com quem eu dividia o apartamento, a Karen. Ela parecia chateada. Eu devia ter esquecido de deixar o cheque para pagar o gás, ou o telefone, ou algo assim.

— Oi, Karen — disse bem depressa, tentando esconder o nervosismo. — Olhe, desculpe eu ter esquecido de deixar o cheque para a conta do telefone. Ou foi o gás? É que cheguei muito tarde em casa ontem à noite e...

— Lucy, isso é verdade mesmo? — interrompeu ela.

— Claro que é verdade — repliquei, indignada. — Já passava de meia-noite quando entrei e...

— Não, não, não — disse ela com impaciência. — Estou perguntando a respeito do seu casamento.

A sala se inclinou ligeiramente para o lado.

— Como é que é? — disse baixinho. — Quem foi que contou isso para você?

— A telefonista — explicou Karen. — E saiba que fiquei muito decepcionada por saber da notícia através dela. Quando é que você ia contar para mim e para Charlotte? Eu achava que éramos as suas melhores amigas... Agora, vamos ter de colocar um anúncio para arrumar uma nova pessoa, e nós nos damos tão bem... E se a gente conseguir uma pessoa horrível, que não beba e não conheça nenhum gato? Não vai ser a mesma coisa sem você, e nós...

Ela continuava a falar, melancólica.

Megan e Meredia ficaram muito quietas de repente. As duas estavam sentadinhas, completamente imóveis, com cara de medo e culpa.

Cara de culpa? Karen falando sobre o meu casamento? A insistência de Megan e Meredia sobre as previsões serem verdadeiras? A Sra. Nolan prevendo que eu ia me casar?

E aquela culpa estampada no rosto delas!

CAPÍTULO 11

De repente, a ficha finalmente caiu.

Era tão ultrajante que eu mal podia acreditar.

Será que era mesmo possível que, pelo fato de elas acharem que as previsões da Sra. Nolan para Meredia, Megan e Hetty haviam se concretizado, as minhas previsões também estavam destinadas a virar realidade? Seria mesmo possível que aquelas duas idiotas haviam saído por aí contando a todo mundo que eu ia me casar, como se aquilo fosse um *fato*, e não a previsão de uma taróloga?

A raiva tomou conta de mim. E a perplexidade. Como é que elas podiam ser tão boçais?

Mas quem era eu para julgar? Minha vida era uma sucessão de acontecimentos idiotas, um atrás do outro, entremeados com algumas coisas totalmente ridículas e uma ou duas que beiravam a insanidade. Só que eu tinha a certeza de que jamais faria algo tão idiota quanto aquilo!

Apertei os olhos e depois olhei para elas. Meredia se encolheu toda na cadeira, a covardia em pessoa. (É claro que, quando digo "Meredia se encolheu toda", estou falando de forma puramente metafórica.) Megan fechou a boca, ou pelo menos um dos lados dela, de forma a provar, com teimosia e descaramento, que ela não era assim tão fácil de amedrontar.

Karen continuava a falar sem parar no meu ouvido, soltando a matraca em alta velocidade:

— ... Acho que a gente poderia até arrumar um homem para colocar no seu lugar, mas e se ele começasse a sentir atração por uma de nós, e aí...

— Karen — disse eu, tentando encaixar alguma palavra no meio da enxurrada.

— ... E ele ia acabar mijando fora do vaso e sujando o banheiro todo, você sabe como os homens são...

— Karen — repeti, um pouco mais alto.

— ... É claro que *ele* podia ter alguns amigos bonitos, ou quem sabe ele mesmo talvez fosse um gato, mas nós não poderíamos mais ficar circulando pela casa sem roupa, embora, se ele fosse um gato, talvez até quiséssemos fazer isso, para...

— Karen! — berrei.

Ela calou a boca.

— Karen — disse, aliviada e feliz por ter conseguido parar o trem descontrolado dos pensamentos dela. — Não dá para conversar com você agora, mas ligo de volta assim que puder.

— Imagino que seja o Steven — interrompeu ela. — Fico feliz por isso, ele é um cara muito legal. Não sei por que você terminou o namoro com ele, a não ser que *quisesse* que ele a pedisse em casamento, e então planejou tudo. Se foi assim, você foi muito esperta, Lucy. Não imaginava que você fosse tão esperta, porque...

Desliguei o telefone. Tive de desligar. Não sabia mais o que fazer.

Olhei para Meredia, depois para Megan, e em seguida de volta para Meredia. Então desviei o olhar novamente para Megan, só para mostrar que eu continuava atenta.

Depois de alguns segundos, eu disse:

— Era a Karen — disse, me fingindo de confusa. — Ela me pareceu estar com a impressão de que vou me casar.

— Desculpe — murmurou Meredia.

— Sim, desculpe — acompanhou Megan.

— Desculpá-las pelo quê? — quis saber, com cara amarrada. — Será que vocês poderiam ter a bondade de me contar o que está acontecendo?

Isto é, eu tinha uma ideia já relativamente formada do que estava acontecendo. Só que queria saber a história toda, e também queria deixar as duas na posição pouco confortável de terem de me explicar. De terem de me contar da própria boca, em alto e bom som, na frente de todo mundo, a exata natureza da estupidez das duas A porta se abriu e Catherine, da sala do diretor, entrou e atirou um papel sobre a bandeja de entrada de documentos.

— Lucy! — exclamou ela. — Que grande notícia, hein? Mais tarde volto aqui para saber de todos os detalhes!

E saiu da sala novamente.

— Mas que po... — comecei a falar.

O telefone tocou.

Era Charlotte, a outra garota com quem eu dividia o apartamento.

— Lucy — disse ela, ofegante. — A Karen acabou de me contar! Quero que você saiba que estou superfeliz por você. Sei que a Karen disse que você é uma sacana, por não ter nos contado nada antes, mas você deve ter tido suas razões.

— Charl... — tentei falar. Como acontecera com Karen, porém, não houve jeito de encaixar nada no meio da enxurrada de palavras.

— Lucy, estou tão feliz por você ter conseguido fazer com que as coisas funcionassem na sua vida — continuou ela, matraqueando. — Para ser franca, eu achava que você não ia conseguir. Sei que eu sempre discordava quando você ficava falando que ia acabar virando uma solteirona, morando em uma quitinete com um aquecedor que não funcionava direito e quarenta gatos, mas estava começando a achar que era exatamente isso que ia acontecer com você...

— Charlotte! — interrompi, zangada. Um aquecedor que não funcionava direito, francamente. — Tenho que desligar.

E bati o telefone na cara dela.

Na mesma hora, ele voltou a tocar.

Dessa vez era Daniel.

— Lucy — grasnou ele. — Diga-me que não é verdade! Não se case com ele! Ninguém poderia amar você tanto quanto eu.

Esperei que ele acabasse de falar e mantive a cara bem séria.

— Lucy! — disse ele, depois de algum tempo. — Você está me ouvindo?

— Sim — respondi de forma direta. — Quem lhe contou?

— Chris — disse ele, parecendo surpreso.

— *Chris?* — berrei. — Chris, o meu irmão?

— Hã... É... — disse o pobre Daniel. — Era segredo ou algo assim?

— Daniel — tentei explicar. — Olhe, não posso explicar tudo agora. Ligo para você assim que puder, o.k.?

— O.k. — concordou ele. — Eu estava só brincando ainda há pouco. Na verdade estou muito conten...

Desliguei.

O telefone tornou a tocar.

— Uma de vocês duas, atenda, por favor — disse, de cara feia.

Meredia pegou o fone.

— Alô — atendeu ela, nervosa.

— Não — disse, olhando com medo para mim. — Ela não pode atender neste momento.

Uma pausa.

— Sim, pode deixar que eu digo — afirmou, desligando.

— Quem era? — perguntei, sentindo que aquilo tudo parecia um sonho.

— Hã... eram os rapazes do almoxarifado. Querem tomar um drinque com você, para comemorar.

— A situação está tão ruim assim? — perguntei, com a cabeça transbordando de horror. — Vocês passaram e-mails para todos os funcionários da empresa? Ou só para algumas centenas dos meus amigos mais chegados? Contem-me: como foi que o meu *irmão* soube?

— Seu irmão? — perguntou Megan, parecendo alarmada.

Meredia engoliu em seco e disse, nervosa:

— Lucy, nós não mandamos e-mails para ninguém. Juro!

— Não mandamos não — cantarolou Megan, rindo de leve, de uma forma que, espero, para o bem dela, mostrava alívio. — Não contamos a quase ninguém. Só para a Caroline. Para a Blandina também, e...

— Blandina! — exclamei com rispidez. — Vocês contaram para a *Blandina*. Bem, se contaram para a Blandina, não precisamos de porcaria nenhuma de e-mail! O mundo inteiro já deve estar sabendo. Provavelmente a notícia já chegou a Marte. Na verdade, até a minha mãe já deve estar sabendo.

Blandina era a relações-públicas da empresa. Fofoca era o seu instrumento de trabalho, e também o ar que respirava.

O telefone tornou a tocar.

— É melhor uma de vocês atender — disse em tom de ameaça. — Se for mais alguém me dando os parabéns pelas minhas núpcias iminentes, não vou ser responsável pelos meus atos!

Megan atendeu.

— Alô? — disse ela, com um tremor nervoso na voz.

— É para você — avisou, entregando o fone para mim, quase jogando-o na verdade, como se fosse uma batata quente.

— Megan — sussurrei, mandando que ela tapasse o bocal. — Não quero falar com ninguém. Não vou atender.

— É melhor você atender — disse ela, com ar de derrota. — É a sua mãe.

CAPÍTULO 12

Olhei com ar de súplica para Megan, depois para o fone, depois para Megan de novo.

Aquilo não era um bom sinal. É claro que ainda estava muito cedo para alguém ter morrido naquele dia, não é? E ela definitivamente não estava ligando para bater papo. Minha mãe e eu nunca tivemos um relacionamento do tipo: "vá em frente, mãe, pode deixar que não conto para o papai não; ninguém acreditaria que você já tem uma filha adulta; estou falando sério, esse vestido fica melhor em você do que em mim; posso usar um pouquinho do seu perfume? Você está mais bonita agora do que quando se casou; venha, vamos tomar uns drinques, porque você é a minha melhor amiga". Não, não tínhamos este tipo de relacionamento. Portanto, aquilo só podia significar que a minha mãe já soubera de toda a história sobre eu estar para me casar, e eu me sentia relutante em conversar com ela.

Para falar a verdade, estava é com medo dela.

— Diga a ela que não estou — sussurrei em desespero para Megan.

Imediatamente ouviu-se uma erupção do outro lado da linha, um ruído que parecia o de dois papagaios discutindo, mas era a voz de minha mãe, berrando que tinha ouvido tudo. Então, atendi.

— Quem morreu, mãe? — perguntei, para ganhar tempo.

— Você! — rugiu, com um senso de humor incomum nela.

— Rá-rá... — disse eu, nervosa.

— Lucy Carmel Sullivan — ela parecia furiosa. — Christopher Patrick acabou de me ligar e me contou que você vai se casar. Se casar!

— Mãe...

— A que ponto maravilhoso nós chegamos, não é, em que eu tenho que saber de uma notícia dessas através de fofocas!

— Mãe...

— É claro que fui obrigada a dizer para ele que já sabia da novidade. Eu sabia que este dia ia chegar, Lucy. Sempre soube. Desde menina, você sempre foi leviana e irresponsável. Não podíamos contar com você para nada, a não ser para fazer algo de errado. Só há um motivo para uma mulher jovem se casar com essa correria toda. Isso só acontece quando ela foi burra o bastante para se meter em apuros. Apesar disso, você tem muita sorte de conseguir que o sujeito assuma ficar ao seu lado, embora que tipo de idiota inútil ele deve ser, só Deus sabe...

Eu não sabia o que responder a tudo aquilo, porque a situação era até um pouco engraçada. Havia uma antiga brincadeira em minha família, que dizia que tudo o que eu fazia, não importa o que fosse, minha mãe achava sempre errado. Eu já tinha tanta experiência com a sua desaprovação e o seu desapontamento que aquilo nem me incomodava mais.

Há muitos anos eu desistira de esperar que ela aprovasse algum dos meus namorados, apreciasse o apartamento em que eu morava, demonstrasse satisfação com o meu emprego ou gostasse de algum dos meus amigos.

— Você é igualzinha ao seu pai — disse, com tom amargo.

Pobre mamãe! Nada, coisa alguma do que eu fizesse era bom o bastante para ela.

Quando me formei em secretariado, consegui emprego na filial londrina de uma empresa multinacional e, logo no meu primeiro dia de trabalho, a minha mãe me ligou, não para me dar os parabéns nem para me desejar felicidades na carreira, mas para me contar que as ações da companhia haviam despencado dez pontos na bolsa!

— Mãe, me escute e deixe de fazer papel de tola — interrompi, falando alto. — Eu não vou me casar!

— Já entendi. Então vai me envergonhar, me dando de presente um neto ilegítimo! — exclamou ela, ainda parecendo furiosa. — E onde foi que você aprendeu a se dirigir à minha pessoa usando esses nomes? Então eu sou uma tola agora, é?...

(Uns dez anos antes, ela visitara a irmã Frances, em Boston, e voltara com o linguajar cheio de americanismos, que pareciam muito estranhos em contraste com o seu sotaque de Monaghan.)

— Mãe, não estou grávida e não vou me casar! — disse eu bem depressa.

Ela fez uma pausa, confusa.

— Foi uma brincadeira. — Tentei parecer um pouco mais amigável.

— Ah... foi só uma brincadeira... logo vi — e pigarreou, voltando à carga: — No dia em que você chegar aqui em casa e me contar que conheceu um rapaz decente e que vai se casar com você, aí sim vou achar que é brincadeira. Vou morrer de rir da piada. Vou chorar de tanto rir.

Para a minha surpresa, me senti subitamente muito zangada. Sem mais nem menos, fiquei com vontade de gritar com ela que jamais eu iria até a casa *dela* para contar que eu ia me casar, e que não pretendia nem convidá-la para o casamento.

Evidentemente, o mais engraçado de tudo aquilo era que, se acontecesse a improvável situação de eu acabar me ligando a um homem respeitável, que possuísse emprego e residência fixa, não tivesse ex-mulheres nem ficha na polícia, eu não ia conseguir evitar de ficar exibindo-o para a minha mãe, desafiando-a a tentar achar algum defeito nele.

Porque embora eu às vezes sentisse uma espécie de ódio dela, havia uma parte dentro de mim que queria receber um tapinha carinhoso na cabeça e ouvir: "Boa menina, Lucy!"

— Papai está em casa? — perguntei a ela.

— É claro que o seu adorado pai está aqui — respondeu ela. — Onde mais ele poderia estar? Trabalhando?

— Posso falar com ele, por favor?

Se eu conseguisse conversar com papai, nem que fosse por alguns instantes, ia me sentir um pouco melhor. Pelo menos ia conseguir me consolar, convencendo-me de que não era um fracasso total e que um dos meus pais me amava. Papai era sempre bom nisso, em conseguir me alegrar e fazer pouco caso da mamãe.

— Vai ser difícil falar com seu pai, Lucy — disse ela, com jeito cansado. — Ele recebeu o auxílio-desemprego do governo ontem, e, então, em que estado você acha que ele está?

— Entendo — disse. — Ele está dormindo.

— Dormindo? — bramiu ela, de forma melancólica. — O homem está quase em *coma alcoólico* Acorda e volta a dormir em seguida, está assim há vinte e quatro horas! A cozinha está entulhada de garrafas vazias!

Eu não disse nada. Minha mãe era abstêmia radical, e achava que qualquer um que bebia um drinque ocasional era automaticamente alcoólatra. Quem a ouvia falar assim, achava que papai bebia mais do que Oliver Reed.*

— Então você não vai se casar, afinal? — perguntou minha mãe.

— Não.

— E criou toda esta confusão por nada?

— Mas...

— Bem, vou desligar — avisou ela, antes que eu tivesse a chance de pensar em algo bem mordaz para dizer. — Não posso ficar aqui o dia inteiro jogando conversa fora. Isso é bom para quem pode.

A fúria me inundou. *Ela* ligara para *mim*, afinal, mas, antes que eu pudesse gritar isso, ela continuou a falar:

— Eu lhe contei, Lucy, que estou trabalhando em uma lavanderia? — perguntou, mudando, de repente, para um tom de voz mais conciliador. — Três vezes por semana.

— Ah, é?

— E ainda lavo toda a roupa aqui de casa lá, aos domingos e quartas.

— Ah, é?

— Fecharam o minimercado onde eu trabalhava — continuou ela.

— Ah, é?

Eu estava chateada demais para me dar ao trabalho de conversar com ela.

— Então adorei quando consegui esse lugar na lavanderia — continuou. — Esses trocados vêm bem a calhar.

— Ah, é?

— Assim, dividindo o meu tempo entre a limpeza do hospital, os arranjos de flores para São Domênico e a organização dos retiros com o padre Colm, eu tenho me mantido ocupada.

Eu *odiava* quando ela fazia isso. Era pior do que quando estava azeda e horrível. Como é que eu podia mudar de uma hora para

* Ator inglês, famoso por beber demais. Faleceu em 1999, por excesso de álcool. (N.T.)

outra e entrar em uma conversa civilizada depois das coisas que ela acabara de me dizer?

— E com você, está tudo bem? — perguntou ela, meio sem graça.

"Melhor do que nunca, só por não ver a senhora", me deu vontade de dizer, mas consegui evitar.

— Está tudo bem — respondi de modo vago.

— Não nos vemos há séculos! — disse ela, em um tom que parecia alegre e um pouco provocante.

— É mesmo.

— Por que não aparece aqui em casa uma noite qualquer, na semana que vem?

— Vamos ver... — respondi, começando a entrar em pânico. Não conseguia imaginar nada mais horrível do que passar uma noite na companhia de minha mãe.

— Quinta-feira — determinou ela, com firmeza. — Até lá o dinheiro do seu pai vai ter acabado, e pode ser que ele esteja sóbrio.

— Talvez.

— Quinta-feira — repetiu ela, de forma definitiva. — Agora tenho que desligar. — Ela tentava parecer bem-humorada e amigável, mas dava para sentir a sua inexperiência no assunto. — Amanhã todos aqueles... *yuppies*, ou sei lá como eles se chamam, vão vir de suas casas ricas para fazer fila na loja, a fim de levar os elegantes ternos Armada e as camisas de seda para lavar. Você sabia que alguns deles levam até as gravatas para serem lavadas a seco? Vê se pode!... As *gravatas*. Não falta mais nada! Bem, que bom para eles, que têm toda essa grana para torrar...

— Bem, mãe, é melhor a senhora desligar então — disse eu, com tristeza.

— Deus a abençoe. Nos vemos na quin...

Bati com o fone no gancho.

— E os ternos são *Armani*! — berrei para o aparelho.

Olhei para Megan e Meredia com os olhos cheios de lágrimas. As duas haviam ficado sentadinhas, caladas e com cara de bunda durante toda a conversa.

— Viu? Olhem só o que vocês fizeram, suas vacas burras! — disse, surpresa pelas lágrimas quentes de raiva que rolavam pelo meu rosto.

— Desculpe — sussurrou Meredia.

— Sim, Lucy, desculpe — murmurou Megan. — Foi ideia de Elaine.

— Vá se foder, sua piranha! — disse Meredia, entre dentes. — Meu nome é Meredia, e a ideia foi sua.

Ignorei as duas.

Elas saíram de perto, de fininho, chocadas e assustadas de ver como eu ficara zangada. Na verdade, eu ficava zangada com frequência, só que quase nunca mostrava. Tinha muito medo de as pessoas não gostarem de mim, por isso quase nunca partia para confrontos. Isso tinha prós e contras. Um dos contras é que, provavelmente, eu estava criando uma úlcera que atravessaria o revestimento do meu estômago antes dos trinta anos. Um dos prós de ser assim é que, nas raras ocasiões em que eu dava vazão à minha raiva, impunha um pouco de respeito.

Queria deitar a cabeça na mesa e dormir. Em vez disso, porém, peguei uma nota de vinte libras na bolsa e a coloquei dentro de um envelope, endereçando-o ao meu pai. Se mamãe não estava mais trabalhando no minimercado, o dinheiro por lá devia andar mais curto do que de costume.

A notícia de que eu *não ia mais* me casar se espalhou pela companhia com a mesma rapidez que a versão original, em que eu *ia*. Havia um fluxo constante de gente chegando ao escritório, sob os mais variados pretextos. Era um pesadelo! Grupos de pessoas ficavam em silêncio total, e então prendiam o riso quando eu passava por eles no corredor. Parece que alguém do Departamento de Pessoal começara a passar uma lista recolhendo dinheiro para me dar de presente de casamento, e aconteceu uma briga terrível quando começaram a devolver a quantia, porque os valores que as pessoas exigiam de volta eram muito maiores do que a contribuição inicial, e, embora a culpa não fosse minha, eu continuava a achar que, de certa forma, era.

Aquele dia horrível parecia que ia durar para sempre, mas, finalmente, chegou ao fim.

Era sexta à noite, e nas sextas à noite era tradicional uma saída para "tomar umazinha" com o pessoal do escritório.

Só que, naquela sexta, não.

Resolvi que ia direto para casa.

Não queria ver ninguém. Decidi levar para casa o embaraço e a humilhação diante da pena que as pessoas sentiam de mim por eu continuar solteira. Já estava cheia, por ter sido a fofoca e a piada do dia.

Felizmente, às sextas à noite, Karen e Charlotte também saíam para "tomar umazinha" com seus respectivos colegas de trabalho.

Como "tomar umazinha" normalmente significava uma média de sete horas de muita bebida, que acabavam nas primeiras horas de sábado em alguma boate anônima para turistas ou em um porão perto do Oxford Circus,* com elas dançando em companhia de homens com ternos baratos que usavam as gravatas enroladas na cabeça, havia uma grande chance de eu ficar com o apartamento todo só para mim.

Fiquei feliz por isso.

Sempre que havia um conflito em minha vida e eu saía perdendo (e normalmente era isso o que acontecia), entrava em hibernação.

Escondia-me das pessoas. Não queria conversar com ninguém. Tentava limitar todo o contato com a raça humana ao telefonema para a pizzaria e ao pagamento ao entregador. E preferia que o entregador ficasse de capacete, porque isso evitava o contato olho no olho.

Depois de um tempo, isso passava.

Após alguns dias, eu geralmente recuperava a energia que precisava para tornar a botar a cara para fora, cair no mundo e lidar com os outros seres humanos. Já conseguira reajustar minha armadura de proteção, de forma que eu já não era uma pé no saco chorosa e miserável. A essa altura, conseguia rir dos meus infortúnios e estimular os outros a fazer o mesmo, só para mostrar o grande espírito esportivo que eu possuía.

---

* Ponto famoso no centro de Londres, cercado de importantes lojas e restaurantes. (N.T.)

CAPÍTULO 13

Ao saltar do ônibus, vi que começara a chover e fazia um frio terrível. Embora estivesse muda de tristeza e louca para chegar ao abrigo representado pela minha casa, passei em algumas lojas junto do ponto do ônibus, a fim de comprar suprimentos para os meus dias de isolamento.

Primeiro, passei na banca de jornais, comprei quatro tabletes de chocolate e uma revista bem colorida, produtos que consegui adquirir sem precisar trocar uma única palavra com o vendedor. (Essa era uma das muitas vantagens de morar no centro de Londres.)

Então, passei em uma loja de bebidas e comprei, com um pouco de culpa, uma garrafa de vinho branco. Senti a desconfortável certeza de que o homem sabia que eu pretendia bebê-la toda sozinha, mas não sei por que motivo fiquei assim tão preocupada com isso, pois ele provavelmente não teria movido um músculo mesmo que me visse ser esfaqueada na fila do caixa, desde que eu lhe entregasse o dinheiro do vinho. Mentalidade de cidade pequena era uma herança muito difícil de perder.

Depois, passei em uma loja de conveniência e, a não ser por uma discussão básica a respeito de sal e vinagre, consegui evitar qualquer contato humano *e* comprar um saco de batatas fritas.

Em seguida passei na locadora, na esperança de pegar um filme bem leve e divertido com o mínimo de papo.

Mas o destino não quis que fosse assim.

— Lucy! — chamou Adrian, o dono da locadora, parecendo todo animado e feliz por me ver.

Eu merecia que alguém chutasse o meu traseiro por entrar ali! Esqueci que Adrian ia querer conversar comigo, pois os clientes eram toda a sua vida social.

— Oi, Adrian — sorri, com discrição, na esperança de acalmá-lo.

— Que bom ver você! — gritou ele.

Preferia que ele não tivesse gritado. Tinha certeza de que as outras pessoas estavam todas olhando para mim.

Tentei me fazer menor dentro do discreto casaco marrom.

Bem depressa — muito mais depressa do que planejara originalmente —, achei o filme que queria e o levei até o balcão.

Adrian deu um largo sorriso.

Se eu não estivesse com o astral tão baixo, iria ter de admitir que ele era realmente um doce de pessoa. Um pouquinho entusiasmado demais apenas.

— Então, por onde tem andado? — perguntou, bem alto. — Não vejo você há... sei lá, *muitos dias*!

Os outros clientes pararam de procurar filmes nas prateleiras e olharam para mim, esperando a minha resposta. Bem, pelo menos foi isso que me pareceu, mas eu estava tão constrangida que chegava a *estar* paranoica.

Corei de vergonha.

— Então, Lucy, você colocou o pé na vida e foi à luta? — perguntou Adrian.

— Fui — murmurei. (Cale a boca, Adrian, *por favor*!)

— E o que aconteceu? — quis saber ele.

— Levei um tombo. — E sorri de modo triste.

Ele soltou uma gargalhada.

— Você é muito divertida, Lucy, sabia disso?

Lancei-lhe um sorriso tenso.

Tinha certeza de que os outros clientes estavam todos esticando o pescoço, olhando para mim e pensando: "Ela?... Aquela coisinha insignificante? Tem certeza? Ela não *parece* muito divertida."

— Bem, é muito bom tornar a vê-la — anunciou Adrian. — O que está levando para assistir esta noite? Ah, não! — Seu largo sorriso se transformou em cara de nojo e ele quase jogou o filme de volta para mim. — *Quatro Casamentos e um Funeral*? Não acredito.

— Sim, *Quatro Casamentos e um Funeral* — insisti, empurrando o filme de volta para ele, por sobre o balcão.

— Mas, Lucy — argumentou, empurrando-o de volta com firmeza para mim —, isso é uma bosta sentimental. Eu sei das coisas. Que tal *Cinema Paradiso*?

— Já assisti — informei-lhe. — Por recomendação sua. Foi naquela noite em que você não me deixou levar *Sintonia de Amor.*

— Ahá! — disse ele, com ar de triunfo. — Mas que tal levar *Cinema Paradiso — Versão do Diretor?*

— Também já vi.

— *Jean de Florette?* — perguntou ele, com esperança.

— Já vi.

— *Cyrano de Bergerac?*

— Que versão?

— Qualquer uma.

— Já vi todas.

— *A Doce Vida?*

— Já vi.

— Algum filme do Fassbinder?

— Não, Adrian — insisti, lutando para não entrar em desespero, mas tentando parecer firme. — Você nunca me deixa levar nada do que quero! Já vi todos os filmes *cult* e os estrangeiros que você tem na loja. Por favor, *por favor*, só desta vez, deixe-me assistir a alguma coisa bem leve!

— E que seja falada em inglês! — acrescentei, depressa, antes que ele tentasse achar algum filme leve com som original em sueco.

Ele suspirou.

— Bem, está certo. Vá lá... *Quatro Casamentos e um Funeral* então. E o que comprou para lanchar mais tarde?

— Hã?... — disse eu, pega de surpresa pela mudança de assunto abrupta.

— Deixe-me ver suas sacolas — pediu ele.

Aquele era um ritual pelo qual Adrian e eu normalmente passávamos. Certa vez, há muito tempo, ele me confessou que o seu trabalho lhe trazia uma sensação de isolamento. Contou que jamais fazia as refeições no mesmo horário que todo mundo. E o que o fazia sentir que ainda pertencia ao mundo real era o fato de manter contato com o pessoal que trabalhava no horário comercial, saber como eles passavam as noites e, mais especificamente, o que comiam.

Normalmente eu tinha muita afinidade com ele, mas, naquela noite, eu queria dar o fora dali, me desligar do mundo e ficar sozinha com o meu chocolate e o meu vinho, para poder curtir a ausência total de qualquer ser humano.

Além disso, estava com vergonha do nível elevado de açúcar, da gordura saturada, das poucas proteínas e das poucas fibras que havia nas minhas compras.

— Já sei — disse ele, pesquisando minhas sacolas. — Chocolate, batatas fritas, vinho. O chocolate derrete se você deixá-lo junto das batatas, sabia? Você está meio deprimida?

— Acho que sim — respondi, ensaiando um sorriso na tentativa de ser educada. Enquanto isso, cada átomo do meu corpo estava louco para se ver em casa, com a porta da rua trancada atrás de mim.

— Pobrezinha — disse ele com ar gentil.

Novamente tentei sorrir, mas não consegui. Por um instante pensei em contar a ele toda a confusão do meu suposto casamento, mas não tive forças.

Adrian era um doce. Realmente, um doce.

E bonito, reparei, olhando de lado.

Eu tinha a vaga impressão de que ele gostava de mim.

Talvez eu devesse analisá-lo sob esse ângulo, pensei, com pouco entusiasmo.

Quem sabe era isso que a Sra. Nolan quis dizer quando me falou que, à primeira vista, talvez não reconhecesse o meu futuro marido, ou sei lá exatamente do que ela o chamou.

Com um pequeno tremor de irritação, vi que até *eu* estava começando a acreditar na Sra. Nolan, e que era tão idiota quanto Megan e Meredia.

Zangada, resolvi me mancar, pois não ia me casar com ninguém, *muito menos* com Adrian.

Jamais daria certo.

Para começar, havia a questão financeira. Não sabia ao certo o quanto Adrian ganhava com a loja, mas não devia ser muito. Certamente não era muito mais do que a mixaria que eu ganhava. É claro que eu não era uma mercenária, mas, fala sério, pensei, como é que a gente ia poder manter uma família, mesmo com os salários somados? E quanto aos nossos filhos? Adrian parecia trabalhar vinte horas por dia, sete dias por semana, de forma que as crianças não iam nem conseguir ver o pai.

Na verdade, era capaz de nem mesmo *eu* conseguir vê-lo o bastante para que ele conseguisse me engravidar.

Mas enfim...

Adrian digitou o número de minha conta, que sabia de cor, e me avisou que eu estava devendo uma multa por um filme que alugara há dez dias e ainda não devolvera.

— Sério? — perguntei, empalidecendo ao pensar na quantidade de dinheiro que devia, e no medo de talvez jamais conseguir sair da loja.

— Sério — respondeu ele, com ar preocupado. — Você não costuma fazer isso, Lucy.

Ele tinha razão. Eu jamais fazia nada arriscado. Morria de medo de deixar alguém chateado ou levar um fora.

— Ai, meu Deus! — exclamei, alarmada. — Eu nem me *lembro* de ter alugado alguma coisa aqui nos últimos quinze dias! Que filme foi?

— *A Noviça Rebelde.*

— Ah... — disse, preocupada. — Então não fui eu. Deve ter sido a Charlotte, usando o meu cartão.

Fiquei desanimada. Isso significava que eu ia ter de chamar a atenção de Charlotte por se fazer passar por mim. E ainda ia ter de arrancar dinheiro dela para pagar a multa. Arrancar alguns dentes dela seria muito mais fácil.

— Mas por que *A Noviça Rebelde*? — quis saber Adrian.

— É o filme favorito dela.

— Sério mesmo? Ela tem algum problema?

— Não — respondi, na defensiva. — Ela é um doce de pessoa.

— Ah, fala sério! — zombou Adrian. — Ela deve ser meio tapada.

— Não é, não — insisti. — Simplesmente é muito jovem. — E talvez fosse mesmo um *pouco* tapada, pensei, mas não havia necessidade de dizer isso a Adrian.

— Se ela tem mais de oito anos, já não está mais na categoria de "muito jovem" — bufou ele. — Que idade ela tem?

— Vinte e três — murmurei.

— Então já está grandinha para saber das coisas — afirmou ele. — Aposto que ela tem um edredom cor-de-rosa e chinelos no formato de Mr. Blobby* — acrescentou, torcendo a boca com nojo. —

---

* Personagem infantil da tevê inglesa que tem a forma de uma bolha cor-de-rosa. (N.T.)

Deve adorar crianças e animais, e acorda bem cedo todos os domin gos para assistir a seriados açucarados na tevê.

Se ele soubesse o quanto chegou perto...

— Dá para dizer muita coisa a respeito de uma pessoa só pelo filme que ela escolhe — explicou Adrian. — De qualquer modo, por que ela usou o *seu* cartão?

— Porque você fechou a conta dela. Lembra?

— Ela não é a loura que levou *Antes Só do que Mal Acompanhado* para a Espanha, é? — perguntou Adrian, assustado, elevando a voz. Parecia indignado ao perceber que emprestara um dos seus filmes a uma garota horrível, que levara o precioso bebê através da Europa, e ainda se recusou a pagar a multa na volta. E que, de algum modo, as sanções comerciais que ele havia imposto contra Charlotte haviam sido violadas.

— Sim, é ela mesma.

— Como é que pode eu não tê-la reconhecido? — perguntou, parecendo aborrecido.

— Não esquenta, não esquenta — disse eu, de forma tranquilizadora, torcendo para que ele se acalmasse e me deixasse ir para casa. — Vou lhe trazer o filme. E vou pagar a multa.

Eu teria concordado em pagar *qualquer coisa* só para ir embora.

— Não. Simplesmente o traga de volta — pediu ele.

Do mesmo jeito que mães chorosas aparecem na tevê em busca dos filhos desaparecidos.

— Simplesmente o traga de volta — repetiu. — É tudo o que quero.

Fui embora. Estava exausta. Não adiantou nada não querer conversa com nenhum ser humano.

Mas eu não ia falar com mais ninguém naquela noite, decidi.

Não ia *conseguir* falar com mais ninguém naquela noite.

Resolvera me cercar, fazendo um voto de silêncio. Embora, pelo jeito, o voto de silêncio é que parecia estar me cercando.

CAPÍTULO 14

O apartamento estava uma bagunça terrível. A cozinha parecia um pandemônio, com pratos sujos e panelas empilhadas na pia, formando uma torre instável. O lixo precisava ser levado para fora, as grades dos aquecedores estavam cobertas de roupas para secar, duas embalagens de pizza jaziam atiradas no chão da sala, perfumando o ar com cebola e pepperoni, e a geladeira estava com um cheiro estranho quando abri a porta para guardar o vinho.

Embora o estado do lugar tivesse me deixado ainda mais deprimida do que já estava, não consegui reunir forças para fazer nada além de enfileirar as embalagens de pizza ao lado da lata de lixo.

Pelo menos eu estava em casa.

Enquanto circulava cautelosamente pela cozinha, em busca de um prato limpo para colocar as batatas fritas, o telefone tocou. Antes de pensar no que estava fazendo, atendi.

— Lucy? — disse a voz de um homem.

Ao menos, por um instante, *achei* que era um homem. Mas compreendi então que era apenas Daniel.

— Oi — disse eu, tentando parecer educada, mas me xingando por ter atendido. Ele, evidentemente, estava ligando só para zoar da história maluca sobre o casamento e a taróloga.

— Oi, Lucy — disse ele, com um tom de voz amigável e preocupado. — Como você está?

Eu tinha razão. Ele definitivamente ligara para me zoar.

— O que quer? — perguntei, com frieza.

— Liguei só para saber como você estava — respondeu ele, fingindo surpresa —, e muito obrigado pela acolhida calorosa.

— Você está ligando só para me zoar — disse eu em um impulso.

— Não estou, *não* — afirmou ele. — Sério!

— Daniel — suspirei —, é claro que está! Sempre que me acontece alguma coisa desagradável, você liga para me zoar. Da mesma forma, quando alguma coisa desagradável acontece com você, eu fico rouca de tanto rir. Essas são as *regras* do jogo.

— Não, não é bem assim — reclamou ele, de modo gentil. — Não posso negar que você parece se divertir muito quando me vê quebrar a cara, mas não é verdade que eu fique rindo dos seus infortúnios.

Uma pausa.

— Reconheça! — disse ele, com simpatia. — Se fosse assim, eu não iria fazer outra coisa na vida a não ser rir de você.

— Adeus, Daniel — disse, com frieza, preparando-me para desligar.

— Espere aí, espere, espere, Lucy! — gritou. — Foi *brincadeira*! Puxa vida — murmurou, em seguida. — Você é muito mais legal quando está com o senso de humor ligado.

Eu não disse nada, porque não tinha certeza sobre se devia ou não acreditar que ele estava brincando. Andava muito sensível a respeito da aparentemente absurda quantidade de desastres que aconteciam comigo. Morria de medo de ser ridicularizada, ou, pior ainda, de alguém ficar com pena de mim.

O silêncio continuou.

Que desperdício de tarifa telefônica, pensei, com tristeza.

Então tentei me recompor. A vida já era ruim o bastante, pensei. Não havia necessidade adicional de eu me arrasar por causa de palavras que nem foram ditas em um simples telefonema.

Para passar o tempo, comecei a folhear minha revista. Achei um artigo sobre a irrigação dos tecidos intestinais. Argh, pensei, que coisa nojenta! Essa reportagem deve estar ótima!

Então, comi dois tabletes de chocolate. Um só não foi o bastante.

— Ouvi dizer que você não vai mais se casar — disse Daniel, finalmente, depois que o silêncio já se esticara demais.

— Não, Daniel, eu não vou me casar — concordei. — Espero que tenha se divertido pelo fim de semana todo. Agora tenho que desligar. Tchau!

— Lucy, *por favor*! — implorou ele.

— Daniel — interrompi, com ar cansado —, não estou a fim desse papo, sério mesmo.

Não queria conversa com ninguém, muito menos arrumar discussão.

— Sinto muito — disse ele, com tom de desculpas.

— Sente mesmo? — perguntei, desconfiada.

— Sinto — confirmou ele. — De verdade.

— Ótimo! — disse eu. — Agora eu realmente preciso desligar.

— Você continua pau da vida comigo — disse ele. — Dá pra perceber.

— Não, Daniel, não estou, não — disse, sem forças. — Simplesmente quero que me deixem em paz aqui no meu cantinho.

— Ah, não! — disse ele. — Isso quer dizer que você vai sumir, agarrada a um pacote de biscoitos, até o fim da semana que vem?

— Talvez — ri um pouco. — A gente se vê daqui a uma semana.

— Vou ligar de vez em quando, para fazer você se virar na cama — disse ele. — Não quero que fique cheia de assaduras novamente, de tanto ficar deitada.

— Obrigada.

— Não... Escute, Lucy — pediu ele. — Por que não sai comigo amanhã à noite?

— Amanhã à noite? — perguntei. — *Sábado* à noite?

— É...

— Mas, Daniel, mesmo que eu estivesse a fim de sair amanhã à noite, o que não é o caso, certamente não sairia com você — expliquei.

— Ah, sei...

— Sem querer ofender — continuei, com gentileza —, mas *sábado* à noite... Esse é o dia em que a gente sai para ir a festas e conhecer homens interessantes, não para encontrar velhos amigos. Para a gente fazer isso Deus inventou as *segundas* à noite.

Um pensamento alarmante subitamente me ocorreu.

— Onde você está? — quis saber, desconfiada.

— Hã... estou em casa — respondeu ele, parecendo envergonhado.

— Em uma sexta à noite? — perguntei, espantada. — E você quer sair comigo em um sábado à noite? O que houve?

Nesse instante eu descobri. E o meu astral melhorou na mesma hora, de forma visível.

— Ela largou você, não foi? — disse eu, com voz agradável. — Aquela tal de Graça finalmente recuperou o juízo. Se bem que admito que nem pensava que ela tivesse algum juízo para recuperar.

Eu sempre fazia comentários desagradáveis a respeito das namoradas de Daniel. Achava que qualquer mulher que fosse burra o bastante para se envolver com um cara tão obviamente paquerador e cauteloso na hora de assumir compromissos, como era o caso de Daniel, merecia todas as tolices que alguém dissesse a seu respeito.

— E agora você não gostou de eu ter ligado? — perguntou ele, com tom gentil. — Não foi melhor do que me deixar falando com a secretária eletrônica?

— Sim, obrigada, Daniel — disse eu, sentindo-me subitamente melhor. — Você tem muita consideração. Abrir o coração sempre ajuda a piorar as coisas — continuei, irônica. — O que aconteceu?

— Ah — disse ele, de forma vaga —, uma dessas coisas que acontecem. Eu lhe conto amanhã à noite, quando nos virmos.

— Daniel — disse, com voz carinhosa —, a gente não vai se ver amanhã à noite.

— Mas, Lucy — argumentou ele —, eu até já reservei a mesa em um restaurante.

— Mas, Daniel... — contra-argumentei — ...você não devia ter feito isso sem me consultar antes. Você sabe como meu astral é instável. Nesse momento não estou nem um pouco divertida.

— Mas sabe o que é...? — explicou ele —, eu tinha feito essa reserva há muito tempo, era para ir ao restaurante com a Graça, mas como ela e eu não estamos mais namorando...

— Ah, entendi — disse eu. — Você não quer especificamente que *eu* vá com você. Precisa só de *alguém* que vá. Bem, isso não deve ser difícil de conseguir, se considerarmos o quanto as mulheres adoram você. Embora, francamente, eu não consiga entender por que elas...

— Não, Lucy — interrompeu ele. — Eu quero que *você*, especificamente, vá comigo.

— Desculpe, Daniel — disse, com tristeza —, mas estou muito deprimida.

— Mas a notícia de a minha namorada ter me largado não deixou você mais animada? — perguntou ele.

— Sim, claro que sim! — respondi, começando a me sentir culpada. — Só que não consigo encarar a ideia de sair.

Foi nesse momento que ele lançou a cartada final:

— É que é meu aniversário — disse ele, com a voz sem expressão.

— Não, o seu aniversário é só na terça-feira — disse eu, bem depressa.

Esqueci que era o aniversário dele, mas, rapidinho, já estava com a resposta pronta. Tinha muita prática em escapar de coisas que não estava a fim de fazer, como dava para perceber.

— Mas eu queria que você fosse comigo nesse restaurante em particular — disse ele, tentando me convencer. — É tão difícil de conseguir uma mesa lá...

— Ah, Daniel — disse, começando a ficar desesperada. — Por que está fazendo isso comigo?

— Você não é a única que pode se sentir péssima, sabia? — disse ele, baixinho. — Você não tem o monopólio da tristeza.

— Puxa, desculpe, Daniel — e me senti culpada e magoada —, você está de baixo astral?

— Bem, você sabe como é... — disse ele, ainda parecendo quieto demais e derrotado. E selou meu destino, perguntando:

— Alguma vez eu a deixei sozinha quando você estava nesse estado, Lucy?

— Isso é chantagem — disse eu, com raiva. — Tudo bem, eu saio com você.

— Ótimo! — reagiu ele, mais alegre.

— Você está mal de verdade? — quis saber. Eu vivia interessada no desespero alheio. Assim, podia comparar e fazer um contraste com a minha própria situação, só para não me sentir tão diferente dos outros.

— Estou sim — confirmou ele, com ar pesaroso. — Você também não ficaria se estivesse sem saber onde conseguir alguém para transar?

— Daniel — disse, ultrajada. — Seu canalha! Eu devia saber que você estava só fingindo estar na fossa. Você não tem uma única fibra de emoção sincera no corpo.

— Brincadeira, Lucy, foi só uma brincadeira — disse ele, de modo suave. — Esse é só o *meu* jeito pessoal de lidar com coisas desagradáveis.

— Nunca sei quando você está brincando e quando está falando sério — suspirei.

— Nem eu — concordou ele. — Agora, quero lhe contar sobre esse maravilhoso restaurante aonde vou levar você.

— Você não vai *me levar* a lugar nenhum. — Senti um certo desconforto. — Falando desse jeito, fica parecendo que vamos ter um encontro de namorados, o que não é o caso. Você quer me falar do restaurante aonde *você* está forçando a barra para eu ir.

— Tudo bem, desculpe — concordou ele. — Vou lhe contar sobre o restaurante aonde *eu* estou forçando a barra para você ir.

— Ótimo — disse. — Assim é melhor.

— O nome dele é Kremlin.

— O *Kremlin*? — perguntei, parecendo alarmada. — Quer dizer que é um restaurante russo?

— Obviamente, sim — confirmou ele, com um pouco de ansiedade na voz. — Isso tem algum problema?

— Sim — respondi. — O fato de ser um restaurante russo não quer dizer que vamos ter de esperar em uma fila durante horas e horas e horas a fio, até conseguir comer? Em uma temperatura abaixo de zero? E que, embora o cardápio mostre um monte de comidas deliciosas, a única coisa que vão estar servindo é nabo cru?

— Não, nada disso, sério — protestou ele. — Não vai ser nada desse tipo. O restaurante é *pré*-Revolução, e isso prova que a comida é maravilhosa. Vamos ter caviar, vodca com diversos sabores e muito luxo. Você vai adorar!

— É bom mesmo — disse eu, com a voz pesaaa. — Mas continuo sem entender por que você está tão interessado que eu vá. Que tal convidar a Karen ou a Charlotte? As duas estão a fim de você. E ia ser muito mais divertido com qualquer uma delas. Ou se você levasse *as duas*, pensando melhor. Não gostaria de um flertezinho para temperar o *borscht*? Ou aproveitar o seu *blinis* a três?

— Não, obrigado — disse ele, com firmeza. — Chega de ferimentos! Vou dar um tempo com as mulheres.

— Você? — gritei. — Não acredito! Dar em cima das mulheres é tão natural para você quanto respirar.

— Você faz um juízo tão baixo da minha pessoa, Lucy — disse ele, achando graça. — Agora, sério mesmo... Eu preferia ir com alguém que não estivesse a fim de mim.

— Bem, posso não ser muito boa para a maioria das coisas, mas, com relação a isso, sirvo como uma luva para você — comentei, em um tom quase alegre.

Parece que eu conseguira me animar um pouco.

— Ótimo! — disse ele.

Houve uma pequena pausa.

De repente, ele tornou a falar:

— Lucy... — disse, um pouco sem graça. — ... Posso lhe perguntar uma coisa?

— Claro.

— Bem, não que seja importante nem nada — explicou ele —, é que estou um pouco curioso para saber... hã... *Por que* você não está a fim de mim?

— Daniel! — disse, com cara de nojo. — Você é patético!

— Eu só queria saber o que estou fazendo de errado... — protestou ele.

Desliguei.

Mal conseguira colocar as batatas fritas em um prato e o telefone tornou a tocar, só que desta vez fui esperta e deixei a secretária eletrônica atender por mim.

Não me importava quem fosse, eu não ia atender.

— Hã... hum... aqui fala a Sra. Connie Sullivan. Estou ligando para falar com a minha filha, Lucy Sullivan.

Era a minha mãe.

Quantas Lucys será que ela achava que moravam no meu apartamento?, pensei, com irritação. Ao mesmo tempo, uma sensação de alegria me inundou por eu ter escapado daquela furada! Sentia um alívio total por não ter atendido ao telefonema. Então, o que será que a minha velha queria?

O que quer que fosse, ela não parecia muito à vontade ao compartilhar o assunto com a secretária:

— Lucy, meu amor... é... hum... é... hã... sou eu, a mamãe!

Ela me pareceu um pouco humilde. Sempre que chamava a si mesma de "mamãe" era sinal de que estava querendo ser gentil. Estava telefonando, provavelmente, para se desculpar, a contragosto, por ter sido tão cruel comigo naquele mesmo dia, mais cedo. Esse era o comportamento usual dela.

— Lucy, meu amor, eu... hã... acho que talvez tenha sido um pouco dura demais com você ao telefone hoje. Se fui, isso só aconteceu porque quero o melhor para você.

Eu ouvia tudo com a boca torta e uma expressão de desdém.

— Eu tinha que telefonar Fiquei com isso na cabeça — continuou ela. — É que fiquei um pouco chocada, entende, por pensar que você poderia estar... *com problemas*... — Ela sussurrou "com problemas", para o caso de alguém de fora ouvir inadvertidamente a sua mensagem e testemunhar uma ideia tão suja quanto aquela sendo proferida.

— Bem, eu a vejo na quinta que vem, e não se esqueça de que quarta é um dia sagrado, é o início da Quaresma...

Levantei os olhos para o teto, mesmo sabendo que não havia ninguém ali para me ver fazendo aquilo, e voltei para a cozinha, a fim de pegar um pouco de sal. Eu não queria admitir nem para mim mesma, de jeito nenhum, mas, sabe, no fundo me senti um pouco melhor sabendo que a minha mãe ligara e, de certa forma, pedira desculpas.

Comi as batatas, comi os chocolates, assisti ao filme e fui para a cama cedo. Não bebi o vinho, mas talvez devesse ter feito isso, porque dormi muito mal.

Pareceu, a noite toda, que havia gente entrando e saindo do apartamento. A campainha tocou; portas se abriram e se fecharam; havia no ar um cheiro de torradas sendo preparadas; "Como resolver o problema de Maria"* vinha da sala da frente; risinhos abafados vinham da cozinha; tropeções e ruídos de mobília caindo vinham do quarto de alguém; houve mais risadinhas, dessa vez não tão abafadas; barulhos na gaveta dos talheres mostravam que alguém estava procurando alguma coisa, provavelmente um saca-rolhas, e havia risos masculinos.

Essa era uma das desvantagens de ir para a cama mais cedo em uma noite de sexta-feira em um apartamento onde as duas outras ocupantes saíram e voltaram bêbadas. Com frequência, era eu que

---

* Referência à canção "Maria", do filme *A Noviça Rebelde*. (N.T.)

estava do outro lado, soltando risadinhas, deixando as coisas caírem e esbarrando nos móveis, portanto não podia me aborrecer com elas.

Só que era muito mais difícil de aturar tudo aquilo quando estávamos sóbrios, de baixo astral e queríamos isolamento. Eu poderia ter me levantado da cama, ter marchado de pijama pelo corredor, com o cabelo todo despenteado, a cara sem maquiagem e implorar a Karen, Charlotte e a sei lá mais quem estivesse ali como convidado para que fizessem menos barulho, mas isso não ia me servir de nada. Talvez completamente bêbados eles ridicularizassem o meu pijama e o meu cabelo, ou talvez eu acabasse me vendo forçada a beber meia garrafa de vodca, em uma postura de "já que não posso derrotá-los, é melhor unir-me a eles".

Às vezes, gostaria de morar sozinha.

Andava pensando muito nessa possibilidade ultimamente.

Finalmente, voltei a pegar no sono e então, no que me pareceu ser logo depois, tornei a acordar.

Não sabia que horas eram, mas ainda estava escuro como breu. A casa estava silenciosa e o meu quarto estava gelado. O aquecimento automático ainda não devia ter ligado. Dava para ouvir que estava chovendo lá fora, e o vento batucava nas frágeis janelas vitorianas. As cortinas moviam-se suavemente, levadas por alguma corrente de ar. Um carro passou na rua, os pneus chiando sobre o asfalto molhado.

Uma fisgada desagradável atravessou o meu peito... Vazio? Solidão? Abandono? Se não era um desses sentimentos, era pelo menos um membro dessa extensa família.

"Nunca mais vou sair de casa", pensei. "Pelo menos enquanto o mundo estiver do jeito que está. Tempo ruim e gente rindo de mim, não quero nada disso."

Depois de mais alguns instantes, não pude deixar de reparar que, embora fosse cinco e meia da manhã de um sábado, eu estava acordada.

Isso sempre acontecia comigo. De segunda a sexta eu mal conseguia abrir os olhos de manhã, mesmo com a ajuda do despertador e da ameaça de perder o emprego se chegasse mais um dia atrasada. Sair da cama era quase impossível, como se os lençóis fossem feitos de velcro.

E quando chegava o sábado, quando não precisava levantar cedo, acordava sozinha e não conseguia me convencer, de jeito nenhum, a me virar para o outro lado, fechar os olhos, me encolher debaixo das cobertas e tornar a dormir.

A única exceção a esse padrão acontecia nos poucos sábados em que eu tinha de trabalhar. Então, era tão difícil acordar quanto nas cinco manhãs anteriores.

Se a minha mãe soubesse disso, provavelmente usaria o fato como prova — pelo menos, de acordo com ela — de que eu era sempre do contra.

"Já sei!", pensei. Vou comer alguma coisa.

Levantei-me da cama. O quarto estava congelando. Atravessei correndo a sala até a cozinha e, para meu desânimo, vi que já havia uma pessoa lá.

"Não me importa quem seja", pensei, com ar belicoso. "Não vou nem falar com ele."

Era um rapaz que eu nunca tinha visto. Usava apenas um short vermelho e bebia água energicamente, de uma caneca. Tinha as costas cheias de pintas.

Aquele não era o primeiro sábado de manhã em que eu dava de cara com um homem na cozinha e sabia que jamais o vira antes. A única diferença daquele sábado em particular é que não fui eu que o trouxera para casa.

Alguma coisa nele, não sei se o jeito como bebia a água, como se estivesse morrendo de sede, ou talvez as suas costas cheias de pintinhas, fez com que eu resolvesse ser gentil com ele.

— Tem Coca na geladeira — avisei a ele, hospitaleira.

Ele deu um pulo e se virou para trás. Tinha uma cara cheia de pintas também.

— Hã... é... ahn... olá — disse ele, suas mãos descendo automaticamente para cobrir a parte da frente do short. (Será que lá havia pintas também?, pensei de forma vaga.)

— Desculpe — gaguejou ele. — Espero não tê-la assustado. Vim para cá com a... ahn... sua amiga, ontem à noite.

— Ah! — exclamei. — Qual delas?

Quem será que atraíra o interesse daquela criatura toda pintada na noite anterior? Karen ou Charlotte?

— Bem... isso é muito embaraçoso — disse ele, com ar tímido. — Na verdade, não consigo me lembrar do nome dela. Bebi um bocado ontem à noite!

— Bem... descreva-a — sugeri, gentilmente

— Loura.

— Isso não serve — disse eu. — As duas são louras.

— Bem, ela é bem grande, ahn... — disse ele, fazendo gestos expansivos com as mãos na frente do tórax.

— Sei, você quer dizer peitos grandes. — Compreendi de repente. — Bem, também não serve, pode ser qualquer uma das duas.

— Acho que ela tem um sotaque engraçado — afirmou ele.

— Escocês?

— Não.

— De Yorkshire?

— Isso!

— Então é Charlotte.

Peguei um saquinho de biscoitos e voltei para a cama.

Poucos minutos depois, o garoto cheio de pintas entrou no meu quarto.

— Ah... — disse ele, confuso e com o rosto vermelho de vergonha, enquanto cobria novamente a parte da frente do short com a mão. — Onde é que fica o quarto...? Achei que...

— É na porta ao lado — respondi, sonolenta.

CAPÍTULO 15

Quando acordei mais tarde, já era quase meio-dia. Alguém estava no banheiro e o vapor saía em nuvens por baixo da porta, de modo que eu mal conseguia enxergar o fim do corredor. Encontrei Karen deitada com um edredom, no sofá da sala. Estava tossindo e fumando, havia um cinzeiro transbordando de guimbas no chão ao lado dela, e seu rosto parecia o de um panda, porque ela não removera a maquiagem da noite anterior.

— Bom-dia. — Ela sorriu, parecendo um pouco pálida e fraca. — O que fez ontem à noite, Lucy?

— Nada — respondi, distraída. — Por que o apartamento está parecendo uma sauna? Quem é que está no banheiro? Por que está demorando tanto?

— É Charlotte. Está se purificando com água escaldante e bucha, esfregando a pele até sangrar, como penitência pelo pecado que cometeu.

Senti uma imensa onda de solidariedade por ela.

— Ah, não, pobre Charlotte! Então ela dormiu com o "costas cheias de pintas"?

— Quando você o viu? — perguntou Karen, tentando se sentar no sofá, empolgada, mas logo em seguida mudando de ideia.

— Esbarrei com ele na cozinha, mais ou menos às cinco e meia da manhã.

— Ele tem um rosto horrível, não achou? É muito feio. Charlotte estava usando óculos de cerveja... Bem, na verdade eram óculos de tequila, então achou que ele era lindo.

— Senso estético prejudicado?

— Bastante.

— E ela estava se comportando de forma vulgar, dançando de forma sedutora por todo o apartamento?

— Estava.

— Ah, não!

Charlotte era assim, cheia de vida, mas tivera uma criação muito boa e tradicional. Era uma garota respeitável, de uma cidadezinha do interior, perto de Bradford. Morava em Londres há cerca de um ano, e ainda estava passando pelo doloroso processo de tentar descobrir quem realmente era. Continuava a menina animada de Yorkshire, um pouco abusada, mas muito decente, com as maçãs do rosto rosadas e que falava coisas como: "Olha essa foto, uai! Olha eu aqui na roça com o cachorro!" Ou era a loura fatal de peitos grandes na qual se transformava sempre que bebia demais? É estranho, mas, quando ela fazia o papel de loura fatal, o seu cabelo realmente parecia bem mais louro, e o busto bem mais cheio, pelo menos alguns números maior.

Para Charlotte era muito, muito difícil unir esses dois aspectos de si mesma. Sempre que agia como a loura peituda e fatal, ela passava os dias que se seguiam em autocensuras e repreensões. Culpa, autoaversão, autopunição, medo de castigos, repulsa por si mesma e pelo seu comportamento eram seus acompanhantes constantes.

Tomava banhos demais e sempre muito quentes nesses períodos.

Era pena o fato de Charlotte ser loura e peituda, porque ela também era meio burrinha, e tudo isso somado confirmava muitos preconceitos. Gente como Charlotte é que dava má fama às louras. Só que eu gostava muito de Charlotte. Ela era uma pessoa adorável e ótima companheira de apartamento.

— Mas deixe-a pra lá e me conte de você — pediu Karen, alegremente. — Conte essa história maluca de você estar para se casar e tudo o mais.

— Não.

— Por que não?

— Não quero falar sobre esse assunto.

— Você sempre diz isso, Lucy.

— Desculpe.

— Por favor.

— Não.

— *Por favor!*

— Então está bem, mas você não pode rir de mim nem ficar com pena.

Então contei a Karen toda a história da nossa visita à Sra. Nolan, as previsões dela, como Meredia ganhou sete libras e meia, como Megan sofreu uma ruptura na vida com o corte no lábio, como Hetty fugiu com o irmão de Dick, e depois a parte em que Meredia e Megan espalharam para todo mundo que eu ia me casar.

Karen ouvia tudo, boquiaberta.

— Meu Deus — sussurrou ela. — Que coisa terrível. Como deve ter sido embaraçoso!

— Foi mesmo.

— Você está chateada?

— Um pouco — admiti, com relutância.

— Você devia matar a Meredia! Não devia deixar as coisas assim como estão. E não acredito que Megan tenha se envolvido nesse lance. Ela sempre me pareceu tão *normal.*

— Eu sei.

— Deve ter sido, assim, uma espécie de histeria em massa — sugeriu Karen.

— Que outro tipo de histeria poderia ser, envolvendo Meredia e aquele imenso volume de banha? Só mesmo histeria em massa — disse eu.

Karen riu tanto que chegou a ficar engasgada.

Charlotte chegou à sala usando um vestido largo e pesado, roxo, com gola fechada e que descia até os tornozelos. Era a sua versão do manto para sofrer penitências.

— Ó Lucy — choramingou ela, explodindo em lágrimas e correndo em minha direção. (Ela pronunciou "Luu-zzie".)

Passei os braços em torno dela, da melhor forma que pude, tendo sempre em mente que ela era vinte centímetros mais alta do que eu.

— Estou tão envergonhada — soluçou ela. — Eu me odeio. Queria estar morta.

— Shhh... Shhh... — sussurrei, por força da prática. — Logo, logo você vai se sentir melhor. Não se esqueça de que bebeu muito ontem à noite, e o álcool nos deixa deprimidos. Você tem todo o direito de se sentir meio pra baixo hoje.

— Você acha isso mesmo? — perguntou ela, olhando para mim com um olhar esperançoso.

— Honestamente.

— Ah, Lucy, você é tão boa. Sempre sabe as coisas certas para me dizer quando estou de baixo astral.

É claro que eu sabia. Tinha tanta prática comigo mesma que seria egoísmo não compartilhar com os outros o que aprendera pela vida do jeito mais difícil.

— Nunca mais na vida vou beber — prometeu ela.

Eu não disse nada.

— Nunca mais!

Fiquei analisando as unhas.

— Pelo menos nunca mais vou beber tequila — confirmou ela, com veemência.

Dei uma olhada lá fora pela janela.

— Vou ficar só no vinho.

Olhei para a televisão (embora ela não estivesse ligada).

— E vou alternar cada dose de bebida com um copo de água mineral.

Ajeitei uma das almofadas.

— E não vou beber mais do que quatro copos de vinho na mesma noite.

Olhei para as minhas unhas novamente.

— Bem, talvez seis.

Dei outra olhada pela janela.

— Dependendo do tamanho do copo.

A televisão novamente.

— E não vou tomar mais do que catorze doses ao todo em uma semana.

E ela foi indo, foi indo, até que finalmente se convenceu de que uma garrafa de tequila a cada noite era razoável. Eu já ouvira tudo aquilo muitas vezes.

— Lucy, eu estava horrível — confidenciou-me. — Arranquei a blusa e fiquei dançando só de sutiã.

— Só de sutiã? — perguntei, com ar solene.

— É.

— Sem calcinha?

— É *claro* que mantive as calcinhas. E fiquei de saia.

— Bem, então não foi assim tão mau, foi?

— Não, acho que não. Ah, Lucy, alegre-me um pouco. Conte uma história para mim. Conte... deixe ver, conte... *conte* sobre aquela vez em que seu namorado a dispensou porque tinha se apaixonado por outro cara.

Desanimei na mesma hora.

Só que eu mesma era culpada. Cultivara cuidadosamente a reputação de ser engraçada para contar histórias — pelo menos entre os amigos mais chegados —, sempre com as tragédias da minha própria vida como protagonistas. Há muito tempo eu chegara à conclusão de que uma das maneiras de evitar ser uma figura trágica e patética era, em vez disso, ser divertida e engraçada. Especialmente se eu fosse divertida e engraçada com as coisas trágicas e patéticas que aconteciam na minha vida.

Desse jeito ninguém ia poder rir de mim, porque eu mesma já rira na frente deles.

Só que, naquele momento, eu não consegui fazer aquilo.

— Não, Charlotte, eu não consigo...

— Ora, vamos, conte...

— Não.

— Por favor. Pelo menos conte a parte em que você cortou o cabelo curtinho e ele, *mesmo assim*, dispensou você.

— Ah, não... droga. Está bem.

Quem sabe, pensei, pode ser que eu me anime também.

Assim, da forma mais divertida que consegui, alegrei Charlotte com a história de uma das muitas perdas humilhantes e vexames amorosos de minha vida. Só para fazê-la perceber que, não importa o tamanho dos desastres em sua vida, nenhum deles poderia ser tão ruim quanto os meus.

— Vamos a uma festa hoje à noite — informou Karen. — Quer ir também?

— Não posso.

— Não pode ou não quer? — quis saber Karen, com astúcia. Como era escocesa, era boa em perguntar as coisas de forma astuta.

— Não posso.

— Por que não?

— Fui obrigada a aceitar um convite de Daniel para jantar.

— Jantar com Daniel. *Sortuda* — suspirou Charlotte, com o rosto iluminado.

— Mas por que ele convidou *você*? — guinchou Karen, revoltada.

— Karen! — ralhou Charlotte.

— Ah, você sabe o que eu quis dizer, Lucy — disse Karen, com impaciência.

— Sei sim.

Karen não media as palavras, mas, para ser justa, ela estava absolutamente certa. Eu também não conseguia entender por que Daniel preferira *me* levar para jantar.

— Ele terminou com "sei lá o nome dela" — expliquei, e subitamente houve um alvoroço. De repente, Karen se sentou no sofá, rígida como um defunto que se levantou do caixão.

— Você está falando sério? — perguntou ela, com um olhar estranho, meio tarado.

— Absolutamente sério.

— Uau! — soprou Charlotte, com um sorriso de êxtase. — Isso não é maravilhoso?

— Então ele está solto? — perguntou Karen.

— Sim, totalmente — confirmei, de forma solene. — Pagou todas as dívidas com a sociedade e tudo o mais.

— Não por muito tempo, se depender de mim — disse Karen, com a voz firme e determinada, a cabeça cheia de imagens de Daniel e ela entrando de mãos dadas em restaurantes elegantes, Daniel e ela sorrindo um para o outro de forma radiante no dia do casório, Daniel e ela fazendo cócegas carinhosamente no primeiro filho.

— Aonde ele vai levar você? — perguntou Karen, depois que voltara ao presente e o tumulto generalizado já diminuíra um pouco.

— A um restaurante russo.

— Não é o Kremlin, é? — perguntou Karen, parecendo chocada.

— Esse mesmo.

— Sua sortuda, sortuda, sortuda, sortuda. Vaca *sortuda*.

As duas ficaram olhando para mim, com inveja em estado puro estampada em seus rostos.

— Não fiquem olhando para mim desse jeito — disse, temerosa. — Eu nem queria ir.

— Como pode dizer uma coisa dessas? — reagiu Charlotte. — Um cara lindo e tão...

— Rico! — exclamou Karen.

— Um cara lindo e rico como Daniel convida você para um restaurante chiquérrimo e você nem queria ir?

— Mas ele não é um cara lindo e rico... — protestei, de forma fraca.

— Ele é sim! — falaram as duas, em coro.

— Bem, talvez ele seja. Mas, mas... mas não adianta nada para mim — disse, baixinho. — *Eu* não o acho bonito. Ele é apenas um amigo. E acho que é um desperdício total de tempo sair com um velho amigo em um sábado à noite. Especialmente se considerarmos que eu não queria ir.

— Você é esquisita — murmurou Karen.

Eu não negava aquilo. Ela estava chovendo no molhado.

— Que roupa vai usar? — perguntou Charlotte.

— Não sei.

— Mas *tem* que saber. Você não está simplesmente indo ao pub tomar uma cerveja.

Daniel chegou mais ou menos às oito horas, e eu ainda não estava pronta. O pior é que era bem capaz de eu estar ainda de pijama, se Charlotte e Karen não tivessem me enchido e convencido a tomar um banho e depois colocar um glamouroso vestido dourado.

Não que eu estivesse grata a elas por isso. Simplesmente as culpava por estarem me aprontando toda para sair com Daniel por tabela.

Elas me deram um monte de conselhos sobre o que usar e de que jeito colocar a maquiagem e arrumar o cabelo, e começavam todas as frases dizendo: "Se fosse *eu* que estivesse me preparando para sair com Daniel..." e "Se Daniel tivesse *me* convidado...".

— Use estas, use estas — disse Charlotte, toda excitada, pegando um par de meias rendadas e cheias de lacinhos na minha gaveta de roupas de baixo.

— Não — disse eu, pegando as meias da mão dela e colocando-as de volta na gaveta.

— Mas elas são lindas.

— Eu sei.

— Então, por que não quer usá-las?

— Para quê? É só o Daniel!

— Você é muito mal-agradecida.

— Não sou *não*. Para que vou usá-las? É um desperdício! Quem é que vai vê-las?

— Nossa! — disse Karen, pegando um dos meus sutiãs. — Eu nem sabia que eles fabricavam sutiãs tão pequenos.

— Mostre — pediu Charlotte, pegando-o da mão dela e depois caindo na risada. — Meu Deus! Parece até sutiã de boneca, o sutiã da Barbie. Meus mamilos mal cabem nele.

— Você deve ter mamilos minúsculos, Lucy — riu Karen, cutucando Charlotte. — Eu não sabia que eles fabricavam modelos PPP.

Fiquei andando em volta do quarto, dando passos fortes com o rosto vermelho de vergonha, esperando elas acabarem de me zoar.

Depois, no momento em que a campainha tocou, Karen voltou a entrar correndo no meu quarto e me borrifou toda com o perfume dela.

— Obrigada — disse eu, com os olhos cheios d'água, esperando a nuvem se dispersar.

— Sua boba — disse ela. — Só estou fazendo isso para que você fique com o meu cheiro. Assim, você vai abrir caminho para eu chegar até Daniel.

— Ah.

Charlotte e Karen começaram a brigar para ver quem é que ia atender a porta, e Karen ganhou porque já morava no apartamento há mais tempo.

— Entre — disse ela, de forma intensa e exuberante, escancarando a porta para ele. Karen parecia sempre intensa e exuberante quando Daniel estava por perto, e a porta provavelmente não era a única coisa que ela gostaria de escancarar para ele.

Daniel estava com a mesma cara de sempre. Sem dúvida, porém, em alguma conversa futura, eu ia ter que aguentar Karen e Charlotte me enchendo com a descrição de como ele estava lindo.

Era engraçada a maneira como as mulheres gostavam tanto de Daniel, porque realmente não havia nada de especial nele.

Até parece que ele tinha olhos azuis penetrantes, cabelo totalmente negro, uma boca sexy com lábios carnudos e um maxilar tão grande quanto uma mochila. Não havia nada disso.

Ele tinha olhos acinzentados, que não eram nem um pouco penetrantes. Olhos cinza eram sem graça, na minha opinião.

E seu cabelo tinha aquela "cor que não é cor": eram castanhos. Como os meus, por falar nisso, com a única diferença de que ele tinha sido tocado pela varinha da Fada do Cabelo Bom e, devido a isso, os fios dele eram lisos, retos e brilhantes, enquanto os meus eram encaracolados, pareciam molas e me davam uma cara de quem fez permanente em casa sempre que eu pegava chuva.

Ele sorriu para Karen. Ele sorria muito. E todo mundo que, alguma vez, achou Daniel atraente vivia comentando sobre o sorriso simpático que ele tinha, e eu não conseguia entender por quê. Seus dentes eram apenas uma fileira de pequenas teclas esmaltadas.

Tudo bem, Daniel tinha todos os dentes, e eles pareciam bem reais. Não havia nenhum faltando, nem preto, nem verde ou coberto de musgo, nem torto ou acavalado, mas e daí?

O segredo do seu sucesso, eu imaginava, é que ele parecia um rapaz simpático, um homem decente, afetuoso, com valores antigos e que tratava as mulheres como se fossem damas.

O que estava tão longe da verdade que eu até achava engraçado. Só que, no momento em que as mulheres descobriam o engodo, já era tarde demais.

— Olá, Karen — cumprimentou Daniel, dando o golpe do sorriso aberto mais uma vez. — Como vai?

— Maravilhosa! — declarou ela. — Estou ótima!

E, de imediato, passou à etapa do flerte descarado. Ofereceu-lhe muitos olhares sedutores, sorrisos sugestivos e, demonstrando uma suprema autoconfiança, passou a mão sobre o ombro dele de forma possessiva, a fim de retirar fiapos imaginários de seu casaco de inverno.

— Oi, Daniel! — Charlotte saiu lentamente do quarto, meio de lado. Ela também começou a flertar descaradamente com ele, mas usava a tática dos sorrisos doces e tímidos, além de rápidos contatos olho no olho. Parecia toda delicada, com bochechas rosadas, rubores inesperados, olhos sem maquiagem, pele limpa e a robustez de quem só bebe leite.

Daniel estava ali parado, sorrindo, no meio do nosso pequeno vestíbulo, e parecia muito alto.

Resistiu às tentativas de Karen de levá-lo para a sala.

— Obrigado, mas não vou poder entrar — explicou ele. — O táxi está nos esperando.

Olhou para mim com um olhar significativo ao dizer isso, e então olhou para o relógio de pulso.

— Você chegou cedo — acusei. Eu estava correndo de um lado para outro no corredor, tentando achar os meus sapatos de salto alto.

— Na verdade, Lucy, cheguei exatamente na hora marcada — disse ele, com suavidade.

— Bem, você devia saber que eu não ia estar pronta! — berrei do banheiro.

— Você está bem legal! — Agarrou-me pelo braço quando passei correndo novamente pela frente dele, e tentou me dar um beijo no rosto. Charlotte ficou arrasada.

— Argh! — disse eu, limpando o beijo. — Pára com isso, vai estragar a minha maquiagem!

Achei meus sapatos de salto alto na cozinha, no espaço entre a geladeira e a máquina de lavar. Coloquei-os e fiquei ao lado de Daniel. Ele continuava muito mais alto do que eu.

— Você está maravilhosa, Lucy — disse Charlotte, com ar melancólico. — Adoro quando você coloca esse vestido dourado. Fica parecendo uma princesa.

— É... — concordou Karen, com os olhos fixos no rosto de Daniel e mantendo o olhar por muito mais tempo do que o necessário. Não que ele se importasse, galinha como era.

— Eles não formam um lindo casal? — perguntou Charlotte, sorrindo de mim para Daniel, e depois para mim, de volta.

— Não, não formamos não — resmunguei, trocando o peso do corpo de um pé para outro, constrangida. — Nós ficamos ridículos juntos. Ele é alto demais, e eu sou baixa demais. As pessoas vão achar que o circo chegou na cidade.

Charlotte negou isso com ar chocado e veemente, mas Karen não me contradisse.

Karen era muito competitiva.

Não conseguia evitar.

Ela era uma dessas pessoas que nunca se diminuem, jamais se depreciam e, sob hipótese alguma, fazem piadinhas à custa de si mesmas ou de suas aparências. Enquanto eu, por outro lado, raramente agia de outro modo. Acho que Karen, na verdade, *não conseguiria* agir assim.

Ela era uma pessoa muito legal na maior parte do tempo, mas, se alguma coisa lhe saísse errado, teríamos de cruzar o caminho dela por nossa própria conta e risco. Especialmente quando estava bêbada, momento em que podia se mostrar muito assustadora. Karen dava muita importância a "respeito". Na verdade, ela tinha quase uma obsessão com relação a isso, na minha opinião.

Há coisa de dois meses antes, seu namorado, Mark, comentara, timidamente, que achava que o namoro deles estava começando a ficar sério demais. Ela mal deixou que ele acabasse de falar e ordenou que ele saísse imediatamente do apartamento dela e nunca mais voltasse. O pobre rapaz mal teve tempo de se vestir. (Na verdade, ela ainda ficou com a cueca dele, que varejou pela janela com ar de triunfo assim que ele conseguiu colocar os pés na rua.) Depois disso, ela comprou um garrafão de três litros de vinho e insistiu para que eu ficasse com ela enquanto bebia tudo, até esquecê-lo.

Foi uma noite terrível. Karen ficou sentada, com a cara amarrada, sem dizer nada, soltando apenas um "canalha" ocasional, sussurrado, enquanto eu ficava ao lado dela, tomando pequenos goles do vinho e murmurando comentários superficiais. Então, de uma hora para outra, ela ficou mais desagradável.

Virou-se para mim, agarrou a parte da frente do meu vestido e falou, engolindo metade das palavras:

— Se num me respeitá, quemque vai?

— Hã?...

Ela tornou a me fazer a pergunta, com as palavras engroladas e aquele sotaque carregado, os olhos semicerrados e o rosto muito próximo do meu:

— Anna logo, Lucy, pói me falá!

— Realmente... — concordei, nervosa. — *Quemque* vai?

No dia seguinte ela me pediu desculpas, e nunca mais se comportou daquela forma. Tirando o fato de ser competitiva, Karen é uma ótima companheira de apartamento. É muito divertida, tem roupas lindas que costuma emprestar sem implorarmos demais, consegue ser extremamente vulgar, às vezes, mas sempre paga a sua parte do aluguel em dia. É claro que eu sabia muito bem que se os nossos interesses batessem de frente em algum momento eu teria de estar preparada para tirar o time de campo com esportividade ou encarar comida de hospital. Só que os nossos interesses nunca bateram de frente, e dificilmente isso ia acontecer agora, por causa de Daniel.

Ela estava tirando o máximo partido do fato de estar junto de Daniel.

— Vai haver uma festa hoje à noite — contou Karen, dirigindo-se a ele, e apenas a ele. — Talvez você queira dar uma passadinha por lá mais tarde.

— Parece uma boa ideia — concordou ele, sorrindo para ela. — É melhor eu anotar o endereço.

— Não precisa — disse eu, quase emocionada pelo clima de romance no vestíbulo. — Eu sei onde fica.

— Tem certeza? — perguntou Karen, ansiosa.

— Tenho. Agora vamos, Daniel. Vamos acabar logo com isso.

— Por favor, apareça lá na festa — pediu Karen —, mesmo que a Lucy não queira ir.

"Especialmente se a Lucy não quiser ir" era o que ela, na verdade, estava querendo dizer, pensei, com um sorriso.

Saímos, Daniel concedendo a Karen e a Charlotte o seu sorriso de apresentador de tevê, enquanto eu olhava para ele, achando tudo divertido.

— Que foi? — perguntou ele enquanto descíamos as escadas. — O que foi que eu fiz?

— Você é deplorável. — Ri. — Alguma vez já encontrou uma mulher *sem* flertar com ela?

— Mas eu não estava flertando! — protestou ele. — Estava apenas sendo normal. Estava só sendo educado.

Lancei-lhe um olhar do tipo "me engana que eu gosto".

— Você está linda, Lucy! — disse ele.

— Você é um tremendo enrolador de mulheres — repliquei. — Acho até que deviam obrigá-lo a usar uma plaquinha, para proteger as desavisadas que chegarem perto.

— Não sei o que foi que eu fiz de errado — reclamou ele.

— Sabe o que devia vir escrito na plaquinha? — Eu o ignorei, continuando a falar.

— Não, o que devia vir escrito, Lucy?

— Cuidado com as mentiras!

Ele abriu a porta da frente do prédio para mim, e o ar frio do mundo lá fora me atingiu como uma bofetada.

"Ai, meu Deus!", pensei, com ar sombrio. "Como é que vou conseguir aguentar esta noite?"

CAPÍTULO 16

Quando chegamos ao restaurante, o homem com o olhar mais triste que eu já vira na vida confirmou nossa reserva.

— Dimitri vai pegar seus casacos — disse ele, com a voz pesada e um sotaque russo bem acentuado.

Parou em seguida, como se mal conseguisse reunir energia suficiente para continuar a falar.

— Depois disso — suspirou ele —, Dimitri vai acompanhá-los até a mesa.

Com o coração partido, estalou os dedos e, então, uns dez minutos depois, Dimitri apareceu, um homem baixinho e atarracado vestindo um paletó que não servia nele. Parecia à beira das lágrimas.

— Trrata-se do grrupo Vatson? — murmurou ele, pronunciando Watson com som de "V" e fazendo cara de quem estava em um funeral.

— Ahn... como disse? — perguntou Daniel.

— Ele está falando de nós. — Dei-lhe uma cotovelada. — *Você* é o Sr. Vatson.

— Sou? Ah, sim, sou mesmo!

— Porr-aqui, porr-favor — sussurrou Dimitri, com a voz rouca.

Antes, ele nos levou até um pequeno balcão, onde entregamos os nossos casacos a uma jovem muito bonita, mas com cara de tédio. Tinha uma estrutura óssea cheia de ângulos, uma pele que parecia porcelana, um cabelo negro muito brilhante e o ar de enfado infinito. Nem mesmo o "sorriso de cem watts" de Daniel conseguiu provocar na moça uma centelha de resposta.

— Sapatona! — resmungou ele, baixinho.

Então, seguimos Dimitri através do restaurante, caminhando em uma velocidade espantosa para os padrões dele, mas que, na verdade, era tão devagar quase parando que eu ficava esbarrando nas costas dele o tempo inteiro, atropelando-o por todo o caminho. Acabei pisando com força no seu calcanhar, o que o fez parar, se virar para trás e lançar-me um olhar que era mais de pesar do que de zanga.

Embora eu tivesse feito de tudo para não querer estar ali, tive de reconhecer que o lugar era lindo. Havia candelabros cintilantes, montes de veludo vermelho, gigantescos espelhos com molduras douradas e grandes plantas que pareciam palmeiras. O ambiente cantarolava e retinia com o som de gente jovem e bonita que conversava, bebia vodca aromatizada com cor de Gatorade, e derrubava caviar na roupa e no colo.

Agradeci muito, muito mesmo, por ter deixado que as meninas me convencessem a usar o vestido dourado. Talvez eu não sentisse que ali era o meu lugar, mas, pelo menos, ia aparentar que sim.

Daniel colocou o braço de leve em volta da minha cintura.

— Sai pra lá! — murmurei entre dentes, torcendo o corpo para me afastar dele. — O que pensa que está fazendo? Pare de me tratar como se eu fosse uma de suas mulheres.

— Desculpe, desculpe — disse ele, muito sério. — Agi por instinto. Por um instante me esqueci de que era você e entrei sem querer no estilo restaurante.

Dei uma pequena gargalhada e na mesma hora a cabeça de Dimitri girou para trás, a fim de olhar para mim.

— Hã... desculpe... — murmurei, sentindo-me um pouco envergonhada, como se eu tivesse sido desrespeitosa, dito uma blasfêmia ou algo assim.

— Sua mesa — anunciou Dimitri, fazendo um floreio fraco com as mãos e indicando hectares de branco como neve, linho engomado, centenas de taças de cristal cintilantes e vários quilômetros de talheres enfileirados, com brilho ofuscante.

Talvez acabássemos comendo apenas nabo cru, mas o Kremlin arrumara uma produção fantástica para o tal do nabo cru.

— Tudo aqui é muito legal — sorri para Daniel.

Então Dimitri e eu executamos uma pequena dança, puxando a cadeira ao mesmo tempo, depois afastando as mãos dali e a seguir esticando o braço para alcançá-la novamente.

— Hã... podemos pedir um drinque, por favor? — perguntou Daniel, quando finalmente conseguimos ser instalados em lados opostos da ampla mesa redonda.

Dimitri suspirou, indicando com ar melancólico que sabia o tempo todo que um pedido como aquele ia acabar acontecendo e que tal pedido era totalmente fora de propósito, porém, como era um homem bom e trabalhador, faria o melhor para nos atender.

— Vou mandarr virr Gregorr, seu garrçom de bebidas — anunciou e afastou-se penosamente.

— Mas... — disse Daniel, para as suas costas que se retiravam.

— Puxa — disse ele. — Eu só queria pedir um pouco de vodca, e agora vamos ter de aturar toda aquela lenga-lenga de vinhos.

Gregor apareceu de imediato e, sorrindo com tristeza, fez surgir uma lista imensa de bebidas que incluía todos os sabores de vodca aromatizada que existiam no planeta.

Eu gostei muito de tudo aquilo. Quase me senti feliz por ter ido.

— Humm... — disse eu, já empolgada. — Que tal o saboı morango? Ou manga? Ou, não, não, espere... que tal cassis?

— Qualquer coisa que você queira — gritou Daniel, do lado distante da mesa. — Escolha por mim.

— Bem, nesse caso — disse eu —, por que a gente não pede a vodca sabor limão, para começar, e depois experimenta outra diferente?

Eu tinha fascinação por cartas de bebidas quando era pequena. Queria experimentar tudo, meu sonho era tomar todo o menu em ordem alfabética, sem repetir nada, só que sempre morria de medo de ficar bêbada e jamais fiz isso. Agora, acho que o que estava sugerindo com as vodcas de diversos sabores era apenas a versão adulta da velha ideia. Continuava com medo de ficar bêbada, só que, naquela noite, por algum motivo, achava que poderia sobreviver a isso.

— Então vai ser limão — disse Daniel.

Assim que Gregor saiu, Daniel disse baixinho:

— Venha para cá. Você está muito longe.

— Não — disse eu, um pouco nervosa. — Dimitri falou que era para eu ficar sentada aqui.

— E daí? Você não está na escola.

— Mas não quero deixá-lo chateado...

— Lucy! Não seja fraca e covarde. Venha até aqui.

— Não!

— Tudo bem, então eu vou até aí.

Ele se levantou e arrastou a cadeira por vários metros em volta da mesa, e se sentou quase no meu colo.

Os dois jovens casais glamourosos na mesa ao lado pareceram chocados, e lancei para eles um olhar do tipo "pobre de mim, olhem só para esse maluco que está comigo, sou muito fina e jamais faria uma coisa dessas", mas Daniel parecia estar adorando.

— Pronto! — ele sorriu. — Assim está bem melhor. Agora consigo enxergar você. — E começou a trazer as facas e garfos e copos e guardanapos para perto dos meus.

— Daniel, por favor! — pedi, em desespero. — As pessoas estão nos observando.

— Onde? — perguntou ele, olhando em volta. — Ah, sei, já vi!

— Agora você vai se comportar? — trovejei, com justificada indignação. Só que eu já o perdera, porque ele fizera contato olho a olho com a mais bonita das duas mulheres da mesa ao lado, e já estava usando os truques habituais. Daniel olhou para a mulher, ela ficou vermelha e olhou para o outro lado. Então, ele olhou para o outro lado e ela o fitou, discretamente. Nesse instante, ele olhou para ela de repente, pegou-a olhando para ele e lançou-lhe um sorriso. Ela sorriu de volta e eu dei-lhe uma cotovelada no braço.

— Olhe aqui, seu canalha estúpido, eu não queria nem sair com você hoje à noite!

— Desculpe, Lucy, desculpe, desculpe, desculpe.

— Corta essa, o.k.? Não quero passar a noite toda com você olhando por cima do meu ombro.

— Tá legal, desculpe.

— Foi você quem quis que eu viesse. Então é melhor agir com educação e conversar comigo. E, se pretendia flertar com alguém, por que me convidou?

— Sinto muito, Lucy, você tem razão, me desculpe, Lucy.

A voz dele era de quem estava arrependido, mas a cara, não.

— E pode arrancar esse sorriso de garoto levado — continuei —, porque você não me engana.

— Sinto muito.

Gregor chegou com dois copos pesados cheios de um líquido amarelo-canário. Aquilo parecia ter vindo direto de Chernobyl, mas achei que seria deselegante dizer isso.

— Nossa — disse Daniel, desconfiado e segurando o copo contra a luz. — Parece que é radioativo.

— Cale a boca — disse eu. — Feliz aniversário!

Brindamos e entornamos a vodca.

Na mesma hora senti um formigamento na barriga, uma espécie de brilho que começou a se irradiar a partir do estômago.

— Ai, meu Deus! — E soltei uma risadinha.

— Que foi?

— *Definitivamente*, é radioativo.

— Mas é gostoso.

— Com certeza.

— Quer mais?

— Acho que sim.

— Onde está Gregor?

— Lá vem ele.

Gregor já estava vindo em nossa direção quando Daniel acenou para ele.

— Vamos tomar mais dois desses, Gregor, obrigado — disse Daniel.

Gregor pareceu gostar. Se é que era possível alguém parecer satisfeito e com o coração despedaçado ao mesmo tempo.

— Agora nós queremos o cor-de-rosa, por favor — completei.

— Morango? — perguntou Gregor.

— É cor-de-rosa?

— É.

— Então morango.

— Acho melhor pensarmos em pedir alguma coisa para comer.

— Certo — concordei, pegando o cardápio. Os drinques cor-de-rosa chegaram e estavam tão gostosos que resolvemos pedir mais dois.

Então, acrescentei:

— Eles são muito pequenos. Não podem fazer tão mal assim.

Os dois novos drinques chegaram — eram de cassis, dessa vez —, e nós os bebemos.

— Eles não duram muito tempo, não é? — comentei.

— Quer mais? — quis saber Daniel.

— Mais.

— E a comida?

— Acho que é melhor pedir. Ah, aqui está o Dimitri! Quando quiser, pode trazer o nabo cru, Dimitri — disse, com jovialidade. Chocada, descobri que estava me divertindo.

— Tenho algo para lhe contar, Lucy — disse Daniel, ficando todo sério de repente.

— Então vamos lá, desembucha — disse eu. — Por um momento achei que estava começando a me animar, mas decidi que é melhor pararmos com isso.

— Desculpe, eu não devia ter dito nada. Esqueça.

— Agora eu não posso mais esquecer, seu idiota. Você *vai ter* que me contar.

— Tá legal, só que você não vai gostar.

— Conte.

— É a respeito da Graça.

— *Conte* logo!

— Eu terminei com ela. Não foi ela que terminou comigo.

Ah, foi?, pensei, meio confusa. Então lembrei que a minha missão era manter Daniel em seu lugar.

— Seu canalha! Como pôde fazer isso?

— Mas eu estava *de saco cheio*, Lucy. O namoro estava tão chato... Era um pesadelo.

— Mas ela tinha peitos grandes.

— E daí?

— Daí que podemos dizer que isso foi um caso de "mamárias póstumas", não é? — soltei, quase me desmanchando de tanto rir. Era uma daquelas raras ocasiões em que eu achava que estava sendo engraçada.

— Exatamente — concordou Daniel, rindo também.

— E agora que ela caiu em des-Graça, você ficou sem Graça — continuei, ainda me achando hilariante.

— Fiquei mesmo.

— Você é muito insensível.

— Ah, Lucy, não sou, não. Tentei ser legal com ela.

— Você a fez chorar?

— Não.

— Mesmo assim, é um canalha.

Daniel me pareceu ligeiramente chateado, com lágrimas nos olhos. A vodca estava fazendo com que nós dois ficássemos emotivos.

— Agora eu me arrependi de ter contado — disse ele, com a cara amarrada. — Eu sabia que você não ia gostar.

— Talvez não, mas vou ter que aturar com bravura.

Lancei um pequeno sorriso para ele. De repente, eu já não me importava tanto com a Graça. Nada daquilo parecia ter a menor importância naquele momento.

— Isso foi muito filosófico de sua parte, Lucy.

— Eu sei, estou me sentindo muito filosófica.

— Engraçado, eu também.

— Por que será que estamos assim? Será que é a vodca?

— Só pode ser.

— Eu me sinto meio engraçada, Daniel, tipo assim, triste como sempre, mas feliz também. Feliz de um jeito meio triste.

— Eu entendo — concordou ele, depressa. — É exatamente assim que eu também me sinto. Com a diferença de que estou feliz como sempre, mas triste de um jeito meio feliz.

— Deve ser assim que os russos se sentem o tempo todo. — E soltei uma risadinha. Estava me sentindo com a cabeça bem leve, e sabia que estava falando bobagens, mas não me importava. Nada daquilo parecia bobagem, tudo parecia muito importante e real. — Você acha que eles bebem tanta vodca porque são filosóficos e infelizes ou são filosóficos e infelizes por beberem tanta vodca?

— Essa é difícil de responder, Lucy.

— Por que eu nunca encontro a mulher certa, Lucy? — perguntou ele, sério.

— Não sei, Daniel. Por que eu nunca encontro o homem certo?

— Não sei, Lucy. Será que vou ser sempre solitário?

— Sim, Daniel. Será que vou ser sempre solitária?

— Sim, Lucy.

Houve uma pequena pausa, enquanto sorríamos de modo triste um para o outro, unidos pela nossa melancolia acre-doce. Na verdade, adorando tudo aquilo. Em algum momento, a comida chegou. Deve ter sido nessa hora.

— Olhe, Dan, pense só... Nada disso importa, porque, pelo menos, nós estamos sendo *essencialmente* humanos. Estamos em contato com a dor de estarmos vivos. Vamos pedir outro drinque?

— De que cor?

— Azul.

Daniel se recostou na cadeira, tentando agarrar um garçom.

— Esta dama quer mais dois destes! — pediu ele, bem alto, balançando o copo em volta da cabeça. — Bem, ela não quer dois só para ela... ou talvez queira, quem sabe? Você quer, Lucy?

— O mesmo drinque, senhor? — perguntou Gregor. Pelo menos acho que era Gregor. Lancei um sorriso melancólico para ele, e ele me lançou um idêntico de volta.

— Exatamente o mesmo — respondeu Daniel. — Só que vão ser dois. Não, é melhor trazer quatro. E... ah, sim! — berrou ele, nas costas do garçom. — Eles têm de ser azuis!

— Muito bem, onde é que nós estávamos mesmo? — perguntou Daniel, sorrindo docemente.

Eu me senti feliz por ter vindo, porque *gostava* muito dele.

— Estávamos falando sobre dor existencial, não era? — perguntou Daniel.

— Estávamos — disse eu. — Estávamos mesmo. Será que eu ficaria bem com o cabelo como o daquela garota ali?

— Onde? — perguntou ele, olhando em volta. — Ah, ficaria, sim, ficaria linda! Aquele cabelo ia ficar *melhor* em você do que nela.

— Ótimo! — Dei uma risadinha.

— Qual é a disso tudo, Lucy?

— Qual é a disso tudo o quê?

— Isso tudo, você sabe, isso que estamos falando. A vida, as coisas, a morte, o cabelo?

— Sei lá, Daniel. Por que você acha que me sinto assim tão infeliz o tempo todo?

— Você gosta, não gosta?

— De quê?

— De se sentir infeliz.

— Gosto. — Dei uma risadinha. Mais uma, aliás. Não conseguia parar. Ele estava com a razão. Nós dois nos sentíamos infelizes, mas estávamos flutuando, quase em êxtase com a nossa infelicidade.

— Conte-me a história de você se casar.

— Não.

— Por favor.

— Não.

— Você não quer conversar a respeito?

— Não.

— É isso que você sempre diz a respeito de tudo.

— O quê?

— Que não quer conversar sobre o assunto.

— Bem, é porque eu *não quero* conversar sobre o assunto.

— Connie ficou furiosa?

— Muito furiosa. Ela me acusou de estar grávida.

— Pobre Connie.

— Pobre Connie uma ova!

— Você é muito dura com ela.

— Não, não sou.

— Ela é uma boa pessoa, sabe, que só quer o melhor para você.

— Rá! Para você é fácil dizer isso, porque ela sempre é simpática com você.

— Eu gosto muito dela.

— Eu não.

— Isso é uma coisa horrível de se dizer sobre a própria mãe.

— Não me importo.

— Você é muito cabeça-dura, Lucy.

— Ah, Daniel. — Ri. — Pare com isso, pelo amor de Deus. A minha mãe pagou a você para me dizer coisas agradáveis a respeito dela?

— Não, eu gosto dela, de verdade.

— Bem, já que você gosta tanto assim dela, pode ir comigo até lá na quinta-feira, para visitá-la.

— Tá legal.

— O que quer dizer com "tá legal"?

— Quis dizer "tá legal".

— Você não se importa?

— Não... É claro que não me importo.

— Ah, eu me importo.

Uma pequena pausa.

— Será que a gente pode parar de falar sobre ela, por favor? — pedi. — Estou começando a me sentir deprimida.

— Mas nós já estávamos nos sentindo infelizes, de qualquer modo.

— Eu sei, mas era um tipo diferente de infelicidade. Uma infelicidade legal. Eu estava gostando.

— O.k. Então vamos conversar a respeito do fato de que vamos todos morrer de qualquer jeito, e nada disso importa?

— Ah, sim, por favor. Obrigada, Dan, você é um anjo.

— Mas, antes... — declarou Daniel. — Mais drinques! Que cor ainda não experimentamos?

— Verde.

— Kiwi?

— Perfeito.

Mais drinques chegaram, e sei que nós dois comemos muito, mas depois de tudo fiquei totalmente perdida sobre o que realmente comera. Mas acho que gostei. Daniel contou que eu falava o tempo todo que a comida estava deliciosa. E tivemos um papo maravilhoso. Não consigo me lembrar de quase nada do que conversamos, mas sei que tinha alguma coisa a ver com o fato de que tudo é inútil e sem importância, já que estamos todos condenados mesmo, e naquele momento tudo fez sentido para mim. Estava me sentindo totalmente em paz comigo mesma, com o universo e com Daniel. Lembro-me vagamente de Daniel dando socos na mesa, dizendo, com entusiasmo: "Concordo plenamente!", e puxando um dos garçons (Gregor? Dimitri?) enquanto gritava: "Ouçam esta mulher, ela fala a verdade e não engana ninguém."

Foi uma noite maravilhosa e eu provavelmente ainda estaria lá gritando: "Lilás! Tem alguma vodca lilás?", se Daniel e eu não tivéssemos reparado, a certa altura, que éramos os únicos clientes que ainda estavam no restaurante, e um monte de garçons baixinhos e atarracados, vestidos com paletós, estavam enfileirados atrás do bar, olhando para nós.

— Lucy — cochichou ele. — Acho que já está na hora de irmos embora.

— Não! Eu gostei daqui.

— Sério, Lucy, Gregor e todos os outros têm que voltar para casa.

Eu me senti culpada nesse instante.

— É claro que eles têm. Claro que têm. E vão levar *muitas horas* para chegar a Moscou, pelo ônibus noturno, pobrezinhos. E aposto que eles precisam acordar muito cedo amanhã, para voltar ao trabalho.

Daniel pediu a conta, falando bem alto. O comportamento reverente que exibimos na entrada já desaparecera há muito tempo.

A conta chegou, na mesma hora, e Daniel olhou para ela.

— Que valor é esse, a dívida externa da Bolívia? — perguntei.

— Parece mais a dívida externa do Brasil — disse ele. — Mas o que importa?

— Exato — concordei. — Além do mais, você é rico.

— Na verdade, não. Tudo é relativo. Só porque você ganha uma mixaria acha que todo mundo que ganha um pouco mais é rico.

— Ah.

— Na verdade, quanto mais você ganha, mais você deve.

— Dan, isso é maravilhoso! Essa é uma verdade econômica muito profunda: nas contas da vida, estamos todos no vermelho. Não é à toa que você tem um emprego tão bom.

— Não, Lucy — replicou Daniel, parecendo rouco de tanta empolgação. — *Isso* que você acabou de dizer é que é maravilhoso... e *tão* verdadeiro! Nas contas da vida, estamos todos *realmente* no vermelho. Você precisa anotar essa frase. Aliás, acho que devíamos anotar tudo o que falamos a noite toda.

Minha cabeça parecia girar ao pensar no quanto eu e Daniel éramos sábios. Disse a ele o quanto eu nos achava sábios e maravilhosos.

— Obrigada, Daniel — disse eu. — Foi tudo fabuloso!

— Fico feliz por você ter gostado.

— Foi ótimo! Tudo faz sentido agora.

— Como o quê, por exemplo?

— Bem, não é de estranhar o fato de eu nunca ter me sentido em casa em parte alguma, porque obviamente eu sou russa.

— Por que acha isso?

— Porque eu me sinto infeliz, mas fico feliz por isso. E sinto como se pertencesse a este lugar.

— Pode ser que você esteja apenas bêbada.

— Não seja tolo! Já fiquei bêbada antes, e nunca me senti desse jeito. Acha que posso arrumar um emprego na Rússia?

— Provavelmente, mas não quero que você vá embora.

— Você pode ir até lá para me visitar. Provavelmente vai ter que ir mesmo, depois que acabarem todas as garotas daqui.

— Bem pensado, Lucy. Afinal, nós vamos à festa sobre a qual Karen falou?

— Sim! Já tinha até esquecido.

CAPÍTULO 17

— Você deixou uma boa gorjeta para eles? — cochichei para Daniel no momento em que finalmente deixamos o Kremlin, acenando para a equipe reunida na porta.

— Sim.

— Ótimo. Eles foram legais.

Fiquei rindo o tempo todo enquanto subíamos as escadas para sair do Kremlim, e ri ainda mais quando saímos no ar frio da noite.

— Que legal. Foi muito divertido — disse, me apoiando em Daniel.

— Ótimo — disse ele. — Agora, comporte-se, senão a gente não consegue pegar um táxi.

— Desculpe, Daniel, acho que estou meio bêbada, mas me sinto tão *feliz*...

— Que bom, mas, por favor, cale a boca um minutinho.

Um táxi parou. O motorista tinha cara de irritado.

— Sorria — disse eu, abafando o riso. Foi sorte minha que ele não me ouviu.

Entrei, quase de gatinhas, e Daniel bateu a porta depois que entrou.

— Para onde? — perguntou o homem.

— Para onde o senhor quiser... — respondi, com ar sonhador.

— Hein?...

— Quando quiser e para onde quiser — disse eu. — O que importa? Daqui a cem anos o senhor não vai mais estar aqui, eu não vou mais estar aqui e o seu táxi *com certeza* não vai mais estar aqui.

— Pare com isso, Lucy. — Daniel me cutucou, tentando não rir. — Deixe o pobre homem em paz. Wimbledon, por favor.

— É melhor parar em uma loja de bebidas e comprar alguma coisa para levar para a festa.

— O que podemos levar?

— Que tal vodca? É o meu drinque preferido hoje.

— Certo.

— Não, acho melhor não.

— Por quê?

— Porque eu já estou bêbada o suficiente.

— E daí? Você não está se divertindo?

— Estou, mas é melhor parar.

— Não faça isso.

— Eu tenho que parar. Vamos comprar outra coisa, alguma coisa menos forte.

— Cerveja?

— Tanto faz.

— Ou você prefere uma garrafa de vinho?

— O que você quiser.

— Que tal uma caixa de cerveja Guinness?

— Você é que sabe.

— Lucy, pelo amor de Deus! Pare de ser tão submissa e diga o que prefere. Por que você fica sempre assim, concordando com tudo e...

— Não estou sendo submissa nem concordando com tudo — Ri. — É que realmente tanto faz. Você sabe que não sou muito de beber.

O motorista do táxi soltou uma risada de deboche. Acho que ele não acreditou em mim.

Dava para ouvir a música alta assim que o táxi virou a esquina.

— Parece que a festa está boa — disse Daniel.

— É mesmo — concordei. — Será que vai dar polícia? Essa é a verdadeira marca de uma grande festa.

— Ah, não... Pelo barulho, os vizinhos vão acabar chamando a polícia. Então é melhor entrarmos logo para começarmos a nos divertir, antes que os guardas acabem com a festa.

— Não se preocupe — disse eu, tranquilizando-o. — Está escrito a respeito dos guardas: "Muitos são chamados, mas poucos são efetivos."

Daniel riu.

Mais do que devia, achei.

A vodca, pelo visto, ainda estava fazendo efeito.

Nesse momento houve uma pequena discussão entre nós dois, quando eu quis pagar o táxi.

— Eu pago — anunciei.

— Não, deixe que *eu* pago.

— Mas você já pagou o jantar.

— E você nem queria ir.

— Mesmo assim, o que é certo, é certo...

— Por que não relaxa e deixa alguém ser legal com você, Lucy? Você é tão...

— Ei! — disse o motorista. — Resolvam logo. Não tenho a noite toda. — Ele acabou interrompendo a pequena sessão de psicanálise que Daniel estava apresentando, antes mesmo de ela decolar.

— Pague ao homem logo — murmurei —, antes que ele pegue a marreta embaixo do banco.

Daniel entregou o dinheiro, e o homem, com ar rabugento, aceitou a gorjeta, que deve ter sido alta.

— Você atura muito dessa garota, cara. — Foi o seu comentário de despedida. — Detesto mulher insolente e tagarela. — E o táxi foi embora.

Fiquei na calçada, olhando cheia de ódio para a traseira do táxi que desaparecia pela rua.

— Que atrevimento o dele. Eu não sou insolente e tagarela.

— Lucy, relaxe.

— Ah, tá legal.

— Para falar a verdade, ele tinha um pouco de razão. Você *é* bem insolente e tagarela, às vezes.

— Ah, cale a boca!

Tentei parecer chateada com Daniel, mas não consegui prender o riso.

Aquele era um comportamento muito incomum para mim. Mas também aquela noite toda estava sendo muito incomum.

Tocamos a campainha da casa onde a festa estava rolando, mas ninguém atendeu.

— Talvez eles não estejam ouvindo a campainha — disse eu enquanto esperávamos em pé na fria névoa noturna com as latas de Guinness debaixo do braço, escutando o som da música e dos risos por trás da pesada porta de madeira. — Talvez a música esteja alta demais.

Continuamos ali fora, esperando, tremendo de frio, sem que nada acontecesse.

— Deixe eu lhe dar pelo menos a metade — disse eu.

Daniel olhou para mim com se eu tivesse ficado maluca.

— *Do que* você está falando?

— Do táxi. Deixe que eu pelo menos pague metade da corrida.

— Lucy! Às vezes me dá vontade de dar um soco em você, sabia? Você me deixa...

— Shh!... Vem vindo alguém.

A porta se abriu e um rapaz com camisa amarela ficou parado, olhando para nós.

— Posso ajudá-los? — perguntou, com educação.

Foi aí que eu me toquei de que não fazia a menor ideia sobre quem estava oferecendo a festa.

— Hã... — disse Daniel.

— Hum... John nos convidou — murmurei.

— Ah, certo — disse o Camisa Amarela, sorrindo, e, subitamente, mais amigável. — Quer dizer que vocês são amigos do John? Ele é um porra-louca, não acham?

— Hã, sim — concordei, jogando os olhos para cima. — Porra-louca mesmo!

Aquilo era a coisa certa a dizer, porque a porta se escancarou na mesma hora, fomos aceitos e convidados a passar pelo portal, a fim de participar da animação que se desenrolava no lado de dentro. Reparei, com tristeza, que havia um terrível amontoado de garotas lá. Umas mil para cada homem, a proporção que normalmente havia nas festas de Londres, e todas começaram a olhar para Daniel com interesse.

— Quem é esse tal de John? — cochichou Daniel enquanto me empurrava para a sala encharcada de estrogênio.

— Você não ouviu? Ele é um porra-louca.

— Sim, mas quem *é* ele?

— Sei lá — sussurrei, disfarçando e olhando em volta para me certificar de que o Camisa Amarela não estava ouvindo ali por perto.

— Achei que havia uma grande chance de haver alguém chamado John morando aqui, ou de um John ser amigo dos moradores. Lei das probabilidades e tal...

— Puxa, você é uma maravilha — disse Daniel em tom de admiração.

— Não sou, não — expliquei. — É que você vive saindo com mulheres muito burras.

— Você tem razão, sabia? — comentou ele, pensativo. — Por que será que eu sempre pego as tapadas?

— Porque elas são as únicas que têm alguma afinidade com você — expliquei, com gentileza.

— Você está sendo muito cruel comigo. — E me lançou um olhar amargo.

— Não estou, não — argumentei, de forma razoável. — Estou falando para o seu próprio bem. Dizer isso magoa mais a mim do que a você.

— Sério?

— Não.

— Ah.

— Agora, nada de ficar com a cara amarrada, Daniel. Vai estragar o perfil másculo do seu rosto e as garotas vão fugir assustadas.

Nossa briga mal começou e foi interrompida por uma voz vibrante e alegre, com sotaque escocês:

— Que ótimo vocês terem chegado!

Karen, com seu olhar agudo e penetrante, vinha em nossa direção, atravessando com dificuldade a multidão que estava em pé na sala, com latas de cerveja nas mãos. Ela devia estar vigiando a porta de entrada a noite toda, pensei, de forma pouco generosa, e na mesma hora me senti culpada. Não era crime achar Daniel atraente, apenas uma terrível falta de bom gosto e discernimento. Karen estava linda, bem ao jeito de Daniel, toda loura, alegrinha e glamourosa. Se ela atacasse do jeito certo e conseguisse fingir que era burra, eu tinha certeza de que havia muita chance de ela ser a próxima namorada de Daniel. Karen, toda exuberante, nos contou o quanto estava feliz por nos ver ali, e começou a metralhar perguntas em cima de nós com a velocidade de pingos de chuva em um temporal de verão.

Como era o restaurante? A comida estava uma delícia? Havia alguém famoso lá?

Por alguns momentos fui tola o bastante para achar que aquilo era uma conversa real, e que eu era parte dela. Até que comecei a reparar que Karen recebia as minhas histórias pretensamente engraçadas a respeito de Gregor e Dimitri com um silêncio sepulcral, mas toda vez que Daniel abria a boca ela se escangalhava toda de tanto rir. E sempre que eu e ela olhávamos nos olhos uma da outra, ela franzia a cara de forma enérgica e significativa. Suas sobrancelhas ricocheteavam da testa para as maçãs do rosto e subiam de volta, e então notei que ela estava me fazendo algum sinal com os lábios. Apertei os olhos para ver melhor, acompanhando o formato da sua boca para tentar descobrir o que era. Ela fez de novo. Como é que é?... O que poderia ser?... Qual é a primeira letra?... Tem som de quê?... Tem duas sílabas?...

— Cai *fora*!

Ela se inclinou na minha direção e cochichou na minha orelha, enquanto Daniel estava ligeiramente distraído, tirando o casaco.

— Pelo amor de Deus, cai fora!

— Ah, hã... tá legal.

As sementes da minha conversa estavam caindo em terreno infértil, e ali eu era, com certeza, excesso de bagagem. Era hora de sair de fininho. Do jeito que as coisas estavam, eu já sabia o que me esperava no dia seguinte. Karen ia me dar a maior esculhambação ("Pelo amor de Deus, por que você não caiu fora logo de cara? Fala sério! Não acredito que você seja tão panaca!").

Eu sabia quando não era bem-vinda. Na verdade, eu era muito boa nisso, às vezes sacava até mesmo antes da outra pessoa. Estranhamente, meu desconfiômetro estava desligado naquela noite.

Fiquei vermelha de vergonha. Detestava a sensação de ter feito algo errado e murmurei:

— Eu... hã... vou dar uma volta por aí. — Saí de campo discretamente, me afastei dos dois e fiquei sozinha, em pé no meio da sala.

Nenhum dos dois fez objeções à minha saída. Senti uma leve fisgada de desapontamento por Daniel não tentar me manter ali, ou pelo menos perguntar para onde eu ia, mas eu sabia que se a situação fosse inversa e *eu* estivesse a fim de alguém, também não ia querer tê-lo por perto.

Só que me senti um pouco humilhada. Estava ali, sozinha, não havia ninguém que eu conhecesse em volta, ainda continuava de casaco e tinha a certeza de que todo mundo estava olhando para a minha cara, achando que eu não tinha amigos. A euforia induzida pela vodca acabara, e o agudo senso de constrangimento retornara. Subitamente me senti muito sóbria, até demais.

Eu passara quase a vida toda achando que a existência era uma festa para a qual eu não fora convidada. Naquele momento eu estava realmente em uma festa para a qual não fora convidada, e era quase reconfortante descobrir que todos os sentimentos que me acompanharam pela maior parte da vida — isolamento, inadequação, paranoia — eram, o tempo todo, as emoções certas para sentir.

Naquele espaço apertado, consegui tirar o casaco, bem devagar. Colei um sorriso alegre na cara, na esperança de transmitir às pessoas barulhentas e felizes à minha volta que elas não eram as únicas ali que estavam se divertindo a valer; que eu também estava feliz, tinha uma vida gratificante e toneladas de amigos, e que estava ali sozinha por decisão própria, mas poderia estar em uma multidão de pessoas amigas a qualquer hora que desejasse. Não que isso importasse alguma coisa para alguém, porque ninguém estava me dando a menor bola. Pelo jeito como uma garota esbarrou em mim e pisou no meu dedão ao correr toda agitada para atender a porta, e pelo jeito que outra garota entornou o cálice de vinho em mim ao tentar ver as horas no relógio de pulso, eu me senti como se as pessoas não estivessem nem mesmo me vendo.

Não foi o vestido manchado que me aborreceu, foi o jeito como ela estalou a língua para mim, como se a culpa fosse minha, porque então comecei a achar que realmente a culpa *tinha sido* minha mesmo, pois eu não devia estar parada ali em pé no meio do caminho, para começo de conversa.

Parece que eu passava a vida toda oscilando entre me sentir terrivelmente observada ou então totalmente ignorada.

Então, por uma brecha na multidão, avistei Charlotte e fiquei mais animada. Lancei-lhe um imenso sorriso e gritei para ela, avisando que ia para lá. Ela, porém, balançou a cabeça para os lados, de forma quase imperceptível, mas mesmo assim inegável. Acho que estava conversando com um rapaz.

Depois de séculos sorrindo feito uma boba alegre, mais parecendo a idiota da aldeia, encontrei algo para fazer: resolvi colocar a cerveja na geladeira. Adorei descobrir um propósito para mim. Uma utilidade. Uma função. Ainda que de modo humilde, eu tinha alguma importância.

Empolgada comigo mesma e com o recém-descoberto senso de valor próprio, fui abrindo caminho pelo povo que se aglomerava na sala, pelas multidões ainda maiores que havia na cozinha e coloquei quatro latas de Guinness na geladeira. Depois, enfiei duas debaixo do braço e tentei nadar pelo mar de gente, tentando voltar à sala da frente, onde toda a diversão parecia estar rolando.

E foi nesse instante que eu o vi.

CAPÍTULO 18

Nos meses que se seguiram, passei a gravação daquela cena na minha cabeça com tanta frequência que me lembro de absolutamente tudo a respeito dela, até dos mínimos detalhes.

Estava saindo da cozinha quando ouvi a voz de um homem que dizia, em admiração:

— Contemplem! Uma visão toda em ouro! Uma deusa! Uma verdadeira deusa!

Naturalmente continuei a empurrar e a forçar a passagem para conseguir sair da cozinha, porque, embora estivesse usando um vestido dourado, estava usando também o meu complexo de inferioridade feito sob medida e, portanto, nem por um segundo achei que a pessoa que estava sendo chamada de deusa era eu.

— E não se trata de uma deusa qualquer — continuou a voz —, mas a minha deusa favorita, a deusa Guinness.

Esse detalhe da Guinness conseguiu atravessar a minha barreira de humildade, me virei e vi que havia um rapaz encostado no freezer. Não que isso fosse alguma coisa especial, pois era uma festa, afinal o lugar estava entulhado de gente e havia até mesmo uns dois homens encostados em eletrodomésticos.

O rapaz parecia muito jovem, era difícil determinar sua idade, mas era uma gracinha, tinha cabelos muito pretos, compridos e encaracolados, olhos um pouco avermelhados, mas com uma tonalidade bem verde, e estava sorrindo diretamente para mim, como se me conhecesse, o que fez com que eu me sentisse muito bem.

— Oi? — Acenou ele com a cabeça, de um jeito civilizado e amigável.

Nossos olhos se encontraram e tive uma sensação estranha. Foi como se já o conhecesse também. Comecei a encará-lo e, embora soubesse que estava sendo indelicada, não consegui desviar o olhar. Fui inundada por uma sensação de calor e confusão, ao mesmo tempo que fiquei totalmente intrigada, porque, embora tivesse certeza de que nunca havia me encontrado com ele, de algum modo eu já o conhecia. Não sei bem o que era, mas havia *alguma coisa* nele, algo muito familiar.

— Por que demorou tanto? — perguntou ele, com voz alegre. — Estava esperando por você.

— Estava? — Engoli em seco, de nervoso.

Meu coração disparou. O que estava havendo?, me perguntei. Quem era ele? O que significava aquele reconhecimento instantâneo que surgiu entre nós como um relâmpago?

— Estava sim — confirmou ele. — Desejei que aparecesse uma mulher linda com uma lata de Guinness na mão, e aqui está você.

— Ah.

Fazendo uma pausa, ele se esticou um pouco mais, ainda encostado no freezer. Era a imagem viva do relaxamento, parecia feliz e com boa aparência, apesar de estar com os olhos um pouco turvos. Parecia não achar nada de estranho na conversa.

— Você está esperando por mim há muito tempo? — perguntei. De um modo estranho, aquilo me pareceu algo perfeitamente normal de perguntar, como se eu estivesse puxando assunto com um estranho no ponto de ônibus.

— Pela maior parte dos últimos novecentos anos — suspirou.

— Ahn?... novecentos anos? — perguntei, levantando uma sobrancelha. — Mas ainda não haviam inventado latas de Guinness há novecentos anos.

— Exato — disse ele. — É isso que estou dizendo. Só Deus sabe o quanto sofri. Tive que ficar esperando que eles descobrissem a tecnologia para fazer latas, e foi muito chato. Se pelo menos eu tivesse desejado uma jarra de hidromel* ou uma caneca de cerveja caseira, teria evitado muito trabalho e problemas para nós dois.

— E você está parado aí há muito tempo? — perguntei.

---

* Bebida usada desde a Antiguidade, uma simples mistura de água e mel que pode ser fermentada, tornando-se alcoólica. (N.T.)

— Estive aqui quase o tempo todo — respondeu ele. — Às vezes, eu ia até ali — e indicou com o dedo um ponto no chão, a menos de um metro de onde ele estava —, mas na maior parte do tempo fiquei aqui mesmo.

Sorri. Estava embevecida por ele e suas histórias.

Ele era *exatamente* o tipo de homem que eu gostava, não era apagado nem sério demais, era criativo, tinha imaginação e era *muito gato*!

— Estive esperando aqui por tanto tempo que é difícil acreditar que você finalmente está aqui. Você é real? — perguntou ele. — Ou é apenas uma criação da minha imaginação sedenta de Guinness?

— Não, sou perfeitamente real — assegurei a ele, embora eu mesma não tivesse tanta certeza. E não tinha certeza se *ele* era real também.

— Quero que você seja real, você está me *garantindo* que é real, mas pode ser que eu esteja apenas imaginando tudo isso, até mesmo a parte em que você me diz que é real. Está tudo meio confuso, consegue compreender o meu problema?

— Consigo — disse, com ar solene. Eu estava *encantada*.

— Posso pegar a minha lata de Guinness? — quis saber ele.

— Bem, isso eu não sei — disse, um pouco ansiosa, me esquecendo, por um instante, de que estava encantada.

— Foram novecentos anos — lembrou-me ele, de forma gentil.

— Sim, eu sei — disse eu. — Entendo o seu problema, perfeitamente, só que estas cervejas são de Daniel. Isto é, foi ele que pagou por elas, e eu estava indo, neste exato momento, levar uma delas para ele e... Ah, deixa pra lá, pode beber uma.

— Pode ser que Donal tenha pago pelas cervejas, mas o destino determinou que elas sejam minhas — explicou-me ele, em tom de confidência e, por algum motivo, acreditei nele.

— É mesmo? — perguntei, com a voz oscilante, dividida entre o desejo de me entregar às forças sobrenaturais que operavam naquele instante entre mim e aquele homem e o medo de ser acusada de não sustentar minha posição com firmeza e sair distribuindo latas de Guinness alheias por aí.

— Donal ia gostar que fosse desse jeito — prosseguiu ele, removendo com delicadeza alguma coisa sob o meu braço.

— Daniel, o nome dele é Daniel — disse, distraída, dando uma olhada em volta da sala. Dava para ver a cabeça de Daniel e a cabeça de Karen bem próximas uma da outra, e me pareceu que Daniel não ia ligar a mínima para a lata de Guinness, de qualquer modo.

— Talvez você tenha razão — concordei.

— Há apenas um problema — disse ele.

— Qual é o problema?

— Bem, se você é fruto da minha imaginação, então, por definição, a sua Guinness também é imaginária, e uma Guinness imaginária não é nem de perto tão boa quanto uma Guinness real.

Ele tinha um sotaque lindo, suave e lírico, que me parecia familiar, embora eu não conseguisse descobrir de onde era.

Ele abriu a lata e despejou o conteúdo garganta abaixo. Bebeu a lata inteira de um gole só, sem tirá-la da boca, enquanto eu ficava ali em pé, olhando para ele. Devo confessar que fiquei impressionada com a cena. Em toda a minha vida, vira pouquíssimos homens que eram capazes de fazer aquilo. Na verdade, o único que eu vira fazer isso era o meu pai.

Estava deleitada, completamente cativada por aquele homem-criança, quem quer que ele fosse.

— Hummm... — disse ele, pensativo, olhando para a lata vazia e depois para mim. — É difícil dizer. *Pode ter sido* real, mas também talvez tenha sido apenas imaginação.

— Tome — disse eu, entregando a outra lata para ele. — É real, garanto.

— Por alguma razão, acredito em você. — E, pegando a segunda lata, repetiu a performance.

— Sabe de uma coisa?... — disse ele, pensativo, limpando a boca com as costas da mão. — Acho que talvez você esteja com a razão. E se a Guinness é real, então isso significa que você é real também.

— Acho que sou — disse, com ar pesaroso. — Embora, muitas vezes, eu não tenha certeza.

— Às vezes você se sente invisível? — perguntou ele.

Meu coração disparou. Ninguém, *ninguém mesmo*, jamais me perguntara aquilo antes, e era *exatamente* assim que eu me sentia por períodos imensos da minha vida. Será que ele conseguira ler meus pensamentos? Eu estava abismada. Ele reconhecia tanta coisa em mim! Alguém no mundo me compreendia. Um completo estranho conseguira olhar dentro de minha alma e descobrir a minha essência. Senti-me com a cabeça leve de alívio, alegria e esperança.

— Sim — concordei, baixinho. — Às vezes eu me sinto invisível.

— Eu sei — afirmou ele.

— Como?

— Porque eu me sinto assim também.

— Oh!

Houve uma pausa e nós dois ficamos ali em pé, olhando um para o outro por algum tempo, sorrindo levemente.

— Qual é o seu nome? — perguntou ele, de repente. — Ou eu posso chamá-la simplesmente de deusa Guinness? Se preferir, podemos abreviar o nome para DG. Só que, neste caso, eu poderia confundi-la com aquele cavalo que também se chama DG, ia acabar apostando no seu nome e, cá entre nós, você não se parece nem um pouco com um cavalo, embora tenha pernas lindas... (nesse instante parou de falar e se inclinou para o lado até que a cabeça ficou na altura dos meus joelhos) ... Sim, tem pernas muito lindas. — E continuou, endireitando-se: — Mas não acho que você consiga correr rápido o bastante para vencer o Grande Prêmio. Embora talvez conseguisse chegar entre os três primeiros colocados e, portanto, talvez eu devesse apostar em você, afinal. Vamos ver, vamos ver. Enfim, qual é o seu nome?

— Lucy.

— Lucy, é? — confirmou, pensativo, olhando para mim com os olhos muito verdes e ligeiramente avermelhados nos cantos. — Um belo nome para uma bela mulher.

Embora não estivesse certa de ser o caso, tinha de perguntar a ele:

— Você... por acaso, não é... *irlandês*, é?

— Sim, mas veja você!... O que mais eu poderia ser, exceto irlandês? — respondeu ele, exagerando o sotaque irlandês e exibindo um pequeno passo de dança. — Vim direto do condado de Donegal.

— Eu sou irlandesa também — disse, empolgada.

— Mas você não tem sotaque de irlandesa — disse ele, com ar de dúvida.

— Eu sou sim! — protestei. — Pelo menos os meus pais são. Meu sobrenome é Sullivan.

— Ah, isso é irlandês, com certeza — admitiu. — Você é da espécie Araquus, variedade Irlanddus?

— Como é que é?

— Você é uma irlandesa de araque?

— Bem, eu nasci aqui, na Inglaterra — admiti. — Mas *me sinto* irlandesa.

— Então para mim já está bom — disse, com jeito alegre. — Meu nome é Gus, mas meus amigos me chamam de Augustus, para facilitar.

— Ah. — Eu me sentia fascinada. Aquilo estava cada vez melhor.

— Muito prazer em conhecê-la, Lucy Sullivan — disse ele, pegando a minha mão.

— E eu também tenho muito prazer em conhecê-lo, Gus.

— Não, por favor — disse ele, levantando a mão, em protesto. — Chame-me apenas de Augustus, eu insisto.

— Bem, se dá no mesmo para você, eu preferia chamá-lo de Gus. Augustus vai deixar a minha boca muito cheia.

— Vou? — perguntou ele, parecendo surpreso. — Vou deixar a sua boca muito cheia? E olhe que você acabou de me conhecer, hein?

— Hã... Você entende o que quero dizer — expliquei, imaginando se a gente estava falando de coisas ligeiramente diferentes.

— Em toda a minha vida, nenhuma mulher jamais falou isso a meu respeito — disse ele, olhando para mim, pensativo. — Você é uma mulher muito especial, Lucy Sullivan. Uma mulher muito *perceptiva*, podemos dizer. E, se insiste em formalidades, então que seja Gus.

— Obrigada.

— Isso mostra que você teve uma criação muito boa.

— Mostra?

— Ah, claro! Você tem modos encantadores, é muito gentil e educada. Imagino que você sabia tocar piano, não sabe?

— Hã... não, não sei. — Fiquei me perguntando o que provocara uma mudança de assunto tão repentina. Tive vontade de dizer a ele que sabia tocar piano sim, pois estava louca para agradá-lo, mas ao mesmo tempo fiquei com medo de contar uma mentira tão descarada e ele sugerir que tocássemos alguma coisa em dueto, ali mesmo, naquela hora.

— Você deve tocar violino, então?

— Hã... Não.

— Apito?

— Não.

— Nesse caso, só pode ser sanfona.

— Não — eu disse, querendo que ele parasse com aquilo. Que papo era aquele sobre instrumentos musicais?

— Você não parece ter pulsos fortes o bastante para ser uma tocadora de *bodhrán*,* mas pode ser que seja uma.

— Não, eu não toco *bodhrán*.

Sobre o que estávamos conversando, afinal?

— Bem, Lucy Sullivan, você me derrotou por completo. Desisto. Conte-me, qual *é* o seu instrumento?

— Que instrumento?

— O instrumento que você toca.

— Mas eu não toco instrumento nenhum!

— O quê?! Mas se você não toca nada, então, certamente, escreve poemas.

— Não — disse eu bem depressa, e comecei a pensar em um jeito de escapar. Aquele papo era muito esquisito, até mesmo para mim, e olhe que eu tinha um limite bem alto para esquisitices.

Personagens de Flann O'Brien** ficavam muito bem nos livros de Flann O'Brien, mas ficar batendo papo com um deles em uma festa era um assunto completamente diferente.

Então, como se ele tivesse lido meus pensamentos, colocou a mão sobre o meu braço e começou a parecer bem mais normal.

— Desculpe-me, Lucy Sullivan — pediu ele, humilde. — Sinto muito. Assustei você, não foi?

— Um pouco — admiti.

— Sinto muito — repetiu ele.

— Tudo bem — sorri, aliviada. Não fazia objeções a pessoas esquisitas e ligeiramente excêntricas, mas quando elas começavam a exibir tendências psicóticas sabia que era hora de jogar a toalha.

---

* Instrumento de origem celta, tipicamente irlandês, que tem a forma de um tambor baixo e se toca com as mãos ou com baquetas. (N.T.)

** Escritor irlandês famoso por usar elementos de *nonsense*, humor e sarcasmo em seus livros. (N.T.)

— É que ingeri uma grande quantidade de drogas classe A, no início da noite — continuou ele —, e não estou no meu normal.

— Ah — disse eu, desanimada, sem saber o que pensar sobre aquilo. Então ele usava drogas? Aquilo era algum problema para mim? Bem, não exatamente, imaginava, contanto que não fosse heroína injetável, porque ele ia precisar de colherinhas de chá para dosar a quantidade, e nós já tínhamos poucas colherinhas no apartamento.

— Que drogas você usa? — perguntei, com hesitação, tentando não parecer que o censurava.

— Quais as que você tem aí? — começou a rir, mas parou de repente. — Estou fazendo aquilo de novo, não estou? Assustando você?

— Beeem... você sabe...

— Não se preocupe, Lucy Sullivan. Sou apreciador apenas de alucinógenos leves ou relaxantes, nada mais. E sempre em quantidades pequenas. E com pouca frequência. Quase nunca, na verdade. A não ser um traguinho. Tenho que admitir que adoro tomar uns traguinhos de vez em quando.

— Ah, então tudo bem — disse eu. Não tinha problemas com homens que bebiam.

Fiquei pensando, porém, que se ele estava sob a influência de algum narcótico, será que isso significava que normalmente ele não contava histórias, casos de sonhos e era um cara maçante como qualquer outro? Esperava desesperadamente que não. Seria um desapontamento insuportável se aquele homem incomum, charmoso e lindo desaparecesse junto com o resto de droga em seu sangue.

— Você normalmente é desse jeito? — perguntei, com cautela. — Você sabe, hã... fica imaginando coisas, contando histórias e tudo o mais? Ou está assim só pelo efeito das drogas?

Ele olhou para mim, com os cachos brilhantes caindo-lhe por sobre os olhos.

Por que será que eu não consigo fazer com que os *meus* cabelos brilhem tanto assim?, perguntei a mim mesma, distraída, imaginando qual o condicionador que ele usava.

— Esta é uma pergunta muito importante, não é, Lucy Sullivan? — analisou ele, ainda olhando para mim. — Muita coisa está em jogo nesta resposta.

— Imagino que sim — resmunguei.

— Vou ser completamente honesto — disse ele, com ar sério. — Não posso lhe dizer apenas o que você deseja ouvir, posso?

Não estava certa sobre se concordava com aquilo ou não. Em um mundo tão imprevisível e desagradável, era incomum e muito gratificante ouvir apenas o que eu queria ouvir.

— Imagino que não — suspirei.

— Você não vai gostar do que vou lhe dizer, mas sou moralmente obrigado a fazê-lo, mesmo assim.

— Tudo bem — disse eu, com tristeza.

— Não tenho escolha. — E tocou o meu rosto, com delicadeza. — Eu sei.

— Ah! — gritou ele de repente, abrindo os braços de forma teatral, atraindo olhares preocupados de todos os que estavam na cozinha. Até as pessoas na porta dos fundos se viraram para olhar. — "Oh, que teia confusa tecemos ao mentir pela primeira vez!"* Você não concorda com isso, Lucy Sullivan?

— Sim. — Eu ri. Não pude evitar, ele parecia tão louco e engraçado.

— Você *sabe* tecer, Lucy? Não? Não há muita procura por isso hoje em dia. É uma arte que está morrendo, uma arte que está realmente morrendo... Eu também não sou muito bom nisso. Sou muito desajeitado, sou mesmo. Agora vou lhe contar o que quer saber, com toda a honestidade, Lucy Sullivan...

— Sim, eu gostaria que assim fosse normalmente.

— Pois aqui vai: eu sou ainda pior do que isso quando estou careta. Pronto! Contei! Acho que agora você vai me virar as costas e ir embora.

— Na verdade, não.

— Mas você não me acha um lunático, um cara exibido, que deixa você constrangida?

— Acho.

— Isso significa que caras lunáticos, exibidos e que deixam você constrangida são os seus preferidos, Lucy Sullivan?

Eu nunca havia pensado sobre isso daquela maneira, mas agora que ele tinha mencionado...

— Sim — disse eu.

---

* Citação do poema épico *Marmion,* de Sir Walter Scott, poeta e escritor escocês. (N.T.)

CAPÍTULO 19

Ele me pegou pela mão, me levou pela sala e me deixei ser levada. Para onde será que ele estava me puxando, imaginei, empolgada. Empurrei Daniel para o lado e ele levantou as sobrancelhas com ar questionador, e então balançou o indicador para a frente, como se estivesse dando uma bronca em mim, mas o ignorei. Gus era uma pessoa muito legal para se conversar.

— Sente-se aqui, Lucy Sullivan. — Gus apontou para o primeiro degrau de uma escada. — Podemos levar um papo calmo e agradável.

Isso parecia muito improvável de acontecer, pelo fato de que havia mais gente subindo e descendo a escada do que passeando pela Oxford Street. Eu nem estava muito certa sobre o que estava rolando no andar de cima. O de sempre, eu imaginava. Gente tomando drogas, garotas transando com o melhor amigo do namorado em cima do casaco dele, coisas assim...

— Olhe, me desculpe por ter deixado você apavorada ainda há pouco, Lucy, mas é que imaginei que você devia ser um tipo de pessoa muito criativa — disse Gus, depois de ter me instalado no pé da escada.

— Sou músico, e a música, para mim, é uma coisa apaixonante — continuou ele. — Às vezes eu me esqueço de que nem todos pensam assim.

— Tudo bem — disse, adorando aquilo. Ele não apenas era louco, mas também músico, e os meus homens preferidos sempre tinham sido músicos, escritores ou qualquer outra coisa que envolvesse processo criativo e comportamento típico de um artista torturado. Jamais me apaixonara por um homem que tinha um emprego formal e torcia para que isso jamais acontecesse. Não conseguia imaginar nada mais chato do que um homem assalariado, totalmente controlado com o dinheiro e que conseguia viver dentro das suas posses. Achava a insegurança financeira um grande afrodisíaco. Minha mãe e eu discordávamos violentamente nesse ponto, mas a diferença entre nós é que ela não tinha um único osso de romantismo dentro do corpo, enquanto eu tinha de pensar muito para achar uma porção do meu esqueleto que não fosse romântica. O rádio, o cúbito, a rótula, o fêmur, os ossos da bacia (especialmente esses!), o esterno, o úmero, a escápula — na verdade as duas —, as diversas vértebras, uma imensa seleção de costelas, uma pletora de metatarsos, quase o mesmo número de metacarpos, os três ossinhos do ouvido interno, todos os ossos do meu corpo eram românticos.

— Então você é músico? — quis saber, com interesse. Talvez fosse por isso que achava que já o conhecia. Talvez já o tivesse visto em show, ouvido ou visto uma foto dele em algum lugar.

— Sou.

— Você é famoso?

— Famoso?

— Sim, você é muito conhecido?

— Lucy Sullivan, não sou muito conhecido nem mesmo em minha própria casa.

— Ah.

— Deixei você desapontada, não deixei? Mal nos conhecemos e você já está em crise... Vamos precisar de ajuda, Lucy. Fique aqui quietinha que vou procurar um catálogo para telefonarmos para o Serviço de Auxílio a Relacionamentos.

— Não, não precisa! — Ri. — Não fiquei desapontada não. É que me pareceu que já conhecia você, mas não sabia de onde. Pensei que talvez fosse famoso, e isso explicaria tudo.

— Você quer dizer que já não nos conhecíamos? — perguntou ele, parecendo chocado.

— Acho que não — respondi, me divertindo com aquilo.

— Mas é claro que já nos conhecemos — insistiu ele. — Pelo menos em uma existência anterior, se não tiver sido nesta.

— Pode ser — disse eu, pensativa. — Mas, mesmo que a gente tenha se conhecido em uma vida anterior, quem é que pode afirmar que gostávamos um do outro? Isso sempre me incomodou. Só porque as pessoas se reconhecem de outra vida não significa que elas tenham de *gostar* uma da outra, não é?

— Você tem toda a razão — disse Gus, apertando a minha mão com força. — Também sempre achei isso, mas você é a primeira pessoa que encontrei que concorda comigo.

— Imagine só se eu tiver sido o seu chefe em outra vida. Aposto que você não ia ficar muito satisfeita por me encontrar de novo, ia?

— Não! Puxa vida, isso não seria horrível? Morrer, viajar pelo espaço e pelo tempo, tornar a nascer e encontrar as mesmas pessoas desagradáveis com quem convivemos da outra vez. "Lembra-se de mim, do antigo Egito? Ótimo, porque você fez uma porcaria de trabalho naquela pirâmide, volte lá e refaça o serviço."

— Exato, Gus. Ou que tal: "Lembra-se de mim? Eu sou aquele leão que o devorou quando você era cristão em Roma. Lembrou? Ótimo, agora vamos nos casar."

Gus riu, deliciado.

— Você é maravilhosa! De qualquer modo, nós dois devemos ter nos dado muito bem em qualquer vida dessas em que tenhamos nos conhecido. Estou com um sentimento bom a respeito disso. Você provavelmente me explicou o Teorema de Pitágoras no dia em que ele perdeu a paciência para me ensinar. Era um sujeito muito estourado, o tal de Pitágoras... Ou me emprestou dinheiro na virada do século retrasado, ou *algo* legal assim. Tem alguma outra Guinness por aí?

Mandei Gus pegar mais na geladeira e fiquei ali sentada na escada, esperando. Estava eletrizada, maravilhada, explodindo de felicidade. Que homem adorável! Fiquei tão feliz por ter ido à festa! Senti o sangue gelar nas veias ao pensar que podia, com a maior facilidade, não ter ido, e então jamais o teria conhecido. Talvez a Sra. Nolan estivesse certa, afinal, Gus podia ser *o homem* sobre o qual ela falou, o homem pelo qual eu estava esperando.

Por falar em esperar, onde, diabos, ele havia se enfiado?

Quanto tempo levava para ir até a geladeira e roubar o resto das latas de Guinness de Daniel?

Ele já não saíra dali há séculos? Será que, enquanto eu estava sentadinha no degrau com um sorriso de idiota sonhadora na cara, ele começara a bater papo com alguma outra garota e se esquecera completamente de mim?

Comecei a ficar nervosa.

Quanto tempo mais eu devia esperar, antes de começar a procurá-lo?, imaginei. O que poderia ser considerado um intervalo de tempo decente antes de eu ir atrás dele?

E não era um pouco *cedo* em nosso relacionamento, mesmo para mim, para ele começar a me enrolar?

Meu estado de sonho e introspecção feliz abruptamente se dissolveu. Eu devia saber que aquilo era bom demais para ser verdade. Comecei a reparar no barulho e nos empurrões que as pessoas trocavam em volta de mim. Eu as esquecera totalmente, enquanto conversava com Gus, e comecei a me perguntar se elas estavam todas rindo da minha cara. Será que todos já haviam visto Gus fazer isso com milhares de mulheres? Será que dava para eles sentirem o meu medo?

Mas não, ali estava ele de volta, meio descabelado.

— Lucy Sullivan — declarou ele, parecendo ansioso e distraído —, desculpe-me por ter demorado tanto, mas acabei me envolvendo em uma terrível rixa.

— Ai, meu Deus. — Ri. — O que aconteceu?

— Ao chegar à geladeira, vi um homem que tentava se servir das latas de Guinness do seu amigo Donal. "Tire as mãos destas latas!", gritei. "Não tiro!", disse ele. "Vai tirar sim!", disse eu. "Mas elas são minhas!", disse ele. "Não são suas, não!", insisti. Seguiu-se uma luta corporal, Lucy, na qual sofri pequenos ferimentos, mas a Guinness está a salvo agora.

— Está? — perguntei, surpresa, porque Gus estava com uma garrafa de vinho tinto na mão e não havia sinal da Guinness em parte alguma.

— Sim, Lucy, executei o sacrifício final, e ela está a salvo agora. Ninguém mais vai tentar roubá-la.

— O que você fez?

— O que fiz? Bebi tudo, é claro, Lucy! O que mais poderia fazer?

— Hã...

Olhei para trás, um pouco nervosa, e, como já era de esperar, avistei Daniel por entre as barras do gradil da escada. Ele estava vindo pela sala em minha direção, com uma cara muito aborrecida.

— Lucy! — gritou ele. — Um palhaço acabou de roubar...

E parou de falar quando viu Gus.

— Foi você! — berrou Daniel.

Ai, meu Deus! Daniel e Gus obviamente haviam se encontrado.

— Daniel, Gus. Gus, Daniel — apresentei-os, em voz baixa.

— Foi ele — disse Gus, com grande irritação. — Essa figura que está à nossa frente foi o "dedos-leves" que estava roubando as latas de Guinness do seu amigo!

— Eu devia saber — disse Daniel, balançando a cabeça, resignado e ignorando o dedo acusador de Gus. — Eu devia ter desconfiado logo de cara! Como é que você consegue escolhê-los a dedo, Lucy? Diga-me como você faz.

— Ah, saia daqui, seu porco hipócrita, santo de pau oco! — reagi, chateada e constrangida.

— Você conhece esta pessoa? — Gus quis saber de mim. — Não creio que ele seja o tipo de pessoa com que deva manter amizade, Lucy. Você devia ter visto o jeito como ele...

— Vou embora — disse Daniel. — E vou levar comigo o vinho que Karen trouxe. — E arrancou a garrafa de vinho da mão de Gus, desaparecendo a seguir, na multidão.

— Você viu só? — gritou Gus. — Ele fez a mesma coisa outra vez!

Tentei não rir, mas não resisti. Obviamente, eu não estava tão sóbria quanto imaginava.

— Pare com isso — disse eu, puxando Gus pelo braço. — Sente-se aqui e comporte-se.

— Ah, é assim? Sente-se aqui e comporte-se?

— É!

— Entendo!

Houve uma pequena pausa enquanto ele olhava para baixo, na minha direção, com o rostinho lindo todo franzido.

— Bem, se você está mandando, Lucy Sullivan...

— Sim, estou mandando.

De forma obediente, ele se sentou ao meu lado na escada, com uma expressão muito doce. Ficou em silêncio por alguns momentos, e então disse:

— Bem... pelo menos valeu a pena tentar.

CAPÍTULO 20

Subitamente, senti que ficara sem ter o que dizer. Sentei-me apertada ao lado dele no degrau, vasculhando o cérebro em busca de algo para falar.

— Bem! — disse por fim, de modo alegre, para tentar disfarçar minha timidez repentina. E agora, o que ia acontecer?, perguntei a mim mesma. Será que íamos dizer que tinha sido legal conhecer um ao outro e escapar dali bem de fininho, como barcos soltando as amarras? Eu não queria isso.

Resolvi fazer uma pergunta a ele. A maioria das pessoas gostava de conversar sobre si mesma.

— Quantos anos você tem?

— Sou tão velho quanto as montanhas e tão jovem quanto as manhãs, Lucy Sullivan.

— Você se importaria de ser um pouco mais específico?

— Vinte e quatro.

— Legal.

— Bem, novecentos e vinte e quatro, na verdade.

— É mesmo?

— E que idade você tem, Lucy Sullivan?

— Vinte e seis.

— Hummm. Entendo. Você percebe então que sou velho o bastante para ser seu pai?

— Se você tem novecentos e vinte e quatro, é velho o bastante para ser meu avô.

— Até mais do que isso, eu diria.

— Mas você está muito bem, para a sua idade.

— Uma vida limpa, Lucy Sullivan, é a isso que atribuo a minha aparência. A isso e ao trato que fiz com o Demônio.

— E qual foi o trato? — Eu estava *adorando* aquilo, realmente me divertia muito.

— Não envelhecer por nem um dia durante os novecentos anos em que estive à espera de você. Porém, se algum dia eu colocar os pés em um escritório, para arrumar um emprego propriamente dito, vou envelhecer tudo no mesmo instante e morrer.

— Isso é engraçado — disse eu —, porque é exatamente o que me acontece todas as vezes que eu piso no trabalho, e não precisei esperar novecentos anos para isso.

— Você não trabalha em um escritório, trabalha? — perguntou ele, horrorizado. — Oh, pobrezinha da minha Lucy! Isto não está certo! Você não deveria nem mesmo trabalhar, devia passar os dias repousando em uma cama com lençóis de seda, em seu vestido dourado, comendo frutas cristalizadas e rodeada de admiradores e súditos.

— Concordo plenamente — disse eu, de forma calorosa. — A não ser pela parte das frutas cristalizadas. Você se importaria se eu as trocasse por chocolate?

— Nem um pouco — replicou ele, compreensivo. — Que seja chocolate então! E, por falar em cama com lençóis de seda, você acha que eu seria terrivelmente atirado ao perguntar se é possível acompanhá-la até a sua casa esta noite?

Abri a boca, sentindo-me com a cabeça leve, mas alarmada.

— Perdoe-me, Lucy Sullivan — disse ele, apertando-me o braço, o rosto abatido pelo choque. — Não posso acreditar que eu disse isso... Por favor, por favor, pode me banir dos seus pensamentos, tente esquecer que eu disse tal coisa e que uma sugestão assim tão grosseira passou pelos meus lábios. Que um raio me atinja! Embora um golpe dos céus seja muito pouco para mim.

— Está tudo bem — disse, com gentileza, tranquilizada pela sua mortificação. Se ele estava assim tão embaraçado, é porque não costumava se convidar para a casa de mulheres que acabara de conhecer, não é?

— Não, não está nada bem! — disse ele, alarmado. — Como pude falar algo assim para uma mulher como você? Vou simplesmente me afastar da sua presença agora e quero que você se esqueça para sempre de que me conheceu, é o mínimo que posso fazer. Adeus, Lucy Sullivan!

— Não, não vá — pedi, tomada de medo. Não tinha certeza se queria dormir com ele, mas certamente não queria que ele fosse embora.

— Você quer que eu fique, Lucy Sullivan? — perguntou ele, com um olhar ansioso.

— Sim!

— Bem, já que você tem certeza... Espere só um instante, enquanto eu pego o meu casaco.

— Mas...

Ai, meu Deus! Eu queria que ele ficasse, mas ficasse ali comigo, na festa, só que ele parecia estar achando que eu o queria na cama com lençóis de seda e frutas cristalizadas, e eu estava com medo de deixá-lo chateado se explicasse o mal-entendido. Assim, parece que eu tinha um convidado para passar a noite.

Ele voltou muito mais depressa do que da outra vez, trazendo um cachecol, um casaco e um suéter debaixo do braço.

— Estou pronto, Lucy Sullivan.

Aposto que está, pensei, engolindo em seco de nervoso.

— Há apenas um problema, Lucy.

O que será, agora?

— Acho que não tenho dinheiro suficiente para pagar a minha parte do táxi. Ladbroke Grove é muito longe daqui, não é?

— Bem, quanto dinheiro você tem aí?

Ele pegou um monte de moedas no bolso.

— Deixe-me ver, quatro libras... cinco libras... não, desculpe, estas moedas são pesetas. Cinco pesetas, dez centavos de dólar, uma medalha milagrosa e sete, oito, nove, *onze* pence!

— Vamos embora! — Ri. Afinal, o que eu esperava? Não podia ficar desejando que aparecesse na minha vida um músico duro e depois reclamar quando ele não tinha dinheiro algum.

— Eu devolvo, Lucy, assim que conseguir alguma grana.

CAPÍTULO 21

Muito tempo depois, chegamos a Ladbroke Grove. Gus e eu ficamos de mãos dadas no táxi, mas ainda não havíamos nos beijado. Era apenas uma questão de tempo, e eu me sentia um pouco nervosa com aquilo. Um tipo excitado de nervoso.

Gus insistiu em ficar de papo com o motorista do táxi, fazendo-lhe todo tipo de perguntas chatas. Qual foi a pessoa mais famosa que ele já transportara no táxi, qual a pessoa menos famosa que ele já transportara no táxi, esse tipo de coisa, e só parou quando o motorista freou bruscamente em algum lugar perto de Fulham e, atirando para trás algumas palavras curtas e bruscas em puro idioma anglo-saxão, avisou que se Gus não calasse a boca ele ia nos fazer saltar e nos deixar na calçada, esperando outro meio de transporte para completar o percurso.

Eu já estava com a paciência saturada por causa dos motoristas de táxi naquela noite.

— Meus lábios estão selados! — berrou Gus, e passamos o resto da viagem cochichando, cutucando um ao outro e dando risadinhas como se fôssemos crianças de escola, especulando qual o motivo de o motorista ser tão mal-humorado.

Paguei o motorista, e Gus absolutamente insistiu que eu aceitasse o monte de moedinhas estrangeiras.

— Mas eu não quero isso!

— Pegue, Lucy! — insistiu ele.

— Tenho meu orgulho, sabia? — acrescentou ele, com uma pontada de ironia.

— Bem, tá legal. — Sorri, feliz por deixá-lo satisfeito. Mas não quero a sua medalha milagrosa, já tenho milhares delas, obrigada.

— Aposto que foi a sua mãe que deu essas medalhas todas para você.

— Claro que foi.

— Eu sei. Mães irlandesas são uma fonte inesgotável de medalhas milagrosas. Elas sempre escondem uma em *algum lugar*. E você não sente que ela está sempre forçando você a aceitar as coisas que oferece?

— Como assim?

Gus começou a me cutucar com a ponta do dedo enquanto eu tentava abrir a porta da rua, e disse:

— Quer um pouco de chá? Quer sim! É melhor tomar logo o bule inteiro. Vai ajudá-la a se manter aquecida.

Começou a subir as escadas, fazendo muito barulho com os pés, e continuava a falar, atrás de mim:

— Quer uma fatia de pão de forma? Vamos, pode comer o pacote todo. Quer mais umas quatro batatas? Vamos lá, pode comer sozinha este banquete inteiro para oito pessoas, você está precisando engordar um pouco. Está que é só pele e osso! Sei que você acabou de jantar, mas jantar de novo não vai lhe fazer mal...

Eu não podia evitar o riso, embora estivesse preocupada com os outros moradores do prédio, que iam começar a reclamar por terem sido acordados às duas da manhã por um bêbado irlandês que ficava insistindo que eles deviam comer um bife inteiro.

— Venham! — berrava ele. — Nós vamos até fritar os bifes para vocês!

— Silêncio — disse eu, dando risadinhas.

— Desculpe — cochichou ele, com a voz ainda alta. — Você aguenta ou não? — perguntou ele, puxando a manga do meu casaco.

— Aguento o quê?

— Comer um porco inteiro?

— Não!

— Mas ele vai acabar indo para o lixo se você não comer tudo. E nós o matamos especialmente para esta refeição.

— Pare com isso!

— Bem, mas pelo menos você vai aceitar umas gotinhas de água benta e uma medalha milagrosa, não vai?

— Então tá! Só para agradar você.

Entramos no apartamento e ofereci chá, mas Gus não estava interessado nisso.

— Estou realmente muito cansado, Lucy — explicou ele. — Podemos ir para a cama?

Ai, meu Deus! Eu sabia o que aquilo queria dizer.

Havia tantas coisas com as quais me preocupar, e não apenas a questão do preservativo, pois Gus não parecia estar em condições de cuidar desse assunto. Nem de, ao menos, pensar nisso. Talvez ele fosse um cidadão mais responsável quando não estivesse bêbado, embora eu não pudesse contar com isso. Assim, sobrou pra mim, pelo visto, o papel de sensível e cuidadosa. Não que eu me importasse com aquilo. Preferia os homens que pecavam por serem selvagens demais em vez de cuidadosos.

— O que acha da ideia, Lucy? — ele sorriu para mim.

— Claro! — repliquei eu, tentando parecer animada, tranquila, despreocupada, uma mulher no controle da situação. Então achei que talvez eu tivesse me mostrado interessada demais e, apesar de não querer que ele pensasse que eu parecia um feixe de nervos, também não queria que achasse que eu estava desesperada para ir para a cama com ele.

— Hã... vamos — murmurei, esperando que o meu tom de voz estivesse bem neutro.

Compreendi então que não estava sendo muito sensata. Convidara um estranho, um estranho do sexo masculino, um estranho completamente estranho para vir ao meu apartamento vazio. Se eu terminasse estuprada, roubada e assassinada, eu mesma ia ser a culpada. Apesar disso, Gus não estava agindo com se pensasse em estupro e pilhagem. Estava muito ocupado dançando em volta do quarto, abrindo gavetas, lendo o extrato do meu cartão de crédito, admirando minhas bugigangas e utensílios.

— Uma lareira de verdade! — gritou ele. — Lucy Sullivan, você compreende o que isto significa?

— Não, o que significa?

— Significa que vamos ter que pegar duas poltronas, sentar junto do fogo crepitante e contar histórias.

— É?... Mas veja só, a gente na verdade não usa a lareira, porque a chaminé precisa ser...

Mas eu já perdera a atenção dele, que nesse momento abriu o guarda-roupa e começou a mexer nos cabides.

— Ah-ah! Um manto todo detonado — disse ele, puxando para fora do armário um velho casaco comprido, de veludo, com um capuz. — Que tal?

Ele o vestiu (justiça seja feita, aquilo foi tudo que ele demonstrou interesse em experimentar), colocou o capuz c ficou na frente do espelho, girando o corpo e se admirando.

— Lindo! — Ri. — É a sua cara!

Ele parecia uma espécie de duende, só que um duende muito sexy.

— Você está me zoando, Lucy Sullivan.

— Não estou não.

E não estava mesmo, porque o achava lindo. Estava adorando o seu entusiasmo, o jeito que tinha de achar tudo interessante, seu jeito incomum de olhar para as coisas. Não havia outra palavra para aquilo — eu estava *encantada.*

Estava me sentindo também muito aliviada por ele estar brincando de experimentar roupas, em vez de tentar me carregar para a cama. Eu o achava atraente — muito atraente —, mas me parecia um pouco cedo para pular na cama com ele. O problema é que, afinal de contas, eu dissera que ele podia voltar para casa comigo e sentia que, nesse caso, as regras de etiqueta determinavam que eu não poderia *não ir* para a cama com ele.

Em teoria, eu sabia que tinha todo o direito de não ir para a cama com alguém de quem não estivesse a fim, e podia trocar de ideia a esse respeito em qualquer ponto do caminho, mas a realidade é que eu ia me sentir muito constrangida de dizer não.

Imagino que depois de ter chegado até ali seria pouco hospitaleiro mandá-lo embora de mãos vazias. Isso remontava aos tempos da minha infância, quando a generosidade com as visitas importava mais do que qualquer outra coisa, a tal ponto que não importava se nós íamos ter de ficar sem jantar, desde que os convidados estivessem alimentados.

Além do mais, sentia que Gus e eu, de alguma forma, tínhamos sido feitos um para o outro, e *isso* era muito sedutor. Não apenas seria grosseiro e imperdoável eu me recusar a dormir com ele, mas seria também uma provocação ao destino, que acabaria por atrair a ira dos deuses e fazê-la despencar sobre a minha cabeça. Era um grande alívio pensar assim, porque isso tirava toda a novela do "devo ou não devo...?" do caminho. Eu *tinha* de dormir com ele. Sem traumas, era tudo muito simples.

Mesmo assim, eu ainda estava nervosa.

Acho que os deuses não podem pensar em tudo.

Sentei-me na cama e fiquei brincando com os meus brincos, enquanto Gus circulava pelo quarto todo, pegando coisas, pondo-as de volta e fazendo todo o tipo de comentários.

— Legais estes livros, Lucy. Tirando toda esta baboseira californiana — murmurou ele, lendo a contracapa de *Quem Fica com o Carro na Família Anômala dos Anos Noventa*. Fiquei feliz por ver que, apesar de Gus ser ligeiramente excêntrico, não era totalmente neurótico.

Recoloquei os brincos, para poder tirá-los de novo depois. Sempre achei que usar joias ou bijuterias era uma boa ideia em uma situação do tipo sedução, porque, embora desse a impressão de que eu estava me despindo, parecendo que eu estava a fim de qualquer coisa e tinha espírito esportivo, na realidade a outra pessoa já estava apenas com as roupas de baixo muito antes de mim, dando-me a chance de mudar de ideia e esconder as cartas sem mostrar a mão, entre outras coisas.

Aprendi este recurso durante o verão dos meus quinze anos, período em que Ann Garrett e Fiona Hart costumavam jogar *strip-poker* com alguns dos garotos da nossa rua. Tanto Ann quanto Fiona já tinham seios, e durante aquele verão cheio de insinuações sexuais, veladas ou não, nenhuma delas provocadas por mim, devo acrescentar, elas viviam loucas para se ver em uma situação qualquer em que fossem obrigadas a exibir o corpo. Eu não tinha seios e, embora adorasse saber que tinha amigos, preferia morrer a ter de me sentar no terreno atrás da fileira de lojas da cidade em uma agradável noite de verão, só de calcinha e sutiã, em companhia de Derek Wheatley, Gordon Wheatley, Joe Newey e Paul Stapleton.

Assim, resolvi o problema usando tantas joias, bijuterias e acessórios quanto conseguia reunir. Minhas orelhas não eram furadas — só consegui fazer isso aos vinte e três anos —, de forma que eu tinha de usar brincos de pressão, que paralisavam a circulação e transformavam os lóbulos das orelhas em bolotas vermelhas de agonia latejante, mas isso era um preço pequeno a pagar (embora sempre repre sentasse um alívio, para mim, perder as primeiras rodadas do pôquer). Discretamente, contrabandeava e levava para o jogo um anel com camafeu que a minha mãe mantinha guardado, enrolado em papel de seda no fundo de uma caixa dentro do seu guarda-roupa, exibindo-o apenas no aniversário de casamento ou no dia em que ela fazia aniversário. O anel era grande demais para mim, e eu vivia aterrorizada com a possibilidade de perdê-lo. Com mais três braceletes cor-de-rosa, de plástico, que eu ganhara como prenda em uma quermesse, o crucifixo da Crisma e ainda a corrente, eu garantia que jamais precisaria despir mais do que minhas sandálias e meias. Para me sentir ainda mais segura, usava três pares de meias.

O mais curioso é que Ann e Fiona jamais usavam *nenhuma* bijuteria.

E pareciam não ter muita preocupação com o jogo também, descartando ases e reis como se fossem roupas fora de moda e, em pouco tempo, já estavam de calcinha e sutiã, dando risadinhas e anunciando o quanto estavam envergonhadas, sentadas bem retas, com a barriga encolhida, os ombros para trás e os peitos para cima. Enquanto isso, eu ficava ali do lado, toda vestida, com uma porção de braceletes cor-de-rosa e brincos empilhados na grama, ao lado.

Aquilo era estranho. Eu quase nunca vencia em jogo algum, porém, de algum modo, sempre conseguia ganhar as partidas de *strip-poker*. O mais estranho ainda é que nenhum dos outros jogadores parecia muito impressionado com minhas vitórias. Levei vários anos para compreender que eles não ligavam a mínima para a própria derrota, ao contrário do que eu, toda convencida, imaginava.

Fui uma adolescente muito ingênua.

Continuei ali, tirando e tornando a colocar os brincos enquanto Gus se familiarizava com todos os objetos do meu quarto.

— Vou dar uma deitadinha aqui, Lucy, tudo bem?

— Claro.

— Você se incomoda se eu tirar as botas?

— Hã... não, claro que não. — Na verdade, eu estava esperando que ele fosse tirar mais do que as botas. Se ele tirasse apenas as botas, porém, eu ia aceitar numa boa. Com aquela roupa toda, aquilo não ia dar em nada mesmo.

Ele se deitou na cama, ao meu lado.

— Isso é gostoso — disse ele, segurando a minha mão.

— Hum-hum... — murmurei. *Era* gostoso mesmo.

— Sabe de uma coisa, Lucy Sull...?

— O quê?

Ele não disse mais nada.

— Sei o quê? — tornei a perguntar, virando-me a fim de olhar para ele.

Só que Gus já estava profundamente adormecido, estirado na minha cama, ainda de jeans e camiseta. Parecia tão *doce*, com as pestanas muito pretas e compridas lançando sombras sobre o rosto, as pontinhas da barba por fazer já aparecendo em seu maxilar e queixo, a boca sorrindo levemente.

Fiquei ali, olhando para ele.

É isso o que eu quero para mim, pensei. Ele é o homem certo.

CAPÍTULO 22

Puxei o edredom debaixo do seu corpo e o cobri com ele, o que fez com que eu me sentisse muito carinhosa e terna. Puxei para o lado a mecha de cabelo que caíra em sua testa, só para reforçar a emoção. Será que eu devia deixá-lo dormindo ali, todo vestido?, perguntei a mim mesma. Bem, tinha de ser daquele jeito, porque eu não ia tirar a roupa dele. Certamente não pretendia ficar remexendo nas roupas de baixo dele para dar olhadas furtivas e espiar o trailer antes da estreia.

Então, sentindo-me um pouco assim, tipo *sem ter o que fazer,* me aprontei para dormir. Coloquei o pijama — eu tinha quase certeza de que Gus não era daquele tipo que gostava de *négligé sexy,* o que para mim era ótimo, porque eu não tinha uma *négligé sexy*. Gus ia provavelmente ficar mais intimidado com uma *négligé sexy* do que excitado. Por outro lado, sei lá, não dava para saber ao certo.

E fui escovar os dentes. *É claro* que fui escovar os dentes. Escovei tanto que minhas gengivas ficaram quase em carne viva. Sabia muito bem que escovar os dentes era a coisa mais importante a fazer quando dividíamos a cama com um homem estranho. As revistas e as minhas experiências passadas não conseguiam transmitir a real importância daquilo. Era muito triste pensar que um homem que se interessou o bastante por você para fazer sexo à noite ia sair disparado porta afora se o seu hálito não tivesse, pelo menos, o aroma de hortelã na manhã seguinte. Era assim que as coisas eram. Ficar triste com isso não mudava nada.

Em vez de remover a maquiagem, coloquei vários quilos a mais. Queria parecer linda para quando Gus acordasse de manhã. A camada extra de maquiagem ia compensar o fato de ele estar sóbrio e contrabalançar a imagem que ele tinha de mim, se quiserem ver desse modo. Então, pulei na cama, ao lado dele. Ele parecia tão gatinho ali, dormindo...

Fiquei deitada, olhando para a escuridão, pensando em tudo o que me acontecera naquela noite, e, talvez devido à empolgação, pela expectativa que sentia, pelo desapontamento ou talvez até pelo alívio, não consegui pegar no sono.

Depois de algum tempo, ouvi a porta da frente do apartamento se abrir, e escutei a voz de Karen, seguida pela de Charlotte e a de mais alguém com voz de homem conversando, enquanto chá era servido entre cochichos e risadas abafadas. Tudo estava muito mais calmo do que na véspera. Não havia *A Noviça Rebelde*, nem móveis derrubados, nem explosões de gargalhadas.

Depois de ficar séculos ali, deitada no escuro, resolvi me levantar de novo para ver o que estava rolando lá fora. Estava me sentindo meio largada de lado, mas isso não era novidade. Levantei da cama com toda a cautela, sem querer perturbar Gus, e saí do quarto nas pontas dos pés. Puxei a porta ainda de costas para o corredor, fechei-a com todo o cuidado e esbarrei em uma coisa grande e escura que normalmente não ficava na porta do meu quarto.

Pulei um quilômetro com o susto.

— Nossa! — exclamei.

— Lucy! — disse um homem. A coisa na qual eu esbarrara colocou as mãos nos meus ombros.

— Daniel! — disse, com a voz enrolada pelo sobressalto. — Que diabos *você* está fazendo aqui? Quase me matou de susto, seu idiota!

Em vez de se desculpar, Daniel achou aquilo hilário, e quase despencou de tanto rir.

— Oi, Lucy — disse, ofegante, sem conseguir falar direito, de tanto que ria. — Você sempre me recebe de modo maravilhoso. Pensei que estivesse a meio caminho de Moscou a essa hora.

— O que estava fazendo, espreitando no escuro, aqui na porta do meu quarto? — quis saber eu.

— Olha só a sua cara. — Daniel se encostou na parede, ainda rindo e enxugando as lágrimas que brotavam em seus olhos. — Você precisa ver a sua cara.

Eu estava abalada, chateada, e não achava nada engraçado, então dei um soco na barriga de Daniel.

— Ai! — gritou ele, ainda rindo e colocando o braço no local que eu atingira. — Você é perigosa, hein?

Antes de conseguir atingi-lo novamente, Karen apareceu no corredor e, subitamente, tudo ficou claro. Piscando o olho para mim de forma sugestiva, ela disse:

— *Fui eu* que convidei Daniel para voltar aqui em casa. Não tem nada a ver com você, não se preocupe.

Fui obrigada a tirar o chapéu para Karen. Eu estava impressionada, muito impressionada. Pelo jeito, ela fizera muito progresso em seus planos para fisgar Daniel.

— Eu estava de saída, para falar a verdade — disse ele —, mas já que você se levantou, vou ficar mais um pouquinho.

Fomos todos em bando para a sala da frente, e me senti um pouco sem graça por Daniel me pegar usando pijama de flanela. Charlotte estava toda esticada no sofá, parecendo imensamente feliz. A sala mostrava sinais de que alguém estivera bebendo chá ali, há poucos minutos.

— Lucy — disse Charlotte, adorando a minha chegada. — Maravilhoso, você levantou. Venha até aqui e sente-se a meu lado. — Ela se sentou e deu uma batidinha no lugar junto dela. Discretamente, eu me apertei ao seu lado e encolhi as pernas. As unhas dos meus pés estavam com o esmalte descascando, e havia uma bolha que eu não queria que Daniel visse.

— Sobrou chá? — perguntei.

— Litros — disse Charlotte.

— Vou pegar uma xícara para você — anunciou Daniel, indo para a cozinha. Voltou logo depois, serviu chá em uma caneca, acrescentou um pouco de leite, duas colheres de açúcar, mexeu com a colherzinha e me entregou.

— Obrigada, até que você serve para alguma coisa, de vez em quando.

Ele ficou em pé ao lado do sofá, olhando para baixo, na minha direção.

— Ai, Daniel, tire esse casaco — reclamei, irritada —, você está parecendo um coveiro.

— *Eu gosto* deste casaco.

— E sente-se logo. Você está bloqueando a luz.

— Desculpe.

Daniel sentou na poltrona que ficava junto do sofá e Karen sentou no chão, apoiando a cabeça no braço da poltrona. Os olhos dela estavam brilhando e ela parecia toda sonhadora e romântica. Eu estava, para ser franca, chocada.

Karen estava se comportando totalmente fora do seu normal. Ela sempre bancava a difícil. Deixava os homens enredados em incertezas, e já transformara muitos sujeitos equilibrados em inseguros bonecos de terno. Era sempre assim, tipo *dura de conquistar*, e naquele momento parecia meiga, linda e doce.

Ora, ora, quem diria...

— Conheci um cara — anunciou Charlotte.

— Eu também — disse, com a cara alegre.

Karen também, mas talvez não fosse o momento certo para ela conversar sobre aquilo.

— A gente já sabe, Lucy — disse Charlotte. — Karen andou encostando o ouvido na porta do seu quarto, para ouvir se você estava transando com ele.

— Sua *vaca* linguaruda... — reagiu Karen, furiosa.

— Ah, parem com isso — disse eu. — Não briguem. Quero saber a respeito do cara que Charlotte conheceu.

— Não, quero saber sobre o seu primeiro — disse Charlotte.

— Não, não, primeiro você.

— Não, você!

Karen fez uma cara de adulta aborrecida com aquilo, mas só para impressionar Daniel, fazendo-o pensar que ela não agia de modo tolo como uma garotinha que vive trocando fofocas. Mas esse era o jeito certo de agir. Todas nós já havíamos feito a mesma coisa, quando o cara de quem estávamos loucamente a fim encontrava-se presente. Ela não era mais culpada disso do que eu. Aquela era apenas uma tática, e logo que Karen tivesse a certeza de que ele estava interessado, poderia voltar ao seu estado normal.

— Por favor, Lucy, conte você primeiro — interveio Daniel.

Karen pareceu surpresa com aquilo, mas disse:

— Isso, conte logo, Lucy. Deixe de ser tão recatada!

— Está bem — concordei, toda satisfeita.

— Ótimo! — Charlotte levantou as pernas e abraçou-as na altura dos joelhos.

— Por onde vocês querem que eu comece a história? — perguntei, rindo de orelha a orelha.

— Olhem só para ela — disse Karen com um tom seco. — Parece o gato que engoliu o canário.

— Qual é o nome dele? — quis saber Charlotte.

— Gus.

— *Gus?!* — Karen estava horrorizada. — Que nome horrível... Gus, o Gorila!... Gus, o Ganso!...

— Como ele é? — interessou-se Charlotte, ignorando os ruídos de nojo que Karen estava fazendo.

— Ele é adorável — comecei, com a descrição ganhando cada vez mais entusiasmo. E então reparei que Daniel estava olhando para mim com um jeito estranho. Chegou-se para a beirada da poltrona, com as mãos nos joelhos, e continuou olhando, parecendo meio intrigado ou meio triste. — Por que é que você está olhando para mim assim? — perguntei, com indignação.

— Olhando assim como?

Foi Karen que disse isso, não Daniel.

— Obrigado, Karen — disse Daniel, dirigindo-se a ela com toda a educação —, mas acho que consigo articular algumas palavras sozinho.

Karen deu de ombros e jogou os cabelos louros para trás, com desdém. A não ser pelo leve rubor em suas bochechas, não dava para ninguém perceber que ela ficara sem graça. Eu invejava toda aquela pose e autocontrole.

Daniel tornou a se virar para mim, continuando:

— Onde é que estávamos? — perguntou ele. — Ah, é mesmo... Olhando assim como?

Comecei a rir, dizendo:

— Não sei. — E soltei mais uma risadinha. — De um jeito engraçado, como se você soubesse alguma coisa a meu respeito que eu mesma não soubesse.

— Lucy — disse ele, com a cara séria —, eu jamais seria tolo o bastante para presumir que poderia saber alguma coisa que você não soubesse. Eu prezo a minha vida.

— Ótimo! — Sorri. — Agora posso continuar a falar a respeito do cara que conheci?

— Sim — sussurrou Charlotte. — Por favor, continue a descrevê-lo.

— Beeem... — disse eu, fazendo suspense. — Ele tem vinte e quatro anos, é irlandês e é brilhante. Realmente é muito engraçado e um pouco, vocês sabem... anticonvencional. Não se parece em nada com nenhum outro cara que já encontrei na vida e...

— É mesmo? — perguntou Daniel, com cara de espanto. — E quanto àquele sujeito, o tal de Anthony, por quem você tinha uma quedinha?

— Gus é totalmente diferente de Anthony.

— Mas...

— Anthony era louco.

— Mas...

— Gus não é — disse eu, com firmeza.

— Tá bom... mas e quanto àquele outro irlandês bêbado com quem você andou saindo? — perguntou Daniel.

— Quem? — perguntei, começando a me sentir ligeiramente chateada.

— Como era mesmo o nome dele...? Matthew? Malcolm?

— Malachy — murmurou Karen, para ajudar. Traidora!

— Isso mesmo, Malachy?

— Gus não é nem um pouco parecido com Malachy também! — exclamei. — Malachy vivia bêbado.

Daniel não disse nada. Simplesmente levantou uma sobrancelha e lançou-me um olhar expressivo.

— Tá legal! — explodi. — Sinto muito pelas latas de Guinness. Vou comprar outras para você, não se preocupe. Por falar nisso, desde quando você começou a ficar tão chato e pão-duro, hein?

— Mas não estou...

— Por que está sendo tão desagradável?

— Mas...

— Não está feliz por mim?

— Sim, mas...

— Olha, se não tem nada de agradável para dizer, é melhor ficar calado!

— Desculpe.

Ele pareceu tão arrependido que me senti culpada. Inclinei-me na direção dele e apertei o seu joelho, tentando me desculpar, meio sem graça. Eu era irlandesa. Não sabia lidar com clima quente ou sinais espontâneos de afeto.

— Sinto muito também — murmurei.

— Talvez você acabe se casando, afinal — sugeriu Charlotte. — Esse tal de Gus pode ser o homem sobre o qual a taróloga falou.

— Pode ser — concordei, baixinho. Estava sem coragem de admitir que era isso que eu também estava achando.

— Sabe — disse Charlotte, parecendo um pouco envergonhada —, por algum tempo achei que Daniel podia ser o seu homem misterioso, seu futuro marido.

Caí na gargalhada.

— Ele! — exclamei. — Não encostaria nele nem com uma vara de pescar. Nunca se sabe *por onde* ele pode ter andado.

Daniel fez cara de ofendido, e Karen ficou muito *furiosa.*

Na mesma hora retirei o que disse e pisquei afetuosamente para ele.

— Estou só brincando, Daniel. Você sabe o que eu quis dizer. Se servir de consolo, saiba que a minha mãe ia adorar essa ideia. Você é o genro que ela pediu a Deus.

— Eu sei — suspirou ele. — Mas você tem razão, jamais daria certo. Sou comum demais para você, não é, Lucy?

— Como assim?

— Bem, eu tenho um emprego, não apareço para encontrá-la zureta de tão bêbado, pago as despesas quando saímos e não sou um artista em crise.

— Cale a boca, seu bobalhão. — Ri. — Do jeito que você fala, parece que todos os meus namorados são bêbados e vagabundos interesseiros.

— Parece?

— Sim. E é melhor parar com isso, porque eles não são.

— Desculpe.

— Tudo bem.

— Mesmo assim — completou ele —, acho que Connie não vai ficar muito satisfeita quando conhecer o Gus.

— Ela não vai conhecê-lo — afirmei.

— Vai ter que conhecê-lo, se você se casar com ele — lembrou ele.

— Daniel, por favor, cale a boca! — implorei. — Este era para ser um momento feliz.

— Sinto muito, Lucy — murmurou ele.

Reparei no olhar dele. Daniel não parecia nem um pouco arrependido. Antes que eu pudesse reclamar, ele disse:

— Vamos lá, Charlotte, conte-nos sobre o cara que você conheceu.

Charlotte ficou mais do que feliz por atender a esse pedido. Pelo que contou, ele se chamava Simon, era alto, bonito, tinha vinte e nove anos, trabalhava com publicidade, tinha um carro sensacional, perseguira Charlotte a noite inteira na festa e combinara de ligar para ela no dia seguinte para levá-la para almoçar.

— E eu sei que ele vai ligar — disse ela, com os olhos brilhando. — Estou com um bom pressentimento sobre ele.

— Ótimo! — disse eu, satisfeita. — Pelo jeito, todas nós tivemos sorte esta noite.

Saí da sala e me enfiei na cama, de mansinho, ao lado de Gus.

CAPÍTULO 23

Gus ainda estava dormindo e continuava lindo. Só que as coisas que Daniel dissera haviam me deixado ligeiramente preocupada. Era verdade: a minha mãe não ia gostar nem um pouco de Gus. Na verdade, minha mãe ia *odiá-lo*. O lado bom de toda aquela noite começou a se desfazer lentamente. Eu ficava admirada da infalível capacidade que a minha mãe tinha de estragar todas as coisas boas que me aconteciam. Sempre fora assim a vida toda, até onde eu conseguia lembrar.

Quando eu era pequena e papai chegava em casa de bom humor porque conseguira um emprego, ou porque ganhara algum dinheiro nas corridas de cavalos, ou algo desse tipo, ela sempre conseguia neutralizar qualquer celebração. Papai chegava à cozinha, cheio de sorrisos, com o bolso do casaco cheio de balas para nós e um saco de papel pardo na mão, com uma garrafa dentro. E ela, em vez de sorrir e perguntar: "O que aconteceu, Jamsie? O que estamos celebrando?", arruinava tudo fazendo uma careta e dizendo algo horrível, como: "Ah, Jamsie, outra vez?" ou "Ah, Jamsie, você prometeu!".

Mesmo com seis ou oito anos, ou sei lá que idade eu tinha, eu me sentia terrível. Arrasada pela ingratidão dela. Ansiosa para mostrar a ele que eu sabia que ela estava se comportando de forma horrenda, e que eu estava do lado dele. E não era só pelo fato de os doces serem um acontecimento raro. Eu concordava com papai, de todo o coração, quando ele falava:

— Lucy, sua mãe é muito rabugenta.

Por não haver mais ninguém que fizesse isso, eu achava que era meu papel levantar o astral da casa.

Por isso, quando papai sentava e se servia de uma bebida, eu me sentava à mesa com ele, para fazer-lhe companhia, demonstrar solidariedade e para ele não celebrar sozinho fosse lá o que fosse.

Era legal ficar olhando para ele. Havia um certo ritmo na maneira como ele bebia, e eu achava isso reconfortante.

Minha mãe demonstrava toda a sua desaprovação batendo com as panelas, deixando coisas caírem no chão e fazendo ruídos enquanto lavava e limpava tudo. De vez em quando, papai tentava animá-la, dizendo:

— Coma o chocolate que eu lhe trouxe, Connie.

Se a frase "levante o seu astral!" já tivesse sido inventada, ele provavelmente faria bom uso dela.

Depois de algum tempo, ele colocava uns discos para tocar e cantava junto "Quatro campinas verdes", "Quem dera eu estivesse em Carrickfergus" e outras canções irlandesas. Ele as tocava várias vezes, sem parar, e de vez em quando, entre as canções, dizia:

— Come a porra do chocolate, mulher!

Dali a mais um pouco, ele normalmente começava a chorar. Mas continuava cantando, a voz rouca por causa das lágrimas. Ou talvez por causa da bebida.

Eu sabia que ele estava arrasado por não estar em Carrickfergus. Às vezes eu ficava tão triste por ele que chorava junto. Mas minha mãe falava apenas:

— Meu Deus! Esse idiota nem sabe onde fica Carrickfergus, não se aflija por ele querer estar lá.

Eu não conseguia entender a razão de ela se sentir tão infeliz. Ou de ser tão cruel.

E ele falava para ela, com a voz meio arrastada:

— Não é um lugar, é um estado de espírito, minha cara. É um estado de espírito.

Eu não entendia bem o que ele queria dizer com isso.

E quando ele completava, com a mesma voz arrastada, dizendo: "Você não pode mesmo saber, porque não tem nem mesmo um espírito!", eu sabia muito bem o que ele queria dizer. Olhava para ele e trocávamos risadinhas, como se conspirássemos.

Todas aquelas noites seguiam o mesmo padrão. O chocolate intocado, a ingestão rítmica da bebida, a bateção de panelas e coisas caindo no chão, a cantoria e a choradeira. Então, quando a garrafa já estava quase vazia, minha mãe normalmente dizia algo assim como "lá vai ele; prepare-se para o espetáculo".

E papai se colocava em pé. Às vezes, não conseguia caminhar em linha reta. Na maioria das vezes, para falar a verdade.

— Vou voltar para a Irlanda — dizia minha mãe, com a voz entediada.

— Vou voltar para a Irlanda! — gritava meu pai, com a voz engrolada.

— Se eu partir agora, ainda consigo pegar o trem do correio — dizia minha mãe com a mesma voz entediada, enquanto se encostava na pia.

— Se eu partir agora, ainda consigo pegar o correio do trem! — gritava meu pai. Às vezes seus olhos ficavam vesgos, como quando tentamos olhar para a ponta do nariz.

— Fui uma tola por ter saído de lá — dizia mamãe, sem expressão, analisando as unhas. Eu não conseguia compreender a completa falta de emoção que ela exibia.

— Fui um tremendo idiota por ter saído de lá! — gritava papai.

— Ah, dessa vez é um "tremendo idiota", é? Por mim, preferia o "tolo", mas até que é bom, para variar.

O pobre do meu pai ficava em pé ali, balançando o corpo levemente para a frente e para trás. Depois se encurvava, ficando um pouco parecido com um touro, e olhava para a minha mãe, sem conseguir enxergá-la. Provavelmente, só conseguia ver mesmo a ponta do nariz.

— Vou embalar minhas tralhas — dizia mamãe, como se fosse o ponto, cochichando os diálogos para um ator.

— Vou entralhar minhas balas! — dizia papai, andando com determinação para a porta da cozinha.

Mesmo sabendo que isso acontecia muitas vezes, e ele jamais ia além da porta da frente, toda vez eu achava que ele estava indo embora de verdade.

— Papai, por favor, não vá embora — suplicava eu.

— Num posso ficar em uma casa que tem ezza mulher inzupotável que nem come a chogolate que eu trouxe — costumava ele dizer.

— Coma o chocolate! — eu implorava a mamãe, enquanto tentava impedir papai de sair da sala.

— Num fique no meio do caminho, Lucy, senum eu num vô ser rasponza... qué dizê... Num vô ser rospensibi... qué dizê... ah, que se foda! — E saía pelo corredor, em direção à sala.

Então, ouvíamos um som da mesa da sala despencando, e mamãe murmurava:

— Se aquele nojento quebrou minha...

— Mãe, impeça-o! — implorava eu, histérica.

— Ele não vai além do portão — afirmava ela, com amargura. — O que é uma pena.

Embora eu não acreditasse, ela tinha razão. Ele raramente ia além do portão.

Certa vez ele seguiu pela rua e foi até a casa dos O'Hanlaoin, segurando um saco plástico com quatro fatias de pão de forma e a garrafa com um restinho de bebida debaixo do braço. Aquilo era o seu sustento para ir até Monaghan. Ele ficou parado ali, na frente da casa dos O'Hanlaoin por algum tempo, gritando coisas. Algo a respeito de os O'Hanlaoin serem desonestos e como Seamus tivera de fugir da Irlanda para não ser preso. "Ocê teve que fugi de lá!", berrava meu pai.

Mamãe e Chris tiveram de sair e ir até lá para buscá-lo e trazê-lo de volta. Ele veio, mansinho. Mamãe o puxou pela mão diante dos olhares de censura de todos os vizinhos que ficaram em pé, com os braços cruzados, olhando por cima de seus portões baixos, observando o espetáculo em silêncio. Quando chegou à porta de nossa casa, mamãe se virou e gritou para eles:

— Podem entrar agora. O circo acabou!

Fiquei surpresa ao perceber que ela estava chorando.

Achei que era de vergonha. Vergonha pela forma como ela o tratava, vergonha por arruinar o humor dele, vergonha por não comer o chocolate que ele trouxera para ela e por encorajá-lo a ir embora. Uma vergonha que ela merecia muito estar sentindo.

CAPÍTULO 24

Acordei com Gus inclinado, com a cabeça por cima de mim. Olhando ansioso para o meu rosto.

— Lucy Sullivan? — perguntou.

— Sou eu — disse, sonolenta.

— Ah, graças a Deus!

— Pelo quê?

— Achei que você fosse apenas um sonho.

— Que gracinha...

— Estou feliz por pensar assim, Lucy — disse ele, com ar triste. — Mas temo que a coisa não seja tão bonita assim. Com o meu histórico, muitas vezes já acordei desejando que tudo o que aconteceu na noite anterior *tivesse sido* um sonho. É novidade para mim esperar que *não tivesse* sido um sonho.

— Ah.

Estava confusa, mas *achava* que aquilo parecia um elogio.

— Obrigado por me permitir usufruir de suas instalações para dormir, Lucy — disse ele. — Você é um anjinho.

Sentei na cama, alarmada. Aquilo parecia discurso de despedida. Será que ele estava de saída?

Mas, não, ele não estava de camisa; portanto, ainda não ia embora. Eu me deitei na cama outra vez, encolhida, e ele se deitou ao meu lado. Embora o edredom estivesse entre nós, o contato me pareceu muito gostoso.

— O prazer foi todo meu. — E sorri.

— Olha, Lucy, eu poderia saber quantos dias passei aqui?

— Menos de um, na verdade.

— Só? — disse ele, parecendo desapontado. — Isso é muito pouco para mim. Devo estar ficando velho. Apesar de que ainda é bem cedo. Temos bastante tempo.

Para mim tudo bem, pensei. Fique o tempo que quiser.

— E agora, eu poderia usufruir de suas instalações sanitárias, Lucy?

— Vá em frente pelo corredor. Você vai descobrir onde é.

— Mas é melhor cobrir minhas vergonhas, Lucy.

Na mesma hora eu me levantei um pouco e me apoiei no cotovelo, só para dar uma olhadinha nas vergonhas dele, antes de ele cobri-las, e reparei que, em algum momento, durante a noite, Gus tirara as roupas e ficara só com a cueca samba-canção. E que lindo corpo ele tinha! Pele muito lisa, braços fortes, cintura fina e sem barriga. Não deu para ver direito as pernas dele, porque ele estava quase deitado em cima de mim, mas se eram como o resto dele, deviam ser deliciosas.

— Use o meu roupão, está pendurado atrás da porta.

— Mas e se eu encontrar uma das suas colegas de apartamento? — perguntou ele, fingindo estar receoso.

— Que é que tem? — Dei uma risadinha.

— Vou ficar com vergonha. Elas vão, você sabe... *pensar coisas* a meu respeito.

Ele colocou a cabeça de lado, parecendo todo tímido e envergonhado.

— Que tipo de coisas? — Eu ri.

— Vão ficar se perguntando onde foi que dormi, e isso vai arruinar a minha reputação.

— Vá em frente que eu defendo a sua honra se alguém falar alguma coisa.

A voz dele e o seu sotaque eram tão lindos que era capaz de eu ficar ali para sempre, ouvindo-o falar.

— Que lindo roupão! — disse Gus. Era do tipo atoalhado, com um capuz. Ele o vestiu, colocou o capuz sobre a cabeça e ficou pulando como um pugilista em volta da minha cama, lutando contra o ar.

— Você pertence à Ku Klux Klan, Lucy Sullivan? — perguntou ele, admirando-se no espelho. — Tem alguma cruz em chamas escondida debaixo da cama?

— Não.

— Bem, se resolver se associar a eles, não vai precisar comprar o uniforme, é só jogar o roupão por cima do vestido, levantar o capuz e pronto. Fácil demais.

Recostei no travesseiro e sorri para ele. Sentia-me feliz.

— Certo — disse ele. — Vou até lá, então.

Gus abriu a porta e imediatamente tornou a fechá-la.

Dei um pulo.

— Que foi? Há algo errado?

— Aquele homem! — disse Gus, parecendo horrorizado.

— Que homem?

— Aquele alto, que roubou a cerveja do seu amigo na festa, e também a minha garrafa de vinho. Ele está aí fora, bem junto da porta.

Então Daniel passara a noite em nosso apartamento... Que engraçado.

— Não, não, escute só... — disse eu, meio ofegante.

— Ele *está* mesmo, Lucy, juro que está! — insistiu Gus. — A não ser que eu esteja tendo visões de novo.

— Não, você não está tendo visões — disse eu.

— Bem, então temos que expulsá-lo daqui, senão ele vai roubar coisas, e não vai deixar nem uma perna de móvel para contar a história. É sério, Lucy! Já encontrei tipos como esse antes. São profissionais treinados...

— Não, Gus, por favor, me escute — disse, tentando ficar séria. — Ele não vai roubar a nossa mobília, é meu amigo.

— Verdade? Você está falando sério mesmo? Olha, sei que nada disso me diz respeito, nós acabamos de nos conhecer e eu não tenho o direito de dar palpite, mas ter amizade com um criminoso comum, Lucy?... Eu não esperava por isso, não esperava mesmo... E também não consigo entender por que está achando tudo isso tão engraçado. Não vai achar nem um pouco de graça quando encontrar o seu sofá à venda em uma barraca do Camden Market* e se vir obrigada a dormir no chão. *Não acho* que isso seja motivo de riso...

— Por favor, cale a boca e me escute — consegui balbuciar. — Daniel é o tal homem alto do lado de fora da porta. Ele não roubou a cerveja de ninguém.

— Mas eu o vi...

---

* Famosa feira de produtos e acessórios novos, usados e artesanais, em Londres. (N.T.)

— Aquela cerveja era dele mesmo, entende?

— Não, a cerveja era de Donal.

— Mas ele é Donal, e seu nome é Daniel.

Uma pausa, enquanto Gus digeria o fato.

— Ai, meu Deus — gemeu ele.

Ele balançou o corpo, colocando-o para a frente, e se jogou na cama, com as mãos no rosto.

— Ai, Deus, ai, Deus, ai, meu Deus — tornou a gemer.

— Está tudo bem... — disse eu, com gentileza.

— Ai, meu Deus, meu Deus, meu Deus!

Gus levantou a cabeça e olhou para mim, por entre os dedos.

— Ai, meu Deus! — disse ele, com o rosto arrasado.

— Não foi nada, está tudo bem.

— Não, não está.

— Está sim.

— Não, não está. Eu o acusei de roubar a própria cerveja e depois a bebi toda! E ainda por cima peguei a garrafa de vinho da namorada dele.

— Ela não é namorada dele... — expliquei, sem necessidade. — Embora, pensando bem, talvez ela seja, agora...

— A loura com cara de assustada?

— Hã... sim. — Karen *poderia* ser descrita daquela forma.

— Pode acreditar em mim — insistiu Gus. — Ela é a namorada dele sim, pelo menos *se tiver* alguma coisa a ver com tudo isso.

— Acho que tem razão — admiti.

Que interessante, pensei. Então Gus era perceptivo e muito observador? Quanto daquele jeito dele amalucado e desaparafusado era apenas aparência? Ou será que ele era perceptivo e também amalucado? Era possível que tudo aquilo fosse parte do mesmo homem? E será que eu tinha energia para aguentar aquilo?

— Geralmente não sou tão detestável assim, Lucy, sério mesmo... — insistiu ele. — Deve ter sido por causa das drogas. Só pode ser.

— O.k. — disse eu, quase desapontada.

— Vou ter que pedir desculpas a ele — disse Gus, pulando da cama.

— Não! — disse eu. — Volte aqui. O dia mal começou, ainda está muito cedo para pedir desculpas. Mais tarde.

Gus ficou em pé atrás da porta por algum tempo, parecendo estressado e ansioso, e depois abriu uma frestinha.

— Ele sumiu — anunciou, com alívio. — Agora já é seguro eu sair para tomar uma chuveirada. — E lá se foi ele.

Enquanto ele estava fora do quarto, fiquei deitada na cama, sentindo-me satisfeita comigo mesma. Tinha de admitir que estava aliviada por ele ficar envergonhado ao saber que acabara com as cervejas de Daniel. Aquilo provava que ele era uma pessoa decente.

E era muito esperto também. Sacou tudo sobre Karen, bem depressa.

E ainda era mais bonito do que eu lembrava. Sorridente, atraente, e seus olhos não estavam mais vermelhos.

O que aconteceria, me perguntei, quando ele voltasse do banheiro? Será que ele ia se vestir para ir embora, esquecendo de mencionar qualquer coisa a respeito de me telefonar? De alguma forma, eu achava que não. Certamente *esperava* que não.

Não havia no ar aquela sensação sórdida que geralmente acompanhava as manhãs de domingo, quando a gente acorda com um completo estranho na cama ou nos vemos na cama de um completo estranho.

Pelo menos Gus me acordara. Não havia escapado da cama sem fazer ruído, nem se vestido no escuro, sem fazer barulho, para em seguida sair desabalado do apartamento, enfiando a cueca no bolso e esquecendo o relógio sobre a mesinha de cabeceira.

Eu não acordara com o barulho da porta da frente batendo, após sua saída. E isso, com o meu histórico de relacionamentos, já era um bom começo.

Estar com Gus me parecia a coisa natural e certa. Eu nem estava nervosa. Bem, quase não estava.

Ele voltou do banheiro com uma toalha cor-de-rosa em volta da cintura, o cabelo molhado e brilhando, todo limpo e perfumado.

Perfumado até demais, na verdade.

Eu estava certa sobre suas pernas.

Ele não era muito alto, mas era todo másculo.

Um calafrio me percorreu a espinha. Estava ficando com vontade de... hã... conhecê-lo melhor.

— Você está olhando para um homem que acaba de ser descascado ao extremo, Lucy — sorriu ele, parecendo muito satisfeito.

— Descascado, desfolhado, lavado, condicionado, amaciado, hidratado, massageado, untado, tudo! Pode falar qualquer coisa que eu garanto que passei por isso nos últimos dez minutos. Lembra quando tudo o que esperavam de nós era que nos lavássemos, Lucy? Agora não. Temos que acompanhar os novos tempos, não é verdade, Lucy Sullivan?

— Sim. — Soltei uma risada. Ele era tão engraçado...

— Não podemos ficar parados, senão nasce grama embaixo da gente, não é, Lucy Sullivan?

— É.

— Vai ser difícil você encontrar um homem mais limpo em toda Londres.

— Aposto que vai.

— Suas instalações sanitárias são maravilhosas, Lucy. Você deve ter muito orgulho delas.

— Hã, sim, acho que sim...

O estado do meu banheiro não era algo que ocupasse muito os meus pensamentos.

— Lucy, espero que não haja problemas, mas usei alguns dos produtos de Elizabeth.

— Quem é Elizabeth?

— Bem, não adianta nada você me perguntar, porque é você que mora aqui. Ela não é uma das amigas que dividem o apartamento com você?

— Não, aqui somos só eu, Karen e Charlotte...

— Nesse caso, essa Elizabeth tem a maior cara de pau, porque o banheiro está cheio de coisas dela.

— Mas, do que você está falando, afinal?

— Sobre Elizabeth... como era mesmo o sobrenome dela? Começava com "G". Ah, já sei, Ardente, é isso, eu acho. Elizabeth Ardente. Lembrei agora, porque este me pareceu um bom pseudônimo para uma escritora de histórias de amor. Enfim, tem um monte de frascos, potes e tubos no banheiro, todos com o nome dela.

— Ai, meu Deus. — Comecei a rir.

Gus acabara de usar as embalagens caríssimas dos produtos Elizabeth Arden que pertenciam a Karen, inclusive o gel para banho e a loção para o corpo. Produtos da marca "Elizabetesão Arden" para deixar a pessoa mais sedutora, como Charlotte e eu costumávamos chamar de brincadeira. Isso é porque éramos invejosas e cobiçávamos os produtos, mas morríamos de medo de tocar neles.

Para falar a verdade, nem a própria Karen os usava. Eles ficavam lá apenas para exibição, a fim de impressionar figuras como Daniel, não que ele percebesse esse tipo de coisa, ainda mais sendo homem. Até aquele momento eu chegara até mesmo a suspeitar de que havia apenas água com corante dentro dos frascos.

Cabeças iam rolar por causa daquilo.

— Oh, não — disse Gus, nervoso. — Dei outro fora, não dei? Cometi outro *faux pas*. Acho que até já esgotei a minha cota de hoje, hein? Não devia ter usado aqueles troços, devia?

— Não se preocupe — disse eu. Não havia motivo para esquentar a cabeça agora. Já estava feito mesmo. Se Karen resolvesse criar caso ou, melhor, *quando* Karen resolvesse criar caso, eu me ofereceria para pagar pelos produtos.

— Só que eu acho, Gus, que seria melhor se você não tornasse a usar as coisas de Karen.

— Quem é Karen? Ah, sei, já entendi. Karen é a dona das coisas de Elizabeth? Pobre Karen, deve ter herdado frascos e potes com o nome de outra pessoa gravados neles. Isso é um pouco parecido com o que acontecia comigo. Todos os meus livros de escola, até mesmo os cadernos, tinham sempre o nome de outra pessoa neles, porque eu tinha um monte de irmãos mais velhos... Enfim, da próxima vez eu uso as suas coisas, Lucy.

— Que bom! — Sorri, adorando a ideia de que haveria uma próxima vez.

— Mas como é que vou saber quais são os produtos que pertencem a você? — perguntou ele. — As únicas outras coisas que havia ali tinham o nome de "Mark Hill" impresso na embalagem, e não adianta você tentar me dizer que são seus, porque ninguém, em sã consciência, poderia chamá-la pelo nome de "Mark".

— Obrigada, Gus — disse eu, enfeitiçada, *hipnotizada* pela montanha-russa que era a conversa dele. — Na verdade, as coisas com o nome de "Mark Hill" são minhas mesmo.

— Bem, só espero que você saiba que eles podem processá-la por colocar informações erradas no rótulo de um produto. — E sorriu. — Ainda mais uma mulher linda como você — acrescentou, em tom casual.

Senti o sangue subir todo para o rosto. Os elogios pareciam ainda mais sensuais com o sotaque irlandês de Gus.

— Obrigada — gaguejei.

— Lucy — disse ele. Veio até onde eu estava e se sentou ao meu lado, na cama, segurando a minha mão. A mão dele era macia e quente. A minha parecia minúscula, em comparação.

Eu gostava de me sentir minúscula ao lado de homens. Alguns dos homens com quem eu já saíra eram muito magricelos, e nada cortava mais o meu tesão do que ir para a cama com um homem que tinha uma bunda menor do que a minha e coxas também mais magras do que as minhas.

— Eu realmente sinto muito — disse Gus, com o rosto sério, fazendo círculos nas costas da minha mão com o polegar, enviando pequenos arrepios por todo o meu corpo. Eu quase não conseguia me concentrar no que ele estava dizendo.

— Você é muito legal, e realmente gosto de você — continuou ele, meio sem jeito. — Já fiz um monte de coisas erradas, e nós acabamos de nos conhecer. Às vezes brinco na hora errada, e quando alguma coisa é importante para mim pioro as coisas ainda mais. Desculpe.

Meu coração se dissolveu. Eu não ficara chateada, mesmo, e depois desse pequeno discurso, me senti ainda mais meiga e muito... *protetora* em relação a ele.

— E, quanto aos troços que usei no banheiro, talvez se eu conversasse com Elizabeth e explicasse que...

— Karen! — insisti. — O nome dela é Karen e não Elizabeth.

Parei de falar na mesma hora quando notei o brilho nos olhos dele.

— Estou só brincando, Lucy — disse ele. — Entendi que o nome dela é Karen e que não há nenhuma Elizabeth morando aqui.

— Ah — disse eu, meio sem graça.

— Você deve estar achando que sou meio burro — disse ele. — De qualquer modo, é muito gentil de sua parte tentar ser tolerante comigo.

— É que achei... você sabe... — tentei explicar, meio sem jeito.

— Está tudo bem — disse ele.

Trocamos um sorriso de cumplicidade, insinuando que aquela ia ser uma brincadeira só entre nós.

Já estávamos compartilhando segredos, tínhamos piadas íntimas e senhas verbais.

— Está legal — disse eu. — Tudo está ótimo.

— Se você está dizendo... E agora, Lucy, vamos sair para dar uma caminhada.

Ele já me fizera rir com um monte de coisas que dissera, mas aquela sugestão me fez rir mais do que todo o resto.

— O que há de tão engraçado, Lucy?

— Eu? Uma caminhada? Em um domingo?

— É, ué!...

— Não...

— Por que não?

— Porque lá fora está congelando.

— Nós vamos usar roupas quentes e caminhar bem depressa.

— Mas, Gus, eu jamais saio de casa em um domingo entre outubro e abril, incluindo o inverno todo, a não ser para ir ao Curryfour, de noite.

— Então está na hora de começar a sair. Que lugar é esse, Curryfour, um supermercado?

— Não, é o restaurante indiano que fica logo depois da esquina.

— Que nome legal!

— Bem, na verdade ele não se chama Curryfour, o nome é algo parecido com *A Estrela de Lahore* ou *A Joia de Bombaim.*

— E você vai lá todos os domingos à noite?

— Todo domingo, sem falta, e comemos sempre a mesma coisa.

— Certo. Bem, a gente pode ir até lá mais tarde, Lucy, mas agora nós vamos ao Parque Holland, que fica logo adiante, aqui nesta rua.

— Ahn?... Fica, é?

— Fica. Há quanto tempo você mora aqui, Lucy Sullivan?

— Uns dois anos só — murmurei, tentando fazer a palavra "anos" soar como "semanas".

— E em todo esse tempo você nunca foi ao parque? Isso é uma vergonha, Lucy.

— Não sou muito de andar ao ar livre, Gus.

— Pois eu sou.

— Vai ter um aparelho de tevê nesse parque?

— Vai.

— Sério?

— Não. Mas eu vou distraí-la, não se preocupe.

— O.k.

Eu estava realmente muito satisfeita. Adorando tudo, na verdade. Ele queria passar o dia inteiro comigo.

— Posso usar esse suéter?

— Pode. Se quiser, pode até ficar com ele para você, eu detesto esse suéter.

Gus estava remexendo o meu armário e desencavou um revoltante suéter azul-escuro que a minha mãe fizera para mim, todo em tricô Aran.

Eu jamais o usava exatamente pelo fato de que foi minha mãe que o tricotara. Ainda por cima, ela deixara os pontos tão abertos e frouxos, sem tensão, que a gola mais parecia um pneu furado. Isso era surpreendente, porque deixar as coisas tensas era algo no qual normalmente ela era muito boa. Eu ficava parecendo uma tartaruga enlouquecida quando o colocava para sair.

— Puxa, obrigado, Lucy Sullivan.

CAPÍTULO 25

Fui tomar banho e, quando voltei, o quarto estava vazio. Gus se fora, e quase entrei em pânico. Tinha medo de que ele tivesse ido embora do apartamento, mas tinha ainda mais medo de que ele não tivesse saído. Gus possuía a admirável capacidade de criar confusão e, apesar do comovente pedido de desculpas, ainda há pouco, eu ainda não estava convencida de que era seguro deixá-lo passear solto pelo apartamento, sem ter alguém vigiando.

Visões de Gus deitado na cama com Daniel e Karen, batendo papo com eles de forma descontraída, obrigando o casal a fazer uma pausa inesperada em suas atividades sexuais apareceram diante dos meus olhos.

Mas estava tudo bem.

Gus estava na cozinha, sentado à mesa com Daniel e Karen. Estavam todos bebendo chá, e o jornal estava todo espalhado. Para grande alívio meu, todos pareciam estar se dando muito bem, batendo um papo alegre e civilizado em plena manhã de domingo, não obstante as cervejas roubadas e os artigos de toalete de Elizabeth Arden indevidamente utilizados. Gus e Daniel pareciam ter resolvido suas diferenças com relação ao consumo desautorizado das latas de Guinness de Daniel. Gus e Karen também pareciam ser grandes amigos.

— Lucy! — Sorriu Gus quando apareci na porta da cozinha. — Entre e sente-se aqui, para compartilhar nosso encontro nutricional.

— Ah — disse eu, baixinho, um pouco surpresa com toda aquela camaradagem. Fiquei um pouco... Bem... não exatamente *chateada*, mas um pouco, sei lá, desbundada, acho, pelo fato de todas aquelas pessoas, que só haviam se conhecido por minha causa, estarem se dando tão bem sem mim.

— Expliquei tudo a Karen a respeito da utilização dos produtos da Elizabeth Ardente — cantarolou Gus, com a inocência estampada no rosto. — Ela me disse que está tudo bem.

— Está tudo certo — disse Karen, sorrindo para Gus, sorrindo para Daniel, sorrindo para mim.

Eu, hein?... Tenho certeza de que Karen não ia se mostrar assim tão compreensiva se *Charlotte* ou *eu* tivéssemos usado os mencionados produtos Elizabeth Arden.

Pelo visto, ela gostara de Gus.

Ou talvez Daniel tivesse se superado entre os lençóis na noite anterior. Sem dúvida eu ia descobrir tudo mais tarde. Karen ia me contar tudinho, nos mínimos detalhes, assim que os homens fossem embora.

Levei *horas* para me aprontar. Era a coisa mais difícil do mundo conseguir parecer bem-vestida, bonita, muito feminina e magra, tudo ao mesmo tempo. Aquilo foi muito mais difícil do que fora a minha preparação para jantar com Daniel na noite anterior. O macete de estar bem-vestida para um passeio ao ar livre era fingir que eu nem me importava com a aparência, e enfiara a primeira coisa que me caíra nas mãos. Experimentei a calça jeans. Sabia que eu ia acabar desistindo dela mesmo, ainda mais pelo fato de odiar o jeito como ela fazia as minhas coxas parecerem grossas.

Eu detestava minhas coxas mais do que qualquer outra coisa no mundo, e faria qualquer sacrifício na vida para ter coxas fininhas. Costumava até rezar para conseguir isso. Bem, pelo menos rezara uma vez. Foi na missa, em um dia de Natal (minha mãe continuava insistindo para que fôssemos à missa *en famille* e eu tinha de acompanhar o rebanho. Qualquer reclamação significava que eu não ia ganhar Viennetta na hora da ceia). Quando o padre falou que era hora de fazer nossos pedidos especiais, pedi coxas mais finas. Depois, quando minha mãe me perguntou qual tinha sido o meu "pedido especial" e contei, ela ficou furiosa, disse que aquilo era uma coisa completamente indigna e inapropriada para pedir. Diante disso tive de voltar, cheia de vergonha, até a igreja. Abaixei a cabeça, com toda a humildade, e pedi coxas mais finas para minha mãe também, para papai, Chris, Peter, vovó Sullivan, os pobres da África e qualquer um que gostasse de coxas finas.

Só que Deus não premiou meu altruísmo presenteando-me com coxas mais finas, e descobri que a única forma de fazê-las parecer menos volumosas era cercá-las de coisas ainda maiores. Assim, calcei minhas botas grandes e pesadas. Em seguida, tive de anular o "efeito caminhoneiro" que elas provocavam usando um suéter bem infantil, em fio angorá cor-de-rosa. E uma jaqueta xadrez em azul e preto por cima de tudo, para me dar a impressão frágil e pequena.

Gastei mais uma hora tentando dar a impressão de que eu simplesmente amontoara o cabelo em cima da cabeça. Levou uma eternidade para conseguir arrumar meus cachos para que eles parecessem ter acabado de cair por sobre os ombros, de forma casual.

Depois, fiz uma pesada aplicação de maquiagem, a fim de conseguir o visual "sem maquiagem", ou "cara limpa chique", se preferirem. Bochechas rosadas, pele branca, olhos brilhantes e lábios úmidos.

Encontrei Gus na porta da frente, obviamente ainda muito ligado a Karen, Charlotte e Daniel. Eles agiam como se já se conhecessem desde crianças, e fiquei mais animada. Queria que as amigas com quem eu dividia o apartamento e o resto dos meus amigos gostassem dele. E queria que ele também gostasse das minhas colegas e amigos.

Embora, obviamente, sem gostar demais.

Se há uma coisa pior do que o seu namorado e suas amigas não se darem muito bem, é quando eles se dão bem demais. Isso pode resultar em complicações terríveis e muita confusão na hora de fazer os arranjos para se passar a noite.

Simon, o rapaz que Charlotte conhecera na noite anterior, telefonara, e Charlotte, muito maquiada e perfumada, estava se preparando para sair, toda excitada.

— Camisinhas... — disse ela, com o maior fogo, sentando-se e remexendo em toda a bolsa. — Camisinhas, camisinhas, será que não tenho camisinhas aqui?

— Mas você só vai se encontrar com ele para almoçar! — lembrei a ela.

— Lucy, não seja ridícula — disse ela, com ar de deboche. — ... Ah, que bom, achei uma! Qual o sabor? Pina Colada?!... Ah, vai ter que servir!

— Você está muito bonita, Lucy — disse Daniel, com admiração.

— É, está mesmo... Linda! — Gus circulou à minha volta para dar uma olhada melhor.

— É verdade, está mesmo — ecoou Charlotte.

— Obrigada.

— Estamos prontos então? — perguntou Gus.

— Estamos — afirmei.

— Foi um prazer conhecer vocês todos — disse Gus para o grupo reunido, todas as mágoas da noite anterior já esquecidas. — Boa sorte com o... hã... com o... — E balançou a cabeça para Charlotte.

— Obrigada. — Sorriu ela, toda nervosa.

— Divirta-se. — Daniel piscou para mim.

— Você também. — Pisquei de volta.

CAPÍTULO 26

Pelo menos não estava chovendo. Estava frio, mas o céu estava azul, bem claro, e o ar estava parado, sem vento.

— Trouxe luvas, Lucy?

— Trouxe.

— Ah, então você me empresta?

— Ah. — *Seu grande egoísta.*

— Não, não são para mim! — Riu ele. — Olhe só, uma é para a sua mão direita, a outra é para a minha mão esquerda, e então nós ficamos de mãos dadas para juntar o meio. Viu?

— *Vi.*

Aquilo foi ótimo, porque cuidou do problema estranho de ficar andando de mãos dadas. Uma questão que não representara problema algum na noite anterior, regada a álcool, mas que poderia se transformar em algo constrangedor à luz fria e sóbria do dia.

Seguimos em frente, balançando as mãos, com o ar gelado fazendo nossos rostos ficarem vermelhos.

Nós nos reclinamos em um banco e continuamos de mãos dadas, observando os esquilos, que corriam e pulavam à nossa volta.

Embora eu estivesse sentindo um pouco de timidez, não conseguia tirar os olhos de Gus. Ele era lindo, com o cabelo tão preto e brilhante, a barba por fazer já cobrindo o maxilar (pelo visto ele não encontrara o depilador de Karen) e os olhos muito verdes sob a luz fria do inverno.

Era maravilhoso estar ali com ele.

— Isso é uma delícia — suspirei. — Estou tão contente por você ter me obrigado a vir.

— E estou contente por você estar contente, pequena Lucy Sullivan.

— Esses esquilos são umas gracinhas — disse eu. — Adoro vê-los correndo em volta, de um lado para outro, pulando e apostando quem corre mais.

Gus na mesma hora se sentou reto e olhou para mim.

— Está falando sério? — quis saber, parecendo muito alarmado.

O que será agora?, perguntei a mim mesma, já ansiosa. Será que ele ia começar outro daqueles papos malucos e fantasiosos?

Pelo jeito, sim.

— Bem... — e começou a falar muito depressa. — Devo dizer que os bárbaros devem estar nos portões da cidade, já que até as criaturas irracionais do campo são obrigadas a se distrair fazendo apostas ilegais... Enfim, Londres é assim mesmo, imagino. Qualquer dia os esquilos vão estar fumando crack!

Ai, meu Deus, pensei, ele é totalmente *pirado*! Mas não podia levar aquilo a sério, estava rindo tanto que mal conseguia falar.

— Não é apostando dinheiro, é apostando quem corre mais, de brincadeira — expliquei.

— Entendi o que você disse, logo da primeira vez, Lucy Sullivan — disse ele. — E em que tipo de corridas são estas apostas? — quis saber. — Corrida de cães? Corrida de cavalos? Bingo? Atenção! Oitenta e oito é a aposta para os pequenos esquilos! Cartas? Vinte e um? Roleta? *Rien ne va plus! Rien ne va plus,* é isso aí! Não existe mais inocência, Lucy. Toda ela se foi. Não há mais nada intocado. Só de pensar que os pequenos esquilos estão fazendo apostas me aperta o coração. Isso não se vê em Donegal. O que havia de errado com recolher nozes? Não havia mais emoções nessa atividade, imagino... Isso tudo é influência da televisão.

E olhou para mim, compreendendo tudo.

— Ah... — disse ele, fazendo uma cara envergonhada. — Ah, entendi. Você quis dizer esse tipo de apostas, e não aquele tipo de apostas, não foi?

— Sim.

— Ah. Ah, sim. Bem, me desculpe. Um mal-entendido. Você deve estar achando que já estou pronto para ir para o pinel. Preparem a cela acolchoada para Gus!

— Não. Simplesmente acho você hilário

— Isso é muita gentileza sua, Lucy — disse ele. — A maioria das pessoas simplesmente fala que sou louco.

— E por que será? — perguntei, com ar divertido.

— Sei lá! Veja se descobre — disse ele, com o rosto de duende assumindo a imagem da inocência.

Adoraria tentar descobrir, pensei.

— Enfim — continuou ele —, se eles acham que *eu* sou louco, deviam conhecer o resto da minha família.

Oh-oh! Senti que uma revelação desagradável vinha surgindo no horizonte. Levantei os ombros, porém, e resolvi encarar tudo de frente.

— Hã... como é que eles são, Gus?

Ele me lançou um sorriso meio de lado e disse:

— Bem, olha, Lucy, *insanidade* não é uma palavra que fico usando toda hora para descrever qualquer coisa, mas...

Tentei esconder meus temores, mas devo ter demonstrado, porque ele caiu na gargalhada.

— Pobrezinha da Lucy! Você tinha que ver essa sua carinha de preocupação.

Tentei sorrir, levando na brincadeira.

— Pode se tranquilizar, Lucy, estou só de zoação com você. Eles não são insanos de verdade...

Respirei aliviada.

— ... *de certo modo...* — continuou ele. — Mas são muito, muito passionais, talvez essa seja a melhor forma de descrevê-los.

— Como assim?

Era melhor enfrentar logo o problema, fosse qual fosse, decidi.

— Tenho um certo receio de lhe contar, Lucy, senão você vai se convencer de que sou louco varrido do hospício. Quando souber o tipo de passado que carrego e o lugar de onde vim, provavelmente vai sair correndo pelas ruas, gritando apavorada.

— Não seja tolo — disse eu, tranquilizando-o.

Mas senti um pequeno nó no estômago. Por favor, Senhor, não permita que isto seja tão horrível. Eu gosto demais dele.

— Tem certeza de que quer ouvir isto, Lucy?

— Tenho. Não pode ser assim tão ruim. Você tem pais?

— Ah, sim. Um par deles, combinando um com o outro. Um conjunto completo, com todos os complementos.

— E você já mencionou que tinha um monte de irmãos...

— Cinco.

— É um monte mesmo.

— Nem tanto. Pelo menos não na região de onde vim. Sempre tive vergonha pelo número dos meus irmãos, que não chegava a dez.

— Eles são mais velhos ou mais novos?

— Mais velhos! São todos mais velhos do que eu.

— Então você é o caçula.

— Sou, embora seja o único dos rapazes que não mora mais na casa dos pais.

— Cinco homens adultos, todos morando na mesma casa. Isso deve criar um bocado de problemas.

— Nossa! Você nem imagina. Mas eles têm que morar lá, porque todos trabalham na fazenda e no pub.

— Vocês têm um pub?

— Temos.

— Então devem ser ricos.

— Não somos, não.

— Mas sempre achei que quem possuía um pub tinha sempre dinheiro de sobra.

— Não o *nosso* pub. É por causa dos meus irmãos, entende? Gostam de um traguinho.

— Ah, entendi, bebem o lucro todo.

— Não, não bebem — riu ele —, porque não sobram nem os lucros para beber, já que eles bebem o estoque inteiro.

— Ai, Gus!

— Não temos bebida alguma no estoque porque eles bebem tudo, devemos dinheiro a todas as fábricas de cerveja da Irlanda, e quase mais nenhuma delas faz entregas para nós. Nosso nome também está sujo entre todas as destilarias do país.

— Mas vocês não têm clientes, não conseguem lucrar alguma coisa com eles?

— Na verdade, não, porque funcionamos em uma região muito isolada. Nossos únicos clientes são os meus irmãos e o meu pai. E os guardas do lugar, é claro. Mesmo assim, *eles* só chegam pouco antes do horário de fechar, todas as noites, para ficar bebendo direto lá dentro. E não podemos cobrar dos guardas o preço normal das bebidas. Para falar a verdade, não podemos cobrar preço algum deles, porque, se tentarmos cobrar, eles fecham nossas portas, por não seguirmos a lei e os horários de funcionamento.

— Você está brincando.

— Não estou, não.

Minha cabeça girava, tentando bolar um esquema para melhorar o movimento da loja e tornar o pub da família de Gus lucrativo. Noites com karaokê? Competições com perguntas? Promoções especiais? Servir comida na hora do almoço? E contei cada uma dessas ideias para ele.

— Não, Lucy — ele balançou a cabeça, parecendo divertido com as ideias e triste ao mesmo tempo. — Eles não são muito bons nessa história de organização. Ia acabar saindo alguma coisa errada, porque eles ficam bêbados o tempo todo e começam a brigar uns com os outros.

— Está falando sério?

— Estou. Durante as noites, lá em casa, sempre acontecia alguma coisa extremamente dramática. Cheguei em casa numa noite e encontrei todos os meus irmãos na cozinha. Dois deles estavam cobertos de sangue, e outro estava com a mão enrolada pela camisa, depois de ter quebrado a vidraça com um soco. Estavam todos se xingando, mas, de repente, começaram a chorar e a dizer um ao outro que se amavam muito, como irmãos. Eu odiava aquilo.

— E qual o motivo de todas essas brigas? — perguntei, intrigada, *fascinada*.

— Ah, qualquer motivo serve. Eles não são muito exigentes para isso não. Um olhar atravessado, uma inflexão diferente na voz, qualquer coisa serve.

— É mesmo?

— É. Estive lá no Natal e, logo na primeira noite, no mesmo dia em que cheguei, todos encheram a cara. Foi tudo muito legal por algum tempo, até que alguma coisa saiu errado, como geralmente acontecia. Por volta de meia-noite, PJ achou que Paudi estava olhando de um jeito engraçado para ele, e então deu-lhe um soco. Mikey gritou com PJ, mandando-o deixar Paudi em paz, e John Joe deu um soco em Mikey por gritar com PJ. Então, PJ deu um soco em John

Joe por ele ter batido em Mikey, e Stevie começou a chorar, por ver seus irmãos agredindo uns aos outros. E PJ começou a chorar também, arrependido por ter deixado Stevie tão aborrecido. Foi quando Stevie deu um soco em PJ por ter começado a história toda, e então Paudi deu um soco em Stevie, por ele ter batido em PJ, pois quem queria bater em PJ era ele... Nesse ponto, meu pai chegou e resolveu que ia bater em todos eles.

Gus fez uma pausa para pegar fôlego e continuou:

— Era terrível. Deve ser o tédio, tenho certeza. Só que tudo lá em casa é movido a álcool. Eles se acalmaram um pouco, uns anos atrás, quando resolveram assinar o canal de esportes da tevê a cabo, mas papai não pagou a conta, o sinal foi cortado e os atritos recomeçaram.

Eu estava encantada. Poderia ficar ali ouvindo para sempre o sotaque lírico e maravilhoso de Gus, que continuava contando as histórias de sua família tão fascinantemente desajustada.

— E onde é que você se encaixa em tudo isso? Em quem você bate?

— Em ninguém. Simplesmente não me encaixo em nada, pelo menos faço tudo para não me encaixar.

— Isso tudo me parece hilário — disse eu. — É como se fossem cenas tiradas de uma peça.

— Você acha? — perguntou Gus, parecendo chocado e até um pouco chateado. — Talvez eu não tenha contado as coisas direito, porque aquilo não era nada engraçado.

Na mesma hora eu me senti envergonhada.

— Desculpe, Gus — murmurei. — Por um momento esqueci que é sobre a sua vida que estamos falando. É que você conta as coisas de um jeito tão... Mas imagino que devia ser terrível.

— Pois era mesmo, entende, Lucy? — disse ele, com indignação. — Aquilo me deixou cicatrizes terríveis e me levou a fazer coisas horrorosas.

— Como o quê?

— Eu costumava caminhar pelos montes durante horas a fio, conversar com os coelhos e escrever poesia. Claro que tudo acontecia porque eu desejava escapar da família, mas não sabia como.

— Mas o que há de errado em caminhar pelos montes, conversar com os coelhos e escrever poesia? — Eu achava que tudo aquilo parecia selvagem, romântico e bem irlandês.

— Há muita coisa de errado, Lucy, e tenho certeza de que você concordaria comigo se lesse algum dos meus poemas.

Eu ri, mas só um pouco, porque não queria que ele pensasse que estava caçoando dele.

— Além do mais, os coelhos não são muito bons para se conversar, não — afirmou. — Cenouras e sexo, é só sobre isso que eles falam.

— É mesmo?

— Por tudo isso, assim que consegui escapar de lá, tirei da cabeça toda a poesia e a imagem de alma torturada.

— Bem, não há nada de errado em ser uma alma torturada... — protestei, desesperada para me agarrar à ideia de Gus como uma figura poética.

— Ah, mas *há* muita coisa de errado sim, Lucy. É constrangedor e chato.

— Ah, é? Pois gosto muito de almas torturadas.

— Não, Lucy, você não deve gostar — disse ele, com firmeza. — Eu insisto nesse ponto.

— E então, como é que os seus pais são? — perguntei, mudando de assunto.

— Meu pai é o pior de todos. Transforma-se em um homem terrível quando bebe. O que acontece quase o tempo todo.

— E quanto à sua mãe?

— Ela não faz nada. Isto é, ela faz *muita coisa*... cozinha, lava e faz todo o resto, mas não tenta mantê-los na linha. Acho que ela tem medo. Reza muito. E chora... Somos uma família ótima quando se trata de cair no choro, um bando muito lacrimoso. Ela reza o tempo todo, pedindo para que meus irmãos e meu pai se afastem da bebida e virem santos.

— E você tem irmãs?

— Duas, mas elas fugiram quando eram novinhas. Eleanor se casou aos dezenove anos com um homem velho o bastante para ser seu avô, Francis Cassidy, de Letterkenny.

Gus pareceu se animar com aquela recordação.

— Ele foi à nossa fazenda apenas uma vez — continuou —, para pedir a mão de Eleanor ao meu pai. Acho que não devia estar lhe contando isso, porque você vai achar que somos todos um bando de selvagens, mas a verdade é que nós o colocamos para correr dali. Tentamos soltar os cães em cima do velho Francis, mas os cães recusaram-se a mordê-lo. Provavelmente ficaram com medo de pegar alguma doença.

Gus olhou para mim com atenção, bem de perto.

— Devo abaixar a cabeça de vergonha, Lucy?

— Não — disse eu. — É divertido.

— Sei que aquilo não foi muito hospitaleiro, Lucy, mas tínhamos pouca coisa com o que nos divertir, e Francis Cassidy era um sujeito horrível, muito pior do que qualquer um de nós. Ele era um cara magro e com o aspecto mais miserável que alguém já viu, e trouxe um tremendo mau-olhado, porque as galinhas não puseram ovos por quatro dias e as vacas pararam de dar leite depois de sua visita.

— E a sua outra irmã?

— Eileen? Simplesmente sumiu. Nenhum dos homens da região veio pedir a mão dela, acho que Francis Cassidy os alertou. Nós só reparamos que ela havia sumido quando vimos que o café não estava na mesa, certa manhã. Era verão, estávamos amontoando feno e tínhamos que levantar assim que amanhecia. Eileen tinha a incumbência de deixar a comida pronta, antes de todos nós irmos para o campo.

— E para onde ela foi?

— Não sei. Dublin, acho.

— E ninguém ficou preocupado com o sumiço dela? — perguntei, indignada. — Ninguém tentou ir atrás dela, nem procurá-la?

— Ora, eles ficaram preocupados, sim. Principalmente por saberem que iam ter que preparar o próprio café da manhã, a partir daquele dia.

— Mas isso é terrível! — disse, ficando aborrecida. A história de Eileen tinha me deixado muito mais aborrecida do que a história de Francis Cassidy e os cães. — Isso é muito, muito terrível!

— Lucy — afirmou Gus, apertando a minha mão. — *Eu* não fiquei preocupado por ter que preparar o meu próprio café da manhã. Queria ir atrás dela, mas meu pai disse que ia me matar se eu fizesse aquilo.

— Ainda bem que foi assim — disse eu, sentindo-me um pouco melhor.

— Eu sentia saudades de Eileen. Ela era linda e costumava conversar comigo, mas fiquei feliz quando ela foi embora.

— Por quê?

— Ela era muito inteligente para ficar ali, servindo de escrava, e o nosso velho já estava com ideias de fazer uma aproximação e arranjar o casamento dela com um dos dois velhos que moravam na fazenda ao lado, só para colocar as mãos na terra deles, entende?

— Isso se chama barbárie — disse, horrorizada.

— Tem gente que acha que isso se chama "visão econômica" — disse Gus. — ... Mas eu não sou um deles, não — acrescentou, bem depressa, quando sentiu o meu olhar.

— E o que aconteceu com a pobre Eileen? — perguntei, sentindo meu coração doer com a tristeza de tudo aquilo. — Você nunca mais ouviu falar dela?

— *Acho* que Eileen foi para Dublin, mas ela nunca me escreveu, de modo que não tenho certeza.

— É tudo tão triste — suspirei.

Nesse momento fui atingida por uma ideia e lancei-lhe um olhar penetrante, perguntando:

— Você não está inventando tudo isso, por acaso, está? Essa não é uma daquelas suas fantasias, como os esquilos que fazem apostas e a minha colega de apartamento, Elizabeth Ardente, ou é?

— Não — protestou ele. — Claro que não! Francamente, Lucy, eu não ia fazer piadas ou inventar coisas sobre algo tão importante. Embora eu desejasse muito que a história de minha família fosse um conto de fadas. Imagino que tudo isso deve parecer muito esquisito para uma garota sofisticada da cidade, como você.

Por mais estranho que seja, não parecia.

— É que, entenda bem, nós vivíamos muito isolados — continuou Gus. — A fazenda ficava longe de tudo, e nós não costumávamos encontrar muita gente de fora, de modo que eu não conhecia nada melhor do que aquilo. Não tinha nada com o que comparar a minha família. Por muitos anos achei que as brigas, a choradeira, os gritos e tudo o mais eram perfeitamente normais, e que todo mundo vivia que nem nós. Foi um grande alívio, pode acreditar, no dia em que descobri que as minhas suspeitas estavam corretas, e que eles eram tão malucos como eu às vezes achava que eram.

— E esta é a história das minhas origens, Lucy.

— Bem, obrigada por me contar.

— Deixei você muito apavorada?

— Não.

— Por que não?

— Não sei.

— Sua família deve ser maluca também.

— Não é não, desculpe desapontá-lo.

— Então, como é que você consegue ser tão compreensiva com o bando lá de casa?

— Porque você é você, e não a sua família.

— Se as coisas fossem assim tão simples, Lucy Sullivan...

— Mas podem ser, Gus... Gus *de quê*?

— Gus Lavan.

— Prazer em conhecê-lo, Gus Lavan — disse, apertando a mão dele.

Lucy Lavan, fiquei pensando. *Lucy Lavan?* É... gostei! Ou será que era melhor deixar os dois sobrenomes... *Lucy Sullivan Lavan?* Tinha um ritmo legal também.

— E também tenho muito prazer em conhecê-la, Lucy Sullivan — disse ele, solenemente, apertando a minha mão. — Mas acho que já havia falado isso, não?

— Sim, você falou isso a noite passada.

— Mas nem por isso deixa de ser verdade. Vamos tomar uma cervejinha, Lucy?

— Hã... vamos, se você quiser. Já caminhou o bastante?

— Se já caminhei o bastante para ficar com tanta sede, então já caminhei o bastante.

— Ótimo.

— Que horas são, Lucy?

— Não sei.

— Você não tem relógio?

— Não.

— Nem eu. Só pode ser um sinal.

— Sinal de quê? — perguntei, de forma calorosa. Sinal de que Gus e eu éramos almas gêmeas? Que nossa união fora escrita nas estrelas?

— Sinal de que nós dois vamos chegar sempre atrasados nos lugares.

— Ah. Hã... o que está fazendo?

Gus estava recostado quase na horizontal, em cima do banco, olhando para o céu, estalando a língua e murmurando coisas como "cento e oitenta graus" e "sete horas à frente do horário de Nova York" e "ou talvez seja de Chicago".

— Estou olhando para o céu, Lucy.

— Para quê?

— Para descobrir que horas são, é claro.

— É claro.

Uma pausa.

— Chegou a alguma conclusão?

— Sim, acho que sim. — E balançou a cabeça, pensativo. — Acho que sim.

Houve outra pausa.

— Lucy, cheguei à conclusão, quase definitiva, é claro que sempre há espaço para falhas humanas nesse tipo de coisa, você compreende, mas estou quase que totalmente certo de que, definitivamente, estamos de dia. Com oitenta e sete por cento de certeza. Ou talvez oitenta e quatro.

— Eu diria que você tem razão.

— Gostaria de saber qual é o seu palpite a respeito do horário, Lucy.

— Eu diria que são quase duas horas.

— Ai, meu Deus! — E deu um pulo do banco. — Então já está assim tão tarde? Bem, vamos logo então, temos que fazer o melhor que conseguirmos.

— Sobre o que você está falando? — Dei uma risada, enquanto ele me arrastava pelo parque.

— Está quase na hora de fechar, Lucy Sullivan, hora de fechar! Palavra podre! Três palavras podres, na verdade. Palavras sujas e odiosas — disse ele, quase cuspindo. — Imundas! Os pubs fecham às três horas da tarde hoje e só vão abrir de novo às sete, não é verdade?

— Sim — tentei acompanhar o ritmo dele —, a não ser que eles tenham mudado o horário de funcionamento hoje de manhã.

— E você acha que eles podem ter feito isso? — perguntou Gus, parando de repente.

— Não.

— Então vamos embora — disse ele quase correndo. — Temos apenas uma hora.

CAPÍTULO 27

Paramos no primeiro pub que encontramos assim que saímos do parque. Não era tão horrível, o que dava no mesmo, porque senti que Gus teria me obrigado a entrar ali de qualquer modo, mesmo que o telhado estivesse desabando e as paredes despencando.

Ele colocou a mão sobre o meu braço, na porta.

— Lucy, desculpe por isso, mas receio que você vá ter que financiar esta missão. Só recebo meu pagamento na terça-feira, e então vou poder lhe devolver o dinheiro.

— Oh... Oh... tudo bem!

Meu coração despencou, mas consegui agarrá-lo antes que batesse no chão. Afinal, não era culpa de Gus se o conheci justamente no fim de semana em que ele estava duro.

— O que gostaria de beber? — perguntei a ele.

— Vou tomar uma cerveja.

— De que marca?

— Guinness, é claro!

— É claro.

— ... e uma dose pequena — acrescentou.

— Dose pequena?

— De uísque Jameson, sem gelo.

— Hã... tudo bem.

— É melhor pedir uma maior — sugeriu.

— Como disse?

— Uma dose pequena das maiores.

— Como assim?

— Uma dose maior de Jameson. Dose *dupla*.

— Ah, o.k.

— Espero que você não se incomode, Lucy, mas é que não vejo razão para se fazer as coisas pela metade — disse ele, com ar de desculpas.

— Tudo bem — disse, com a voz fraca.

— E vou querer também o que você for beber — acrescentou ele.

— Hã... obrigada.

Se eu fosse Karen, teria dito "Hã... obrigada", com tom sarcástico, mas já que era apenas eu, falei "Hã... obrigada", como se estivesse dizendo "Hã... obrigada".

— Há uma mesa vaga bem ali adiante, Lucy. Vou tomar conta dela enquanto você pega as bebidas.

Fiquei em pé no bar e me senti triste por um momento. Então me obriguei a parar com aquilo. Estava sendo tola. Ele ia receber o dinheiro dele na terça-feira.

— Traga também um saco de batatas fritas — disse Gus junto do meu ouvido.

— De que sabor?

— Sal e vinagre.

— O.k.

— ... E se tiver, traga também de churrasco e mostarda...

— Combinado.

— Grande garota!

Peguei para mim uma Coca light, bem modesta.

Gus já acabara a cerveja e o pequeno uísque duplo antes de eu terminar de beber a Coca. Na verdade, ele já tinha entornado quase tudo antes de eu acabar de sentar.

— Vamos tomar outro — anunciou Gus.

— Acho que vamos.

— Fique quietinha onde está — disse ele, com gentileza. — É só me entregar o dinheiro que eu pego as bebidas.

— Hã... o.k. — disse, pescando a bolsa que eu acabara de fechar e tirando uma nota de cinco libras.

— Cinco das suas suadas libras? — perguntou ele, em dúvida. — Tem certeza de que isso vai dar, Lucy?

— Tenho — respondi com firmeza.

— Você também não quer alguma coisa?

— Quero!

Quando ele saiu, bebi o resto da minha Coca, bem depressa. Resolvi que se ele não me devolvesse o troco sem eu ter de pedir eu ia... Eu ia... Nem sei!

— Aqui está o seu troco, Lucy.

Levantei os olhos do copo vazio, que estivera fitando com ar sombrio. Gus estava olhando para mim, ansioso, com alguns pence na palma da mão aberta.

— Obrigada. — Sorri e peguei os treze pence, ou sei lá quanto era. Subitamente, comecei a me sentir melhor.

Afinal, não era pelo dinheiro, mas pelo princípio da coisa.

— Lucy — disse Gus, com a cara séria. — Obrigado pelos drinques e tudo o mais... é muita bondade sua. Vou receber meu pagamento na terça, vou levá-la para sair e vou lhe devolver o dinheiro. Prometo... Hã... obrigado.

— De nada! — Sorri, sentindo-me muito, muito melhor. Ele se redimira, talvez tivesse percebido o quanto eu começara a ficar desapontada.

Ele era bom naquilo. Bom em se redimir, é o que quero dizer. Bom em tirar o corpo fora do limite da minha desaprovação, sempre no último minuto.

Não que eu me incomodasse em gastar dinheiro com ele, ou com qualquer pessoa, por falar nisso, especialmente quando se tratava de algo tão importante quanto lhes oferecer drinques na hora do almoço, mas me incomodava muito sentir que as pessoas pudessem achar que eu era otária, uma bundona.

Ele tomou vários outros drinques, pelos quais paguei alegremente. ("Devolvo tudo na terça, Lucy.") Em pouco menos de uma hora já havíamos consumido muitos drinques.

— Grande atuação a nossa. Fizemos maravilhas no curto espaço de tempo que tivemos à nossa disposição, Lucy. — Gus inspecionava a mesa cheia de copos vazios à medida que se aproximavam três horas e o barman fazia um convite para que nos retirássemos.

— Não é realmente espantoso o quanto podemos conseguir quando focamos nossa mente em um objetivo? — E balançou por sobre a mesa o copo de cerveja pela metade, para enfatizar a ideia. — Precisamos apenas de um pouco de esforço.

— Embora eu esteja desapontado com você, Lucy. — E tocou o meu rosto, com carinho. — Sinto ter que lhe contar isso, mas... duas Cocas light e um gim-tônica? Tem certeza de que você é irlandesa?

— Sim — respondi.

— Bem, você vai ter que suar um pouco mais a camisa da próxima vez, não pode deixar todo o esforço por minha conta, sabia?

— Gus. — Dei uma risada. — Tenho uma má notícia para lhe dar.

— Qual é?

— Eu na verdade não bebo tanto assim. E jamais bebo durante o dia... Normalmente — acrescentei, depressa, ao vê-lo lançar um olhar acusador para o copo de gim.

— Sério? Mas eu pensei... Você não falou que... Você não se importa de que as *outras* pessoas bebam muito, se importa? — perguntou, esperançoso.

— Nem um pouco — eu o tranquilizei. — Nem um pouco.

— Que ótimo então — suspirou com alívio. — Puxa, você me deixou preocupado por um instante. Será que o bar já fechou *mesmo*?

— Já.

— Talvez seja melhor eu ir até lá, para ter certeza — sugeriu ele, com ar travesso.

— Gus! Está fechado.

— Mas tem um barman lá. *Pode ser* que ainda estejam servindo.

— Ele está lavando os copos.

— Vou lá conferir.

— Gus!

Mas ele pulara da cadeira e já estava no balcão levando um papo com o barman e fazendo um monte de gestos enérgicos. Então, para meu horror, ouvi vozes ligeiramente alteradas, que pararam de falar abruptamente no momento em que Gus deu uma pancada no balcão de madeira, com toda a força. A seguir, ele voltou até a mesa.

— Está fechado — murmurou ele, vencido. Pegou o resto da cerveja e nem olhou para mim.

Reparei que os poucos clientes que ainda estavam ali começaram a nos olhar com diversão e interesse. Fiquei um pouco sem jeito, mas era engraçado.

— Não sei qual é o problema dele, mas aquele cara que trabalha como barman é um sujeito pouco razoável — murmurou Gus. — Pouco razoável e desagradável. Não havia necessidade de ele me dizer o que disse. O que aconteceu com o velho "o cliente tem sempre razão"?

Eu ri e Gus olhou para mim.

— *Et tu*, Lucy? — perguntou ele.

Ri de novo. Não conseguia evitar. Deve ter sido o gim.

— Nunca mais vamos voltar aqui, Lucy. Ah, não! Eu não venho a um pub para ser insultado, portanto nunca mais volto aqui, Lucy. Sério mesmo, nunca mais!

Seu rosto bonito e maleável estava sombrio pelo aborrecimento.

— Há um monte de outros lugares aonde posso ir para ser insultado — acrescentou, com tristeza.

— O que o barman lhe disse? — perguntei, tentando fazer minha boca parar de sorrir.

— Lucy, eu jamais repetiria aquilo, muito menos na sua presença — disse ele, sério. — Jamais mancharia meus lábios nem poluiria o ar aromático que circunda suas delicadas orelhas repetindo o que aquele filho da pu... aquele... aquele... canalha abominável, espírito do mal, veado enrustido me falou.

— Parece-me justo — disse, de algum modo conseguindo manter o rosto sério.

— Tenho muito respeito por você, Lucy.

— Eu agradeço.

— Você é uma dama, Lucy. E existem certas regras, certas restrições de ordem pessoal que aplico sempre que estou na presença de uma dama.

— Obrigada, Gus.

— Agora — disse ele, levantando-se e esvaziando o copo —, o nosso trabalho por aqui está encerrado.

— O que quer fazer agora? — perguntei.

— Bem, é domingo à tarde, acabamos de tomar alguns drinques, está frio, acabamos de nos conhecer na noite passada, portanto está determinado que devemos agora voltar ao seu apartamento para nos aconchegarmos no sofá, a fim de assistir a um filme em preto e branco. — Gus sorriu de forma sugestiva para mim e colocou o braço em volta da minha cintura coberta de fio angorá cor-de-rosa. Puxou-me ligeiramente na direção dele e eu senti a cabeça leve, sentindo um pouco de... bem, deve ter sido desejo, imagino. Era uma delícia ser abraçada por ele. Embora não fosse muito alto, ele era forte e másculo.

— A ideia me parece ótima. — Um arrepio percorreu-me a espinha, embora eu estivesse preocupada com o fato de que talvez não estivesse passando nenhum filme em preto e branco na tevê e que Daniel e Karen pudessem estar fazendo sexo no chão da sala de estar. Nós podíamos ir até a locadora, pegar um filme com Adrian, se não tivesse nada de interessante na tevê, mas eu não estava certa sobre como lidar com o problema de Daniel e Karen.

E se Adrian ficasse chateado ao me ver acompanhada por um homem? Como eu ia enfrentar isso? Aquele era um estado de coisas muito triste, mas a vida era assim mesmo, em todo raio de esperança aparecia uma nuvem, e cada fragmento de felicidade era pago com a dor de alguém.

CAPÍTULO 28

Naquela noite, depois que Gus foi para casa, eu mal conseguia conter a felicidade. Estava louca para falar de Gus com alguém, doida para descrever com os mínimos detalhes a roupa que eu estava usando quando o conheci, o que ele me dissera, como era a sua aparência e tudo o mais.

Só que as minhas confidentes de sempre não estavam disponíveis. Karen e Charlotte haviam saído, Daniel estava com Karen e eu estava muito chateada com Megan ou Meredia, então liguei para Dennis. Para minha surpresa, ele estava em casa.

— Achei que você havia saído — disse eu.

— Foi por isso que me ligou?

— Não seja tão sensível.

— O que você quer?

— Dennis — fiquei ofegante, de forma dramática —, conheci um homem!

— Então conte, uai! — E prendeu a respiração. Às vezes ele falava daquele jeito, embora fosse de Cork.

— Venha até aqui, vai ser mais empolgante se eu lhe contar pessoalmente.

— Já estou indo!

Tive de sair correndo para colocar um pouco de maquiagem e pentear o cabelo, porque Dennis sempre me revistava com o olhar, analisando a minha aparência, dizendo se eu ganhara ou perdera alguns quilos, qual o peso ideal que eu devia ter, se amava ou odiava o meu cabelo e assim por diante. Ele era pior do que a minha mãe, só que pelo menos tinha uma desculpa: ele era gay, e não conseguia evitar tudo aquilo.

Ele chegou em mais ou menos dez minutos. A cada vez que o via, ele estava com o cabelo recém-cortado. O comprimento foi ficando cada vez mais curto, e tudo o que ele exibia agora era uma penugem loura, a qual, devido ao seu pescoço comprido e fino, fazia com que ele ficasse parecido com um patinho.

— Você chegou rápido — disse eu enquanto abria a porta. — Veio de táxi?

— Pegue um táxi e destaque-se! Puxa, mas a viagem que eu fiz... Nossa! Mais tarde eu lhe conto, agora quero saber das novidades quentes.

Dennis às vezes exagerava na frescura, mas eu estava grata por ter alguém com quem conversar e não consegui mandá-lo parar. Preparei-me para ouvir alguma coisa bem vulgar em seguida. Ele sempre fazia isso. E não me desapontou.

— Puxa — declarou, esfregando o traseiro. — Minha olhota está pegando fogo.

Eu o ignorei, porque não queria falar dele. Queria falar de Gus.

Em seguida, ele inspecionou minha aparência, e passei, com algumas recomendações. Dennis pediu chá e reclamou da figura que havia na caneca.

— Um gato... Um GATO! Fala sério, Lucy, não sei como você consegue ser assim.

Havia apenas quatro coisas, mais ou menos, em todo o apartamento de Dennis, mas elas eram muito lindas e caras.

— Você faz parte do meu esquadrão de amigas de emergência — avisei a ele, assim que sentou.

— E o que é isso?

— Em uma emergência, quando preciso conversar com uma amiga e não há nenhuma garota disponível, você sempre vem me socorrer — expliquei. — Fico imaginando você vestido de bombeiro, escorregando para o caminhão, agarrado em um mastro.

Ele ficou tão vermelho que o rosto ficou muito mais escuro do que o cabelo descolorido.

— Quer fazer o favor de parar? — Disse, com arrogância. — Minha vida pessoal só interessa a mim.

— Assumindo posição de fofoca — comandei, e na mesma hora sentamos no sofá, ao mesmo tempo, um de frente para o outro.

Contei a ele sobre a taróloga.

— Você devia ter me dito que ia lá... — resmungou ele. — Eu gostaria de ir também.

— Desculpe. — Rapidamente, passei para a parte do boato horrível no trabalho, sobre o meu casamento.

— Sério mesmo, Dennis, eu me senti *horrível*. Além da humilhação e tudo o mais, aquilo fez com que eu me sentisse tão sozinha... Como se eu jamais fosse conseguir me casar.

— Eu jamais vou conseguir me casar — disse Dennis. — Não vão *permitir*! — E quase cuspiu ao dizer "permitir".

— Sinto muito, foi falta de sensibilidade de minha parte falar isso — desculpei-me correndo. Não queria que Dennis começasse a falar sobre os gays serem discriminados, e como o governo devia conceder-lhes permissão para casar, da mesma forma que os "reprodutores", como ele insistia em chamar os heterossexuais.

— Aquilo fez com que eu me sentisse velha, encalhada, vazia e patética — continuei. — Você entende?

— Ohhh, claro que sim, queridinha! — E apertou os lábios.

— Dennis, *por favor*, não venha com essa frescura toda para cima de mim.

— Como assim?

— Não me chame de "queridinha" — implorei. — É tão afetado! Você é irlandês, nunca se esqueça disso.

— Então vá se foder!

— Ah, assim é melhor. Agora, onde é mesmo que eu estava? Ah, sim. Não posso acreditar que tanta coisa mudou em vinte e quatro horas.

— A noite sempre parece mais escura pouco antes do amanhecer — disse Dennis, com sabedoria. — Então você encontrou esse homem no sábado à noite?

— Foi.

— Ele *só pode ser* aquele que a taróloga viu no seu futuro — disse Dennis, falando exatamente o que eu queria ouvir.

— Também acho que pode ser ele — disse, um pouco envergonhada. — Sei que não devia acreditar nisso e, por favor, não conte a ninguém que acreditei, mas não seria bom pensar desse modo?

— Posso ser sua dama de honra?

— Claro.

— Eu SÓ NÃO POSSO usar roupa cor-de-rosa. Essa cor me deixa com uma aparência MEDONHA!

— Tudo bem, tudo bem, pode ser a cor que você quiser. — Eu não estava interessada em mais nada, a não ser em manter a conversa centrada diretamente em Gus. — Ah, Dennis, ele é exatamente o que eu quero. Como pessoa, ele é a minha cara. Se eu tivesse procurado Deus e descrevesse o homem perfeito para mim, e Deus estivesse de bom humor, Ele teria me enviado o Gus.

— Sério? Ele é tão bom assim?

— É. Dennis, fico até meio envergonhada de pensar assim, mas ele é bom demais para ter aparecido na minha vida por acaso. A taróloga devia estar falando sério. Sinto que isto estava escrito nas estrelas.

— Mas então é fabuloso — disse Dennis, todo excitado.

— E estou me sentindo diferente a respeito de toda a minha vida, o meu passado — disse, ficando um pouco filosófica. — Todas aquelas pessoas horríveis com as quais saí no passado aconteceram em minha vida por uma razão. Você lembra como eu sempre parecia me desviar, e era levada de um relacionamento horrível para outro?

— Sei... bem demais, até!

— Sim... desculpe-me, mas nada daquilo vai tornar a acontecer. Pense só, Dennis, o tempo todo eu vinha chegando cada vez mais perto de Gus. Durante todos aqueles anos perdidos em que eu achava que estava vagando pelo deserto, na verdade, seguia o caminho certo.

— Você acha que vai acontecer o mesmo comigo? — perguntou ele, esperançoso.

— Tenho *certeza* de que sim.

— Fui levada em segurança através do Campo Minado dos Homens Errados — continuei, me entusiasmando além da conta —, e escapei com ferimentos leves, até alcançar a clareira do outro lado e, ao chegar lá, Gus estava esperando por mim.

Continuei, em seguida:

— Ah, Dennis, se ao menos eu *soubesse* que haveria um fim para a minha solidão...

— Se nós dois soubéssemos — disse Dennis, sem dúvida se lembrando de todas as noites que perdera ouvindo minhas histórias infindáveis.

— Eu devia ter tido mais fé.

— Você devia ter me *escutado*.

— Nós não temos ideia do que nos espera lá fora, nem para onde a vida está nos levando — disse eu, com os olhos enevoados. — Costumava pensar que eu era a dona do meu próprio destino e conduzia o meu próprio navio. Na verdade, Dennis, eu até suspeitava de que era exatamente por isso que minha vida estava tão bagunçada: é que tinha a minha mãozinha nela...

— Certo, agora chega disso — disse Dennis, com impaciência. — Jogue a filosofia para o lado, entendo o que você quer dizer, mas me conte a respeito *dele*. Quero saber as medidas exatas.

— Ah, Dennis, ele é o máximo, realmente ótimo, tudo nele parece estar certo. Acho que vai ser muito legal...

— Detalhes! — pediu ele, ainda mais impaciente. — Ele tem músculos?

— Bem, mais ou menos...

— Isso significa que não.

— Dennis, ele é bem musculoso sim.

— É alto?

— Não.

— O quer dizer com "não"?

— Quero dizer que ele não é alto.

— Então ele é baixo.

— O.k., Dennis, ele é baixo. Mas eu também sou — complementei.

— Lucy, você sempre teve um gosto horrível para homens.

— Olha só quem fala — disse eu. — Estas palavras estão vindo do homem que gosta de Michael Flatley.*

Dennis baixou a cabeça, com vergonha.

— O homem que assistiu ao vídeo do show *Riverdance* mais de cem vezes — provoquei.

Uma noite, quando estava bêbado, Dennis me confessara isso. Arrependeu-se amargamente de ter contado.

---

* Coreógrafo que divulga a dança e o sapateado típicos da Irlanda através dos grupos *Lord of the Dance* e *Riverdance*. (N.T.)

— O mundo é bem grande — disse ele, com humildade. — Tem espaço para todo tipo de gosto.

— *Exatamente* — disse eu. — Então pode ser que Gus seja baixo...

— Ele *é* baixo.

— ... Mas é muito bonito, tem um corpo lindo e...

— Ele malha? — perguntou Dennis, com esperança.

— Eu diria que não. — Fiquei triste por desapontar Dennis, mas não podia mentir para ele. De qualquer forma, ele ia acabar descobrindo quando conhecesse o Gus.

— Então isso quer dizer que ele bebe pra caramba?

— Quer dizer que ele é uma criatura festiva.

— Entendi. Ele bebe pra caramba.

— Ai, Dennis, deixe de ser tão negativo! — Olhei rápido para o alto, desesperada. — Espere só até conhecê-lo, você vai adorá-lo. Sério. Ele é maravilhoso, muito engraçado, charmoso, inteligente, legal e, juro por Deus, *muito* sexy. Pode ser que ele não seja o seu tipo, mas acho que ele é perfeito!

— Então vamos lá... o que há de errado?

— Como assim?

— Bem, sempre tem alguma coisa de errado, não tem?

— Pare com isso! — reagi. — Sei que não tenho tido muita sorte com homens, mas...

— Eu não disse que há sempre algo de errado com *os seus* homens — suspirou ele. — O problema é com *todos* os homens. Ninguém sabe disso melhor do que eu.

— Dennis — disse eu. — Não creio que haja algo de errado com ele.

— Pois confie em mim — afirmou ele —, sempre tem algo de errado. Ele é rico?

— Não.

— Ele é, basicamente, pobre?

— Bem, ele está no auxílio-desemprego...

— Ah, Lucy, outra vez? Por que você sempre arruma esses mendigos que usam aquelas roupas horríveis?

— Porque não sou superficial como você. Você se preocupa demais com as roupas dos rapazes, o jeito que eles cortam o cabelo e o relógio que usam.

— Talvez eu me preocupe demais mesmo... — reconheceu, parecendo ofendido. — Mas você se preocupa *de menos*!

— Enfim... — disse eu. — Eu não arrumo ninguém, simplesmente acontece.

— Aposto que se você morasse na Califórnia não ia dizer isso com essa calma toda... mas deixa pra lá... Então, como é essa história de desemprego?

— Não é o que você está pensando — expliquei bem depressa. — Não é que ele seja preguiçoso ou vadio, ou qualquer uma das coisas pelas quais a minha mãe ia chamá-lo. É que ele é músico, e o trabalho anda difícil.

— Um músico... outra vez?

— Sim, só que ele é diferente, e tenho o maior respeito por alguém disposto a enfrentar dificuldades financeiras por amor à arte.

— Sei...

— E abriria mão com a maior alegria da estiva que encaro de nove às cinco todo dia, só que não possuo talento para nada.

— E você não se importa de ficar com alguém que está sempre sem dinheiro? Não me venha com aquela história de que o amor vence tudo, e que há outras coisas mais importantes do que dinheiro. Vamos ser práticos aqui!

— Mas eu não me importo mesmo. Só não sei se vou ter dinheiro para manter nós dois no padrão ao qual Gus parece estar acostumado. — E me senti estranha ao admitir isso.

— E que padrão é esse? Ele cheira cocaína?

— Não. — Então pensei a respeito. — Bem, talvez ele cheire, pra falar a verdade.

— Então você vai ter que arranjar um emprego noturno; na verdade vai ter que *correr muito atrás da grana*, se é a esse padrão que ele está acostumado.

— Ai, cale a boca, deixe eu contar; hoje, um pouco mais cedo, Gus e eu fomos comer pizza na Torre de Pizza, e...

— Mas hoje é domingo! Por que vocês não foram ao Curryfour?

— Porque Daniel e Karen tinham ido lá, pareciam estar muito apaixonados e eu não queria atrapalhá-los.

— Daniel e KAREN?! — guinchou Dennis, empalidecendo. — Karen e DANIEL?

— Hã... sim. — Esqueci que Dennis tinha uma queda por Daniel.

— A Karen que mora aqui? Karen McHaggis, ou sei lá qual é o nome escocês ou caledônio que ela tem? — Dennis não gostava de Karen. Agora ia gostar menos ainda.

— Sim, essa Karen.

— Com Daniel, *o meu* Daniel?

— Se é sobre o Daniel Watson que você está falando, então é *o seu* Daniel.

— Ai, meu Deus, isso agora me arrasou! — Ele parecia muito abalado. — Preciso de um drinque!

— Tem uma garrafa de alguma coisa bem ali.

— Onde?

— Ali, na estante.

— Ai, vocês são tão *pobres*! Guardando a bebida na estante de livros.

— Ué, o que podemos fazer? Nós não temos livros, precisamos guardar alguma coisa ali...

Ele procurou pelas prateleiras e disse:

— Não consigo achar...

— Tinha certeza de que estava aí mais cedo.

— Pois não está aqui agora.

— Talvez Karen e Daniel tenham bebido. Desculpe, desculpe — disse, depressa, quando o vi franzir a testa de novo.

— Pode acreditar, esse namoro não vai durar muito. — Sua voz estremeceu ligeiramente. — Ele é gay, sabia?

— Mas você fala isso de todo homem, no universo inteiro.

— Daniel é, mesmo. Mais cedo ou mais tarde vai enxergar a luz. E quando isso acontecer, *eu* estarei lá.

— Certo, certo, qualquer coisa que você diga está certo. — Eu não queria deixar Dennis chateado, mas... fala sério! Todo gay que eu conhecia insistia em dizer que todo homem heterossexual que eles conheciam era, na realidade, um gay enrustido.

CAPÍTULO 29

Dennis tornou a se sentar, colocou a mão no peito e ficou inspirando profundamente, durante horas, enquanto eu me retorcia toda de impaciência. Finalmente, ele disse:

— Tudo bem agora. Já me acalmei!

— O.k. — E voltei à história: — Então, quando chegamos à Torre de Pizza, Gus estava sem dinheiro. Bem, certamente que estava, porque ele não tinha um tostão ontem, nem durante o dia, mais cedo, e não creio que a alquimia seja um dos seus dons pessoais...

— Então você pagou a conta de vocês.

— Paguei, e para mim estava tudo bem, porque sou muito sensata...

— Além do mais, o garçom de lá tem uma bunda linda... — Dennis era gay vinte e quatro horas por dia, e nunca deixava a peteca cair.

— Tem mesmo. Mas, enfim, Gus bebeu dez garrafas de Peroni e...

— Dez garrafas de Peroni?

— Relaxe — disse eu. — Não tenho problemas com isso, em princípio, especialmente porque Peroni é uma cerveja fraca, embora a gente tenha que pagar por ela.

— Você não está achando que ele está tentando se aproveitar de você, está? — perguntou Dennis, fixando o olhar em mim.

Aquela ideia passara pela minha cabeça naquele mesmo dia, mais cedo, quando estávamos no pub, e acabei ficando chateada, porque vivia com medo de que alguém me achasse otária ou me tomasse por idiota.

Só que eu simplesmente *odiava* discussões por causa de dinheiro. Aquilo era uma coisa que me fazia lembrar dos tempos de criança. Lembranças de minha mãe gritando com meu pai, com o rosto vermelho e distorcido. Eu jamais me comportaria daquela maneira.

— Não, Dennis, não achei isso, porque ele me disse coisas realmente adoráveis no restaurante.

— Mas essas coisas valeram as dez garrafas de Peroni?

— Com certeza!

— Vamos ouvi-las.

— Ele pegou a minha mão — disse eu, lentamente, para criar mais efeito — e falou, muito sério: "Estou gostando muito disso, Lucy."

— E então, ele disse: "Odeio estar sem dinheiro, Lucy...", e escute só, ele completou: "... *especialmente quando encontro alguém como você!*". E então, o que acha disso, hein, Dennis?

— O que ele quis dizer com isso?

— Quis dizer que eu era linda, que merecia ser levada a lugares maravilhosos e ganhar coisas maravilhosas.

— Só que não ia conseguir nada disso vindo dele! — Dennis sabia ser bem direto.

— Cale a boca! — disse eu. — Ele falou que adoraria me levar para tomar vinho, jantar fora, me comprar flores, chocolates, casacos de pele, cozinhas planejadas, facas elétricas e um daqueles aspiradores de pó portáteis para limpar o sofá, além de tudo o que o meu coração desejasse.

— E o que o seu coração deseja? — perguntou Dennis.

— Ele deseja o Gus.

— Então acho que não é do seu coração que estamos falando.

— Você é tão vulgar. Não consegue pensar em outra coisa que não seja sexo?

— Não. E então, o que foi que ele disse?

— Disse que aqueles aspiradores de pó portáteis são ótimos para limpar os bolsos dos casacos.

— Para mim, ele mais parece o açucareiro de um serviço de jantar Fornasetti — debochou Dennis. — Facas elétricas e casacos de pele, francamente!

Mas ele não sabia nem metade da história, e fiquei em dúvida de contar a ele. Não queria comentários negativos, queria frases alegres, para combinar com o meu estado de espírito.

Porque a partir daquele ponto a conversa com Gus ficara um pouco confusa.

— Você gosta de flores? — ele me perguntara.

E eu respondera:

— Sim, Gus, as flores são lindas, mas minha vida não fica incompleta sem elas.

Então ele perguntou:

— E chocolate?

— Sim, gosto de chocolate, gosto muito, mas nunca fico sem chocolate por muito tempo.

— Ah, não fica? — Preocupação surgiu em seu rosto, e de repente ele pareceu profundamente deprimido.

— Bem, o que eu poderia esperar? — acrescentou ele, pesaroso. — Uma mulher linda como você! Como é que fui idiota de achar que poderia ser o único homem em sua vida?

— Ah, o orgulho sempre vem antes da ruína!* — exclamou Gus, de forma dramática, enquanto eu olhava para ele, me perguntando o que estava acontecendo *agora*.

— Fui alertado, Lucy, não posso negar. Muitas vezes por pessoas bem-intencionadas. Cuidado com este orgulho, Gus, elas diziam. Mas eu as ouvi? Não, não ouvi! Entrei marchando, de peito aberto, e achei que uma deusa como você teria tempo para tipos como eu. Enquanto isso, você devia estar transformando em escravos uma fila de pretendentes que se consumiam à espera de um simples olhar gentil de sua parte.

— Gus, por favor, pare! Do que você está falando? Não, está tudo bem com ele — disse eu ao garçom que viera correndo ao ouvir a explosão emocionada de Gus. — Sério mesmo, está tudo bem, obrigada.

— Já que você está aí, podia me trazer mais uma destas — pediu Gus, balançando uma garrafa de Peroni na direção do garçom (devia ser a nona). — Estou falando de você, é claro, senhorita Lucy Deusa Sullivan... É senhorita mesmo, imagino...?

— Sim.

— ... E também dos pretendentes que lhe oferecem chocolates.

— Gus, não tenho pretendentes que me trazem chocolates.

— Mas você não falou...?

* Citação bíblica (Provérbios 16:18). (N.T.)

— Eu disse que nunca fico sem chocolate, e não fico mesmo. Mas sou eu mesma que compro.

— Oh... — disse ele, devagar — ... você mesma compra. Entendo...

— Ótimo! — Ri. — Que bom que você entende.

— Uma mulher independente, Lucy, isso é o que você é. Não quer ficar devendo favores a eles, e está certa por agir assim. "Sê verdadeiro contigo mesmo",* como o meu amigo Billy Shakespeare vivia me dizendo.

— Hã... para quem eu não quero ficar devendo favores?

— Para os pretendentes.

— Gus, eu não tenho *nenhum* pretendente.

— Não tem pretendentes?

— Não. Pelo menos não no momento. — Não queria que ele achasse que eu era um fracasso total.

— Mas, por que não!!?

— Não sei.

— Mas você é linda!

— Obrigada.

— Nunca me disseram que os ingleses tinham visão curta, mas só pode ser isso. É a única explicação que encontro.

— Obrigada.

— Pare de dizer "obrigada". Estou sendo sincero.

Houve uma agradável pausa enquanto nós dois ficamos sentados ali, sorrindo um para o outro, os olhos de Gus ligeiramente vidrados, provavelmente pelo excesso de Peronis.

Não havia necessidade de contar nada daquilo a Dennis. Decidi pular essa parte e contar a coisa boa que veio a seguir, quando Gus disse:

— Hã... Lucy, posso lhe perguntar uma coisa?

— Claro. — respondi.

— Não pude deixar de ouvir, ainda há pouco, que você está atualmente sem pretendentes...

— Sim.

— E estaria correto achar que há um lugar vago, então?

---

* Citação do primeiro ato de *Hamlet*. (N.T.)

— Sim, acho que essa é uma forma de descrever a situação.

— Sei que vai parecer extremamente abusado de minha parte, mas será que existe alguma chance, por pequena que seja, de que você possa considerar a minha pessoa para ocupar essa vaga?

Olhei para a toalha da mesa, em xadrez de vermelho e branco, envergonhada demais para fitar os olhos dele, e murmurei:

— Sim.

Dennis ficou desapontado comigo.

— Ah, Lucy... — suspirou ele. — Você não prestou atenção a nada do que lhe ensinei. Você não deve se submeter com tanta facilidade. Faça-os suar para conseguir o que querem.

— Não, Dennis — expliquei, com firmeza. — Você precisa entender que eu estava com medo de fazer esses joguinhos com Gus. Ele já era capaz de entender errado até mesmo quando eu estava sendo totalmente direta. Piorar as coisas com manipulações e truques femininos, dizendo "não" quando queria dizer "talvez" e dizendo "talvez" quando queria dizer "sim", ia acabar estragando tudo.

— Está certo, já que você insiste. E então, o que aconteceu depois?

— Ele disse: "Eu também não estou ligado a ninguém no momento, romanticamente. Você vai querer este resto de pizza?"

— Que lábia a desse cara — murmurou Dennis, mostrando-se pouco impressionado.

— Fiquei emocionada — disse eu.

— Não é um pouco de exagero ficar emocionada? — perguntou Dennis. — Afinal, a pizza já estava paga mesmo, então era melhor que alguém comesse o resto. Fala sério, Lucy, ficar emocionada por causa disso?

Deixei passar.

— E como ele foi na hora do roça-roça? — perguntou Dennis.

— Na verdade, não sei.

— Não o deixou chegar em você?

— Ele não tentou.

— Mas vocês ficaram juntos por quase vinte e quatro horas! Não está preocupada?

— Não. — Realmente, não estava. É claro que o fato de ele se segurar tanto era incomum. Mas não era absurdo.

— Provavelmente ele é gay — afirmou Dennis.

— Ele não é gay.

— Mas você não fica nem um pouco preocupada por ele não ter agarrado você? — perguntou Dennis, parecendo confuso.

— É exatamente por isso que não estou preocupada — argumentei. — Gosto de homens que chegam *devagar*, homens que queiram me conhecer melhor, antes de dormir comigo.

Aquilo era verdade, não era só da boca pra fora, para convencer Dennis. Eu ficava horrorizada com homens que eram muito diretos (por assim dizer) a respeito de suas necessidades de sexo, homens adultos com imensos apetites sexuais. Homens com olhos do tipo "venha para a cama", homens com coxas grossas, peito cabeludo e imensas mandíbulas barbadas, homens que tinham seis ereções por hora, homens que cheiravam a suor, sal e sexo. Homens que entravam no quarto parecendo dizer: "Aqui está a minha ereção, o resto do meu corpo vai chegar daqui a cinco minutos."

Homens *pelvicêntricos* provocavam um medo tremendo em mim.

Provavelmente porque eu achava que eles poderiam ser muito exigentes e críticos a respeito do meu desempenho. Homens desse tipo podiam pegar e escolher qualquer mulher que desejassem, de forma que deviam estar acostumados com o melhor. Se eu escalasse a cama deles sem busto, sem pernas compridas e sem bronzeado, eles ficariam extremamente desapontados.

"O que significa isto?", perguntariam eles ao me ver tirando a roupa. "Você não é como aquela garota com quem transei hoje à tarde. Você não é uma mulher. Onde estão os peitos?"

Eu tinha esperança de que se um homem conseguisse me conhecer melhor antes de irmos para a cama haveria mais chance de ele ser legal e não rir de mim. De estar mais disposto a fazer vista grossa diante das minhas óbvias desvantagens físicas, devido ao fato de eu ter uma personalidade marcante.

Isso não quer dizer que eu *não tenha*, uma ou duas vezes, dormido com homens que acabara de conhecer. No passado, houve momentos em que eu parecia não ter outra escolha. Momentos em que gostava de um homem e tinha medo de que, se rejeitasse suas investidas sexuais, ele saísse correndo, sem querer saber de mais nada comigo.

— Você e a sua culpa católica — disse Dennis, balançando a cabeça com tristeza. Eu tinha de impedi-lo, antes que ele começasse a atacar a Igreja Católica, as freiras, os Irmãos Cristãos e o modo como eles haviam danificado a psique de todos os menininhos e menininhas com quem tiveram contato, tirando-lhes a capacidade de sentir prazer sem culpa. Aquilo era capaz de render a noite toda.

— Não, Dennis, não é a culpa católica que me impede de ser promíscua.

Eu desconfiava de que se possuísse um busto avantajado, com peitões e coxas compridas, douradas, esbeltas e sem celulite, conseguiria superar a minha culpa católica. Provavelmente ia estar muito mais propensa a pular na cama de estranhos com toda a confiança. Talvez o sexo se transformasse em uma atividade da qual eu poderia simplesmente usufruir, em vez de ser basicamente um exercício constante para tentar diminuir os danos, comportando-me como se eu estivesse me divertindo ao mesmo tempo em que escondia uma bunda que era muito grande, os peitos que eram muito pequenos, coxas que eram muito... etc. etc.

— Bem, se você tem certeza disso... — Dennis ainda parecia meio em dúvida.

— Sim, Dennis, tenho certeza.

— O.k.

— Então, afinal, para terminar o papo, para resumir tudo, o que acha da história toda? — perguntei, com ar de alegria. — Ele não parece adorável?

— Bem, não sei se era isso que eu ia querer para *mim*...

Fiz mímica, com os lábios, da palavra "Michael Flatley", sem pronunciá-la.

— ... mas... — disse ele, apressado. — Ele me parece bonitinho. E, já que você insiste em escolher homens que não têm dinheiro algum, espero que saiba o que está fazendo. Eu não recomendaria isso, mas parece que fico falando para as paredes o tempo todo.

— E não é incrível o que a taróloga disse? — insisti, trazendo-o de volta para o caminho dos comentários positivos.

— Tenho que admitir que o momento não poderia ser mais adequado — concordou. — Isso pode realmente ser um sinal. Normalmente eu aconselharia cautela, mas realmente me parece que foi escrito nas estrelas.

Isso era exatamente o que eu queria ouvir.

— Tirando o problema do dinheiro, ele é legal com você? — perguntou Dennis.

— Muito legal.

— O.k. Vou ter que vê-lo antes de dar o endosso final. Por ora, porém, vocês têm a minha bênção provisória.

— Obrigada.

— Muito bem, já passa de meia-noite e meia, vou dar o fora.

— Você vai sair para tomar *poppers*,* usar camisa xadrez e dançar músicas dos Pet Shop Boys?

— Por Deus, Lucy. — Ele fez cara de nojo. — Isso é um estereótipo ultrajante!

— Mas você vai?

— Vou.

— Bem, divirta-se então. Eu vou para a cama.

E fui dormir feliz.

---

* Droga vasodilatadora ingerida por inalação com efeitos semelhantes aos do lança-perfume. (N.T.)

CAPÍTULO 30

É claro que na manhã seguinte a história foi totalmente diferente, quando acordei e me lembrei de que devia sair da cama para ir trabalhar.

Senti vontade de sumir, por ser segunda-feira. Afinal, era difícil mudar os hábitos de uma vida inteira. Conhecer um novo rapaz, mesmo alguém tão adorável quanto Gus, não ia me transformar da noite para o dia em alguém que saltava da cama feliz assim que o despertador tocava, cantando "Que bom que eu não morri dormindo!".

Tateei com as pontas dos dedos a mesinha de cabeceira, até encontrar o botão de "soneca" do despertador, e consegui mais cinco minutos para um cochilo cheio de culpa. Teria feito qualquer coisa para não ter de levantar da cama. *Qualquer coisa.*

Alguém estava no banheiro, o que era ótimo. Não havia motivo para eu sair da cama até o banheiro ficar livre. Um curto adiamento.

Dava tempo para eu continuar na cama, meio dormindo, contemplando preguiçosamente as várias opções de suicídio que havia à minha frente, porque qualquer uma delas, naturalmente, me parecia muito mais convidativa do que pegar o metrô para ir trabalhar.

Eu já namorara ideias suicidas diversas vezes — a maioria delas em manhãs de dias úteis, para falar a verdade —, e muito tempo atrás descobrira como os apartamentos modernos são mal-equipados para uma pessoa se matar. Nem um frasco de formicida à mão, nem um laço corrediço sequer, nem um implemento agrícola por perto.

Mas eu não devia me mostrar tão negativa. Todos dizem que quando a pessoa quer, sempre dá um jeito. Por outro lado, se eu não fosse tão negativa, não ia estar querendo me matar e a história toda seria irrelevante de qualquer modo.

Pesquisei a lista de possibilidades disponíveis.

Eu podia tomar uma overdose de paracetamol. Só que eu tinha quase certeza de que aquilo não ia adiantar nada, pelo menos para mim, porque umas duas vezes, com uma ressaca muito forte, eu tomara uns doze comprimidos e não me senti nem com sono, muito menos morrendo.

A ideia de ser sufocada com um travesseiro não me parecia ser tão horrível. Era até mesmo um jeito legal, bem pacífico de ir embora, com a vantagem adicional de nem precisar sair da cama para isso. Só que era um pouco como fazer nado sincronizado... totalmente inútil de se tentar sozinho.

Neste momento ouvi a pessoa sair do banheiro e fiquei rígida de horror. Só que, rápida como um raio, outra pessoa entrou. Respirei aliviada — não ia precisar levantar da cama por mais algum tempo. Apesar de que meus minutos estavam se esgotando, e eu sabia disso.

Durante um pouco mais eu podia continuar na horizontal para ficar analisando o meu suicídio, embora soubesse que, no fundo, eu não queria me matar, nem um pouco. Tirar a própria vida é antinatural.

Além de dar muito trabalho.

Era irônico, na verdade, a pessoa desejar morrer por não querer mais se dar ao trabalho de viver. Então, nesse momento, ela era obrigada a se encher de energia para arrastar móveis, subir em cadeiras, içar cordas, dar nós complicados, amarrar algumas coisas em outras e chutar banquinhos debaixo dela. Ou então a pessoa tinha de se ver às voltas com banhos quentes, lâminas de barbear, ou puxar extensões, ligar aparelhos elétricos e conseguir pesticidas. Suicídio era uma atividade complicada. Realmente dava muito trabalho e exigia até, às vezes, visitas a lojas de equipamentos.

E se você conseguia se arrastar da cama para ir até a rua, para procurar uma loja de jardinagem ou de produtos químicos, o pior já havia passado e era melhor ir logo para o trabalho.

Não, eu não queria me matar. Só que havia uma diferença muito grande entre não desejar me matar e *querer* me levantar, de verdade. Eu podia ter vencido a batalha, mas não havia sinais no horizonte de que ia vencer a guerra.

Karen entrou no quarto, de repente. Parecia chique, eficiente, e sua maquiagem estava perfeita. O efeito era um pouco assustador àquela hora da manhã. Karen parecia sempre *toda arrumada*, e seu cabelo jamais ficava frisado, nem mesmo quando chovia. Algumas pessoas eram assim. Eu não era uma delas.

— Lucy, Lucy, Lucy, acorda! — ordenou. — Quero conversar sobre Daniel. Ele alguma vez já esteve apaixonado, quer dizer, apaixonado *de verdade*?

— Hã...

— Vamos lá, conte-me logo, você o conhece há anos!

— Bem...

— Ele nunca amou de verdade, já?

— Mas...

— Você não acha que já é tempo de ele se apaixonar? — quis saber ela.

— Acho — respondi. Era mais fácil concordar.

— Eu também acho.

Karen desmoronou em cima da minha cama, dizendo:

— Ai, estou supercansada.

Ficamos ali em silêncio por algum tempo. Dava para ouvir Charlotte no banheiro, cantando *Somewhere over the Rainbow*.

— Aquele cara, o tal de Simon, deve ser bem-dotado — comentou Karen.

Concordei.

— Ai, Lucy... — e suspirou, de forma dramática. — Eu não quero ir para o trabalho.

— Nem eu.

Então começamos a brincar de Explosão de Gás.

— Não seria ótimo se houvesse uma explosão de gás? — perguntou Karen.

— É mesmo! Não uma muito grande, só...

— Mas tinha que ser grande o bastante para nos obrigar a ficar em casa...

— Mas não grande o bastante para deixar alguém ferido...

— Certo, mas o prédio podia desabar, e íamos ter que ficar presas aqui dentro durante dias, só com a televisão e as revistas, e íamos ter que comer tudo o que temos de estoque no freezer e...

Embora o estoque do freezer fosse apenas uma linda fantasia. Jamais guardávamos nada lá dentro, a não ser um pacote de ervilhas que já estava congelado quando Karen fora morar no apartamento, quatro anos antes. Às vezes comprávamos um pote gigantesco de sorvete, com a intenção de comer moderadamente, só de vez em quando, para fazê-lo durar alguns meses, só que normalmente ele não passava da primeira noite.

Às vezes, para variar um pouco, brincávamos de Terremoto, em vez de Explosão de Gás. Imaginávamos um terremoto cujo epicentro fosse o nosso apartamento. Tínhamos sempre cuidado para não desejar morte ou destruição para qualquer outra pessoa que não fosse a gente. Na verdade, toda a destruição que desejávamos deveria ocorrer do lado de fora do apartamento. Revistas, televisões, camas, sofás e comida continuariam miraculosamente intactos.

Às vezes costumávamos desejar uma ou duas pernas quebradas, seduzidas pela ideia de várias semanas direto deitadas na cama, sem interrupção. Só que no inverno anterior Charlotte quebrara o dedinho do pé em uma aula de dança flamenca (pelo menos essa era a história oficial. A verdade é que a fratura ocorrera no instante em que ela tentara pular por cima da mesinha de centro, sob a influência considerável do álcool) e contou que a agonia que sentiu não dava nem para descrever. A partir daí, deixamos de desejar braços ou pernas quebrados, mas às vezes sonhávamos com um apêndice supurado.

— Tudo bem — disse Karen, com determinação. — Vou para o trabalho.

— Aqueles cretinos! — acrescentou.

Ela saiu e Charlotte entrou.

— Lucy, eu lhe trouxe uma xícara de café.

— Ah, hã... obrigada — disse, meio irritada, forçando-me a ficar sentada na cama.

Com roupa de trabalhar e sem maquiagem, Charlotte parecia ter doze anos. Só o busto enorme entregava a idade verdadeira.

— Ande logo — disse ela. — Vamos andando até o metrô juntas. Preciso conversar com você.

— Sobre o quê? — perguntei, desconfiada, imaginando se ela ia começar a falar sobre os prós e contras da pílula do dia seguinte.

— Sabe o que é... — disse ela, parecendo infeliz. — É que dormi com o Simon ontem. Você acha que é muito terrível dormir com duas pessoas diferentes no mesmo fim de semana?

— Nããããão... — disse eu, tranquilizando-a.

— Eu sou horrível, sei que sou, mas *não quis fazer* isso, Lucy — disse ela, ansiosa. — Bem, é claro que eu quis fazer, na hora, mas não havia planejado dormir com duas pessoas diferentes em dois dias seguidos. Como é que eu podia saber na sexta à noite que ia conhecer o Simon na sábado à noite?

— Exato — concordei, com vontade.

— Isso é terrível, Lucy, vivo quebrando minhas próprias regras — disse a pobre Charlotte, com a intenção de se castigar. — Sempre disse que nunca, jamais eu ia dormir com alguém na primeira noite. Não que eu tenha dormido com o Simon na primeira noite, porque esperei até a tarde do dia seguinte, e já havia anoitecido, na verdade. Foi depois das seis.

— Então, tudo bem — disse eu.

— E *foi* ótimo — acrescentou ela.

— Que bom — disse eu, para encorajá-la.

— Mas, e quanto àquele outro cara, o de sexta à noite. Nossa, nem me lembro mais do nome dele! Isso não é horrível, Lucy? Imagine só! Deixei alguém ver a minha bunda e não consigo nem me lembrar do seu nome. Derek... acho que era Derek — disse, pensativa, com a testa franzida, tentando lembrar. — Você o viu... Ele tinha cara de Derek?

— Charlotte, por favor, pare de ser tão dura consigo mesma. Se não se lembra do nome do cara, tudo bem. Isso é assim tão importante?

— Não, claro que não é importante — disse ela, agitada. — Claro que não! Acho que o nome dele é Geoff. Ou Alex. Ai, meu Deus! Vamos logo, você já vai se levantar?

— Vou.

— Quer que eu passe alguma roupa para você?

— Quero, *por favor*.

— Qual?

— Qualquer uma.

Charlotte saiu para pegar o ferro e me arrastei até conseguir sentar na beira da cama. Charlotte me chamou da cozinha, contando que lera, em algum lugar, uma reportagem sobre uma operação que podíamos fazer no Japão para ter o hímen costurado no lugar, conseguindo, assim, a virgindade de volta, e me perguntou se eu achava que ela devia fazer isso.

Pobre Charlotte. Pobres de todas nós.

Foi muito legal, e nós, mulheres, agradecíamos muito por ter recebido o presente da liberação sexual tão maravilhosamente embrulhado (embora nos tenha sido ofertado contra a vontade). Mas quem será que era a idosa e insensível tia-avó que nos deu o conjunto de paninhos para combinar com o presente, todos feitos a mão em crochê e carregados de culpa?

Aposto que *essa tia* não ia receber cartõezinhos de agradecimentos.

Era como receber de presente um vestido vermelho lindo, curtinho, agarrado, sexy, em tecido brilhante, com a condição de só podermos usá-lo com tamancos irlandeses marrons de saltos baixos e sem maquiagem.

Era o mesmo que dar com uma das mãos e tirar com a outra.

O trabalho até que não foi tão terrível. Estava me sentindo muito melhor do que quando saíra dali na sexta-feira, com certeza.

Megan e Meredia estavam com remorsos, e um ar muito doce. Não estavam conversando uma com a outra, mas isso não era novidade. Só de vez em quando se falavam, quando Megan perguntava a Meredia: “Quer um biscoito, Eleanor?” ou “Poderia me emprestar o grampeador, Fiona?”, e Meredia falava entre dentes: “Meu nome é Meredia!”

Elas estavam me tratando muito bem. É claro que, de vez em quando, eu ainda recebia um olhar interessado de algum dos outros funcionários, mas já não me sentia tão mal, vulnerável e constrangida. Conseguia ver as coisas por um ângulo diferente. Cheguei à conclusão de que todo mundo devia estar achando que Megan e Meredia é que eram as bobalhonas, e não eu. Afinal, foram elas que espalharam aquela história idiota.

E, é claro, acontecera uma grande mudança na minha vida, desde sexta-feira. Eu conhecera o Gus. Todas as vezes em que eu pensava nele, sentia como se estivesse embrulhada por uma armadura protetora, e que ninguém mais poderia me achar uma perdedora triste e patética porque, bem... Eu *não era*, certo?

Era até um pouco irônico que na sexta-feira todos estivessem achando que eu ia me casar, quando, na verdade, nem tinha namorado e, agora, na segunda, depois que eu conhecera alguém muito especial, ninguém sequer ousasse puxar assunto de casamento na minha presença.

Estava louca para contar a Meredia e a Megan a respeito de Gus, mas ainda era muito cedo para perdoá-las, de modo que eu tinha de manter a boca fechada até passar o período adequado de chateação com elas.

Outro motivo de não estar mais me sentindo o centro das atenções no trabalho é que eu realmente já não tinha mais importância. Virara notícia de ontem.

A história quente do dia era sobre Hetty e a paixão que Ivor Veneno tinha por ela. Aparentemente ele saíra na sexta à noite, enchera a cara e contara para toda a empresa, do diretor-gerente aos porteiros, passando por todos os funcionários, que estava apaixonado por Hetty e ficara arrasado por ela ter deixado o marido, embora, objetivamente falando, ele não estivesse arrasado por ela largar o marido, e sim por ela não tê-lo largado para ficar com ele.

Quanto a Hetty, ninguém sabia dela.

— Hetty vem trabalhar hoje ou continua doente? — perguntei a Ivor, com toda a inocência. Hetty não andava muito bem de saúde. Pelo menos essa era a desculpa que nós inventamos.

— Não sei — respondeu ele, com os olhos cheios d'água. — Vocês, porém, já que parecem tão preocupadas com Hetty, podem assumir o serviço dela, até o seu retorno — sussurrou ele, para mim.

Que cretino!

— Claro, Sr. Simmonds!

Vá sonhando, meu chapa.

— O que está acontecendo com Hetty? — perguntei a Meredia e a Megan assim que Ivor deu as costas, foi para a sua sala e fechou a porta, na certa para enfiar a cabeça embaixo da mesa e soluçar como uma criança. — Alguma de vocês teve notícias dela?

— Sim, sim, eu tive — disse Meredia, doida por uma oportunidade para se reaproximar de mim. — Liguei para ela ontem...

— Nossa, parece até um *abutre*! — exclamei.

— Olhe aqui, vai querer saber ou não? — perguntou ela, com cara azeda.

Eu queria saber.

— ... E ela não me pareceu nem um pouco feliz.

— Nem um pouco feliz — repetiu Meredia, de forma pesada e sombria, *eletrizada* com o drama de tudo aquilo.

O telefone tocou, interrompendo-a. Ela atendeu, ouviu com impaciência durante alguns instantes e então falou, bem alto:

— Sim, compreendo o seu problema, mas infelizmente estamos com o sistema fora do ar, e não posso conferir os dados de sua conta. Deixe-me anotar o seu telefone para ligar de volta mais tarde. Hum-hum... — Balançou a cabeça, sem escrever coisa alguma no papel. — Sim, anotei tudo, direitinho, e vou lhe dar um retorno assim que puder. — E bateu com o fone no gancho. — Nossa! Malditos clientes!

— O sistema caiu? — perguntei.

— Como é que vou saber? — reagiu Meredia, parecendo surpresa. — Ainda nem liguei o computador! Mas acho que não caiu, não. Agora, onde é mesmo que eu estava? Ah, sim, Hetty...

Nós fazíamos muito esse tipo de coisa no escritório. Às vezes dizíamos que o sistema havia caído, às vezes atendíamos o telefone e dizíamos que éramos da turma de limpeza, às vezes fingíamos que a ligação estava muito ruim e não dava para ouvir o cliente, às vezes desligávamos no meio de uma frase para fingir que a ligação tinha caído, às vezes fingíamos que não sabíamos falar inglês muito bem ("Eoo não saber falar zua lígua"). Alguns clientes ficavam muito aborrecidos com isto e exigiam que chamássemos a nossa supervisora. Quando isso acontecia, deixávamos o cliente pendurado no telefone por alguns minutos e voltávamos novamente para atendê-lo, cheias de vaselina e com a voz agradável, garantindo ao cliente furioso que a funcionária que procedera assim de forma tão ofensiva já estava limpando a mesa, pois acabara de ser despedida.

Meredia me contou com detalhes o quanto Hetty estava se sentindo infeliz, e como andava magra e abatida.

— Mas ela sempre pareceu magra e abatida — protestei.

— Não — argumentou ela, aborrecida. — Dá para notar que ela está sofrendo muito, percebe-se que está envolvida em um tipo muito traumático de... um tipo muito traumático de... hã, trauma.

— Não sei por que ela está se sentindo tão infeliz — comentou Megan. — Está com dois homens, em vez de um só, os dois dispostos a agarrá-la. Duas cabeças... e não só cabeças... são melhores do que uma, isso é o que sempre digo.

— Ai, meu Deus, francamente! — reagiu Meredia, quase cuspindo de nojo. — É a sua cara reduzir tudo a... a instintos animais *inferiores*.

— Você deve saber bem dessas coisas, Gretel — disse Megan, de modo vago, com um sorrisinho secreto brincando em seus lábios cheios e sedutores.

E murmurou mais alguma coisa antes de sair da sala. Acho que foi a expressão "a três".

— Meu nome é Meredia! — rugiu ela, assim que Megan saiu.

— Sua vaca idiota — resmungou. — E agora, onde é que eu estava mesmo? Ah, sim.

Limpou a garganta.

— Ela está dividida entre os dois amantes. — Meredia assumiu um tom apaixonado. — De um lado, está Dick, o confiável e seguro Dick, pai dos filhos dela. Do outro, Roger, excitante, imprevisível e passional...

E assim foi ela, sempre em frente, até que, finalmente, chegou a hora do almoço. Período durante o qual, é claro, parávamos de trabalhar e saíamos do escritório para circular pelas lojas do centro durante uma hora.

O fato de que eu, na verdade, ainda não havia sequer começado a trabalhar não tinha importância alguma.

Saí para comprar um cartão e um presente de aniversário para Daniel, o que era sempre difícil de fazer.

Eu nunca sabia o que comprar para ele.

O que a gente compra para um homem que já tem tudo?, eu me perguntei. Poderia dar um livro para ele, pensei por um momento, só que ele já tem um.

Preciso me lembrar de contar essa piadinha para o Daniel, ele vai gostar.

Eu acabava sempre comprando para ele alguma coisa horrível e pouco criativa, como meias, gravatas ou lenços.

E o que tornava as coisas ainda piores é que ele sempre me dava algo lindo ou especial, que demonstrava consideração. No meu último aniversário ele me dera um vale para o dia inteiro no Sanctuary, o melhor centro de estética da cidade, o que representou momentos de felicidade absoluta. Um dia sem culpas, que gastei todinho deitada junto de uma piscina, sendo massageada e paparicada.

De qualquer modo, comprei-lhe uma gravata. Eu não dava gravatas para o Daniel há uns dois anos, de forma que achei que podia escapar com aquilo.

Mas comprei também um lindo cartão, muito legal, engraçado e carinhoso, e assinei "Com amor, Lucy", esperando que Karen não o visse e começasse a me acusar de estar querendo roubar o seu namorado.

O papel de presente custou quase tanto quanto a gravata. Devia ser feito com fibras de ouro.

Fiz o embrulho da gravata quando cheguei de volta no escritório, mas ia ter de ir à agência dos Correios para enviar o pacote. Eu *poderia* ter enviado através do serviço postal da própria empresa, mas queria que o presente de Daniel chegasse em suas mãos ainda neste século, e os dois rapazes vindos da era de Neanderthal que trabalhavam no setor postal não iam me garantir isso. Não que eles não fossem pessoas legais. Eles eram muito legais até. Os votos de parabéns que me enviaram pelo casamento falso foram sinceros e entusiasmados. De algum modo, porém, eles não me pareciam muito brilhantes, não. Prestativos, esforçados, mas não muito capazes talvez fosse a melhor forma de descrevê-los.

Finalmente, o relógio marcou cinco horas e eu, com a velocidade de uma bala ao sair do cilindro de uma arma, fui para casa

CAPÍTULO 31

Eu adorava as noites de segunda-feira. Ainda estava no estágio da vida em que achava que os dias de semana serviam para nos recuperar do sábado e do domingo. Não conseguia entender o resto do mundo, que parecia ter a impressão de que era o contrário.

Segunda à noite era, normalmente, a única noite da semana em que Karen, Charlotte e eu estávamos todas em casa, arrasadas pelos excessos do fim de semana.

Na terça à noite, Charlotte tinha as aulas de dança flamenca (ou dança de flamingo, como ela achava que era o nome certo. Ninguém tinha coragem de corrigi-la).

Duas de nós estavam sempre desaparecidas nas noites de quarta. E, frequentemente, nas de quinta, todas nós saíamos, numa espécie de aquecimento para a convivência social intensa que sempre acompanhava os fins de semana, quando as três estavam na rua, o tempo todo (se a minha depressão permitisse, é claro).

Segunda, depois do trabalho, era o dia em que nós íamos ao supermercado e comprávamos maçãs, uvas e iogurte desnatado, sempre em quantidade suficiente para uma semana. Era a noite em que preparávamos legumes no vapor, dizíamos que era preciso abolir as pizzas e que jamais voltaríamos a beber, pelo menos até o sábado seguinte.

(Na terça, já estávamos de volta aos miojos com vinho; na quarta, era sorvete com biscoitos de chocolate; na quinta, um pequeno drinque rápido depois do trabalho e comida chinesa para viagem; e, entre sexta e domingo, não havia restrições de nenhum tipo. Até que a segunda voltava, e comprávamos maçãs, uvas e iogurte desnatado para começar tudo novamente.)

Charlotte já estava em casa quando cheguei, tirando compras de uma sacola do supermercado e jogando fora grandes quantidades, bandejas e mais bandejas de iogurtes desnatados ainda não comidos e já vencidos, muito, mas muito mesmo, além da data de validade. Potinhos que já estavam há muitos meses gingando e rebolando animadamente, dançando uns com os outros dentro da geladeira.

Coloquei a minha sacola bem junto da dela, para que as duas pudessem bater papo uma com a outra.

— Mostre, mostre, o que foi que você trouxe? Alguma coisa interessante? — perguntou Charlotte.

— Maçãs...

— Ah. Eu também.

— ... e uvas...

— Eu também.

— ... e iogurtes desnatados.

— Eu também.

— Então, não, desculpe, não trouxe nada interessante.

— Bem, é melhor assim, porque resolvi me alimentar de forma sensata de agora em diante.

— Eu também.

— Quanto menos tentações, melhor.

— Exato!

— Karen foi dar um pulinho até a loja da esquina. Tomara que ela não traga nenhuma comida interessante de lá.

— Ela foi à loja do Sr. Papadopoulos?

— É.

— Então não há perigo.

— Por quê?

— Porque não há nenhuma comida interessante para se comprar lá.

— Acho que você tem razão — concordou Charlotte. — Tudo na loja dele parece meio... sei lá, sujo e velho, não é? Mesmo as coisas boas, como os chocolates, parecem meio caídas, como se já estivessem na prateleira desde antes da guerra.

— É mesmo — concordei. — Nós temos muita, muita sorte, sabia? Pode imaginar como é que estaríamos se morássemos perto de uma loja legal, que vendesse coisas apetitosas?

— Imensas — completou Charlotte. — Ficaríamos enormes.

— Para ser franca, se analisarmos por esse lado — comentei —, esta é uma das coisas boas deste apartamento. Devia até estar no anúncio: "Apartamento de três quartos para alugar, totalmente mobiliado, região dois, junto de pontos de ônibus e estações do metrô, e a quilômetros de lojas que vendem chocolates com boa aparência".

— Isso mesmo — disse Charlotte.

— Olhe, Karen chegou.

Karen entrou com a cara atravessada e jogou as sacolas de compras em cima da mesa. Estava claramente aborrecida.

— O que houve, Karen? — perguntei.

— Escutem aqui, quem é que foi o palhaço que colocou aquelas pesetas na caixinha do dinheiro? Estou tão envergonhada! O Sr. Papadopoulos está achando que tentei passá-lo para trás, e vocês sabem muito bem o que as pessoas geralmente pensam dos escoceses quando se trata de dinheiro!

— O que elas pensam? — perguntou Charlotte. — Ah, já sei. Que vocês são muito pães-duros. Bem, por um lado, as pessoas têm ra...

Parou de falar na mesma hora, quando viu a cara de ódio que Karen fez.

— *Quem* colocou essas pesetas velhas lá? — quis saber. Ela sabia ser bem assustadora quando queria.

Pensei em negar e jogar a culpa, digamos, no rapaz com as costas cheias de pintas, o pobre e descartado Costas Pintadas, que telefonara no domingo à noite para falar com Charlotte e acabara ouvindo que ali não morava ninguém com esse nome.

Pensei em negar qualquer coisa a respeito daquilo.

— Hã...

Então pensei melhor a respeito.

Karen ia acabar descobrindo uma hora qualquer. E viria com tudo para cima de mim. Minha consciência culpada também ia me corroer por dentro, até eu confessar.

— Desculpe-me, Karen, acho que a culpa é minha... embora não tenha sido eu que coloquei as pesetas na caixinha, é minha culpa que elas tenham aparecido aqui em casa.

— Mas você nunca foi à Espanha.

— Eu sei, mas foi o Gus que me deu aquelas pesetas. Eu não queria recebê-las, e devo tê-las deixado em cima da mesa ou em algum outro lugar. Alguém deve ter encontrado as moedinhas espalhadas, pensou que era dinheiro de verdade e...

— Ah, se foi o Gus, então está tudo bem.

— Sério? — reagimos Charlotte e eu, em coro e surpresas. Karen raramente era tão compreensiva e compassiva.

— Sim, ele é um doce. Uma gracinha. Completamente pirado, é claro, mas de um jeito muito bonitinho.

— ... Elizabeth Ardente... — Riu ela baixinho, para si mesma. — Ele me faz rir.

Charlotte e eu trocamos olhares alarmados.

— Mas você não está com vontade de dar um soco nele? — perguntei, preocupada. — Não quer que ele vá até a loja do Sr. Papadopoulos para explicar que você não é uma escocesa unha de fome e...

— Não, não, não — disse ela, abanando a mão para rejeitar a ideia.

Eu estava comovida pela mudança que ocorrera em Karen. Ela parecia muito menos agressiva e muito mais *simpática*.

— Não — continuou ela. — Você é que tem que ir, Lucy. Pode ir até lá. Vá pedir desculpas ao Sr. Papadopoulos!

— Hã...

— Mas também não precisa ir agora, correndo. Espere até acabarmos de jantar, mas não se esqueça de que ele fecha às oito.

Fiquei olhando para ela, sem saber se estava falando sério ou não. Eu precisava ter certeza, porque não queria me dar a todo aquele trabalho de ficar nervosa só para descobrir, depois, que não precisava.

— Você está brincando, não está, Karen? — perguntei, esperançosa.

Houve um pequeno intervalo, ligeiramente tenso, e então ela disse:

— Certo, estou só brincando. É melhor eu tratar de ser legal com você, já que você é amiga de Daniel e tudo o mais.

E me lançou um sorriso charmoso, de desarmar, daqueles do tipo “eu sou descarada, mas é impossível não gostar de mim”. Sorri de volta, de leve.

Eu era a favor de falar tudo às claras. Bem, na verdade, isso é uma mentira, acho que isso de falar às claras é uma das coisas mais supervalorizadas que existem. Só que Karen se comportava como se a franqueza fosse uma grande virtude, a melhor coisa que ela poderia fazer por alguém. Eu, no fundo, achava que há certas coisas que não têm necessidade de serem ditas, *nem devem* ser ditas. Achava também que às vezes as pessoas usam o velho "estou apenas sendo franco" como oportunidade para falar mal dos outros. Essas pessoas abriam as comportas da maldade, eram extremamente cruéis, arrasavam totalmente com a vida de alguém e depois absolviam a si próprias dizendo, com um ar inocente e comovido: "Estou apenas sendo franco."

Mas eu também não tinha o direito de reclamar dessas pessoas. Karen podia adorar um confronto, mas eu morria de medo disso, chegava a ser uma fobia.

— Queria apenas, Lucy, que você ficasse lembrando a Daniel que sou uma pessoa fabulosa — disse ela —, e comente também que há milhões de homens apaixonados por mim.

— Hã... certo — concordei.

— Vou cozinhar um pouco de brócolis no vapor — anunciou Charlotte, trazendo a conversa de volta aos assuntos domésticos. — Alguém vai querer?

— Bem, vou cozinhar umas cenouras no vapor também — disse eu. — Vocês querem um pouco?

Resolvemos pegar a nossa ração de vegetais cozidos no vapor e dividir igualmente pelas três.

— Ah, Lucy — comentou Karen, com ar casual. Casual demais. Eu me preparei. — Daniel ligou.

— Ah, hã... que bom... ligou?

Será que aquela reação era pouco interessada o bastante para ela?

— Ligou para *mim* — disse, triunfante. — Ligou só para falar comigo.

— Ótimo.

— Não ligou para você. Ligou *para* mim.

— Ótimo, Karen. — Ri. — Então parece que vocês dois estão acertando os ponteiros, hein?

— Pelo jeito, parece que sim — disse ela, toda orgulhosa.

— Que bom para vocês.

— Pode crer.

Comemos nossos vegetais no vapor, assistimos às novelas e depois a um documentário assustador sobre parto natural, que nos fez remexer o tempo todo no sofá. Mulheres com rostos contorcidos, todas cobertas de suor, respirando de forma ofegante e dando gemidos de dor.

As mulheres eram eu, Charlotte e Karen.

— Nossa — disse Charlotte, olhando apavorada para a tela, o rosto rígido devido ao choque. — Jamais vou ter um bebê.

— Nem eu — concordei com energia, subitamente consciente das vantagens de *não ter* um namorado.

— Mas podemos tomar uma anestesia peridural — disse Karen. — Com isso, não vamos sentir nada.

— Só que nem sempre funciona — lembrei a ela.

— É mesmo? Como é que você sabe? — quis saber ela.

— Ela tem razão — disse Charlotte. — Minha cunhada disse que não adiantou nada. Passou pela maior *agonia*, e dava para ouvir os gritos dela a três quarteirões.

Uma boa história, muito bem contada, mas eu não estava muito certa se devia acreditar naquilo, porque Charlotte era de Yorkshire, onde as pessoas adoravam histórias de dores insuportáveis.

Karen também não pareceu muito convencida pelo sanguinolento relato de Charlotte. A simples força de vontade de Karen já ia garantir que a anestesia peridural dela funcionasse, a injeção não era besta de não funcionar.

— E a anestesia com gás de bombinha, com a máscara? — perguntei. — Aquilo não ajuda a diminuir a dor?

— Anestesia de bombinha, com máscara — caçoou Charlotte. — Máscara com gás! Isso é tão bom quanto engessar um braço amputado.

— Oh, puxa — disse, baixinho. — Puxa vida. Vamos assistir a outro canal?

Mais ou menos às nove e meia, o período pelo qual conseguimos enganar os estômagos com os vegetais no vapor acabou, e uma fome brava surgiu.

Quem ia capitular primeiro?

A tensão foi aumentando e aumentando, até que finalmente Charlotte perguntou, casualmente:

— Alguém está a fim de dar uma voltinha na rua?

Karen e eu soltamos disfarçados suspiros de gratidão.

— Que tipo de voltinha? — perguntei, com cuidado.

Eu não estava insinuando nada que envolvesse comida, mas Charlotte não me deixou desapontada.

— Uma voltinha até a lanchonete — disse ela, meio sem graça.

— Charlotte! — falamos em coro, Karen e eu, parecendo ofendidas. — Que vergonha! E as nossas boas intenções?

— Mas eu estou com fome — argumentou ela, com a voz fininha.

— Pois coma uma cenoura — disse Karen.

— Para comer uma cenoura prefiro não comer nada e ficar com fome — admitiu Charlotte.

Eu entendia bem como ela se sentia. Eu também preferia mastigar um pedaço de mobília a comer uma cenoura.

— Bem — suspirei, com ar solidário. — Já que você está assim, morrendo de fome, vou até lá com você. — Adorei a oportunidade. Estava louca por um saco de batatas fritas.

— Olhem... — suspirou Karen, como se aquilo fosse realmente um sacrifício extremo. — Só para vocês se sentirem melhor, já que vão mesmo lá, tragam um saco de batatas fritas para mim também.

— Se é só para me fazer sentir menos culpada, você não devia fazer isso — disse Charlotte, com suavidade. — Só porque eu não tenho força de vontade, isso não significa que você tenha que abrir mão da sua dieta.

— Não é incômodo algum — protestou Karen.

— Não, estou sendo sincera — insistiu Charlotte. — Realmente não há necessidade de você comer algo que não queira. Eu consigo aguentar sozinha o sentimento de culpa.

— Cale a boca e me traga as batatas! — berrou Karen.

— Saco grande ou pequeno?

— Grande! Com molho curry e umas linguicinhas!

CAPÍTULO 32

Gus ia me levar para sair na terça-feira, depois do trabalho. Ele dissera isso no domingo à noite.

Mas Gus estava muito animado no domingo à noite, especialmente por causa do elevado teor alcoólico do seu sangue. A caminhada de dez minutos da pizzaria até o meu apartamento levou mais de meia hora, porque ele estava todo agitado, brincalhão, e eu estava começando a ficar preocupada com a possibilidade de ele fazer a maior confusão com o que combinamos para terça à noite.

Tinha medo de que ele fosse ao endereço errado, chegasse na hora errada ou até mesmo aparecesse no dia errado.

Tentar conferir os detalhes com Gus se transformou em um pesadelo confuso.

Porque, quando ele me deixou na porta de casa, educadamente apertou a minha mão e disse:

— Lucy, vejo você amanhã.

— Não, Gus — corrigi, com gentileza. — Você não vai me ver amanhã. Amanhã é segunda. Nós vamos nos ver na terça.

— Não, Lucy — ele me corrigiu de volta. — É que quando eu chegar em casa agora à noite vou fazer alguns preparativos, hã... farmacêuticos, e quando acordar já vai ser terça-feira. Então, para todos os efeitos e finalidades, Lucy Sullivan, nós vamos nos ver amanhã. Pelo menos vai ser *o meu* amanhã.

— Ah, entendo — disse, meio em dúvida. — E onde é que vamos nos encontrar?

— Eu pego você no trabalho, Lucy. Vou resgatá-la das minas profundas do setor de administração, e do escuro poço do controle de crédito.

— Ótimo.

— Só para eu lembrar — disse ele, levantando meus braços e puxando-me na direção dele —, é rua Cavendish Crescent, número 54, e você sai às cinco e meia, não é?

E lançou-me um sorriso doce, ligeiramente desfocado.

— Não, Gus, não é na rua Cavendish Crescent, é na praça Newcastle, e o número é 6 — disse a ele.

Na verdade, eu já havia recitado o endereço várias vezes, e até mesmo o escrevera para ele em um pedaço de papel, mas aquele fora um longo dia, e ele tinha bebido muito e em grande quantidade.

— Ah, é mesmo? — perguntou Gus. — Por que será que achei que era Cavendish Crescent? Quem é que trabalha neste endereço, você sabe me dizer?

— Não faço ideia, Gus — respondi, cortando o papo. Eu não ia começar a me perder em conjecturas sobre o que funcionava na rua Cavendish Crescent, número 54, se é que tal lugar existia mesmo. Estava muito ocupada naquele instante, tentando manter a conversa sob controle e me assegurando de que Gus sabia onde, quando e como me encontrar.

— Onde está o pedacinho de papel que eu lhe dei, com o endereço? — perguntei, sentindo que estava parecendo uma mãe chata, ou uma professora, mas, se tinha de ser daquele jeito, então que fosse.

— Não sei — disse ele, soltando meus braços e apalpando os bolsos e a jaqueta. — Ah, não, Lucy, acho que perdi.

Escrevi novamente para ele.

— Tente lembrar — sorri, de nervoso, entregando-lhe o novo pedaço de papel. — O endereço é praça Newcastle, número 6, às cinco horas.

— *Cinco* horas? Pensei que você havia dito cinco e meia.

— Não, Gus, cinco horas.

— Desculpe, Lucy, mas eu nunca me lembro de nada. É capaz até de eu esquecer o meu próprio nome... Para falar a verdade, isso rola mesmo, de vez em quando. Já aconteceram muitas conversas em que eu tive que dizer para a outra pessoa "desculpe, mas como é mesmo o meu nome?". Minha cabeça até parece uma daquelas... você sabe, uma daquelas coisas redondas, cheia de furos?...

— Peneira! — A ansiedade me fez falar muito alto.

— Puxa, Lucy, também não precisava ficar chateada. — E riu, de leve. — Foi só uma brincadeirinha.

— Tá bem.

— Acho que guardei o endereço na cabeça, finalmente — garantiu ele, lançando-me um sorriso lento que fez o meu estômago dar uma cambalhota. — É às cinco horas, na rua Newcastle Crescent, número 56...

— ... Não, Gus...

— Não, não, não, desculpe. Praça Cavendish...

Aquilo não era culpa dele, pensei, tentando me acalmar. De certo modo, aquilo era uma gracinha. Qualquer pessoa ia ficar confusa e misturar as coisas se tivesse bebido tanto quanto Gus.

— Não, não, não. Não fique aborrecida comigo não, Lucy. É praça Newcastle, número 56, às cinco horas.

— Seis.

A confusão surgiu em seu rosto perturbado.

— Mas você acabou de dizer cinco horas! — reclamou. — Mas tudo bem, Lucy, é privilégio de toda mulher ficar mudando de ideia, então mude, se quiser.

— Não, Gus, eu não mudei de ideia! Eu quis dizer que é às cinco horas, no número 6.

— Tá, agora acho que entendi. — E sorriu. — Cinco horas no número 6. Cinco horas no número 6. Cinco horas no número 6.

— Nos encontramos lá então, Gus.

— Não é às seis horas no número 5? — perguntou ele.

— Não! — disse eu, já alarmada. — Ah, já sei, você está só brincando...

Ele levantou a mão, dando um aceno de despedida, e disse, repetindo como um papagaio:

— Cinco horas no número 6, cinco horas no número 6, desculpe, Lucy, mas não posso parar de falar para me despedir, porque senão esqueço... cinco horas no número 6, cinco horas no número 6, mas a gente se vê lá... cinco horas...

E lá se foi ele pela rua, repetindo sem parar:

— No número 6, cinco horas no número 6.

Fiquei no portão, olhando para a rua escura, na direção dele. Estava desapontada por ele não ter tentado me beijar. Deixa pra lá, disse a mim mesma. Era muito mais importante que ele se lembrasse do lugar onde ia me encontrar na terça-feira. Contanto que ele conseguisse chegar ao prédio correto, no dia certo e na hora combinada, haveria muito tempo para beijos.

— ... Cinco horas no número 6, cinco horas no número 6... — Ouvi flutuar de volta para mim pelo ar frio da noite, enquanto Gus continuava marchando no compasso do seu mantra.

Tremi, em parte devido ao frio e em parte de alegria, e entrei.

Assim, a ansiedade que eu sentia na terça de manhã era metade medo de que ele não aparecesse e metade expectativa agradável.

Estava certa de que ele gostara de mim, e que não ia me dar o bolo de propósito, mas não estava nem um pouco convencida de que ele não ia acabar esquecendo por completo o combinado, por ter saído tão bêbado no domingo.

Apesar disso, coloquei uma calcinha muito legal, porque era sempre melhor estar preparada. Vesti uma roupinha verde que parecia um paletó apertado na cintura, mas que, na verdade, era um vestido muito curto e provocante, e depois enfiei as botas. Fui me admirar no espelho. Nada mau, pensei. Parecia bem infantil.

Então, um tremor de pânico me percorreu a espinha. E se ele acabasse não aparecendo? Ai, meu Deus, eu devia ter perguntado o telefone dele, pensei, angustiada. Devia ter pedido o número, mas fiquei com medo de parecer muito interessada.

E eu sabia que todo mundo no trabalho ia desconfiar de que eu tinha um encontro à noite ao me ver usando uma roupa que mostrava a minha bunda sempre que eu levantava os braços. Eles eram assim no escritório. Se penteássemos o cabelo, já começaria um boato de que estaríamos a fim de alguém. Não dava nem para aparar a franja sem que todo mundo chegasse à conclusão de que estaríamos de namorado novo.

Havia trezentos funcionários espalhados por cinco andares, e todos eles viviam interessados nos assuntos dos colegas. Só por isso já dava para perceber o quanto eles estavam interessados no próprio serviço.

Era como trabalhar em um aquário. Nada acontecia sem provocar algum comentário. Até mesmo especulações a respeito do recheio que alguém colocava no sanduíche podiam tomar a maior parte da tarde ("Ela não costuma comer sanduíche de salada de ovo, sempre pede presunto. E já comeu salada de ovo duas vezes, só nesta semana. Acho que está grávida").

Caroline, a recepcionista, era a fonte da maior parte das fofocas. Sacava tudo, seu olho não deixava passar *nada,* e se não havia nada para reparar, ela inventava. Estava sempre interrompendo a passagem das pessoas para dizer coisas como "olha, sabe a Jackie, do setor de contabilidade? Ela está meio abatida hoje. Devem ser problemas sentimentais, não é?". E antes que Jackie percebesse, o prédio já estava todo agitado, comentando que ela estava se divorciando. E tudo só porque ela se levantara atrasada de manhã e não tivera tempo de passar um pouco de base antes de ir para o trabalho.

Por tudo isso, eu nem queria pensar no mico federal que seria passar o dia todo fazendo minhas tarefas seminua para, no fim, nenhum homem aparecer para me encontrar na saída.

Eu podia ter levado a roupa de sair para o escritório em uma sacola, e trocar de roupa no fim do expediente, mas isso provavelmente teria causado um escândalo ainda maior ("Você viu só a Lucy Sullivan? Chegou com uma sacola cheia de roupas, para passar a noite fora. E numa terça, imagina! Ela está planejando uma farra, com certeza!").

Do jeito que foi, já houve bastante tumulto no escritório quando desabotoei o meu casacão marrom medonho e revelei meu vestidinho curto em toda a sua glória.

— Nooossa! — declarou Megan. — Você está toda ventilada hoje!

— Quem é ele? — quis saber Meredia.

— Hã... — Fiquei toda vermelha. Tentei fingir que não sabia do que elas estavam falando, mas não adiantou nada. Eu não sabia mentir.

— É que eu... hã... conheci um cara no fim de semana.

Meredia e Megan trocaram olhares triunfantes. Olhares convencidos, do tipo "viu?... eu sabia que isso ia acontecer".

— Bem, já deu para perceber que você conheceu alguém — disse Meredia, com ar de escárnio. — Vai se encontrar com ele hoje à noite?

— Vou. — Bem, eu pelo menos *esperava* que sim.

— Conte-nos como ele é.

Hesitei por um momento. Eu ainda devia estar chateada com elas duas, mas a vontade de falar a respeito de Gus era grande demais.

— Certo, eu conto. — Sorri, cedendo. Puxei uma cadeira para junto da mesa de Megan, instalando-me para um longo papo, e comecei a descrever o currículo de Gus. — Bem, o nome dele é Gus, ele tem vinte e quatro anos...

Megan e Meredia ouviram tudo, com toda a atenção, exclamaram "oohs" e "aahs", mostrando que estavam gostando da história e se remexeram todas de alegria quando ouviram as coisas legais que Gus me dissera.

— ... E ele falou que queria lhe dar um daqueles aspiradores de pó portáteis para limpar o sofá? — perguntou Meredia, impressionada.

— Falou. Não é uma gracinha?

— Nossa — murmurou Megan, olhando para o alto. — Deixem isso pra lá. Que tipo de aparato ele tem? Curto e grosso? Fino e comprido? Ou o meu favorito, comprido e grosso?

— Hã... bem... era legal — disse eu, de forma vaga.

Antes de me ver forçada a admitir que ainda não o tinha visto, Ivor Veneno entrou marchando na sala e pegou nós três naquela rodinha sem fazer nada. Esbravejou um pouco e voltamos de fininho para as nossas mesas, envergonhadas.

— Senhorita Sullivan! — latiu ele. — Parece-me que a senhorita se esqueceu de vestir a parte de baixo de sua roupa esta manhã.

O coração despedaçado estava fazendo com que ele ficasse ainda mais feio e desagradável. Não que ele não parecesse feio e desagradável antes de Hetty fugir com o cunhado.

— Isso é um vestido — disse eu, toda corajosa. A felicidade induzida por Gus estava me tornando mais valente.

— Não estou acostumado a esse tipo de vestido! — gritou ele. — Nem é o tipo de roupa que eu quero aqui no escritório. Tenha a bondade de colocar uma roupa decente amanhã! — E entrou de volta na sala dele, batendo a porta com força.

— Babaca — resmunguei.

CAPÍTULO 33

Mais ou menos às vinte para as cinco, saí do escritório para ir até o banheiro feminino, a fim de aplicar maquiagem, torcendo para que o relógio chegasse logo às cinco horas, horário estimado para a chegada de Gus.

Estava quase passando mal de tanta ansiedade. Assim que acabara de contar tudo a Meredia e a Megan a respeito de Gus, me arrependi de ter aberto a boca. Estava tão chateada por ter dado com a língua nos dentes... Se ao menos tivesse mantido a minha boca imensa fechada, mas não conseguira me controlar.

Estava louca para me exibir e falar dele, mas, agora, como é que eu podia saber se não tinha estragado a história toda? Ao falar de Gus, eu tinha lançado uma tentação para o destino, e agora era capaz de ele não chegar.

Nunca mais vou vê-lo, pensei.

Mas vou me maquiar, só por segurança.

A caminho do banheiro, vi dois dos guardas da recepção do lado de fora do balcão atracados com alguém. Bêbados e mendigos estavam sempre tentando entrar no prédio para escapar do frio, e os guardas tinham a desagradável tarefa de ejetá-los. O mais triste de tudo é que eu às vezes ficava com *inveja* dos mendigos. Se eu pudesse escolher entre ficar sentada na minha sala e ficar sentada em cima de um papelão na porta de um prédio, morrendo de frio, acho que escolheria a segunda opção.

O trabalho dos guardas era policiar o prédio, deixando entrar apenas as pessoas que eram aguardadas, assinavam a lista de visitantes e prendiam um crachá. Só que os guardas não eram exatamente policiais, e não sabiam muito bem como se defender. Ocasionalmente, quando tentavam colocar alguém para fora, a coisa ficava feia, especialmente quando o transgressor estava bêbado.

Aquilo era sempre muito divertido, e quando Caroline estava de bom humor conosco, chegava a ligar para a nossa sala, avisando do tititi, para descermos correndo e assistir de camarote.

Estiquei o pescoço para dar uma boa olhada. Um estranho estava sendo levantado por trás, por baixo dos braços, e sendo empurrado para fora, mas resistia de forma valente, brigando com vontade, e cheguei a sorrir ao ver que ele dera um chute em Harry. Eu sempre simpatizava com os pobres coitados.

Virei-me para seguir em frente, achando que havia alguma coisa vagamente familiar no estranho que estava sendo ejetado, e então, de repente, ouvi alguém chamar pelo meu nome:

— Lá está ela, Lucy Sullivan! Lucy! Lucy! Lucy!

— Lucy! Lucy! — continuava a chamar a voz, de forma frenética. — Diga a eles que você me conhece!

Lentamente, tornei a me virar, com uma sensação horrível de tragédia iminente.

Era o Gus. A pessoa que esperneava, se debatia e chutava o ar nos braços de Winston e Harry era o Gus.

Ele girou o corpo para trás e arregalou os olhos para mim, suplicando:

— Lucy! Salve-me!

Harry e Winston, prontos para arremessar Gus na calçada, pararam de balançar o seu corpo no ar.

— Você conhece este homem? — perguntou Winston, sem querer acreditar.

— Sim, conheço — respondi, com toda a calma. — Talvez vocês possam me informar o que está acontecendo aqui.

Eu tentava falar com firmeza e serenidade na voz, tentando não demonstrar que estava *morrendo* de vergonha, e a tática pareceu funcionar.

— Nós o encontramos no quarto andar. Ele não estava com crachá e...

No quarto andar!, pensei, chocada.

— Eu estava procurando por você, Lucy! — declarou Gus, exaltado. — Tinha todo o direito de ir até lá.

— Não, não tinha não, gracinha — contrariou Harry, com ar ameaçador. Dava para notar que ele estava doido para arrastar o

Gus pela orelha, e tratá-lo como se fosse o filhinho de um limpador de chaminés de um romance de Dickens. — Ele estava bem no quarto andar, imagine! Parecia até que era o dono do lugar, sentado na cadeira do Sr. Balfour. Trabalho aqui há trinta e oito anos, desde que era rapazinho, e é a primeira vez que vejo...

O quarto andar era onde as altas esferas gerenciais da empresa tinham suas salas, e o local era tratado com tanta reverência que até parecia o Paraíso. O quarto andar era a versão do Salão Oval, no prédio da Wholesale Metais e Plásticos.

Eu mesma jamais havia estado no quarto andar, porque era insignificante demais dentro da empresa, mas Meredia já havia sido rebocada até lá uma vez, por um delito qualquer e, pelo que contou na volta, o andar parecia o País das Maravilhas, cheio de carpetes maravilhosos e macios, secretárias lindas, paredes revestidas de mogno, obras de arte, poltronas confortáveis em couro, globos terrestres que se abriam e exibiam garrafas de bebidas finas e um monte de gordos carecas que tomavam remédio contra úlcera.

Embora estivesse horrorizada, eu tinha de admirar a coragem de Gus, mas Harry e Winston pareciam muito abalados pelo seu comportamento irreverente e profano.

Resolvi que era melhor tomar conta da situação.

— Obrigada, rapazes — disse para os dois guardas, tentando amenizar o incidente. — Está tudo bem agora. Deixem que eu tomo conta disso.

— Mas ele continua sem crachá — disse Harry, com teimosia. — Você conhece as regras, meu amor. Sem crachá, não pode entrar.

Harry era um sujeito legal, mas gostava das coisas todas certinhas.

— Tudo bem — suspirei. — Gus, será que você se importa de ficar me esperando aqui na entrada? Eu saio daqui a pouquinho, às cinco horas, e me encontro com você.

— Onde?

— Bem ali — disse eu, entre dentes e empurrando-o na direção de uma fileira de cadeiras que ficava no saguão.

— E eu vou ficar em segurança ali, Lucy? — perguntou ele, ansioso. — Eles não vão chegar e me expulsar de novo, vão?

— Não, fique ali sentado, Gus.

Fui para o banheiro, soltando fumaça de raiva. Estava furiosa. Furiosa com Gus, por ter me transformado em espetáculo no trabalho, e ainda mais furiosa por ele ter feito isso antes de eu me maquiar.

— Merda — xinguei baixinho, quase chorando de tanta raiva. Chutei a lata de lixo, com o rosto ainda sem maquiagem, mas muito vermelho. — Merda, merda, merda!

Fiquei com vontade de me matar.

Caroline presenciara tudo, de forma que o prédio inteiro ia ficar sabendo em cinco minutos. Há poucos dias eu fizera papel de palhaça no trabalho, e acho que não estava preparada para passar de novo por aquilo. O pior de tudo é que Gus me vira sem maquiagem.

Eu sabia que Gus era meio excêntrico, e isso até me agradava, mas não estava nem um pouco satisfeita com a cena que acabara de presenciar. Minha confiança em Gus estava abalada, e eu me sentia péssima. Será que eu estava errada a respeito dele? Será que aquele relacionamento ia ser outro desastre na minha vida? Será que Gus ia me trazer mais problemas do que alegrias? Será que não era melhor eu cair fora?

Mas eu não queria me sentir desse modo com Gus.

Por favor, Deus, não me deixe ficar desiludida com ele. Eu não vou aguentar. Gostei tanto dele, e estava com tanta esperança em nós dois...

Uma vozinha sussurrou no meu ouvido que eu bem que podia deixá-lo sentado ali no saguão e escapar correndo pela porta dos fundos. A ideia, por um instante, me encheu de alívio, até eu descobrir que ele provavelmente ia ficar ali me esperando a noite inteira, e depois ia voltar na manhã seguinte, esperando por toda a eternidade até que eu finalmente aparecesse.

O que fazer?, perguntei a mim mesma.

Resolvi encarar o problema.

Eu ia até a entrada e seria gentil com ele, agindo como se ele não tivesse feito nada de errado.

No momento em que acabei de aplicar a quarta e última camada de maquiagem, já me acalmara bastante.

Certamente havia alguma coisa muito tranquilizadora em passar batom, base e delineador.

Problemas de início de namoro, achei que era isso que Gus e eu estávamos tendo. Nervoso da primeira noite.

Lembrei a mim mesma de sábado à noite, da alegria que sentira ao conhecê-lo. Recordei o dia adorável que fora o domingo, o quanto tínhamos em comum, como ele era tudo o que eu sempre desejara, o modo como ele me fazia rir, o jeito com que ele parecia me compreender.

Como fui capaz de pensar, por um momento sequer, em abandoná-lo?, perguntei a mim mesma.

Especialmente depois que, indo de encontro a todas as probabilidades, ele conseguira chegar na hora certa (mais ou menos), no dia certo e no lugar certo. Comecei a me sentir compreensiva, querendo perdoá-lo. Pobre Gus!, pensei. Não era culpa dele. Ele era como uma criança em sua inocência. Como é que ele poderia compreender as regras e normas da Wholesale Metais e Plásticos?

A experiência toda provavelmente fora terrível para ele. Gus devia ter levado um tremendo choque. Harry e Winston eram homens grandes, corpulentos. Gus, na certa, ficara aterrorizado.

Quando, finalmente, me encontrei com Gus, eu já estava mais calma, e uma mudança parecia ter ocorrido nele também. Gus parecia mais normal, mais sensato, mais adulto, mais controlado.

Ele se levantou ao ver que eu me aproximava.

Reparei o quanto meu vestido estava curto pelos olhares interessados que recebi dos outros funcionários que circulavam pelo corredor, se apertando e se empurrando, tentando ir embora para casa.

Os olhos de Gus se detiveram em mim por um momento, me analisando com satisfação, para em seguida assumir uma expressão de enterro, pálida, sombria e ansiosa.

— Lucy — disse ele, baixinho. — Então você voltou. Estava com medo de que você fugisse de mim pelos fundos.

— Essa ideia realmente passou pela minha cabeça — admiti.

— Não posso culpá-la — disse ele, parecendo tenso e arrasado.

Então limpou a garganta e começou a despejar um discurso de desculpas, que ele obviamente ensaiara durante o tempo em que eu estava no banheiro, passando quilos e quilos de maquiagem.

— Lucy, tudo o que posso fazer é pedir desculpas do fundo do meu coração — disse ele, falando rápido. — Não tive a intenção de fazer nada de errado, e espero que você consiga fazer com que o seu coração me perdoe e...

Continuou a falar sem parar, explicando-me que mesmo que eu o perdoasse ele não teria certeza se poderia algum dia perdoar a si mesmo etc. etc.

Fiquei esperando Gus terminar, na expectativa de ver acabar a pilha de sua torrente de desculpas. O ato de arrasar consigo mesmo foi se tornando mais e mais cruel, seu comportamento cada vez mais desprezível, sua expressão cada vez mais envergonhada e humilde demais. Subitamente, toda a história me pareceu engraçada.

Que diabo importava tudo aquilo?, perguntei a mim mesma, incapaz de impedir o sorriso que começou a se espalhar em meu rosto enquanto meditava no quanto tudo aquilo era uma *bobagem*.

— O que foi? — perguntou Gus, parando de repente a ladainha de autorrecriminação. — Do que está achando tanta graça?

— De nada! — Ri. — Estou rindo da expressão do seu rosto, como se você estivesse para ser executado, e de Harry e Winston, que agiram como se você fosse alguma espécie de criminoso perigoso...

— Bem, pois saiba que, para mim, não foi nem um pouco engraçado — disse Gus, meio ofendido. — Parecia aquela cena de *O Expresso da Meia-noite*. Achei que ia ser jogado em uma cela e temi pela minha integridade.

— Mas Harry e Winston são incapazes de machucar uma mosca que seja — garanti a Gus.

— O que Harry e Winston fazem com insetos não é da minha conta — afirmou Gus, cheio de indignação. — A vida pessoal deles não interessa a ninguém. Só sei, Lucy, é que achei que eles fossem me matar.

— Mas eles não mataram você, não é verdade? — perguntei, com jeitinho.

— Não, acho que não.

Subitamente, ele relaxou.

— Você tem razão! — E sorriu. — Puxa, achei que você nunca mais ia querer falar comigo de novo. Estou tão envergonhado...

— *Você* é que está envergonhado?... — perguntei, quase me engasgando.

Então comecei a rir, ele também riu e compreendi que o caso ia se transformar em uma daquelas histórias que contamos para os netos ("Vovô, vovô, conte novamente sobre aquele dia em que o senhor foi expulso da porta do trabalho da vovó..."). Aquilo era a história, acontecendo ao vivo.

— Espero que isso não vá lhe trazer problemas — disse Gus, preocupado. — Não há perigo de você perder o emprego?

— Não — afirmei. — Não há perigo.

— Tem certeza?

— Tenho.

— Como é que você pode ter tanta certeza?

— Porque nunca me acontece nada tão bom assim.

Nós dois começamos a rir com isso.

— Então vamos. — Ele sorriu, colocando o braço em volta da minha cintura e me guiando enquanto descíamos as escadas. — Deixe-me levá-la a um lugar bem legal para gastar um monte de dinheiro com você.

CAPÍTULO 34

Foi uma noite maravilhosa.

Primeiro, ele me levou a um pub e pediu um drinque para mim. Chegou até mesmo a pagar.

Então, depois que voltara do balcão e se sentou ao meu lado, começou a remexer na sacola que trazia e me presenteou com um pequeno buquê de flores, todas amassadas. Apesar disso, mesmo estando amassadas, pareciam ter sido compradas em uma loja, e não roubadas do jardim de alguém, e adorei esse fato.

— Obrigada, Gus — agradeci. — Elas são lindas.

Porque eram mesmo, de um modo meio desgrenhado...

— Você não devia se incomodar com isso — protestei. — Não havia necessidade.

— Claro que havia, Lucy — insistiu ele. — O que mais eu poderia fazer? Ainda mais por uma mulher linda como você?

Ele sorriu e seu rosto me pareceu tão bonito que meu coração deu uma cambalhota. Um arrepio de felicidade percorreu-me o corpo e, de repente, tudo me pareceu certo.

Estava tão *contente* de não ter dado o bolo nele, fugindo pelos fundos.

— E isso não é tudo! — continuou Gus, enfiando a mão novamente na sacola, como se fosse o Papai Noel, e tirando um pacote embrulhado em um papel cheio de figuras de bebês, fraldas e cegonhas.

— Puxa, desculpe o papel, Lucy — disse ele, olhando para o embrulho, desapontado. — Não reparei na hora que este era um papel para presente de casamento.

— Hã... bem, não se preocupe — garanti a ele, rasgando o papel ofensivo.

Era uma caixa de chocolates.

— Obrigada — agradeci, deliciada e *empolgada* por ele ter se dado a todo aquele trabalho por mim.

— E ainda tem mais — anunciou ele, recomeçando a pescaria, com o braço enfiado até o ombro dentro da sacola. De repente, aquilo me pareceu uma cena do filme *Vida de Veterinário*, na sequência da vaca.

Se for o aspirador de pó portátil vou morrer de rir, decidi, absolutamente encantada pelo carinhoso desfile de presentes que Gus trouxera, todos eles baseados na nossa conversa na pizzaria, no domingo à noite.

Ele devia gostar de mim, pensei. Devia gostar *muito* de mim para ter todo aquele trabalho. Estava flutuando de tanta felicidade.

Depois de algum tempo, ele tirou outro pacotinho, também embrulhado no mesmo papel com as cegonhas.

Era do tamanho de uma caixa de fósforos, portanto não podia ser o aspirador de pó portátil para limpar o sofá.

Que pena! Meredia ia ficar impressionada, mas tudo bem... Então o que seria, já que não podia ser o aspirador de pó?

— Não pude comprar o casaco de peles de uma vez só — disse ele, como se fosse uma espécie de explicação. — Sendo assim, vou trazê-lo para você em pequenas parcelas. Abra o presente! — E riu quando fiquei olhando para ele, parecendo confusa.

Eu o abri. Era um chaveirinho com um chumaço de pelo de animal na ponta.

Que gracinha! Gus se lembrara do casaco de peles.

— Que a *farsa* esteja com você! A farsa do casaco, quero dizer — desculpou-se ele. — Acho que é pele de armarinho.

— Talvez você esteja querendo dizer pele de arminho.

— Sim, talvez seja isso — disse ele. — Ou talvez não seja marinho, afinal. Pode ser terrestre. Mas, Lucy, não se preocupe. Sei que muita gente fica chateada com a matança de animais por causa da pele deles e tudo o mais. Já estou acostumado com a morte de bichos, porque fui criado no campo, mas sei que tem gente que não. Você pode ter certeza, porém, de que nenhum animal foi sacrificado para a confecção deste chaveiro.

— Entendo.

Isso provava que aquele pedacinho de pele não era de um arminho de verdade. Nem de um animal marinho. Nem mesmo terrestre. Mas não importava. Pelo menos eu estaria a salvo dos ativistas que defendem os animais e de seus baldes de tinta vermelha.

— Muito obrigada, Gus — disse eu, muito impressionada. — Obrigada por todas essas coisas adoráveis que você me trouxe.

— De nada, Lucy — disse ele.

Então ele me deu uma piscada de cumplicidade.

— E pode ser que você ainda vá ganhar mais alguma coisa. Não podemos esquecer que a noite é uma criança.

— Hã... é mesmo — murmurei, ficando vermelha.

Talvez aquela fosse a nossa noite, pensei, sentindo um pouco de empolgação na boca do estômago.

— Agora, me conte — e dei uma risadinha —, o que é que você estava fazendo, sentado na cadeira do Sr. Balfour?

— Estava só sentado lá, como aquele cara disse — defendeu-se ele. — Não estava profanando um lugar sagrado.

— Mas o Sr. Balfour é o nosso diretor — tentei explicar.

— E daí? — replicou Gus. — Aquela era apenas uma cadeira, e o Sr. Balfour, quem quer que ele seja, é apenas um homem. Não entendi por que tanta confusão. É muito fácil para aqueles guardas não terem que se preocupar com mais nada na vida, a não ser isso.

Gus estava absolutamente certo, pensei. Que grande atitude ele tomara!

— Mande aqueles dois caras para a Bósnia e quero ver se eles vão se preocupar com a cadeira do Sr. Balfour, quando voltarem — acrescentou ele —, e mande o Sr. Balfour com eles também, aproveitando a viagem. Agora, acabe de tomar o seu drinque, Lucy, e vou levá-la a outro lugar para alimentá-la.

— Ah, Gus, não quero que você gaste todo o seu pagamento comigo — choraminguei. — Não posso permitir isso. O sentimento de culpa ia acabar comigo.

— Lucy, fique quietinha, você vai comer o seu jantar, eu vou pagar a conta e ponto final.

— Não, Gus, não posso aceitar, não posso mesmo. Você já me trouxe todos estes presentes e me pagou um drinque, deixe-me pelo menos pagar o jantar.

— Não, Lucy, não quero nem ouvir falar disso.

— Mas eu insisto, Gus, insisto mesmo!

— Pode insistir à vontade, Lucy — disse Gus —, porque isso não vai adiantar nada.

— Chega, Gus! — afirmei. — Vou pagar o jantar e está decidido.

— Mas, Lucy...

— Não! — disse eu. — Não quero mais ouvir falar nesse assunto.

— Bem, se você tem certeza — aceitou ele, relutante.

— Sim, tenho certeza — afirmei, com segurança. — Onde gostaria de ir?

— Qualquer lugar, Lucy. Sou uma pessoa fácil de contentar. Contanto que tenha comida, vou ficar feliz de comer...

— Ótimo — disse, satisfeita, já com a cabeça girando diante de tantas possibilidades. Havia um lindo restaurante com comida típica da Malásia, pertinho do...

— ... Especialmente se for pizza, Lucy — continuou Gus. — Eu adoro pizza!

— Ah — disse eu, obrigando minha imaginação a voltar correndo do Sudeste Asiático ("Volte, volte, houve uma mudança de planos!").

— Tudo bem, Gus. Então vai ser pizza!

Foi uma daquelas noites perfeitas. Interrompíamos um ao outro, querendo falar coisas ao mesmo tempo. Tínhamos tanto a contar um ao outro a respeito de nós! Nenhum dos dois conseguia falar na velocidade necessária para acompanhar o entusiasmo mútuo e a empolgação crescente.

Para cada coisa que um dizia, o outro respondia:

— *Exato!* É *exatamente* isso que eu penso.

Ou então:

— Não acredito! Você também se sente desse jeito?

E também:

— Concordo plenamente com você. Plenamente!

Gus me falou de sua música, sobre os instrumentos que sabia tocar e o tipo de coisas sobre as quais gostava de escrever.

Tudo foi maravilhoso. Eu sabia que já conversáramos muito no sábado à noite, e depois havíamos passado todo o domingo juntos, mas aquilo era diferente. Afinal, aquele era o nosso primeiro encontro.

Ficamos no restaurante durante horas e horas, conversando muito e de mãos dadas diante de pãezinhos de alho.

Falamos sobre nossa infância, conversamos sobre como ficamos depois de adultos, e senti que, não importava o que dissesse a Gus, não importava o que contasse a respeito de mim mesma, ele me compreenderia. Como ninguém jamais compreendera no passado, nem poderia compreender.

Permiti a mim mesma sonhar acordada por alguns momentos sobre como seria estar casada com Gus. Não ia ser um casamento dos mais convencionais, mas e daí? O tempo da mulher frágil que ficava em casa e fazia as tarefas domésticas em uma cabana com rosas na entrada enquanto o marido saía e trabalhava arduamente de manhã até à noite já se acabara há muito tempo.

Gus e eu seríamos os melhores amigos um do outro. Eu ia incentivá-lo em sua carreira musical e trabalharia para sustentar a nós dois, e então, quando ele fosse rico e famoso, contaria em uma entrevista para a Oprah, ou para o programa de Richard e Judy, que ele não teria conseguido nada sem a minha ajuda, e que devia todo o seu sucesso a mim.

Nossa casa seria cheia de música e risos, grandes papos, todos morreriam de inveja de nós e comentariam o quanto o nosso casamento era maravilhoso. Mesmo que fôssemos muito ricos, continuaríamos a sentir prazer nas coisas simples da vida, continuando a ser a pessoa favorita um do outro. Montes de pessoas interessantes e talentosas apareceriam em nossa casa sem serem convidadas, e eu conseguiria preparar magníficos jantares para elas, com os restos da véspera, enquanto discutíamos os primeiros filmes de Jim Jarmusch de forma provocante e perspicaz.

Gus me apoiaria sempre, totalmente, e já não se sentiria tão... tão *carente* quando eu me casasse com ele. Eu ia me sentir completa, normal e, finalmente, encontraria o meu lugar, como todo mundo.

Gus jamais cederia à tentação das tietes glamourosas que conheceria nas turnês, porque nenhuma delas lhe daria a mesma sensação de amor completo, segurança e entrosamento que ele tinha comigo. Depois que acabamos de jantar, Gus perguntou:

— Está com pressa de voltar para casa, Lucy, ou gostaria de ir a algum outro lugar?

— Não, não estou com pressa — disse eu. E não estava mesmo. Àquela altura eu já estava *certa* de que a nossa relação ia se consumar naquela mesma noite, mais tarde, e, apesar de estar adorando, também estava petrificada de medo. Queria aquilo, mas ao mesmo tempo estava com medo.

Qualquer atraso no momento da verdade era algo que eu rejeitava, embora também desejasse.

— Certo! — disse Gus. — Então vou levá-la a outro lugar.

— Onde?

— É surpresa.

— Ótimo!

— Vamos ter que pegar um ônibus, Lucy, você se importa?

— Não, claro que não.

Pegamos a linha 24 e Gus pagou a minha passagem. Adorei aquele gesto de posse. Era uma coisa doce, meio adolescente.

Quando o ônibus chegou às imediações de Camden, Gus e eu saltamos.

Gus segurou a minha mão e me levou através de um imenso tapete de latas de cerveja vazias, ao longo de pessoas deitadas em pedaços de papelão, adormecidas em portais, homens e mulheres jovens sentados na calçada imunda, pedindo qualquer trocado. Fiquei estarrecida. Como eu trabalhava no centro de Londres, sabia que havia problemas de mendigos e pessoas sem-teto, mas havia tantas pessoas sem-teto ali que parecia até que eu despencara em outro mundo, um mundo medieval, onde as pessoas eram obrigadas a viver na sujeira e morrer de fome.

Algumas daquelas pessoas estavam bêbadas, mas muitas delas pareciam sóbrias. Não que isso servisse de parâmetro.

— Pare, Gus — disse, pegando a minha bolsa dentro da sacola.

Estava diante do terrível dilema: devia dar todos os meus trocados a uma só pessoa, para que ela pudesse fazer alguma coisa decente com aquilo, como arrumar alguma coisa para comer ou beber, ou devia tentar dividir o dinheiro entre tantas pessoas que eu conseguisse, de modo que um monte de gente conseguisse vinte pence cada uma? Mas o que uma pessoa pode fazer com vinte pence? Fiquei angustiada, porque aquela quantia não dava nem para comprar uma barra de chocolate.

Fiquei em pé, parada na rua, tentando resolver o problema enquanto as pessoas passavam e esbarravam em mim.

— O que acha que devo fazer, Gus? — supliquei.

— Na verdade, acho que você devia endurecer o coração, Lucy — afirmou ele. — Aprenda a fechar os olhos para essas coisas. Mesmo que você distribuísse todos os pence que possui, não faria qualquer diferença.

Ele tinha razão. Todos os pence que eu tinha não resultavam em uma quantia assim tão grande, mas isso não importava.

— Não posso fechar os olhos diante disso — expliquei. — Pelo menos deixe-me distribuir as moedas soltas.

— Bem, nesse caso entregue tudo para uma só pessoa — aconselhou Gus.

— Você acha que essa é a coisa certa a fazer?

— Se você resolver visitar todos os mendigos e sem-teto que estão espalhados por Camden, dividindo o seu dinheiro com eles, o pub para o qual estamos indo já vai ter fechado na hora em que você acabar. Portanto, sim, acho que dar tudo a uma pessoa só é a coisa certa a fazer — disse ele, de bom humor.

— Gus! Como pode ser tão desalmado? — perguntei.

— Porque tenho que ser, Lucy, todos nós temos que ser — explicou.

— Certo, mas, então, a quem devo dar o dinheiro?

— A quem você quiser.

— Qualquer um?

— Bem, não exatamente a qualquer um. Talvez seja melhor dar a alguém que esteja realmente duro e more na rua. Não vá perturbar as pessoas nos bares e restaurantes, tentando fazê-las aceitar o seu dinheiro.

— Mas eu queria dar o dinheiro à pessoa que mereça mais — expliquei. — Como posso saber quem é ela?

— Não dá para saber, Lucy.

— Oh.

— Você está cometendo um ato de desprendimento e caridade, Lucy. Não se trata de um julgamento moral.

— Mas eu não...

— Sim, está sim! Está com vontade de sentir que está conseguindo o máximo valor pelo seu dinheiro ao entregá-lo a uma pessoa que acha que merece mais — disse ele. — Você se sentiria mal se soubesse que o dinheiro foi para um bêbado, ladrão ou um cara que bata na mulher?

— Bem, sim...

— Então você entendeu tudo errado, Lucy — disse Gus. — A doação é o mais importante, e não a recepção ou, no caso, a pessoa que recebe.

— Oh... — disse, baixinho. Talvez ele tivesse razão. Fiquei envergonhada.

— Certo, então — disse, me decidindo. — Vou entregar tudo para aquele cara sentado bem ali.

— Não, não faça isso! — disse Gus, me puxando pelo braço. — Ele não. É um tremendo patife.

Fiquei olhando para Gus, aborrecida por um momento, e então nós dois caímos na gargalhada.

— Você está brincando? — perguntei, por fim.

— Não, Lucy — e riu, como se pedisse desculpas —, não estou, não. Entregue o seu dinheiro a qualquer pessoa em Camden, menos a ele. A família toda, ele e os irmãos, são um bando de impostores. E ainda por cima nem sequer são sem-teto. Ele mora em um conjunto residencial em Kentish Town.

— Como é que você sabe de tudo isso? — perguntei, intrigada com aquilo e ainda sem saber se devia acreditar nele ou não.

— Eu simplesmente sei — disse Gus, com ar sombrio.

— Bem, então que tal aquele outro homem logo ali? — E indiquei outro pobre infeliz que estava sentado junto de uma porta.

— Vá em frente.

— Ele não é um patife? — perguntei.

— Não que eu saiba.

— E os irmãos dele?

— Só ouvi coisas boas a respeito deles.

Depois de despejar meu patético punhado de moedas, me virei e acabei esbarrando em um homem mais velho que perambulava pela rua.

— Oh, olá!... Uma boa-noite para você — disse ele, de um jeito muito amigável, como se já nos conhecêssemos. Tinha sotaque de irlandês.

— Olá — sorri de volta.

— Você o conhece? — perguntou Gus.

— Não — disse, meio em dúvida. — Pelo menos acho que não, mas ele me disse "olá". Então achei que devia responder, por educação.

Gus me ajudou a atravessar a rua, entramos em uma rua transversal e depois em um pub aquecido, barulhento e muito iluminado.

Estava completamente lotado de gente rindo, conversando e bebendo. Gus parecia conhecer praticamente todo mundo ali. Em um canto havia três instrumentistas, um homem tocando *bodhrán*, uma mulher com um instrumento de sopro e alguém de sexo indeterminado tocando violino.

Reconheci a música, era uma das favoritas do meu pai. Em toda a minha volta se ouvia o sotaque irlandês.

Senti como se estivesse voltando para casa.

— Sente-se aqui — disse Gus, levando-me por entre multidões de pessoas felizes e com o rosto vermelho, indicando o tampo de um barril, cuja borda na mesma hora marcou um sulco na minha bunda.

Que horas deviam ser?, eu me perguntei. Tinha certeza de que já passava das onze. No entanto, as bebidas continuavam a ser servidas no balcão.

Um pensamento passou pela minha cabeça. Será que aquele ali era um bar ilegal, desses que vendem bebidas depois do horário permitido por lei? Um bar daqueles que o meu pai mencionara tantas vezes?

Talvez fosse, pensei, toda empolgada.

Estava sem relógio, e a mulher perto de mim também, bem como suas companheiras de mesa. Uma delas, porém, sabia de alguém do outro lado do pub que tinha relógio e insistiu em ir até lá, espremendo-se no meio do povo, para tentar achar a tal pessoa e perguntar as horas.

Voltou logo depois.

— São vinte para a meia-noite — informou ela, voltando à cerveja.

— Obrigada — agradeci, com um calafrio de empolgação me percorrendo por dentro. Então eu estava certa: aquele ali era *mesmo* um lugar ilegal.

Que maravilha!

Como aquilo era ousado, decadente e perigoso!

Talvez não fosse correto Gus me levar até ali, colocando-me em perigo de ser presa, mas eu nem ligava.

Senti-me andando pelo lado selvagem da vida, como se ali eu estivesse vivendo de verdade.

Gus finalmente voltou com as bebidas.

— Desculpe a demora, Lucy — pediu ele. — Encontrei um monte de amigos que vieram de cidade de Cavan e...

— Tudo bem, tudo bem — interrompi, descendo do barril. Estava louca para conversar com ele sobre o nosso desafio à lei para me importar com suas histórias.

— Gus, você não está preocupado com os policiais? — sussurrei, olhando em torno com maravilhado horror.

— Não — disse ele. — Acho que os policiais é que devem se preocupar com eles mesmos.

— Não. — Dei uma risada. — Estou perguntando se você não está preocupado com o fato de eles poderem vir até aqui para nos prender?

Ele apalpou os bolsos da jaqueta e respirou aliviado, dizendo:

— Não, Lucy, neste momento não estou preocupado não.

O fato de ele não levar aquilo a sério me deixou chateada.

— Não, Gus — protestei. — Você não está com medo de que eles façam uma *blitz* aqui, entrem batendo na gente e prendam todo mundo?

— Mas por que motivo eles fariam isso? — perguntou Gus, intrigado. — Será que do lado de fora já não tem um monte de gente disponível para eles prenderem e transformarem em sacos de pancada sempre que tiverem vontade? Não inventaram a lei da vadiagem especialmente para essas ocasiões?

— Mas, Gus — argumentei, desesperada. — E se eles ouvirem a música aqui dentro? E se descobrirem que continuamos bebendo muito depois do horário permitido?

— Mas não estamos fazendo nada de errado — explicou Gus. — ... Embora isso não os impeça de sair dando porrada em alguém — acrescentou.

— Mas estamos errados sim — insisti. — Este é um pub ilegal. A hora de fechar é onze da noite. Estamos violando a lei.

— Não estamos não! — Riu ele.

— Estamos sim.

— Lucy, Lucy, me escute um segundo. Este pub tem licença especial para funcionar até meia-noite. Ninguém está fazendo nada de errado, a não ser aquele barman bundão que leva um século para servir uma cerveja.

— Ah.

Fiquei terrivelmente desapontada.

— Quer dizer que tudo isto é legal, tudo é feito às claras? — perguntei, derrotada.

— É, Lucy, claro que é. — Riu Gus. — Você não achou que eu ia trazer você para um lugar que pudesse lhe trazer problemas, achou?

— Bem, hã, sabe... só estava pensando...

No fim da noite, Gus foi para casa comigo. Nenhum dos dois questionou nada, nem achou estranho. Parecia a coisa mais natural do mundo. Ninguém combinou, simplesmente aconteceu.

Na hora em que conseguimos sair do pub e de todas as pessoas que Gus conhecia, nós dois sabíamos que tínhamos de pegar um táxi até Ladbroke Grove. E foi o que fizemos.

Gus não sugeriu que fôssemos para a casa dele, e também não me ocorreu lançar essa ideia.

Não achei nada de estranho a respeito. Talvez devesse ter achado.

CAPÍTULO 35

Na quinta-feira, havia duas nuvens escuras no meu maravilhoso céu azul de felicidade.

Chegou a notícia de que Hetty pedira demissão, oficialmente. Aquilo me deixou triste. Não por ela ser a única de nós que realmente fazia algum serviço no escritório, mas porque ia sentir saudades dela.

Detestava mudanças, e fiquei imaginando, preocupada, quem iríamos ter em seu lugar.

A outra nuvem é que eu concordara em visitar a minha mãe na quinta à noite, depois do trabalho.

Estava naquela fase do relacionamento com Gus em que todos os pensamentos que eu tinha na hora de acordar eram para ele. Sentia-me superfeliz quase o tempo todo (com exceção do período entre sete e meia e dez da noite, e mesmo esse horário melhorara, especialmente se Gus estava comigo, de preferência até mais tarde). Quando eu não estava *em companhia* de Gus, queria conversar sobre ele, com qualquer um, com todo mundo. Só para descrever como ele era lindo, contar como a sua pele era macia, como o cheiro dele era sexy, como seus olhos eram verdes, como seu cabelo era sedoso, como seu sotaque era maravilhoso, como o seu papo era uma delícia, como os seus dentes eram lindos para alguém que fora criado em uma fazenda distante, e como a sua bunda era redondinha e pequena. Ou recontar, com todos os detalhes, histórias das coisas lindas que ele me dissera e as coisas que ele me trouxera de presente.

Estava lotada de tanta felicidade e adrenalina. Jamais me ocorreu que poderia estar parecendo a pessoa mais chata do mundo.

Delirava de alegria, amava o mundo inteiro e achava que todos estavam se sentindo tão felizes por me ver assim quanto eu mesma.

É claro que eles não estavam, e consolavam uns aos outros dizendo coisas como “não vai durar muito” e “se eu ouvir mais uma vez a história de como ele abriu o sutiã dela e o arrancou fora com os dentes, vou começar a gritar!”.

Não, é claro que Gus não arrancara meu sutiã com os dentes. Embora, na verdade, tenhamos consumado a nossa relação na terça à noite, não foi exatamente como no filme *Nove e Meia Semanas de Amor*, o que para mim estava ótimo. Ficar com uma venda nos olhos e mordiscar cebolas e picles não era exatamente a minha ideia de prazer sexual. Por ter complexo de inferioridade e não me sentir sexualmente confiante, eu gostava de ações bem diretas e tradicionais na cama. Homens que gostavam de experimentar um monte de posições diferentes me deixavam apavorada.

Mesmo sem as posições diferentes, eu já estava um feixe de nervos quando Gus e eu chegamos ao meu apartamento. Por sorte, eu estava um feixe de nervos muito bêbado, e isso acabou por tirar um pouco da estranheza que eu poderia sentir. Para falar a verdade, nós dois estávamos nos escangalhando de rir, e caímos na cama na mesma hora.

Gus tirou a roupa com toda a velocidade, e então pulou na cama e ficou ao meu lado.

Eu não tinha a intenção de ficar olhando para o pênis ereto dele, pois estava com muita vergonha. Porém, contra a minha vontade, meus olhos foram atraídos para ele. E atraídos para ele. E continuavam sendo atraídos. Eu não conseguia parar de olhar, estava hipnotizada por aquilo.

Era muito atraente, por sinal, para uma massa com quinze centímetros de comprimento que pulsava, toda enrugada e cheia de veias roxas. Sempre achei espantoso o fato de que um troço tão basicamente assim, bem... *esquisito*, pudesse ser tão erótico.

Então foi a minha vez de tirar a roupa.

— O que está havendo? — Gus pegou na minha roupa com um olhar de preocupação fingida. — Você ainda está vestida? Vamos logo, tire isso tudo, rápido, rápido!

Aquilo foi muito engraçado, me fez lembrar de quando eu era bem pequena e minha mãe tirava a minha roupa.

— Agora estique as pernas! — ordenou ele, em pé na beira da cama, enquanto segurava as pontas da minha meia-calça e as puxava. Quando ouvi o som de algo que se rasgava, não consegui mais parar de rir.

— Levante os braços! — bradou ele, enquanto puxava o meu suéter por cima da cabeça. — Caramba. Para onde foi o seu rosto?

— Está aqui embaixo — disse, com a voz abafada, por trás do suéter. — Você tem que puxar a roupa pelo buraco do pescoço também, e não só dos braços.

— Ah, graças a Deus! Achei que havia degolado você com a força da minha paixão.

Eu me despi em tempo recorde, mas, pelo menos naquela vez, não estava constrangida nem com vergonha do meu corpo. Não havia como ser recatada ou moderada com relação a isso, porque Gus parecia muito natural com relação a tudo o que estava vendo.

— Você não é um estudante de medicina, é? — perguntei, desconfiada.

— Não.

É claro que não era. Eu esquecera que os estudantes de medicina eram aqueles que soltavam risadinhas abafadas sempre que ouviam a palavra “traseiro”.

Gus não se preocupou muito com as preliminares. A não ser que ele me perguntar: “Você está tomando pílula?”, conte. Estava era doido para meter as caras o mais rápido possível, uma frase bem sugestiva, por sinal. É claro que eu estava adorando o seu entusiasmo, pois provava que ele realmente gostava de mim.

— Você não vai gozar em três segundos, vai? — brinquei com ele. E quando ele gozou em três segundos, nós dois quase caímos da cama de tanto rir.

Então Gus praticamente caiu no sono em cima de mim. Mas eu não me senti desapontada nem chateada. Não berrei com ele nem exigi que ele armasse a tenda de novo na mesma hora e me fizesse atingir dez orgasmos, como era o meu direito de mulher moderna. Fiquei até aliviada pelo fato de ele não ser muito sofisticado sexualmente, porque eu não ia precisar de meta alguma para atingir. Para mim, sexo tinha mais a ver com aconchego e carinho do que com orgasmos. E ele era muito bom na área de aconchego e carinho.

Com Gus, eu ultrapassara aquele período de gentilezas, as tolices de quem ainda está se conhecendo e fora direto à jugular, à fase de "se apaixonar".

Por isso, eu não estava gostando nem um pouco de ter de ir visitar minha mãe e perder um tempo que eu poderia usar melhor em companhia de Gus, ou então falando a respeito dele com as pessoas. A única coisa que tornava aquilo remotamente suportável era o fato de Daniel ir até lá comigo. Não podia conversar sobre Gus enquanto estivesse com minha mãe, mas, durante a viagem de metrô, na ida e na volta, eu podia alugar o ouvido de Daniel.

Ao sair do trabalho, na quinta-feira, eu me encontrei com Daniel, e pegamos o metrô até a última estação da linha que saía de Picadilly.

— Conseguiria imaginar coisas muito melhores para fazer esta noite, no lugar de percorrer quilômetros e quilômetros só para ver a minha mãe — resmunguei, enquanto viajávamos em pé, balançando para a frente e para trás no trem superlotado, sentindo o ar pesado com o cheiro dos casacos úmidos e o chão coalhado de pastas e sacolas de supermercado. — Trabalhar nas minas de sal da Sibéria, por exemplo. Ou limpar o prédio do Serviço Secreto Britânico com uma escova de dentes.

— Não se esqueça do seu pai — lembrou Daniel. — Você vai vêlo também. Isso não a deixa mais feliz?

— Bem, claro que deixa, mas não consigo conversar direito com ele quando ela está por perto. E odeio ter que deixá-lo lá depois. Sinto-me tão culpada.

— Ah, Lucy, você complica demais as coisas — suspirou Daniel. — Não precisava ser assim tão ruim, sabia?

— Eu sei. — Sorri. — Mas talvez eu goste das coisas assim.

Não queria que Daniel começasse a me dar conselhos, porque eu sabia que não ia adiantar nada, só que ele era o tipo de pessoa que, quando se empolgava, não desistia com facilidade. Muitas amizades já haviam encalhado nos recifes das boas intenções.

— Acho que você realmente gosta disso — admitiu ele, parecendo um pouco surpreso diante da descoberta.

— Ótimo! — Sorri. — Ainda bem que concordamos nisso. Agora não vou precisar aturar você se preocupando comigo.

Quando saímos do metrô já estava escuro e o tempo esfriara, e ainda tínhamos de andar por quase quinze minutos até a minha casa. Daniel insistiu em carregar a minha sacola.

— Nossa, Lucy, isto aqui está pesando uma tonelada. O que colocou aqui dentro?

— Uma garrafa de uísque.

— Para quem?

— Para *você* é que não é. — E dei uma risada.

— Já devia saber. Você nunca me dá nada, a não ser esculachos.

— Isso não é verdade. Não lhe dei uma linda gravata como presente de aniversário?

— Sim, é verdade, obrigado. Pelo menos foi um pouco melhor do que o presente do ano passado.

— Que presente eu lhe dei no ano passado?

— Meias.

— Ah, foi.

— Você sempre me dá presentes de "pai".

— Como assim?

— Essas coisas... gravatas, meias, lenços. São o tipo de presente que todo mundo dá para os pais.

— Eu não.

— Não? E o que dá de presente para o seu pai?

— Dinheiro, geralmente. E às vezes uma garrafa de bebida bem legal.

— Ah.

— De qualquer modo, eu ia lhe dar um presente diferente desta vez. Este ano pensei em lhe comprar um livro...

— Só que eu já tenho um, sim, eu sei, eu sei, Lucy — interrompeu Daniel, de repente.

— Ah... — Sorri. — Eu já havia falado isso para você?

— Creio que sim, Lucy. Uma ou duas vezes, pelo menos.

— Puxa, isso é embaraçoso. Sinto muito.

— Sente muito pelo quê? Sente muito por repetir sua piadinha sem graça mais de cem vezes? Ou por insinuar que eu sou um filistino sem cultura?

— O nome é palestino — comentei, de modo vago.

— Filipino — reagiu ele.

— Enfim, desculpe por repetir minha piadinha sem graça, que não é assim tão sem graça, pela centésima vez. Quanto a insinuar que você não é muito inteligente, não peço desculpas. Olhe só para as mulheres com quem você sai.

— Lucy Sullivan, dou muita folga para você, sabia? Não sei como é que nunca tentei esganá-la.

— Para falar a verdade, nem eu — comentei, pensativa. — Sou muito desagradável com você. E o pior, sem intenção. Não acho você burro. *Acho, sim*, que seu gosto para mulheres é horroroso, e *também acho* que você as trata muito mal, mas, tirando tudo isso, até que você é um cara legal.

— Meu Deus, um elogio, afinal. — Sorriu Daniel. — Posso ter essa declaração por escrito?

— Não.

Continuamos a caminhar em silêncio, passando em frente a fileiras e mais fileiras de casinhas típicas de subúrbio. O tempo estava congelando.

Daniel voltou a falar, depois de algum tempo:

— Então para quem é?

— Para quem é o quê?

— O uísque. Para quem é?

— Para o meu pai, é claro. Para quem mais poderia ser?

— Ele continua nessa?

— Daniel! Não fale desse jeito.

— Desse jeito como?

— Do jeito que fala, até parece que ele é um vagabundo bêbado ou algo horrível assim.

— É que o Chris me contou que ele tinha parado de beber.

— Quem? Papai? — perguntei, com deboche. — Parar de beber? Não seja ridículo! Por que ele faria isso?

— Sei lá — disse Daniel, com todo o cuidado. — Isso foi só o que o Chris me contou. Devo ter entendido errado.

Continuamos a caminhar, com dificuldade.

— E para a sua mãe, o que comprou?

— Para mamãe? — perguntei, surpresa. — Nada, ué...

— Isso não se faz!

— Ora, se faz sim. Eu nunca trago nada para ela.

— Por que não?

— Porque ela trabalha. Tem dinheiro. Papai não trabalha, papai não tem dinheiro algum.

— Então você nem mesmo chegou a pensar em trazer um presentinho para ela?

Parei de andar na mesma hora e fiquei ali, na frente de Daniel, forçando-o a parar também.

— Escute aqui, seu réptil — disse, com raiva. — Eu já compro presentes para ela no aniversário, no Natal e no Dia das Mães, e isso já é o bastante. *Você* pode comprar presentes para *sua* mãe toda vez que vai vê-la, mas eu não sou assim. Pare de tentar fazer com que eu me sinta uma filha má!

— Eu só quis dizer... ah, deixa pra lá. — Daniel pareceu tão mal-humorado que não consegui ficar com raiva por muito tempo.

— Tudo bem — disse, tocando em seu braço. — Se isso faz com que você se sinta melhor, posso comprar um bolo para ela quando passarmos na padaria lá perto.

— Não precisa!

— Ai, Daniel! Por que ficou tão irritado?

— Não fiquei não.

— Claro que ficou. Você disse "não precisa!"...

— Disse. — E riu, parecendo desesperado. — Disse "não precisa" porque já comprei um bolo para ela.

Fiz cara de nojo.

— Daniel Watson, você é realmente um réptil!

— Não, não sou. O que tenho se chama "boas maneiras". Sua mãe vai me oferecer o jantar, estou apenas sendo educado.

— Você pode chamar de "educado", mas eu chamo de "réptil".

— Tudo bem, Lucy — riu ele. — Chame do que quiser.

Viramos a esquina, e quando eu vi a minha casa, o meu coração se apertou. Eu odiava a minha casa. Detestava voltar lá.

Foi quando me lembrei de uma coisa.

— Daniel — disse, um pouco assustada.

— Que foi?

— Se você mencionar o nome de Gus com a minha mãe, eu mato você!

— Como se eu fosse fazer isso! — Ele pareceu magoado.

— Ótimo, ainda bem que a gente se entende.

— Então você acha que ela não vai aprová-lo? — perguntou Daniel, arqueando as sobrancelhas.

— Ora, cale a boca!

CAPÍTULO 36

Vi a cortina se mover na janela da sala. Mamãe já abrira a porta antes que tivéssemos a chance de tocar a campainha.

Por um momento, me senti um pouco triste.

Será que ela não tinha nada melhor a fazer do que ficar espiando pela janela?, perguntei a mim mesma.

— Bem-vindos, sejam bem-vindos! — disse ela, toda sorridente, hospitaleira e cordial. — Saiam dessa noite gelada. Como está, Daniel? É muita bondade sua vir de tão longe só para nos visitar. Está muito cansado? — perguntou ela, agarrando as mãos de Daniel. — Não, você está com uma cara boa... Tirem os casacos e entrem, acabei de preparar um bule.

— Preparou um bule? Não sabia que a senhora estava trabalhando com artesanato em cerâmica. — Daniel sorriu para mamãe, com os olhinhos brilhando e cara de travesso.

— Ora, mas você, hein? — Riu ela, com um jeitinho infantil, girando os olhos ao olhar para ele. — Continua terrível!

Enfiei os dedos na garganta e fiz ruídos de vômito.

— Pare com isso — cochichou Daniel.

— Por que está sendo mau comigo? — perguntei, surpresa. — Normalmente você não é.

— É que às vezes você age de forma infantil e horrível.

Aquilo me deixou irritada e perturbada, e enquanto tirávamos os casacos no minúsculo vestíbulo e os pendurávamos no corrimão da escada, fiquei fazendo caretas e repetindo as palavras "infantil e horrível" umas cinquenta vezes, com voz de débil mental.

Daniel ficou olhando para mim, sério, com as sobrancelhas levantadas, mas eu sabia que ele estava prendendo o riso.

— Se você me disser "esse é um comportamento muito maduro, Lucy!", dou um soco em você — avisei.

— Ah. Esse é um comportamento muito maduro!

Então demos início a uma briga física. Tentei atingi-lo, mas ele agarrou meus pulsos e ficou segurando-os com firmeza. Depois começou a rir quando tentei empurrá-lo e girar o corpo para me livrar dele. Só que não consegui me mover nem um centímetro enquanto ele ficou ali, parecendo indiferente, rindo para mim, olhando para baixo.

Fiquei meio perturbada pelo seu jeito dominador e machista. Na verdade, se fosse com outro cara, sem ser o Daniel, aquilo teria sido bem erótico.

— Seu grosso! — Eu sabia que isso o deixaria chateado. E tinha razão, pois ele me largou na mesma hora. Então, de modo estranho, fiquei desapontada.

Fomos para a cozinha, onde estava mais quente. Mamãe estava pegando biscoitos, açúcar e caixas de leite.

Papai estava em uma cadeira de braços, roncando baixinho, com os cabelos brancos já bem ralos despenteados e arrepiados. Dei-lhe um tapinha no ombro, com carinho. Seus óculos estavam tortos no rosto, e reparei, com uma fisgada de dor, que ele estava começando a parecer velho. Não com meia-idade, ou apenas um pouco idoso, e sim velho, velho mesmo.

— Você vai se sentir melhor quando colocar um pouco de chá quentinho dentro dessa barriga — disse mamãe. — Comprou uma saia nova, Lucy?

— Não.

— Comprou onde?

— Não é nova.

— Eu ouvi o que disse. Em que loja comprou?

— A senhora não conhece.

— Experimente me dizer. Não sou a velha antiquada e totalmente por fora das coisas, conforme ela imagina — disse ela, rindo como uma jovem para Daniel enquanto colocava pratinhos cheios de biscoitos em cima da mesa, empurrando-os na direção dele.

— Kookai — respondi, entre dentes.

— Que tipo de nome é esse para uma loja, afinal? — perguntou ela, fingindo que ria.

— Eu disse que a senhora não ia conhecer.

— Não conheço mesmo. Nem quero. De que é feita? — E passou os dedos pelo tecido.

— Como é que vou saber? — respondi, chateada, tentando puxar a saia de volta, libertando-a daquelas garras. — Compro as roupas porque gosto delas, não pelo tecido do qual elas são feitas.

— Acho que é material sintético — afirmou ela, esfregando o pano. — Olhe! Olhe só o jeito de enrugar que ele tem.

— Pare com isso!

— E o acabamento. Uma criança era capaz de conseguir fazer uma bainha melhor do que essa. Quanto mesmo você disse que pagou por ela?

— Eu não disse.

— Bem, e quanto você pagou por ela?

Fiquei com vontade de dizer que não ia falar o preço, mas sabia que essa resposta ia parecer bem infantil.

— Não lembro.

— Acho que lembra sim. Só que está com vergonha de me dizer o preço. Deve ter custado uma fortuna, aposto! Muito mais do que vale.

Não respondi nada.

— Você sempre foi um desastre com o dinheiro, Lucy.

Continuei sem dizer nada.

— Você conhece o velho ditado: um tolo e seu dinheiro logo se separam.

Nós três continuamos sentados, em silêncio, eu fazendo pirraça e me recusando a beber o chá, só porque *ela* o preparara.

Ela sempre ressaltava o que havia de pior em mim.

Daniel quebrou a tensão indo até o vestíbulo e voltando com o bolo que levara para ela.

Evidentemente, a minha mãe ficou maravilhada e toda cheia de coisa com Daniel, colada nele como uma doença de pele.

— Ah, você não é um rapaz maravilhoso? Não precisava fazer isso. O triste é ver a que ponto chegamos, quando gente do meu próprio sangue não me traz nada.

— Ah, mas o bolo é um presente de nós dois, não é só meu — explicou Daniel, depressa.

— Puxa-saco. — Com os lábios fiz mímica das palavras para ele, do outro lado da mesa.

— Ah! — disse mamãe. — Obrigada, Lucy, apesar de você saber muito bem que estou fazendo jejum de chocolate, em respeito à Quaresma.

— Mas *bolo* não é chocolate — disse, baixinho.

— Bolo de chocolate é chocolate, sim — replicou ela.

— Então a senhora pode congelá-lo, para comer depois que a Quaresma acabar — sugeri.

— Não vai aguentar até lá.

— Vai sim.

— De qualquer modo, isso seria contra o espírito do jejum da Quaresma.

— Então tá bom! *Não coma* o bolo, Daniel e eu comemos.

O bolo da discórdia ficou ali, no meio da mesa, como se de repente tivesse se transformado em algo assustador, como uma bomba. Sabia que não era possível, mas juro que ele me pareceu estar quase pulsando. Tinha certeza de que ele jamais seria comido.

— E você, está fazendo jejum de quê, em respeito à Quaresma, Lucy?

— De nada! Já tenho muita coisa ruim na minha vida — acrescentei, misteriosa, na esperança de que ela ia sacar que estava falando a respeito de ir visitá-la. — Não preciso fazer jejum nem desistir de nada.

Para a minha surpresa, ela não revidou. Olhou para mim de um jeito quase... *carinhoso*... por um momento.

— Preparei o seu favorito — anunciou ela.

— Meu favorito o quê?

— Seu prato favorito!

— Ah, preparou?

Eu nem sabia que tinha um prato favorito. Seria interessante descobrir qual a gororoba que ela preparara.

Mas fui bem cruel e disse:

— Que bom, mamãe! Eu nem sabia que a senhora sabia preparar comida típica do Butão.

Mamãe fez uma cara de "vamos animá-la" para Daniel e disse:

— Sobre o que ela está falando? Cozinhar botão? Você sempre foi meio estranha, Lucy, mas, só para agradá-la, podemos pegar uma daquelas camisas sociais cheias de botões do seu pai, lá em cima, e cozinhá-los. Aposto que ele não vai precisar delas — acrescentou, com um tom amargo na voz. — Ele não usa uma camisa social desde o dia do nosso casamento.

— Sai fora, mulher! — disse uma voz arrastada vinda do canto da cozinha. — Então não coloquei uma camisa social no enterro de Mattie Burke?

Papai abrira os olhos e estava olhando em volta, meio perdido.

— Papai! — disse, toda alegre. — O senhor acordou.

— Olhe, parece até um daqueles seus amigos mortos que se levantaram do caixão e assustaram todo mundo no velório — disse mamãe com sarcasmo enquanto papai se ajeitava todo para sentar reto na cadeira.

— Não foi nada disso — replicou papai. — Essa história não aconteceu com Mattie Burke, foi com Laurence Molloy. Eu nunca lhe contei esse caso, Lucy? Foi um dia memorável aquele, quando Laurence Molloy fingiu que tinha morrido só para a gente fazer uma grande gozação com toda a vizinhança. O problema é que Laurence não ficou nem um pouco satisfeito quando descobriu que ia ter que ficar ali deitado, esticado, sem respirar, dentro de um caixão duro, sem nada para beber a não ser o bafo dos que estavam em volta. Então, resolveu pular fora do caixão e pegou a garrafa do primeiro que viu, dizendo “me dê um pouco disso aí...”.

— Cale a boca, Jamsie! — berrou a minha mãe. — Temos visita, e garanto que ele não está interessado nas histórias da sua juventude desperdiçada.

— Eu não estava contando histórias de minha juventude desperdiçada — resmungou papai. — A ressurreição de Laurence Molloy aconteceu uns dois anos atrás, e... Ora, como vai, meu filho? — disse ele, fixando o olhar em Daniel. — Eu me lembro de você. Você costumava aparecer aqui para brincar com Christopher Patrick, não é? Era um varapau comprido naquela época, parecia um bambu. Levante-se um instantinho, para eu ver se você encolheu.

Daniel se levantou, meio sem graça, fazendo muito barulho com a cadeira.

— Está mais comprido ainda, como é que pode? — declarou papai. — E eu que achava impossível você crescer mais.

Daniel tornou a se sentar, parecendo agradecido por isso.

— Lucy — disse papai, dirigindo-se a mim. — Minha garotinha querida, meu amorzinho, eu não sabia que você vinha aqui hoje.

— Por que não contou a papai que eu vinha aqui? — questionei minha mãe.

— Eu lhe contei, Jamsie.

— Não, não contou.

— Contei sim.

— Tenho certeza de que não contou!

— Mas eu con... ah, de que adianta? Falar com você é o mesmo que falar com as paredes.

— Lucy — disse papai —, vou lá em cima me arrumar um pouco, e volto já, já, em um piscar de olhos.

Saiu em direção ao quarto, e abri um sorriso afetuoso.

— Ele parece ótimo — disse.

— Parece? — disse mamãe, com frieza.

Seguiu-se um silêncio desconfortável.

— Mais chá? — perguntou ela a Daniel, seguindo a velha tradição irlandesa de aproveitar qualquer silêncio no meio da conversa para empurrar comida para as pessoas.

— Sim, obrigado.

— Mais um biscoitinho?

— Não, obrigado.

— Um pedacinho de bolo?

— Não, acho melhor não. Estou deixando espaço na barriga para o jantar.

— Ora, não seja bobo, você ainda está em idade de crescimento.

— Não, obrigado, estou sendo sincero.

— Tem certeza?

— Mãe, deixe-o em paz! — Ri, me lembrando das coisas que Gus dissera sobre as mães irlandesas. — Afinal, *o que* a senhora preparou para o jantar?

— Iscas de peixe empanadas, feijão e batata frita.

— Hã... legal, mamãe.

Era verdade, aquele era o meu prato favorito muito tempo atrás, em outra vida, até eu me mudar para Londres e conhecer comidas exóticas, como espaguete ao molho marinado Tandoori e pato de Pequim com batatas temperadas.

— Que delícia! — Sorriu Daniel. — Adoro iscas de peixe com feijão e batata frita.

Ele falou aquilo como se estivesse sendo sincero.

— O prato que mamãe preparou não faz muita diferença para você, não é verdade? — disse eu. — Mesmo que ela dissesse: "Olhe, Daniel, pensei em servir os seus testículos com molho de vinho branco", você ia dizer: "Hummm, que delícia, Sra. Sullivan, parece delicioso!". Não era exatamente isso que você ia falar?

Dei uma risada ao ver a cara de horror que ele fez.

— Lucy — ele franziu o rosto —, você precisa ser mais cuidadosa com esses assuntos.

— Desculpe. — Ri. — Esqueci que estava falando dos seus bens mais preciosos. O que seria de Daniel Watson sem a sua genitália? Sua vida perderia o sentido, não é?

— Não, Lucy, não se trata disso. Qualquer homem acha uma sugestão como essa perturbadora, não sou só eu.

Minha mãe finalmente conseguiu fôlego para falar:

— Lucy... Carmel... Sullivan! — gemeu ela, ofegante e quase apoplética de tanto horror. — *Em nome dos céus*, sobre o que vocês estão falando?

— Nada, Sra. Sullivan — disse Daniel, bem depressa. — Nada mesmo, nada de importante.

— Nada, Daniel? Bem, não é bem isso o que a Karen diz! — Pisquei para ele enquanto Daniel emendava uma conversa frenética com mamãe... Como ela estava, se ela estava gostando do novo emprego, como era trabalhar na tinturaria.

O olhar de mamãe passava de mim para Daniel e voltava a se fixar em mim. Ela estava dividida entre a deliciosa sensação de ser o centro das atenções de Daniel e a possibilidade de me deixar escapar impune de algo totalmente monstruoso e imperdoável.

A vaidade venceu. Logo em seguida ela já estava brindando Daniel com as histórias dos palhaços ricos e mimados que ela era obrigada a atender na tinturaria, e como eles queriam tudo para ontem, como jamais agradeciam, como estacionavam o carro todo atravessado, "aqueles carros BMX, BLT ou sei lá a marca", de modo que os veículos bloqueavam o tráfego, e como eles viviam criticando os serviços.

— Hoje mesmo — disse ela — um deles chegou à loja, parecendo um poodle estressado e jogou... sim!, *jogou* uma camisa no balcão. Depois a balançou bem na minha cara, perguntando: "Que bosta é esta que você fez com a minha camisa?" Bem, Daniel, para princípio de conversa, não precisava falar uma palavra como essa para mim, mas aguentei firme, olhei para a camisa e falei que não via uma mancha sequer nela, e afinal...

E mamãe continuou a história como se não fosse terminar nunca.

Daniel tinha a paciência de um santo. Estava tão contente por ele ter ido comigo. Sozinha eu não ia aguentar aquilo não.

— ... E quando eu disse "sua camisa está branca como a neve!", ele me respondeu: "Esse é o problema! Quando eu a comprei, ela era azul!..."

E a história continuou, sem acabar. Daniel também continuou a sorrir e balançar a cabeça, solidário. Era maravilhoso, eu nem precisava ficar ali. Apenas um "hã-hã" de vez em quando e um balançar de cabeça era tudo que minha mãe queria de mim. Toda a sua atenção estava focada em Daniel.

Finalmente a saga da tinturaria chegou ao fim.

— ... E o poodle me disse "nos vemos diante do juiz!", e eu respondi "só se for um juiz de futebol!", e ele completou "vou lhe enviar o meu procurador!", e eu falei "pois ele pode me procurar à vontade, e é bom que ele fale bem alto, que eu sou surda de um ouvido!...".

— E você, Daniel, como anda a sua vida? — perguntou mamãe, finalmente.

— Vai indo muito bem, Sra. Sullivan, obrigado.

— Vai melhor do que bem, não é, Daniel? Conte para a mamãe quem é a sua nova namorada.

Eu estava adorando aquilo. Eu *sabia* que aquela notícia ia deixar a minha mãe chateada. Ela alimentava esperanças de que eu conseguisse, de algum modo, fazer Daniel se apaixonar por mim.

— Pare com isso, Lucy — cochichou Daniel, parecendo embaraçado.

— Ora, não seja tímido, Daniel. — Eu sabia que estava sendo chata, mas aquilo era bom demais!

— É alguém que conheço? — perguntou mamãe, toda esperançosa.

— É!... — respondi, toda feliz.

— Sério? — Ela tentava, muito mal, disfarçar a empolgação.

— Sim. É a minha colega de apartamento, Karen.

— Karen?

— É.

— A escocesa?

— Ela mesma. E eles estão loucos um pelo outro. Não é fantástico?

— E então, não é legal? — perguntei novamente, quando ela continuou calada.

— Sempre a achei um pouco... vulgar — disse mamãe, e então colocou a mão por sobre a boca, fingindo pavor. — Ah, Daniel, não posso acreditar que eu disse uma coisa dessas! Desculpe! Meu Sagrado Coração de Jesus, mas que falta de tato! Você me perdoa por eu ter dito isso, Daniel? Já faz muito tempo que não a vejo. Tenho certeza de que ela não está parecendo tão vulgar agora.

— Considere-se perdoada — disse Daniel, sorrindo suavemente. Ele era tão *bondoso*! Podia ter dado um soco na velha megera que nenhum júri no mundo teria coragem de condená-lo.

— Apesar de todos os defeitos que Lucy tem — disse ela, fingindo estar falando à toa, como se conversasse consigo mesma —, pelo menos ela nunca teve uma aparência vulgar. Você jamais a veria saindo por aí exibindo o busto.

— Isso é porque eu *não tenho* um busto para exibir. Se tivesse, pode apostar que eu ia botar a peitaria toda pra fora!

— Olhe o palavreado, Lucy! — ralhou ela, batendo no meu braço.

— Palavreado? — reagi. — A senhora pensa que *isso* é palavrão? Eu bem que podia lhe mostrar alguns palavrões que sei...

Parei de falar e xinguei Daniel mentalmente, só pelo fato de que ele estava ali. Não podia brigar direito com a minha mãe, porque ele era visita. Não que Daniel contasse como visita, propriamente dita, mas mesmo assim...

— Agora, se vocês me dão licença... — disse eu, saindo da cozinha. Peguei a garrafa de uísque na minha bolsa no vestíbulo e subi. Queria me encontrar a sós com papai.

CAPÍTULO 37

Ele estava no quarto, sentado na beira da cama, calçando os sapatos.

— Lucy — disse ele. — Eu já ia descer de volta.

— Vamos ficar aqui um instantinho — disse, abraçando-o.

— Ótimo — concordou ele. — Assim podemos bater um papo, só nós dois.

Entreguei a garrafa de uísque para ele, e ele tornou a me abraçar.

— Você é muito boa para mim, muito boa mesmo, Lucy.

— Como o senhor está, papai? — perguntei-lhe, com lágrimas nos olhos.

— Estou muito bem, Lucy, muito bem. Por que as lágrimas?

— É que odeio pensar no senhor enfiado aqui dentro, só com... com *ela* — disse, apontando com o queixo para o andar de baixo.

— Mas estou bem, minha filha, estou mesmo — protestou ele, rindo. — Ela até que não é das piores. Nós nos damos muito bem.

— Sei que o senhor só está falando isso para eu não ficar preocupada. — Funguei, limpando o nariz. — Mesmo assim, obrigada.

— Ó Lucy, Lucy, Lucy — disse ele, apertando a minha mão. — Você não pode levar tudo tão a sério. Tente se divertir, porque logo, logo vamos estar mortos.

— Não, não — choraminguei, e então comecei a chorar *de verdade*. — Não fale sobre morte. Não quero que o senhor morra. Prometa que não vai morrer!

— Hã... bem, se isso a faz feliz, eu não morro então, Lucy.

— E se o senhor tiver que morrer, prometa que nós vamos mor rer na mesma hora.

— Prometo!

— Ah, papai, isso não é horrível?

— O quê, meu amor?

— Tudo. Estar viva, amar as pessoas, ficar com medo de que elas morram.

— É horrível?

— Sim, claro que é.

— Com quem você aprendeu a ter essas ideias terríveis, Lucy?

— Foi... foi... com *o senhor*, papai.

Papai me abraçou meio sem graça e disse que eu devia ter entendido mal, claro que ele jamais dissera nada daquele tipo, falou que eu era jovem, tinha a vida toda pela frente e devia tentar aproveitá-la.

— Mas para quê, papai? — perguntei. — O senhor jamais tentou aproveitar a sua vida, e isso não lhe fez mal algum.

— Lucy — suspirou ele. — Era diferente para mim. *É* diferente para mim, sou um velho agora. Você é uma mulher jovem. Jovem, linda, preparada, nunca se esqueça das vantagens de ter um bom nível de instrução, Lucy — insistiu ele, com firmeza.

— Eu não esqueço.

— Prometa.

— Eu prometo.

— Você tem todas as coisas boas à sua frente, devia estar feliz.

— Mas como posso ficar feliz? — argumentei. — E como o senhor pode esperar que eu fique? Nós somos iguais, papai, o senhor e eu. Não conseguimos deixar de ver a futilidade de tudo, o desperdício e a escuridão das coisas enquanto todos os outros caminham parecendo iluminados.

— O que foi, Lucy? — Papai investigou o meu rosto, em busca de alguma pista. — É algum rapaz, não é? Algum rapazinho está querendo levar você para algum cantinho? É isso?

— Não, papai. — Comecei a rir, embora ainda estivesse chorando.

— Não é aquele bambu comprido que está lá na cozinha, é?

— O quê?... Ah, Daniel? Não.

— Ele não andou, hã, você sabe... querendo tomar liberdades com você, Lucy, andou? Porque, se ele fez isso, que Deus me ajude, mas enquanto houver um pouco de fôlego no meu peito, eu o enfrento. Chamo seus dois irmãos para me ajudar a chutá-lo tão longe que ele vai até perder o rumo de casa. Um chute no rabo e um mapa do mundo, é disso que ele precisa, e é isso que vai ganhar. Ele é mais tolo do que parece se pensa que pode se fazer de engraçadinho com a filha de Jamsie Sullivan e escapar com vida...

— Papai — reclamei. — Daniel não me fez nada.

— Já percebi o jeito como ele olha para você — disse papai, com ar sombrio.

— Ele não olha para mim de *nenhum jeito* em especial. O senhor está imaginando coisas.

— Estou? Bem, talvez esteja. Imagino que não deve ser a primeira vez que alguém olha assim para você.

— Papai, o meu problema não tem a ver com namorado não, nem de longe.

— Mas, então, por que está se sentindo tão solitária?

— Porque sim, papai. É o meu jeito, igual ao senhor.

— Mas eu estou bem, Lucy, juro por Deus, estou mesmo. Nunca estive melhor.

— Obrigada, papai — suspirei, apoiando-me nele. — Sei que o senhor está me dizendo isso só para que eu me sinta melhor, mas obrigada mesmo assim.

— Mas... — disse ele, parecendo ligeiramente confuso. Parecia estar à procura de algo para dizer, mas não encontrou nada.

— Vamos descer — disse ele, por fim. — Vamos lá comer nosso peixe com batatas fritas.

E descemos.

A noite foi um pouco pesada, com minha mãe e eu de tromba uma para a outra e papai olhando com suspeitas para Daniel, convencido de que ele estava com más intenções em relação a mim.

Nosso humor melhorou um pouco quando o jantar foi colocado diante de nós, no centro da mesa.

— Uma rapsódia em tons alaranjados — declarou papai, olhando para o seu prato. — É isso mesmo. Iscas de peixe em tons de laranja, feijões em tons de laranja, batatas em tons de laranja e, para ajudar tudo isso a descer bem, um copo do mais fino malte irlandês, que, por acaso, também é laranja.

— As batatas não têm cor de laranja — disse mamãe. — E você já ofereceu a Daniel alguma coisa para beber?

— Elas são *bem* laranja — protestou papai, com fúria. — E não, não ofereci nada para ele beber, não.

— Daniel, gostaria de beber alguma coisa? — perguntou mamãe, se levantando.

— Diga aí: se isso não é laranja, de que cor vocês acham que é? — perguntou papai para a mesa toda. — Cor-de-rosa? Verde?

— Não, Sra. Sullivan — respondeu Daniel, parecendo nervoso. — Não quero beber nada, obrigado.

— Pois não vai beber mesmo — disse papai, como provocação. — A não ser que diga que as batatas são laranja.

Mamãe e papai fixaram o olhar em Daniel, ambos ansiosos para que ele tomasse o seu partido.

— Elas me parecem ter um tom meio dourado — sugeriu ele, afinal, diplomata como sempre.

— Elas são laranja!

— Douradas! — disse mamãe.

Daniel não disse mais nada. Parecia muito sem graça.

— Então está bem! — rugiu papai, batendo com a mão por sobre a mesa e fazendo os pratos e os talheres pularem, com barulho.

— Vou lhe fazer uma oferta irrecusável. Dourado-alaranjado, e essa é a minha última palavra. É pegar ou largar! Só não quero que vocês digam que não sou justo. Agora dê-lhe algo para beber.

Papai ficou mais animado na mesma hora. O jantar transcorreu às mil maravilhas para melhorar o seu estado de espírito sempre lúgubre.

— Só existe uma coisa melhor do que uma isca de peixe — disse ele, feliz, sorrindo para todos à mesa. — São *seis* iscas de peixe.

— Olhem só para isso — disse ele, com olhar de admiração, levantando uma isca inteira de peixe com o garfo e girando-a para conseguir observá-la de todos os ângulos. — Uma maravilha! Isto é uma obra de arte, sabia? É preciso um curso universitário completo para se aprender a preparar uma destas da maneira adequada.

— Jamsie, pare de brincar com a comida — disse mamãe, estragando a brincadeira.

— Gostaria de conhecer este tal de Capitão Birds, que aparece na caixa dessas iscas de peixe, só para cumprimentá-lo pelo trabalho bem-feito — declarou papai, ignorando-a. — Queria mesmo. Eles deviam convidá-lo para ir ao programa *Esta É a Sua Vida*. O que acha disso, Lucy?

— Acho que o Capitão Birds não existe de verdade, papai. — E dei uma risadinha.

— Não existe de verdade? — perguntou papai. — Mas já o vi na televisão. Tem bigodes compridos, brancos, e mora em um barco.

— Mas...

Eu não tinha certeza se papai estava brincando ou não. Achava que sim. Pelo menos *esperava* que sim.

— Ele devia ganhar o Prêmio Nobel, devia mesmo — declarou papai.

— Prêmio Nobel pelo quê? — quis saber mamãe, com tom sarcástico.

— Prêmio Nobel pela melhor isca de peixe, é claro — disse papai, parecendo surpreso. — De que tipo de Prêmio Nobel você achou que eu estava falando, Connie? Do prêmio de literatura? Um absurdo, isso não faria sentido algum.

Nesse momento, mamãe soltou uma risada curta e os dois olharam um para o outro de um jeito engraçado.

Depois que os pratos foram levados da mesa, papai foi para a sua poltrona no canto da sala enquanto Daniel, mamãe e eu continuamos sentados à mesa da cozinha, bebendo oceanos de chá.

— Acho melhor a gente ir embora — comentei em tom casual, quando deu dez e meia. Eu passara a última meia hora tentando reunir coragem para fazer a sugestão. Sabia que a ideia não ia agradar muito a minha mãe.

— Mas já? — reclamou ela, com a voz aguda. — Vocês mal chegaram!

— Já é tarde, mamãe, e vai ser ainda mais tarde quando eu chegar em casa. Preciso descansar bem para encarar o trabalho amanhã.

— Não sei o que há de errado com você, Lucy. Quando eu tinha a sua idade, conseguia dançar a noite toda, até o sol raiar.

— Tome comprimidos de ferro! — berrou meu pai, da sala. — É disso que você está precisando. Ou então aquele outro remédio que os jovens tomam para ganhar mais energia, como é o nome mesmo?

— Não sei, papai. Sanatogen?

— Não — murmurou ele. — Acho que tinha outro nome.

— Nós realmente temos que ir. Não temos, Daniel? — disse eu, com firmeza.

— Hã... temos.

— Cocaína! É esse o nome — gritou papai, todo feliz por ter conseguido lembrar. — Vá até o médico e peça a ele uma receita para comprar cocaína. Uma dose e você já vai estar pulando por toda parte, cheia de energia.

— Acho que não, papai. — E soltei uma risada.

— Por que não? — insistiu ele. — Cocaína é um daqueles troços ilegais?

— É, papai.

— Isso é um absurdo — declarou ele. — Esses caras que fazem as leis estragam tudo com sua mania de taxar as coisas e rotular tudo de ilegal-isso e ilegal-aquilo. Que mal faria uma gotinha de cocaína de vez em quando? Eles não têm a mínima ideia do que é se divertir, não têm mesmo.

— Sim, papai.

— Por que não passa a noite aqui? — sugeriu mamãe. — A sua cama está feita, lá no seu antigo quarto.

Fiquei horrorizada só de ouvir aquela ideia. Dormir debaixo do mesmo teto que ela? Sentir-me novamente aprisionada ali? Como se jamais tivesse conseguido escapar?

— Hã... não, mamãe. Daniel também precisa ir para casa, então é melhor eu voltar para a cidade com ele...

— Mas Daniel pode dormir aqui também — disse mamãe, toda empolgada. — Pode ficar no quarto que era dos meninos.

— Muito obrigado, Sra. Sullivan...

— Connie — disse ela, inclinando-se por sobre a mesa e colocando a mão sobre a manga da camisa dele. — Pode me chamar de Connie. É uma bobagem você continuar me chamando de "Sra. Sullivan", agora que já está adulto.

Minha nossa! Ela está agindo como... como se estivesse *flertando* com ele. Senti vontade de vomitar.

— Muito obrigado... *Connie* — repetiu Daniel —, mas eu realmente preciso ir embora. Tenho uma reunião no trabalho amanhã, bem cedo...

— Bem, já que insistem. Longe de mim querer impedir as engrenagens da indústria. Mas você promete voltar para nos visitar novamente?

— Claro que sim. Eu adoraria.

— E talvez, da próxima vez, vocês possam dormir aqui, que tal?

— Ué, eu também fui convidada? — perguntei.

— Lucy. — Mamãe balançou a cabeça. — Você não precisa de convite. Como é que você aguenta essa menina? — perguntou a Daniel. — Ela fica melindrada à toa.

— Ela não é das piores — resmungou Daniel. Sua cortesia natural pedia que ele concordasse com mamãe, mas seu instinto de sobrevivência o fez se lembrar de que seria imprudente me deixar aborrecida.

Devia ser difícil agir como Daniel, pensei, e achar que era necessário agradar a todos o tempo todo. Ser charmoso, receptivo e simpático vinte e quatro horas por dia era de deixar qualquer um arrasado.

— Sei... me engana que eu gosto — disse mamãe, com ironia.

— Podemos dar um telefonema para pedir um táxi? — perguntou Daniel, doido para mudar de assunto.

— Por que não vamos de metrô? — perguntei.

— Já está muito tarde.

— E daí?

— Está chovendo.

— E daí?

— Eu pago a corrida.

— Então tá!

— Há uma empresa de táxis aqui pertinho, nessa rua mesmo — disse mamãe. — Já que vocês querem ir embora de qualquer jeito, posso dar uma ligada, pedindo um carro.

Fiquei desanimada na mesma hora. A empresa de táxis que ficava ali pertinho era constituída de um monte de refugiados afegãos, indonésios em busca de asilo político e exilados argelinos. Nenhum deles sabia falar uma palavra sequer de inglês e, a julgar pelo seu senso de direção, haviam acabado de desembarcar na Europa. Eu tinha simpatia pelas suas causas e problemas de todo tipo, mas queria chegar em casa sem ser “via Oslo”.

Mamãe ligou para eles.

— Quinze minutos — anunciou ela.

Sentamos novamente à mesa e ficamos esperando. A atmosfera parecia forçada, mas ficamos ali, fingindo que aquele finalzinho estava sendo tão bom quanto o resto da noite, que estávamos muito felizes por estar ali, e que nossos ouvidos não estavam loucos para ouvir o som do táxi parando bem na porta. Ninguém disse nada. Eu, certamente, não consegui falar nada leve, que pudesse disfarçar a tensão.

Mamãe suspirava de vez em quando, dizendo coisas tolas como "bem...". Ela era a única pessoa que eu conhecia capaz de dizer "bem" e "quer mais uma xícara de chá?" de forma desagradável.

Depois do que me pareceram horas, pensei ter ouvido um carro estacionando na frente de casa e corri para dar uma olhada.

Os carros da empresa eram sempre umas latas velhas, geralmente Ladas e Skodas caindo aos pedaços.

Como era de esperar, um Ford Escort jurássico e imundo parara na porta e, mesmo no escuro, dava para ver que estava todo enferrujado.

— O táxi chegou — avisei. Peguei meu casaco, agarrei Daniel e me lancei em direção ao carro.

— Oi, eu sou Lucy — apresentei-me ao motorista. Como íamos passar muito tempo juntos durante a longa viagem de volta, achei que era melhor ficarmos bem à vontade uns com os outros.

— Hassan — sorriu ele.

— Podemos ir primeiro a Ladbroke Grove? — perguntei.

— Falar pouco inglês — explicou Hassan, com cara de quem pede desculpas.

— Ah.

— *Parlez-vous français?* — perguntou ele.

— *Un peu* — repliquei. — E você, sabe *parlez* algum *français*? — perguntei a Daniel quando ele entrou no carro.

— *Un peu* — replicou ele.

— Daniel, este é Hassan. Hassan, Daniel.

Eles trocaram um aperto de mãos e Daniel tentou ensinar o percurso.

— *Savez-vous* a avenida Oeste?

— Hã...

— Bem, *savez-vous* o centro de Londres?

Um olhar sem expressão.

— Já *ouviu falar* de Londres? — perguntou Daniel, com delicadeza.

— Ah, sim! Londres. — Um raio de compreensão despontou no rosto de Hassan.

— *Bien!* — disse Daniel, satisfeito.

— É a capital da Grã-Bretanha.

— Exato! É essa mesmo!

— Possui uma população de... — continuou Hassan.

— Pode nos levar até lá, por favor? — pediu Daniel, já começando a parecer ansioso. — Vou lhe ensinar o caminho. E vou lhe pagar um monte de dinheiro também.

E lá fomos nós! Daniel ocasionalmente gritava "*à droit*" ou "*à gauche*".

— Graças a Deus acabou! — suspirei enquanto saíamos dali, a figura de mamãe que acenava se encolhendo aos poucos atrás de nós.

— Para mim foi uma noite legal — disse Daniel.

— Não seja ridículo — reagi, com ar de deboche.

— Foi sim.

— Como é que você pode achar isso? Com aquela... aquela... velha megera lá?

— Imagino que você esteja se referindo à sua mãe. Não acho que ela seja uma megera.

— Daniel! Ela não perde uma chance de me desmerecer.

— E você não perde uma chance de provocá-la.

— O quê? Como ousa falar isso? Sou uma filha muito boa, dedicada e deixo que ela escape impune, apesar de todos os insultos.

— Lucy. — Riu Daniel. — Claro que não. Você põe a maior pilha e fala coisas só para deixá-la aborrecida, de propósito.

— Não sei do que você está falando. De qualquer modo, isso não é da sua conta.

— Tudo bem.

— E você não acha que ela é *chata*? — continuei, quase de imediato. — Ficou falando o tempo todo, sem parar, da porcaria da tinturaria. Quem está interessado nesse assunto?

— Mas...

— O quê?

— Não sei... acho que ela é muito sozinha. Não deve ter ninguém com quem conversar...

— Se ela é sozinha, a culpa é dela mesma.

— ... Enfiada o tempo todo naquela casa, tendo apenas o seu pai para conversar com ela. Ela sai? Quer dizer, sem ser para ir ao trabalho?

— Não sei. Acho que não. E o que é mais importante, não dou a mínima.

— Pois ela é uma pessoa muito divertida, sabia?

— Não sei disso não!

— Sério, Lucy, ela é sim. Sua mãe ainda é uma mulher muito jovial.

— Mas ela é uma bruxa velha.

— Não acredito que você esteja falando sério — disse Daniel. — Você não está sendo nem um pouco sensata. Ela não é uma bruxa velha. É até muito bonita. Você se parece muito com ela.

— Daniel — disse, soprando com raiva. — Isso foi a coisa mais terrível que você já me disse. É a pior coisa que qualquer pessoa me disse em toda a minha vida.

Ele simplesmente riu.

— Você parece demente, Lucy.

— Apesar de tudo, foi muito legal rever papai.

— É... ele foi muito legal comigo — disse Daniel.

— Ele sempre é legal.

— Da última vez em que nos encontramos, ele não foi nada legal.

— Não foi?

— Não. Ele me chamou de *Sassenach** sem-vergonha, e me acusou de roubar as terras dele e oprimi-lo por setecentos anos.

— Mas ele não falou isso em nível pessoal — argumentei, colocando panos quentes. — Você era apenas um símbolo para ele.

— Mesmo assim, não foi legal — teimou Daniel. — Eu jamais roubei nada de ninguém em toda a minha vida.

— Nunca?

— Nunca.

---

* Nome pejorativo pelo qual os irlandeses se referem aos escoceses e aos ingleses em geral. (N.T.)

— Nem quando era garoto?

— Não.

— Tem certeza?

— Tenho.

— Tem certeza *mesmo*?

— Bem, tenho *quase* certeza.

— Nem mesmo balas de uma loja?

— Não.

— Como é?... Não ouvi bem. Repita.

— *Não!*

— Também não precisa gritar.

— Tá legal, então... sim! Acho que você está se referindo àquela vez no Woolworth's, quando Chris e eu roubamos aquelas facas e garfos na seção de cozinha.

— Hã?...

Aquilo era novidade para mim, mas Daniel foi em frente.

— Você não perdoa nada, não é, Lucy? — reclamou ele, com cara de zanga. — Fica fuçando tudo sobre a minha vida, não consigo esconder nem um segredo de você...

— Mas por que roubar talheres? — interrompi, intrigada.

— E por que não roubar?

— Mas... para que vocês queriam aquilo? Por que roubaram garfos e facas?

— Porque tivemos chance

— Não saquei...

— Porque conseguimos. Roubamos pelo simples fato de fazer isso sem sermos pegos. *Roubamos por ter tido a oportunidade,* não porque queríamos os objetos — explicou ele. — O prêmio não era o objeto surrupiado, era a ação propriamente dita. O ato da aquisição ilícita e a emoção daquilo, esse era o lance.

— Ah.

— Você entendeu?

— Sim, acho que sim. E o que fizeram com os talheres?

— Dei tudo para a minha mãe como presente de aniversário.

— Seu pão-duro!

— Mas arrumei outro presente para ela também, além desses — explicou ele, correndo. — Um marcador de tempo para fazer ovos cozidos. Esse foi comprado, *paguei* pelo marcador de tempo para preparar ovos. Não fique olhando para mim desse jeito, Lucy.

— Não estou olhando assim por achar que você tenha roubado o marcador de tempo para ovos cozidos. O espanto é pelo presente. Um marcador de tempo para preparar ovos! Que tipo de presente idiota é esse para uma mulher?

— Eu era muito novo, Lucy, não sabia das coisas.

— Que idade tinha? Vinte e sete?

— Não. — E riu. — Tinha seis, mais ou menos.

— Você não mudou muito, sabia, Daniel?

— Como assim? Você acha que continuo a roubar talheres na Woolworth's para dar de presente à minha mãe no aniversário dela?

— Não.

— O que é, então?

— É sobre pegar coisas pelo simples fato de ser capaz disso.

— Não peguei o que você está querendo dizer — disse, com cara de ofendido.

— Ah, pegou. Pegou sim! — cantarolei, feliz.

— Não peguei.

— Claro que pegou. Estou deixando você chateado?

— Está.

— É isso mesmo. Estou falando de mulheres, Daniel. As mulheres e você, Daniel. Você e as mulheres, Daniel.

— Achei que devia ser isso — reagiu ele, tentando esconder um pequeno sorriso.

— O jeito como você as pega simplesmente porque consegue fazer isso.

— Não faço isso.

— Faz, faz sim!

— Lucy, é claro que não!

— Bem, e quanto a Karen?

— O que tem ela?

— O quanto você gosta dela? Ou está com ela só para se divertir?

— Eu realmente gosto dela — disse, com a cara séria. — Gosto mesmo, Lucy. Ela é muito inteligente, uma ótima companhia e ainda por cima é linda.

— Você está sendo honesto? — perguntei com severidade.

— Estou.

— A coisa é séria com ela?

— É.

— Puxa!

Uma pequena pausa.

— Hã... você está, tipo assim... *apaixonado* por ela? — perguntei, com cautela.

— Bem, Lucy, não a conheço há tanto tempo assim para estar apaixonado por ela.

— Ótimo.

— Mas estou tentando.

— Entendo.

Outra pausa estranha.

Eu realmente não conseguia arranjar nada para dizer a Daniel. Aquilo era algo que jamais acontecera entre nós antes.

— Papai estava muito quieto esta noite — disse eu, por fim. — Estava muito bem comportado.

— É mesmo, ele nem chegou a cantar.

— Cantar?

— Ele normalmente me homenageia com várias canções, como "Carrickfergus" ou "Quatro campinas verdes", e também me obriga a cantá-las junto com ele.

Senti a desagradável impressão de que Daniel estava debochando de papai, mas não queria saber com certeza, então fiquei calada

Muito tempo depois, chegamos ao meu apartamento.

— Obrigada por ter ido comigo até lá — disse a Daniel.

— Não seja boba. Eu gostei disso.

— Bem, hã... boa-noite.

— Boa-noite, Lucy.

— A gente se vê. Provavelmente você vai aparecer por aqui para se encontrar com a Karen.

— Provavelmente. — E sorriu.

Senti uma inesperada fisgada de aborrecimento, aquele sentimento infantil de "ele é *meu* amigo, e não *seu,* Karen".

— Tchau — disse depressa, virando-me para sair do carro.

— Lucy — disse Daniel.

Havia alguma coisa estranha, alguma coisa nova em seu tom de voz, uma sensação de *urgência* talvez, que me fez virar depressa e olhar para ele.

— Que foi? — perguntei.

— Nada não, é só... boa-noite.

— Sim. Boa-noite — respondi, tentando parecer chateada. Mas não saí do carro. Sentia uma tensão esquisita, algo me dizia que eu estava à espera de algo, mas não sabia do quê.

Acho que estávamos tendo uma briga, decidi, uma daquelas silenciosas, mas terríveis.

— Lucy — disse Daniel, novamente com aquele tom de voz estranho e urgente.

Só que eu não disse nada, não bufei nem perguntei "o que foi?!", como em geral faria.

Simplesmente olhei para ele e, pela primeira vez em toda a minha vida, me senti *sem graça* na presença de Daniel. Não queria olhar para ele, mas não consegui evitar.

Ele levantou a mão, tocou o meu rosto e fiquei olhando para ele, parada, como um coelho pego de surpresa pelos faróis de um carro. Que diabos ele estava fazendo?

Com todo o cuidado, Daniel tirou o meu cabelo da frente do olho enquanto fiquei rígida ali, olhando para ele.

Então voltei à realidade.

— Boa-noite — cantarolei, meio alto, pegando a bolsa e me arrastando para a ponta do banco, para sair do carro. — Obrigada pela carona. A gente se vê.

— Ah, e *bonsoir* — disse, na direção de Hassan. — *Bon chance* com a empresa de táxis.

— *Salut!* — respondeu ele de volta.

Corri para casa e enfiei a chave na porta. Minha mão tremia. Não consegui entrar tão rápido quanto planejei. Só pensava em ir para o meu quarto, onde estaria em segurança. Estava apavorada. O que significava aquela tensão repentina entre mim e Daniel? Havia tão pouca gente com quem eu me sentia à vontade, tão pouca gente que eu considerava amiga de verdade. Não ia aguentar se as coisas dessem errado com Daniel.

Mas a verdade é que *havia* algo de errado, as coisas ficaram muito esquisitas por um instante. Talvez ele estivesse chateado comigo por eu falar aquelas coisas das namoradas dele. Talvez ele tivesse se apaixonado por Karen e agora viesse com todo aquele comportamento protetor a respeito do assunto.

Talvez ele não fosse mais precisar da minha companhia se estivesse apaixonado e encontrado a alma gêmea, porque é isso que acontece de vez em quando. Quantas amizades dão com os burros n'água quando um dos lados se apaixona? Centenas, provavelmente. Não seria surpresa se aquilo acontecesse entre mim e Daniel.

Por mim não havia problemas, eu tinha o Gus. Tinha outros amigos. Ia ficar bem.

CAPÍTULO 38

Seis semanas se passaram, e era um domingo à noite, *bem tarde*.

Voltáramos do Curryfour havia algum tempo, e Gus já saíra havia cerca de uma hora. Karen, Charlotte e eu estávamos jogadas na sala, sem vida, sobre várias peças da mobília, comendo o resto das batatas fritas, assistindo à tevê e tentando nos recuperar do fim de semana. Karen de repente deu um pulo e se sentou reta na poltrona, parecendo ter acabado de tomar uma decisão muito importante.

— Vou dar um jantar na sexta-feira — declarou ela. — Vocês duas, Simon e Gus estão convidados.

— Puxa, obrigada, Karen — disse eu, meio nervosa.

Eu sabia que ela estava tramando alguma coisa. Notei que estivera olhando para a lareira durante toda a última meia hora, com um olhar engraçado, de determinação.

— O Daniel vem? — perguntou Charlotte, ingênua até dizer chega.

É claro que Daniel vinha. Daniel era o *motivo principal* da reunião.

— É claro que Daniel vem — disse Karen. — Daniel é o *motivo principal* da reunião.

— Ah, entendi... — concordou Charlotte.

Eu entendi também.

Karen devia estar tramando o preparo de um jantar muito elaborado e sofisticado, com mais de dez pratos. Ia servi-lo com todo o estilo, mostrando graça e elegância, sem derramar nada sobre a roupa nem ficar com a cara vermelha e brilhante. Ia parecer linda, ia se mostrar inteligente, boa anfitriã, uma ótima companhia, tudo parte de sua tentativa de provar a Daniel o quanto ela era indispensável em sua vida.

— Vamos ter um jantar maravilhoso — anunciou ela. — E vocês vão ter que estar muito bem produzidas.

— Parece divertido — disse Charlotte. — Posso usar minha fantasia de *cowgirl.*

— Não esse tipo de produção — disse Karen, ligeiramente alarmada. — Estou falando de roupa chique, glamourosa, vestido longo, joias e salto alto.

— Não estou bem certa se Gus tem um vestido longo — disse.

— Rá-rá — disse Karen, sem achar graça. — Muito engraçada. Pelo menos certifique-se de que ele vai aparecer com uma roupa decente, em vez daqueles trapos de refugiado que normalmente usa.

— E agora — continuou Karen — vou precisar de... deixe ver... trinta libras de cada uma de vocês duas, e depois a gente acerta o que ficar faltando.

— O qu... quê? — perguntei, coberta de preocupação.

Eu não esperava aquilo. Nem Charlotte, pelo jeito como ficou espantada e deixou o queixo cair.

Ah, não! Eu tinha me divertido o fim de semana inteiro com Gus, e estava sem disposição para arrumar discussão com Karen.

— Claro — disse ela, parecendo aborrecida. — Vocês não esperam que eu vá pagar pela comida toda sozinha, esperam? Estou planejando e vou ser a coordenadora de todo o evento, além de preparar os pratos.

— Então está bem, parece justo — disse Charlotte, tentando fazer cara de animada e me lançando um olhar do tipo "vamos tentar enxergar o lado divertido de tudo isso", além de um sorriso do tipo "não podemos esperar que ela prepare alimentos finos para nós e para os nossos namorados apenas por bondade".

Como ela estava certa...

— Ótimo, então está combinado — disse Karen, com firmeza. — E vou querer o dinheiro agora, se vocês não se importam.

Houve uma pausa de choque.

— Agora — repetiu Karen.

Houve uma apressada busca no fundo das bolsas, seguida de desculpas esfarrapadas.

— Acho que não estou com esse dinheiro todo comigo não.

— Posso lhe dar um cheque?

— Será que não dá para lhe dar o dinheiro amanhã à noite?

— Francamente, Karen — argumentei. — Como é que você pode achar que alguma de nós está com dinheiro sobrando em um domingo à noite? Especialmente depois de um fim de semana cheio como esse que tivemos.

Karen disse alguma coisa realmente desagradável a respeito da história das virgens prudentes e das virgens tolas, mas eu a alertei de que ali não havia nenhuma virgem, nem prudente, nem tola, nem de qualquer tipo, e que não sabia do que ela estava falando.

Todas caíram na risada e a tensão se dissolveu por alguns instantes, até Karen atacar de novo:

— Eu *realmente* preciso do dinheiro agora — avisou.

— Por quê? — eu quis saber, com cara de boba. — Acho que o supermercado já deve estar fechado em um domingo às dez e meia da noite.

— Não se faça de engraçadinha, Lucy — disse ela, com ar de crítica. — Não combina com você.

— Mas eu não estava me fazendo de engraçada, não — gaguejei. — Realmente queria saber para que você precisa do dinheiro agora, hoje, num domingo à noite.

— Não é para hoje, sua burralda! É para amanhã. Vou fazer as compras quando voltar do trabalho amanhã, por isso é que preciso do dinheiro *hoje*.

— Ah.

— Vamos até o caixa eletrônico agora mesmo — disse Karen, com voz de quem não admitia argumentos.

Charlotte bem que tentou fazer um protesto corajoso, mas estava fadado ao fracasso.

— Está chovendo... — explicou ela. — É domingo à noite e já estou de camisola...

— Você não precisa trocar de roupa, então — disse Karen, com gentileza.

— Obrigada — suspirou Charlotte.

— É só colocar um casacão por cima da camisola — continuou Karen. — Enfie um par de meias, calce as botas e vai ficar legal. Está escuro, ninguém vai ver.

— Tá bem... — resmungou Charlotte, meio murcha.

— E não é necessário vocês duas irem até lá — continuou Karen — Lucy, entregue o seu cartão à Charlotte e diga a ela qual é a sua senha.

— Quer dizer que você não vai? — perguntei, com a voz fraca.

— Lucy, *francamente*... Às vezes você parece meio tapada. Para que eu preciso ir até lá?

— Mas eu pensei...

— Você não pensa, esse é o seu problema. Enfim, se Charlotte vai, você não precisa ir.

Eu não me incomodava de ficar chateada com ela. Um dos fatores para o sucesso, quando a gente divide o apartamento com alguém, é a capacidade de deixar que as pessoas sejam insuportáveis com você de vez em quando. Assim, quando você achar que está se comportando como Anticristo, o jogo fica empatado.

— Não posso deixar que Charlotte vá até lá sozinha — disse eu.

— A Charlotte não vai até lá sozinha não, de jeito nenhum! — berrou Charlotte, do quarto.

— Se você quer ser generosa com ela... — Karen encolheu os ombros.

Coloquei um casacão por cima do pijama e enfiei as pontas das calças dentro das botas.

— Meu guarda-chuva está no vestíbulo — cantarolou Karen.

— Enfia o guarda-chuva — reagi, mas bem baixinho, em segurança, bem longe dela e já perto da porta.

Claro que outro fator para o sucesso de se dar bem com as pessoas que dividem o apartamento com você é não perder uma oportunidade de soltar os cachorros pelas costas da agressora.

Charlotte e eu caminhávamos com dificuldade, açoitadas pela chuva, até chegarmos ao caixa eletrônico.

— Piranha — desabafou Charlotte.

— Não, ela não é piranha — reagi, com ar sombrio.

— Não? — perguntou Charlotte, parecendo surpresa.

— Não! Ela é uma *vaca* que também é piranha — corrigi.

Charlotte começou a patinhar nas poças de chuva, gritando:

— Piranha, piranha, piranha, piranha, piranha, piranha, piranha, piranha, *piranha*!

Um homem que estava levando o cachorro para dar uma volta atravessou a rua, parou e ficou olhando para nós com toda a atenção. Parecíamos duas lunáticas desbocadas, marchando pela rua apressadas, as pontas da camisola cor-de-rosa de Charlotte soltas e tremulando agitadas por baixo do casaco a cada passo que ela dava, ao mesmo tempo em que as pernas do meu pijama de flanelinha azul-bebê balançavam ao vento, por fora da bota.

— Tomara que ela pegue gonorreia do Daniel — disse eu. — Ou herpes, verrugas genitais, qualquer coisa assim, bem horrível.

— Ou chato. Tomara que ela pegue chato — concordou Charlotte, com crueldade. — Espero que pegue uma gravidez. E da próxima vez que Daniel aparecer, vou desfilar pelo apartamento sem roupa, só para mostrar para ele que meus peitos são maiores do que os dela. Karen ia odiar isso, aquela megera piranhuda e mandona!

— Isso mesmo — concordei, com a maior animação. — Na verdade, você devia tentar dar em cima e se esfregar nele.

— Sim — concordou ela, com todo o entusiasmo. — Eu adoraria!

— Olhe, acho que o melhor de tudo seria tentar transar com ele. E na cama dela, se você conseguisse — sugeri, com um prazer malicioso.

— Grande ideia! — guinchou Charlotte.

— E depois jogar na cara de Karen que ele disse que ela era horrível de cama, e que você era muito melhor.

— Não sei, não... — disse Charlotte, meio em dúvida. — Talvez não seja assim tão fácil chegar nele, sabe, ele parece gostar dela de verdade. Por que não tenta você?

— Eu?

— Sim, você teria mais chance — explicou ela. — Acho que Daniel fica com o coração mole só de ver você.

— Talvez fique — concordei, meio triste. — Mas nós estamos falando de sexo, Charlotte. Não vai adiantar nada ele ficar com o coração mole por mim, o coração tem que ficar é duro.

Começamos a rir e nos sentimos melhor. Só que aquilo me fez pensar em Daniel. Ele quase não estava falando comigo. Ou talvez eu é que quase não estivesse falando com ele. Algo estranho estava acontecendo, de qualquer modo.

Pegamos o dinheiro e voltamos para casa, encharcadas e com raiva. Entregamos o dinheiro para Karen, com a cara amarrada.

— Quer dizer que posso enfiar o meu guarda-chuva, é? — perguntou ela, com a sobrancelha arqueada, sentada bem reta no sofá.

Fiquei vermelha de vergonha na mesma hora. Mas quando tornei a olhar para ela, ela estava sorrindo.

— Sim! — Ri também, dissolvendo a tensão. — Agora eu vou para a cama. Boa-noite.

— Boa-noite — repetiu Karen enquanto eu saía. — Ah, e tem mais uma coisa, Lucy... Vou precisar de você e de Charlotte aqui em casa na quinta à noite, para fazer uma faxina no apartamento e ajudar nos preparativos.

Parei na mesma hora e compreendi que outro fator para o sucesso no relacionamento com a pessoa que divide o apartamento com você é a capacidade de imaginá-la sendo surrada na cabeça por um bastão comprido e cheio de pregos.

— Tudo bem — resmunguei sem me virar.

Passei a noite fantasiando como seria se eu pusesse todas as roupas de Karen em um imenso saco preto e o colocasse na porta, para os lixeiros levarem.

Na quinta à noite, a Noite dos Longos Preparativos, me pareceu que eu havia morrido e ido para o Inferno.

Karen resolveu preparar a maior parte da comida na véspera, de modo que na noite do jantar ela teria pouca coisa a fazer, além de parecer linda, simpática, calma e com tudo sob controle.

O único problema é que Karen estava tão nervosa com tudo aquilo e tão determinada a impressionar Daniel que parecia estar ainda mais, como direi?..., *difícil*, do que de hábito. Ela sempre fora uma pessoa dinâmica e com força de vontade, mas havia uma tênue linha divisória entre ser dinâmica, ter força de vontade e virar uma megera mandona. Karen conseguira atravessar essa linha com sucesso.

Resolvera que Charlotte e eu faríamos a parte "mãos à obra" dos preparativos enquanto ela ficaria com o cargo de Diretora de Criação, supervisionando tudo, aconselhando, guiando e gerenciando tudo.

Em outras palavras, se havia batatas para descascar, ela não tinha intenção alguma de fazê-lo.

Charlotte e eu mal colocamos o pé em casa, na volta do trabalho, e ela começou a nos dar ordens, organizando tudo:

— Você! — berrou para Charlotte, apontando com a caneta e lendo os itens de uma lista. — Está encarregada das cenouras, da pimenta, da berinjela, das abobrinhas, do coentro, da sopa de alecrim e do suflê de aspargos.

— E você! — berrou para mim. — Está encarregada dos bolinhos de batata, do purê de kiwi, da geleia de amora, do creme chantilly, dos cogumelos recheados e dos biscoitinhos vienenses.

Charlotte e eu ficamos aterrorizadas. Nem sabíamos da existência da maioria daquelas comidas, muito menos como prepará-las. A especialidade culinária de Charlotte era torrada, e a minha era miojo. Sempre que tentávamos cozinhar alguma coisa mais complicada do que isso, a coisa acabava em lágrimas e recriminações. Era sempre comida carbonizada por fora e crua por dentro, vozes alteradas, sentimentos feridos, derramamentos diversos e escorregões variados. Não dá para fazer uma omelete sem quebrar alguma coisa além dos ovos. Pelo menos *eu* nunca conseguira essa façanha.

Naquela noite, a cozinha parecia uma cena do *Inferno* de Dante. O círculo onde os pecadores eram torturados com frutas e vegetais. As quatro bocas do fogão estavam em uso constante, com vapores subindo, tampas chacoalhando, para a seguir pularem, esparramando líquidos que transbordavam. Havia pilhas de uvas, aspargos, muita couve-flor, um monte de batatas, cenouras e kiwis em toda parte. O calor era tão intenso que Charlotte e eu estávamos da mesma cor que os tomates. Karen, não.

Não havia lugar para colocar coisa alguma, porque Karen nos obrigara a levar a mesa da cozinha para a sala de estar.

— Coloque as coisas ali no canto. Não, não, o creme para preparar o merengue não, pelo amor de Deus! — reagiu ela, tendo um chilique quando tentei esvaziar a geladeira, a fim de conseguir espaço para os vinte ou trinta tipos de sobremesa que ela estava esperando que preparássemos.

Em todo lugar havia comida. Em cima da geladeira, sobre a pia, dentro da pia... A maior parte do chão estava coberta de tigelas com carne de porco descansando no molho, gelatina que estava endurecendo e pão de alho embrulhado em papel laminado. Eu estava com medo de mexer o pé alguns centímetros e afundar até as canelas em azeite, vinho tinto, zimbro, baunilha, cominho ou no "molho com ingredientes secretos da Karen". Pelo que consegui ver, o tal ingrediente secreto era simplesmente açúcar mascavo. Estava doida para jogar isso na cara dela, para ela parar de fazer mistério, como se o molho fosse o Terceiro Segredo de Fátima.

Descasquei catorze milhões de batatas. Fatiei dezessete mil kiwis. Depois piquei tudo. Depois, tive de esmagar tudo aquilo para passar por uma peneira, sei lá para que exatamente. Ralei os dedos na parede enquanto empurrava a mesa pelo corredor até a sala. Cortei o polegar quando estava descascando vagens e um pouco de pimenta entrou no corte. Karen acudiu, aconselhando-me a ter mais cuidado, porque ela não queria sangue na comida.

De vez em quando ela aparecia para "dar uma olhadinha" no que estávamos fazendo, e, mesmo sabendo que era ridículo, fiquei nervosa. Ela parecia um sargento passando os soldados em revista.

— Não, não, não — disse ela e, deixando-me pasma, bateu nos meus dedos com uma colher de pau! — Não é assim que se descasca batata! Você está arrancando metade das batatas junto com a casca! Isso é um desperdício, Lucy!

— Enfia essa colher de pau no rabo! — disse eu, muito zangada, desejando que a minha faca de cortar legumes fosse um canivete. A piranha mandona tinha ido longe demais, e a colher de pau tinha machucado.

— Ora, ora... *estamos mesmo* de muito mau humor hoje, não é? — E riu. — Você precisa aprender a aceitar críticas construtivas, Lucy. Jamais vai vencer na vida com esta sua atitude.

Dava para eu sentir a fúria na boca. Estava tentando... precisava compreender que ela estava louca daquele jeito por causa de um homem. Mesmo sendo Daniel. Eu não tinha o direito de julgar.

— E isto aqui, alguém sabe me explicar o que é? — quis saber ela. Estava junto de Charlotte, que descascava cenouras, e apanhou uma delas, já descascada.

— Isto é uma cenoura — explicou Charlotte. De cara feia. Na defensiva.

— Que tipo de cenoura? — perguntou Karen, com a voz lenta e expressiva.

— Uma cenoura descascada.

— Uma cenoura... *descascada* — disse Karen, com ar de triunfo. — Uma cenoura descascada, ela está me dizendo. Posso lhe perguntar, Lucy Sullivan, se, na sua opinião, esta cenoura parece descascada?

— Parece — respondi, com firmeza e lealdade.

— Ah, não, não parece *mesmo*! Se está descascada, está muito mal descascada. Comece tudo de novo, Charlotte, e faça direito dessa vez.

— Sai daqui, Karen! — explodi, muito brava para me importar. — Estamos fazendo um favor para você.

— Como disse?... — perguntou Karen, levantando as sobrancelhas. — Podia repetir? *Vocês* estão fazendo um favor *para mim*? Acho que não é bem assim, Lucy. De qualquer forma, pode parar agora mesmo, se quiser, mas não espere um lugar reservado na mesa para você e Gus amanhã à noite.

Isso me fez calar a boca.

Gus ficara todo empolgado quando eu lhe contara a respeito do jantar, especialmente quando falei que íamos nos produzir todas. Ele ficaria muito desapontado se não pudesse ir. Sendo assim, engoli a raiva. Mais um passo a caminho da úlcera.

— Vou tomar um pouco de vinho — disse, zangada, pegando uma das garrafas que estavam na geladeira. — Vai querer também, Charlotte?

— Não, nada de vinho — declarou Karen. — Ele é para amanhã à noi... ah, deixa pra lá. Vou tomar um pouco com vocês, para fazer companhia.

E assim passamos a noite, trabalhando, descascando, raspando, fatiando, ralando, recheando, batendo, assando e cozinhando.

Trabalhamos tanto que Karen se sentiu quase grata, mas só por dois segundos.

— Obrigada a vocês duas — disse ela enquanto se abaixava para tirar alguma coisa do forno.

— Como é?... não escutei direito — disse eu, tão cansada que me pareceu estar ouvindo coisas.

— Eu falei "obrigada!" — disse ela. — Vocês duas foram muito bo... Ai, meu Deus! Sai da frente, sai, sai! — urrou ela, me empurrando para o lado, deixando tombar uma bandeja do que deveriam ser os biscoitinhos vienenses, fazendo-os escorregar e cair dentro da tigela de *ratatouille*. — Queimei a mão — gemeu ela. — Essas porcarias de luvas térmicas não servem para nada.

Finalmente consegui ir para a cama, mais ou menos às duas da manhã, com as mãos raladas e cortadas, cheirando a alho misturado com Drambuie. Minha unha de estimação, que eu tratara com carinho desde o sabugo, ficou lascada e quebrou.

CAPÍTULO 39

Foi bom eu conseguir um lugar sentada no metrô, na manhã seguinte, porque estava tão cansada que era capaz de deitar no chão do vagão se tivesse de viajar em pé. Charlotte e eu passamos todo o percurso comentando, com ar cansado, o quanto Karen era uma megera grossa e estúpida.

— Puxa, quem ela pensa que é? — perguntou Charlotte, bocejando.

— Exato — bocejei de volta, despencada no meu lugar. Reparei que os meus sapatos estavam sujos e gastos, e isso fez com que eu me sentisse deprimida. Sentei reta, para não ter de ficar olhando para eles, mas então fiquei de cara com um homem horrível, de terno, que estava sentado de frente para mim e mantinha os olhos grudados nos seios de Charlotte, com um brilho de luxúria toda vez que ela bocejava e o peito se expandia. Senti vontade de bater nele, espancá-lo na cabeça e no pescoço com o próprio jornal.

Resolvi que era melhor fechar os olhos pelo resto da viagem. Era mais seguro.

— Esse namoro entre Karen e Daniel não vai durar muito — declarou Charlotte, sem demonstrar muita certeza. — Ele vai ficar de saco cheio dela.

— Hummmm — concordei, abrindo os olhos por um momento. Fechei-os de novo, bem apertados, não sem antes ver um anúncio na parede de uma das estações. Ele pedia donativos para animais maltratados, e mostrava uma foto de um cachorro esquelético com olhar triste, de partir o coração.

Foi quase um alívio chegar ao trabalho, onde tive de aturar as provocações de Meredia e Megan, que insistiam que eu havia mergulhado na cerveja na noite anterior.

— Eu *não bebi* ontem, não — protestei, sem forças.

— Claro que bebeu — bufou Megan. — Olhe só a sua cara.

No momento em que enfiei a chave na fechadura, sexta à noite, Karen já estava no vestíbulo. Tirara a tarde de folga para arrumar o cabelo e enfeitar o apartamento. Na mesma hora começou a me dar ordens:

— Vá tomar um banho e se apronte o mais rápido que puder, *ande logo*, Lucy! Preciso acabar os preparativos com você.

Verdade seja dita, o apartamento estava lindo.

Havia flores em toda parte. Ela cobrira o tampo medonho da mesa de fórmica da cozinha com uma toalha de mesa branca e encorpada, e colocara um requintado candelabro com oito velas vermelhas bem no centro.

— Não sabia que nós tínhamos um candelabro — comentei, imaginando como ele ia ficar bonito no meu quarto.

— Não temos — disse ela, sem esticar muito o assunto. — Peguei emprestado.

Quando eu estava no banheiro, ela esmurrou a porta e berrou:

— Coloquei toalhas limpinhas nos porta-toalhas, mas *nem pense* em usá-las!

Deu oito horas. Nós três estávamos prontas.

A mesa estava preparada, as velas acesas, a iluminação da sala bem fraca, o vinho branco estava na geladeira, o vinho tinto já estava aberto e pronto na cozinha, e as panelas, frigideiras e diversos vasilhames para a comida estavam enfileirados sobre o fogão, prontos para dar a partida.

Karen ligou o som e estranhos ruídos começaram a sair dele.

— Que barulho é esse? — perguntou Charlotte, em choque.

— Jazz. — Karen parecia ligeiramente envergonhada.

— Jazz? — urrou Charlotte, com ar de deboche. — Mas nós detestamos jazz. Não é verdade, Lucy?

— É, nós detestamos — fiquei feliz em confirmar.

— Como é que chamamos as pessoas que gostam de jazz, Lucy? — perguntou Charlotte.

— Panacas esquisitos? — sugeri.

— Não, não é isso.

— Caras que usam cavanhaque, e estudantes de arte ripongas?

— Isso — concordou ela, alegre. — Caras que usam camisas polo pretas com calças de esquiar.

— Pode ser que sim, mas agora nós gostamos de jazz — garantiu Karen, com firmeza.

— Você quer dizer que Daniel gosta — resmungou Charlotte.

Karen estava soberba... Ou ridícula, dependendo do ponto de vista. Usava uma túnica verde-água em estilo grego, com um dos ombros de fora. Seu cabelo estava armado, mas diversas pontas desciam em caracóis e pequenas mechas aneladas. Ela brilhava, parecia muito mais glamourosa do que eu ou Charlotte. Eu estava usando o meu velho vestido dourado, o mesmo que usara na noite em que conhecera Gus, porque era a única roupa produzida que eu tinha, mas estava parecendo brega e desgrenhada comparada ao esplendor de Karen.

Charlotte, para ser franca, estava um desastre, conseguiu ficar pior do que eu. Colocara o único vestido formal que possuía, o mesmo que usara no casamento da irmã, quando tinha sido dama de honra. Era em tafetá vermelho e tinha o formato de um suspiro gigante. Acho que ela engordara um pouco desde o casamento, porque os peitos estavam quase pulando do corpete tomara que caia.

Karen olhou sem muito entusiasmo quando Charlotte se apertou para sair do quarto, gritando "Ta-rããããã!!..", e fez uma pequena pirueta. Acho que ela ficou imaginando se não teria sido melhor ter permitido que Charlotte usasse a fantasia de *cowgirl*.

Então, Karen começou a distribuir instruções frenéticas:

— Quando eles chegarem, enquanto eu fico puxando assunto no vestíbulo, você, Lucy, corre para a cozinha e acende o fogo bem baixo, para esquentar as batatas, e você, Charlotte, mistura o...

Parou de falar de repente, com um olhar de horror no rosto.

— O pão. O pão, o pão — guinchou ela. — Esqueci de comprar o pão! Estragou tudo, está tudo arruinado! Totalmente arruinado! Eles vão ter que voltar para casa.

— Karen, fica calma! O pão está em cima da mesa — disse Charlotte.

— Hã?... Oh. Oh. Graças a Deus! Está mesmo? — Ela parecia à beira das lágrimas. Charlotte e eu trocamos olhares longos e sofridos.

Karen ficou parada por um momento, e então olhou para o relógio, dizendo:

— Mas que bosta. Onde é que eles se enfiaram? — quis saber, acendendo um cigarro. Sua mão tremia.

— Dê um tempo a eles — disse eu para acalmá-la. — Acabou de dar oito horas.

— Eu disse que era às oito em ponto — argumentou Karen, agressiva.

— Mas ninguém leva isso a sério — murmurei. — Não é elegante chegar exatamente no horário marcado.

Fiquei com vontade de lembrar a Karen que aquilo era simplesmente um jantar entre amigos, e que o convidado de honra era apenas o Daniel. As palavras chegaram à ponta da língua, mas consegui ficar de bico calado no último instante. Ondas de agressão pareciam emanar dela.

Sentamos todas, sob um silêncio tenso.

— Não vai vir ninguém — disse Karen, quase chorando, entornando um cálice de vinho de uma vez só. — Era melhor nós jogarmos logo tudo fora. Isso mesmo, vamos até a cozinha agora mesmo para colocar tudo aquilo no lixo.

Pousou o cálice por sobre a mesa com força e se levantou.

— Como é? Vamos lá! — ordenou.

— Não — disse Charlotte. — Por que temos de jogar a comida fora? Depois de todo o trabalho que tivemos? Podemos comer de tudo e, depois, congelar o que sobrar.

— Ah, sei — disse Karen, de cara feia. — Podemos comer, não é? E o que faz você ter tanta certeza de que não vai chegar ninguém? O que vocês estão sabendo e não me contaram?

— Nada — declarou Charlote, exasperada. — Você é que falou que...

A campainha tocou. Era Daniel. Uma onda de alívio se espalhou por todo o rosto de Karen, muito bem maquiado. Meu Deus, me ocorreu com um sobressalto, ela realmente está doidinha por ele.

Daniel vestia um terno escuro e uma camisa ofuscante de tão branca, que servia para dar mais destaque ao restinho de bronzeado que ele ainda exibia, e que fora adquirido nas férias de fevereiro, na Jamaica. Parecia mais alto, moreno e bonito, sorria muito, com as pontas do cabelo meio caídas por sobre a testa, e trouxera duas garrafas de champanhe, pois era o típico convidado perfeito. Não pude deixar de sorrir. Perfeitamente arrumado, com um comportamento maravilhoso, e apenas exagerando um pouco no clichê.

Dizia todas as coisas que as pessoas educadas dizem quando chegam para jantar na casa de alguém. Coisas do tipo "hummm... tem alguma coisa no ar com um cheiro delicioso" e "você está linda, Karen, e você também, Charlotte".

Só quando ele virou para mim é que suas maneiras impecáveis deram uma derrapada.

— De que está rindo, Sullivan? — quis saber. — É o meu terno? Meu cabelo? O que foi?

— Nada — protestei. — Não estou rindo de nada. Por que você acha que eu devia estar rindo?

— Para que mudar o hábito de toda uma vida? — murmurou. Depois, passou direto por mim e continuou falando coisas educadas, como bom convidado que era: — Vocês estão precisando de ajuda em alguma coisa? — Sabendo que a resposta seria uma avalanche de reações do tipo "não" e "não se preocupe" e "está tudo sobre controle!".

— Aceita um drinque, Daniel? — perguntou Karen, de forma graciosa, enquanto o levava para a sala de estar. Charlotte e eu tentamos segui-los, mas Karen virou a cabeça para trás e cochichou: — Vão circular por aí, vocês duas. Bloqueou a nossa passagem e acabei dando um encontrão nas costas de Charlotte.

A campainha tornou a tocar. Era Simon dessa vez. Como sempre, sua roupa estava de arrasar. Ele usava um smoking com uma cinta vermelha na cintura, que me pareceu bem idiota. Trouxera uma garrafa de champanhe também.

Ai, meu Deus!, pensei. Gus ia ser o diferente. Isto é, mais do que normalmente já era. Ele não ia trazer champanhe. Provavelmente não ia trazer nada.

Não que isso fosse me deixar sem graça, mas eu estava preocupada de que talvez *ele* se sentisse sem graça.

Fiquei pensando depressa se seria bom dar uma fugidinha até a loja de bebidas para comprar um champanhe e enfiar discretamente nas mãos de Gus na hora em que ele chegasse, só que eu estava de serviço, esquentando as batatas, então tinha de ficar confinada ao quartel.

Simon exclamou, exatamente como Daniel, minutos antes:

— Hummmm. Tem alguma coisa no ar com um cheiro delicioso.

Gus jamais falaria aquilo. Ele diria:

"Cadê o rango? Tô morrendo de fome!"

— Como vão as coisas? — perguntou Karen, colocando a cabeça na porta da cozinha. Ela, pelo jeito, deixara Daniel e Simon sozinhos na sala, travando aquele contato inicial meio constrangido, típico dos homens.

— Está tudo bem — disse eu.

— Cuidado com aquele molho, Lucy — disse, ansiosa. — Se ficar empelotado, eu mato você.

Não respondi nada. Fiquei com vontade de atirar a caçarola na cara dela, com molho e tudo.

— Onde está seu irlandês maluco?

— Está chegando.

— É melhor ele se apressar.

— Não se preocupe.

— Que hora você marcou para ele chegar?

— Oito.

— Já são oito e quinze.

— Karen... ele vem!

— É melhor que venha.

Karen voltou deslizando para a sala de estar, levando uma garrafa embaixo do braço.

Fiquei ali, mexendo o molho, com pequenas fisgadas de ansiedade na boca do estômago.

Ele *ia chegar*.

Só que eu não falara mais com ele desde terça-feira, e não o via desde domingo. De repente, aquilo me pareceu um período de tempo terrivelmente longo. Será que ele já havia me esquecido?

Um pouco depois, Karen voltou.

— Lucy! — berrou ela. — Já são oito e meia!

— E daí?

— Onde é que o Gus se enfiou?

— Não sei, Karen!

— Bem... — esbravejou ela. — Não acha que é melhor você tentar descobrir?

— Por que não liga para ele? — sugeriu Charlotte. — Só para se certificar de que ele não esqueceu. Pode ser que ele tenha entendido que o jantar era em outro dia.

— Pode ser que ele tenha entendido que o jantar era em outro *ano* — completou Karen, com crueldade.

— Tenho certeza de que ele está chegando — disse eu —, mas vou dar uma ligada, só para confirmar.

Eu dava a impressão de estar muito mais segura do que na realidade estava. Qualquer coisa podia ter acontecido com Gus. Ele podia ter esquecido, podia ter se atrasado, podia estar debaixo de um ônibus. Mas eu não estava disposta a deixar ninguém perceber *o quanto* eu estava preocupada.

Sentia-me embaraçada. Estava com vergonha. Os namorados delas duas haviam chegado na hora marcada. *Trazendo* garrafas de champanhe. Meu namorado já estava meia hora atrasado e não ia trazer nem uma garrafa de sidra, nem mesmo uma garrafa com *água da torneira*, quando finalmente resolvesse aparecer.

Se aparecesse, disse uma vozinha dentro da minha cabeça.

Comecei a entrar em pânico. E se ele não desse as caras? E se ele não aparecesse, não me telefonasse e eu nunca mais ouvisse falar dele? O que eu faria?

Tentei me acalmar. Claro que ele ia aparecer. Provavelmente estava chegando, vindo pela rua naquele exato momento. Ele gostava de mim, obviamente tinha um carinho especial por mim e jamais me abandonaria.

Não queria ligar para ele, eu jamais fizera isso. Ele me dera o seu número de telefone, quando pedi, mas eu tinha a impressão de que ele não estava muito a fim de que eu ficasse ligando para ele. Dissera que detestava telefones, que considerava o telefone apenas um mal necessário. E também jamais fora preciso ligar para ele, porque era sempre ele que ligava para mim. Naquele momento, pensando no assunto, lembrei que os telefonemas pareciam sempre vir de uma cabine telefônica em algum lugar bem barulhento. Quase sempre ele aparecia direto no meu apartamento, ou me pegava no trabalho.

Certamente nós dois não passávamos horas a fio pendurados no telefone, sussurrando e dando risadinhas um com o outro, como Charlotte e Simon faziam.

Achei o número na bolsa e fiz a ligação. O telefone tocou e tocou sem parar, sem ninguém atender.

— Ninguém responde — anunciei, aliviada. — Ele já deve estar a caminho.

Nesse instante, alguém atendeu o telefone, do outro lado.

Uma voz de homem disse “alô!”.

— Hã... alô... Eu poderia falar com Gus?

— Quem?

— Gus. Gus Lavan.

— Ah, ele. Não, ele não está.

Coloquei a mão sobre o bocal do aparelho e sorri para Karen, dizendo:

— Ele já está vindo.

— Quando é que ele saiu de lá? — perguntou ela.

— Quando é que ele saiu daí? — repeti, feito um papagaio.

— Deixe ver... hummm... deve ter... umas duas semanas, mais ou menos.

— O qu... quê?

Minha cara de horror deve ter sido bem transparente, porque Karen explodiu:

— Não acredito nisso! Aposto que o patife acabou de sair de casa faz cinco minutos. Bem, azar o dele, porque vamos começar a comer antes de ele chegar...

Sua voz foi se afastando, enquanto ela seguia pelo corredor para agitar Charlotte, a fim de começarem a servir.

— Duas semanas? — perguntei, baixinho. Apesar de me sentir horrorizada com a informação, achei que era melhor guardá-la para mim mesma. Ia ser muito mais humilhante se eu anunciasse aquilo para minhas amigas e seus namorados.

— Deve fazer umas duas semanas — confirmou a voz, pensando. — Dez dias pelo menos, ou algo assim.

— Ah, bem... hã... obrigada.

— Quem é que está falando? É a Mandy?

— Não — disse eu, sentindo que ia explodir em lágrimas. Aqui não é a Mandy, não.

Quem era essa tal de Mandy?

— Quer deixar algum recado para ele, se acontecer de eu tornar a vê-lo?

— Não. Obrigada. Adeus.

Desliguei. Alguma coisa estava errada. Eu sabia. Aquele comportamento não era normal. Por que Gus não comentara que saíra do apartamento? Por que não me dera o número do novo telefone? E onde, afinal, estava ele?

Daniel apareceu no corredor.

— Nossa! O que há de errado com você?

— Nada — respondi, tentando sorrir.

Karen também apareceu no corredor.

— Desculpe, Lucy. Podemos esperar um pouco mais por ele.

Ah, não. Não, não, *não*. Não queria que ninguém ficasse esperando por Gus. Tinha a terrível impressão de que ele não ia aparecer. Não queria que todo mundo ficasse sentado na sala, olhando para a porta o tempo todo, porque então ia ficar *óbvio demais* quando ele não aparecesse. Eu queria que a noite seguisse adiante, normalmente, sem Gus. Assim, se ele aparecesse, seria uma espécie de bônus.

— Hã... é melhor não esperarmos mais por ele não, Karen. Vamos servir logo o jantar.

— Não, estou falando sério, mais meia hora não vai fazer assim tanta diferença.

Aquilo era bem típico. Karen estava sendo gentil e simpática, o que não acontecia com muita frequência, e exatamente naquela noite, para variar, eu não queria que ela agisse assim.

— Venha se sentar conosco e tome um pouco de vinho — sugeriu Daniel. — Você está pálida como um fantasma e parece exausta.

Rumamos todos para a sala da frente, peguei um cálice de vinho que alguém me ofereceu e tentei agir com naturalidade.

Todos estavam parecendo relaxados e felizes, batendo papo, recostados no sofá, nas poltronas, bebendo vinho, e só eu estava rígida, tensa, pálida e calada, louca para ouvir um toque da campainha e rezando para o telefone tocar.

— Por favor, Gus, não faça uma coisa dessas comigo — implorei, baixinho.

— Por favor, meu Deus, por favor, faça com que ele apareça.

No que me pareceu trinta segundos mais tarde, deu nove horas.

O tempo era um canalha do contra. Quando eu queria que ele passasse correndo, como quando estava no trabalho, ele andava tão devagar que às vezes parecia ter parado. Às vezes levava vinte e quatro horas para o ponteiro dos minutos dar uma volta completa no mostrador. Agora que eu queria que o tempo parasse, ele disparara. Eu queria que ele ficasse em torno da marca das oito e meia da noite por pelo menos umas duas horas, porque assim Gus não pareceria estar tão atrasado. Enquanto o atraso fosse de apenas meia hora, ainda havia esperança, ainda havia chance de ele chegar. Eu desejava ardentemente que o tempo passasse tão devagarzinho que nos mantivesse em um padrão aceitável de tempo no qual ainda fosse possível ele aparecer. Cada segundo que passava, cada segundo que fazia o tempo correr um pouco mais era meu inimigo. Cada tique-taque do relógio levava Gus cada vez para mais longe de mim.

Sempre que havia um momento de silêncio na conversa, e isso estava acontecendo a toda hora, porque ainda não tínhamos bebido muito e nos sentíamos pouco à vontade com tanta formalidade em nossa própria casa, alguém perguntava "o que será que atrasou Gus?", ou "de onde é que ele está vindo? De Camden? Então deve ter acontecido alguma coisa no metrô", ou ainda "na certa ele não imaginou que você marcou o jantar para as oito horas tão ao pé da letra".

Ninguém parecia muito preocupado. Mas eu estava.

Eu estava apavorada.

Não era apenas o fato de ele estar atrasado, embora isso já representasse um mico enorme depois de toda a produção que Karen arrumara para aquele jantar, mas era o seu atraso somado ao fato de que ele havia trocado de endereço sem me contar. Isso, sim, era um *mau sinal*. Não havia ângulo sob o qual eu analisasse e que me fizesse achar que aquilo fosse uma *coisa boa*.

Senti pequenas fisgadas de desespero.

E se ele não aparecer?

E se eu nunca mais puser os olhos nele?

E quem era Mandy?

Fiz algumas tentativas de me enturmar no clima de camaradagem e alegria que rolava na sala, procurei ouvir o que eles estavam dizendo e pregar um sorriso no meu rosto rígido e pálido.

Só que eu estava tão agitada que mal conseguia sentar quieta por um momento.

E então o ponteiro completou uma volta completa no mostrador e me acalmei. Afinal, o atraso era de apenas uma hora, quer dizer, uma hora e quinze minutos. Droga, olhei com atenção, já passara uma hora e quinze minutos? Ele provavelmente ia aparecer a qualquer momento, meio alto, com alguma desculpa diferente e hilária. Eu vivia reagindo com muita intensidade a coisas bobas, ralhei comigo mesma, com firmeza. Tinha a certeza de que ele ia aparecer e fiquei até espantada ao ver como é que eu fazia as coisas parecerem piores com tanta facilidade.

Gus era meu amigo, havíamos adquirido uma intimidade tão grande nos últimos dois meses, eu sabia que ele gostava de mim e que não ia me deixar na mão.

CAPÍTULO 40

Quando deu dez horas, as tigelas de batatas fritas já estavam vazias e todo mundo parecia meio alto.

— Não vou ouvir nem mais um minuto desta merda — anunciou Charlotte, desligando o som. — Jazz uma ova!

— Você é tão pobre — disse Karen.

— Sou sim, e daí? — enfrentou ela, com o rosto vermelho e brilhante. — Essa música é uma merda mesmo, não tem nem melodia. Sempre que tento cantarolar junto, ela muda de ritmo e fica toda estranha. Cadê meu Simply Red?

Karen deixou Charlotte trocar o disco, o que significava que ela também já estava cheia das divagações sonoras de John Coltrane.

— Muito bem — anunciou Karen, mudando de assunto. — Com Gus ou sem Gus, já está na hora de comermos. Quero que experimentemos a deliciosa comida antes de ficarmos bêbados demais para apreciá-la. O jantar está servido! Charlotte! Lucy! — E fez um sinal com a cabeça, indicando a porta da cozinha.

Era a nossa deixa para nos transformarmos em empregadinhas.

Eu não consegui comer nada. Ainda tinha esperanças de que Gus aparecesse. Que simplesmente surgisse com uma daquelas desculpas fantásticas e absurdas. Não vou ficar chateada com você, Gus, juro que não! Sério mesmo, simplesmente apareça aqui que não vou reclamar de nada.

Depois de algum tempo, todo mundo parou de dizer coisas como "só queria saber o que está atrasando Gus" e "o que será que houve com Gus?", e também deixaram de olhar pela janela para ver se avistavam um táxi chegar com Gus dentro.

Na verdade, todos começaram a tomar todo o cuidado para sequer mencionar o nome de Gus. Já estava bem claro para todos que ele não estava meramente atrasado, ele simplesmente não viria.

Todos sabiam que eu havia levado um bolo gigantesco, e, em seu modo estranho e meio sem graça, tentavam fingir que aquilo não fora bolo nenhum e, se eu tinha levado um bolo, eles nem haviam percebido.

Eu sabia que estavam apenas querendo ser gentis, mas essa gentileza era humilhante.

A noite passava, interminável. Havia tanta comida e tantos pratos diferentes que eu achava que aquilo não ia terminar nunca. Daria tudo para ir direto para a cama, mas o orgulho me impedia.

Só mais tarde, bem mais tarde, quando todo mundo já estava bêbado *de verdade*, e não apenas bêbado, é que o nome de Gus veio novamente à baila.

— Dispense esse babaca — sugeriu Karen, com a voz arrastada. Seu penteado estava despencando para um dos lados. — Que cara de pau a dele, tratar você desse jeito. Como ele ousa? Eu o matava!

— Vamos dar-lhe uma chance — disse e sorri, tensa. — Pode ter acontecido alguma coisa com ele.

— Ah, pára com isso, Lucy — debochou Karen. — Como é que você pode ser tão idiota? *Está na cara* que ele deu o maior bolo em você.

É claro que estava na cara que ele me dera o bolo, mas eu continuava agarrada a um restinho de dignidade para fingir que não fora bem assim.

Daniel e Simon pareciam pouco à vontade. Simon perguntou a Daniel, com um tom animado:

— E com você, como anda o trabalho?

— Ele podia ter telefonado — disse Charlotte.

— Talvez ele tenha esquecido — disse eu, sentindo-me infeliz.

— Bem, então ele não devia ter esquecido — completou Karen, com a voz engrolada.

— Você já verificou o telefone? — gritou Charlotte, de repente. — Aposto que ele está quebrado, sem linha ou algo assim. Por isso é que ele não conseguiu ligar.

— Duvido muito — comentou Karen.

— Talvez você não tenha recolocado o fone direito — sugeriu Daniel. — Talvez ele esteja fora do gancho e ele não conseguiu entrar em contato.

Como foi Daniel que sugerira aquilo, todos lhe deram um pouco de credibilidade. Houve uma correria em direção ao corredor, comigo bem na frente, com todas as esperanças de que Daniel estivesse certo. Claro que ele não estava. Não havia nada de errado com o telefone, e o fone estava no gancho, direitinho.

Muito embaraçoso.

— Talvez tenha acontecido alguma coisa com ele — sugeri, esperançosa. — Quem sabe ele sofreu um acidente? Ele pode ter sido atropelado e estar morto — acrescentei, com novas ondas de esperança agitando-me por dentro. Era muito melhor que Gus estivesse debaixo de uma jamanta, todo quebrado e sangrando, do que ter resolvido que não gostava mais de mim.

Karen estava envolvida com Simon em uma conversa acalorada, mas difícil de acompanhar, a respeito de nacionalismo escocês, quando se ouviu uma batida na porta da frente.

— Silêncio — gritou Daniel. — Acho que tem alguém batendo na porta.

Ficamos todos calados, totalmente sem fala, mais pela surpresa do acontecido do que pelo desejo de ouvir.

Prendemos a respiração e escutamos com atenção. Daniel tinha razão.

Alguém *estava* mesmo batendo na porta.

Graças a Deus!, pensei, sentindo uma sensação intensa e ficando até um pouco tonta de tanto alívio.

Graças a Deus graças a Deus, graças a Deus! Pode contar comigo para trabalhos de caridade, ajuda aos pobres, contribuições para fundos de igrejas, donativos para campanhas sobre doenças de pele, qualquer coisa que o Senhor queira, e muito obrigada, Senhor, por ter me enviado Gus de volta.

— Deixe que eu atendo, Lucy. — Charlotte se colocou em pé. — Você não vai querer que ele ache que estava preocupada, vai? Fique aqui, com um jeito assim, bem casual.

— Obrigada — disse eu, correndo para o espelho, em pânico. — Será que estou com uma cara legal? Meu cabelo está direito? Ah, não, olhe só essa minha cara, como está vermelha! Rápido, rápido, alguém aí me empreste um batom!

Passei os dedos pelos cabelos e me atirei no sofá, bem à vontade, tentando parecer despreocupada, e fiquei esperando que Gus viesse até a sala. Estava *tão feliz* que nem conseguia me sentar direito. Estava curiosa para saber qual era a desculpa criativa e elaborada que ele ia dar. Com certeza ia ser engraçada.

Mas passou algum tempo e ele não apareceu. Dava para ouvir vozes no vestíbulo.

— Por que é que ele não entra logo? — disse, entre dentes, chegando o corpo para a frente e sentando bem na pontinha do sofá.

— Relaxe. — Daniel deu-me um tapinha amigável no joelho. Parou na mesma hora, quando Karen olhou fixamente para a mão dele, depois para ele e então para a mão dele de novo. Tinha uma expressão peculiar que parecia saltar do seu rosto. Reparei que ela estava tentando levantar as sobrancelhas de modo questionador, mas não conseguia fazê-lo devido à ação do álcool.

Mais algum tempo se passou e Gus continuava sem aparecer na sala. Saquei que alguma coisa estava errada. Talvez ele não tivesse chegado antes por estar ferido. Depois de mais alguns minutos, não aguentei mais e, jogando o verniz de despreocupação para o alto, fui até a porta para dar uma olhada.

Gus não estava ali.

Quem estava era Neil, do andar de baixo.

Neil, parecendo muito mal-humorado, reclamando da música e usando um pijama muito curto.

Eu estava tão certa de que Gus havia chegado ao prédio que levou um bom tempo até eu me dar conta de que, na verdade, ele não estava ali. Apertei os olhos um pouco vermelhos, já meio bêbada, e olhei por cima de Neil, perguntando-me por que eu não conseguia ver a figura de Gus atrás dele.

E quando acordei para o fato de que Gus não havia chegado, afinal, mal pude acreditar.

O desapontamento foi tão grande que senti o chão literalmente fugir debaixo dos meus pés. Por outro lado, a causa disso também podia ser a quantidade de vinho que eu bebera.

— ... E não precisa baixar o som, não — estava explicando Neil. — Mas, pelo amor de Deus, troque o CD. Se você tiver um pouco de compaixão, um sentimento de pena por um ser humano igual a você, por favor, troque o CD.

— Mas *eu gosto* do Simply Red — explicou Charlotte.

— Eu *sei*! Já percebi — reagiu Neil. — Por que outro motivo você tocaria o mesmo disco por oito semanas, sem parar? *Por favor*, Charlotte.

— Tá legal — concordou ela, meio contrariada.

— E você se importaria de tocar um pouco este CD aqui? — pediu ele, entregando-lhe um disco.

— Ei, cai fora — explodiu Charlotte. — Que cara de pau a sua, hein? Esse aqui é o *nosso* apartamento, e nós colocamos a música que *a gente* quiser ouvir...

— Mas é que sou obrigado a ouvir também, entende? — choramingou Neil.

Voltei cambaleando para a sala.

— Onde está o Gus? — perguntou Daniel.

— Não sei — murmurei.

Fiquei muito bêbada e, bem mais tarde, acho que já depois das duas da manhã, resolvi que ia descobrir onde Gus estava. Talvez conseguisse o seu novo telefone com o sujeito com quem eu falara, no apartamento antigo.

Saí de fininho da sala e fui até o corredor, para falar ao telefone. Se Karen e Charlotte descobrissem o que eu ia fazer, tentariam me impedir. Felizmente, todos estavam bêbados. Haviam desistido de jogar *strip poker*, porque Charlotte resolveu colocar uma música espanhola para tocar no som. Em seguida, demonstrou os passos que aprendera nas aulas de "flamingo", e fez questão de que todos a acompanhassem.

Sabia que o que eu estava fazendo era prova de desespero puro, mas estava bêbada, e não tinha mais força de vontade. Não tinha ideia do que ia dizer a Gus, se conseguisse achá-lo. Como explicar que insistira para saber o seu novo número e o rastreara sem parecer uma mulher obcecada? A verdade é que nem me importava.

Certamente eu tinha todo o direito de achá-lo e conversar com ele, ponderei comigo mesma, bêbada. Eu *merecia* uma explicação.

Mas eu não ia ficar zangada com ele, decidi. Seria amigável e simplesmente perguntaria com toda a calma por que ele não aparecera.

Havia uma vozinha bem distante dentro de mim que ainda estava ligeiramente sóbria e me dizia que eu não devia ligar para ele, que estava me comportando como uma pessoa louca, que correr atrás dele só ia servir para piorar a minha humilhação, mas eu não a escutei. Estava envolvida em uma determinação compulsiva, e não podia evitar agir daquela forma.

Ninguém atendeu o telefone. Sentei-me no chão do corredor e deixei o telefone tocar até aparecer a mensagem da companhia telefônica, informando que ninguém estava atendendo. Puxa, obrigada pelo aviso, se não fosse esse aviso eu jamais teria percebido. Frustrada, bati com o fone no gancho, com toda a força. Mal estava prestando atenção ao barulho de coisas caindo e à agitação na sala.

— Ninguém responde? — perguntou alguém. Dei um pulo.

Droga! Era Daniel, de passagem para ir à cozinha, provavelmente em busca de mais vinho.

— Não — respondi, aborrecida por ter sido pega no flagra.

— Para quem você estava ligando? — perguntou ele.

— Para quem você acha que poderia ser?

— Pobre Lucy...

Eu me senti horrível. Não era como antigamente, quando Daniel ria de mim e ficava de gozação com as minhas desgraças. As coisas haviam mudado, e achava que Daniel não era mais meu amigo, não como antes. Eu tinha de esconder os meus sentimentos dele.

— Pobrezinha, puxa vida — repetiu ele.

— Ah, cale essa boca — disse eu, com a cara amarrada, olhando para ele de onde eu ainda estava, sentada no chão.

De algum modo, nós ultrapassáramos um limite. Todas aquelas brigas de mentirinha se tornaram, de repente, reais e desagradáveis.

— O que está acontecendo, Lucy? — Daniel se agachou diante de mim, que continuava largada no chão, encostada na parede.

— Ah, não começa — bufei. — Você sabe muito bem o que está acontecendo.

— Não... — explicou ele. — Estou querendo saber o que está acontecendo *com nós dois*.

— Como assim, não existe nenhum "nós dois". — Reagi, em parte para magoá-lo e em parte para evitar o confronto e o papo sério que senti que ia acabar rolando.

— É claro que existe. — Ele colocou a mão com delicadeza perto do meu pescoço e começou a acariciar a área embaixo da minha orelha, fazendo pequenos círculos com o polegar.

— Claro que existe — repetiu ele. Seu dedo provocou estranhos arrepios que desciam do meu pescoço e iam até o peito. De repente, já não conseguia respirar direito, e então, sem poder acreditar, senti que meus mamilos começaram a endurecer.

— Que porra é essa que você está fazendo? — cochichei, olhando para o seu rosto lindo e familiar.

Mas não me afastei. Estava bêbada, me sentindo rejeitada, e alguém estava sendo legal comigo.

— Eu não sei — disse ele, parecendo chocado. Dava para sentir o seu hálito sobre o meu rosto. Ai, meu Deus!, pensei, horrorizada, vendo que o rosto de Daniel se aproximava cada vez mais do meu. Ele vai me beijar. Daniel! *Daniel* vai me beijar, mesmo sabendo que a sua namorada está a poucos metros de distância... e eu estou tão bêbada ou chateada, sei lá, que vou deixá-lo fazer isso.

— Por que essa demora, Dan? — Ouvi a voz de Karen, que já estava entrando no corredor, toda agitada.

Salva pelo gongo!

— O que vocês dois estão fazendo aí, sentados no chão? — guinchou ela.

— Nada — reagiu Daniel, levantando-se na mesma hora.

— Nada — repeti, ofegante, ficando em pé também.

— Daniel, você devia estar na cozinha, pegando uma bacia de água para o tornozelo de Charlotte — disse Karen, furiosa.

— Por quê? O que aconteceu? — perguntei, feliz por ter algo para desviar a atenção de Karen, *qualquer coisa*, enquanto Daniel seguia para a cozinha.

— Ela levou um tombo enquanto dançava o "flamingo"... — respondeu Karen, com frieza — ... e torceu o tornozelo. Pelo jeito Daniel prefere ficar sentado no chão, batendo papo com você, a ajudar a pobre Charlotte.

Voltei para a sala. Charlotte estava esticada sobre o sofá, rindo amarelo e soltando "ais" enquanto Simon massageava seu pé e olhava por baixo do seu vestido.

Quase não sobrara vinho, só havia restinhos no fundo das garrafas, mas rodeei a mesa, colocando para dentro toda bebida que aparecia no caminho, até que ela acabou de vez. Eu continuava desesperada para beber alguma coisa, mas parecia não haver sobrado mais nada.

Então teve início uma discussão, porque Charlotte insistia que seu tornozelo estava quebrado e ela devia ser levada direto para o hospital, enquanto Simon argumentava que não estava quebrado não, com toda a certeza. Estava apenas torcido. Nesse momento Karen mandou Charlotte parar de choramingar, e então Simon a defendeu, dizendo a Karen que ela devia parar de tratar sua namorada daquela maneira, e que se Charlotte queria ir para o hospital, era isso que ia ser feito. Karen perguntou a Simon quem é que tinha preparado todo aquele jantar para ele comer, e Simon retrucou que já sabia de tudo a respeito de Karen e de todo o trabalho que ela obrigara Charlotte a fazer, e que se havia alguém a quem ele devia agradecer pela comida daquela noite, esse alguém era a própria Charlotte... e assim por diante.

Eu estava bebendo pelo gargalo quase meia garrafa de vinho tinto que encontrara abandonada atrás do sofá e continuei sentada, balançando as pernas e apreciando a briga.

Karen começou a gritar com Charlotte, por ela ter contado a Simon que foi ela que preparara todo o jantar quando, na verdade, não fizera nada. Nada! Apenas descascara algumas cenouras, nada mais...

Sorri para Daniel, esquecendo por um momento o que acontecera, ou quase acontecera, no corredor. Ele sorriu de volta e então me lembrei do que acontecera, ou quase acontecera no corredor, fiquei completamente vermelha e desviei o olhar.

Encontrei um pouco de gim por ali e matei tudo. Mesmo assim ainda não me sentia bêbada o suficiente. Tinha certeza de que havia uma garrafa de rum no armário da sala, mas procurei em toda parte e não achei.

— Gus provavelmente roubou o rum — sugeriu Karen.

— É... é bem capaz — concordei, sombria.

Finalmente, reconhecendo a derrota, fui para o quarto, sozinha, e apaguei.

CAPÍTULO 41

Acordei assustada às sete horas da manhã. *Era* sábado, afinal, e imediatamente senti que alguma coisa estava errada. O que seria?

Ah, sim! Lembrei.

Ah, não! Preferia não ter lembrado.

Por sorte, a ressaca estava tão brava que consegui voltar a dormir na mesma hora.

Acordei às dez. Cair na real e me lembrar de que perdera Gus me fez sentir como se tivesse levado uma traulitada na cabeça, dada por uma frigideira. Levantei, me arrastei pelo corredor e encontrei Charlotte e Karen na cozinha, fazendo faxina. Havia tantos restos de comida por toda parte que fiquei com vontade de chorar, mas não podia fazer isso, senão elas iam pensar que eu estava chorando por causa de Gus.

— Bom-dia — disse eu.

— Bom-dia — repetiram elas.

Fiquei esperando. Prendi a respiração, na expectativa de que uma delas dissesse "ah, o Gus ligou".

Mas isso não aconteceu.

Eu sabia que não ia servir de nada perguntar se ele ligara. As duas sabiam muito bem o quanto aquilo era importante para mim. Se Gus tivesse telefonado, elas teriam me contado de imediato, com a maior empolgação. Na verdade, teriam ido até o meu quarto para me dar a notícia, e teriam até me acordado para eu atender o telefone.

Mesmo sabendo de tudo isso, eu me vi perguntando, assim, como quem não quer nada:

— Alguém telefonou para mim enquanto eu estava dormindo?

Não consegui evitar. Perdido por um, perdido por mil... Estava magoada, para que negar?

— Hã... não, ninguém — murmurou Karen, sem me olhar de frente.

— Não — concordou Charlotte. — Ninguém ligou.

Eu sabia que a resposta ia ser aquela, então por que me senti tão desapontada?

— Como está o seu tornozelo? — perguntei a Charlotte.

— Está legal — respondeu, parecendo envergonhada.

— Vou dar uma saída para comprar o jornal — anunciei. — Quando voltar, vou ajudar vocês na limpeza. Alguém quer alguma coisa da rua?

— Não, obrigada.

Eu nem queria comprar jornal. O problema é que água em panela vigiada nunca ferve, e se eu fosse ficar em volta do telefone, Gus jamais ligaria. Por conta de experiências passadas, eu sabia que assim que pusesse os pés fora de casa havia grandes chances de ele me telefonar.

Ao voltar para casa, tornei a prender a respiração, esperando que Karen ou Charlotte viessem correndo lá de dentro e dissessem, quase sem fôlego, "adivinhe só! Gus telefonou" ou "adivinhe só! Gus *está aqui*. Ele foi sequestrado ontem à noite e acabaram de libertá-lo há poucos minutos".

Só que ninguém veio correndo lá de dentro quase sem fôlego e nem me disse nada. Só me restou ir até a cozinha, de cabeça baixa e o rabo entre as pernas. Elas me entregaram um pano de prato.

— Alguém telefonou para mim? — eu me vi perguntando, mais uma vez, desanimada.

Novamente, Karen e Charlotte balançaram a cabeça. Fechei a boca, com ar lúgubre. Não vou perguntar de novo, decidi. Eu estava me rasgando toda por dentro, de tanto desapontamento, e as duas pareciam meio sem graça.

Segui o conselho de milhares de revistas femininas e resolvi me manter ocupada. "Manter-se ocupada" parecia ser a melhor solução para afastar homens fujões da cabeça, e, para sorte minha, havia uma absurda quantidade de coisas que precisavam ser lavadas, depois dos excessos da noite anterior. No fundo, eu não imaginava que era *eu* que ia ter de fazer tudo sozinha. Tinha a esperança de receber uma dispensa, por caridade, pois, já que Gus me abandonara, todo mundo ia ser mais simpático e gentil comigo, Karen ia me oferecer um bônus especial e acabaria me liberando das tarefas.

Nem pensar.

Karen não perdeu tempo em me colocar no devido lugar:

— Mantenha-se ocupada — disse ela, com ar alegre, enquanto me empurrava uma pilha de pratos sujos. — Isso vai ajudar a manter a cabeça longe dele.

Ouvir aquilo me fez sentir ainda mais aborrecida. Eu queria compaixão, queria as pessoas pisando em ovos ao lidar comigo, queria ser tratada como uma convalescente inválida. O que eu não queria era lavar pratos.

E tem mais: qualquer um que diga que "manter-se ocupada" é a melhor solução para um coração partido está enganado, porque eu me mantive extremamente ocupada o dia todo e continuei pensando em Gus o tempo inteiro. Como é que limpar restos de vômito do banheiro ia conseguir fazer com que eu me sentisse melhor? Isso era uma coisa que me intrigava. Eu apenas estava trocando um tipo de desgraça por outra.

Passei o aspirador de pó no apartamento inteiro, lavei todos os pratos e copos que não haviam quebrado. Coloquei todos os cacos dos pratos e copos em um saco de lixo e preguei um bilhetinho simpático, avisando aos lixeiros para que carregassem o lixo com cuidado, a fim de que não cortassem as mãos. Esvaziei montanhas de cinzeiros. Cobri tigelas de comida intacta com filme plástico transparente, coloquei tudo na geladeira, onde elas ficariam tomando o precioso lugar dos iogurtes sem gordura durante três semanas, até começarem a se cobrir com uma penugem de mofo e alguém finalmente jogá-las fora. Tentei raspar a cera de vela que caíra no tapete e não consegui, e então empurrei um pouco o sofá para o lado, para cobrir a mancha. E durante todo esse tempo eu pensava em Gus, sem parar.

Meus nervos estavam *em frangalhos*. O telefone tocou o dia inteiro, e todas as vezes eu dava um pulo, me retorcia toda de nervoso e rezava freneticamente: "Por favor, meu Deus, faça com que seja Gus!" Não tinha coragem de atender nenhuma das vezes, porque podia ser Gus. Correr para atender o telefone era o mesmo que reconhecer que eu me importava com o telefonema dele, e isso seria imperdoável. Karen ou Charlotte é que tinha de parar de raspar o resto de comida grudado nas panelas (no caso de Charlotte) ou deixar de dançar pela casa, espalhando aromatizador de ambientes (no caso de Karen) só para atender o telefone.

E, como era de esperar de uma mulher rejeitada, eu insistia que elas esperassem o telefone tocar pelo menos cinco vezes, antes de atender.

— Ainda não, ainda não! — implorava eu, todas as vezes. — Deixe que ele toque um pouco mais. Não podemos deixar que Gus fique achando que estamos esperando, ansiosas, por sua ligação.

— Mas nós estamos! — exclamou Charlotte, sem entender. — Pelo menos você está.

Não adiantou nada. Apenas um de todos aqueles telefonemas foi para mim, e era (quem mais poderia ser?) a minha mãe.

— Por que vocês demoraram tanto tempo para atender? — reclamou ela quando Charlotte me passou o fone, com a cara triste.

E, de repente, já era sábado à noite.

Sábado à noite sempre representara um papel de destaque na minha vida. Era uma coisa que tinha a ver com beleza, um ponto luminoso em um mundo escuro, só que um sábado à noite *vazio*, um sábado à noite sem Gus... Puxa, eu me senti chocada ao ver que estava quase atemorizada com a chegada daquele momento.

Todos os sábados à noite no decorrer das últimas... tinham sido só seis semanas?... eu havia tirado de letra, porque estava com Gus. Às vezes saíamos, outras vezes ficávamos em casa, mas qualquer coisa que fizéssemos era sempre juntos. E agora eu tinha a impressão de que jamais tivera uma noite de sábado livre, em toda a minha vida, de tão estranha que aquela sensação me parecia.

Era muita maldade. Parecia até que alguém havia me atirado uma cobra para segurar, dizendo: "Divirta-se com isso por algumas horas."

O que fazer com aquele tempo livre? E com quem eu ia passá-lo? Todos os meus amigos já tinham companhia. Charlotte estava com Simon, Karen estava com Daniel, Daniel estava com Karen e, de qualquer modo, ele não era mais meu amigo mesmo.

Eu bem que poderia ter chamado Dennis, mas aquela era uma ideia ridícula. Afinal, era sábado à noite, ele é gay, devia estar em casa, raspando a cabeça e esquentando os motores para uma noite em busca de prazeres desenfreados.

Charlotte e Simon me convidaram para ir ao cinema com eles. Ela me explicou que um cineminha era tudo o que o seu estômago conseguia suportar depois da bebedeira da noite anterior, mas eu não quis ir com eles.

Não que estivesse com receio de ficar segurando vela, porque eu não tinha problema algum em fazer isso. Afinal, fora exatamente isso que eu fizera inúmeras vezes no passado, e só as primeiras dez mil vezes é que são as mais difíceis. A verdade é que eu estava com vergonha de contar a eles que estava preocupada em sair de casa, para o caso de Gus aparecer.

Como uma palerma, eu ainda tinha esperanças de saber notícias dele. No fundo, o que eu estava esperando de verdade era que, por volta de oito horas, ele chegasse com um blazer emprestado grande demais, a gravata com um nó todo torto, confessando achar que o jantar havia sido marcado para sábado à noite, e não na sexta.

Era bem possível que isso acontecesse, disse a mim mesma, desanimada.

Coisas como aquela aconteciam às vezes. Talvez acontecesse comigo e eu fosse salva. Podia voltar da beira do abismo às gargalhadas, porque não havia necessidade de estar lá, para começo de conversa.

Karen e Daniel não me convidaram para ir com eles, aonde quer que tivessem ido. De certo modo, eu não esperava que fizessem isso mesmo. Para ser franca, nem queria. Estava me sentindo tão pouco à vontade com Daniel que mal nos falávamos. E ficava roxa de vergonha quando me lembrava de ter pensado que ele ia me beijar na noite anterior, quando na verdade ele estava apenas querendo ser gentil, por Gus ter me dado o bolo. Como é que eu pude pensar uma coisa daquelas?, perguntava a mim mesma o tempo todo, sentindo-me humilhada. Pior ainda, como é que pude achar que aquela era uma boa ideia? O cara era o Daniel, afinal de contas. Era como achar que beijar o meu pai na boca fosse uma boa ideia. Eu, hein!

Todo mundo saiu e fiquei sozinha no apartamento em uma linda noite de sábado em pleno mês de abril.

Em algum ponto entre a entrada e a saída de Gus da minha vida, o inverno se transformara em primavera, mas eu estava ocupada demais me divertindo e me apaixonando para perceber esse fato.

Achava o sentimento de rejeição muito mais difícil de aguentar quando as noites estavam bonitas.

Pelo menos quando o tempo estava ruim, eu podia fechar as cortinas, acender a lareira, me encolher toda e ficar bem aconchegada na minha solidão. O brilho da primavera, porém, tornava tudo mais embaraçoso. Servia apenas para realçar o fracasso que eu era, pois a minha rejeição se tornava mais visível. Sentia-me como se eu fosse a única pessoa no mundo que estivesse sozinha em um sábado à noite.

O inverno era uma estação muito melhor para nos sentirmos abandonadas. Era muito mais *discreto*.

Depois que deu oito horas e Gus não apareceu, desci mais um dos degraus da infelicidade. Por que será que eu não conseguia despencar logo pela escada abaixo de uma vez, para acabar com a agonia? Eu compreendia muito bem a sabedoria de arrancar o curativo de uma ferida com um puxão rápido e elaborado, que enchia os olhos de lágrimas, mas doía tudo de uma vez só. Quando se tratava de assuntos sentimentais, porém, gostava de remover camada por camada, em dolorosa lentidão.

Resolvi sair para alugar um filme. E comprar uma garrafa de vinho, porque eu não ia passar a noite ali sozinha sem nada para beber, de jeito nenhum!

— Gus não vai telefonar mesmo... Gus vai estar ocupado com Mandy — repetia, brincando de "eu não ligo mesmo" com os deuses. Quando fazemos esse jogo com vontade e conseguimos convencer os deuses de que não estamos querendo aquilo que estamos doidos para ter, então, geralmente, conseguimos.

Na locadora, Adrian fez a maior festa ao me ver, como se eu fosse uma espécie de irmã sumida.

— Lucy! Por onde tem andado? — rugiu ele, do fundo da loja. — Não vejo você há *séculos. Séculos!*

— Oi, Adrian — fiz mímica das palavras com os lábios, esperando que ele baixasse o tom de voz para seguir o meu bom exemplo.

— Então, a que devemos o prazer desta visita? — berrou ainda mais alto. — Você... sozinha em um sábado à noite? Seu namorado deve ter dispensado você!

Dei um sorriso meio forçado e agarrei a capa do filme *Cães de Aluguel.*

Quando Adrian se virou de costas para pegar o filme, observei-o com toda a atenção. Eu devia isso a mim mesma, me convenci. Agora que estava novamente solteira, tinha de manter os olhos bem atentos para o marido em potencial que a Sra. Nolan previra em meu futuro. Até que ele não era mau, pensei, meio desanimada. Adrian tinha uma bundinha interessante, não havia nada de errado nela, a não ser o fato de que não era a bunda de Gus. Tinha um sorriso legal também, só que não era o sorriso de Gus.

Tudo aquilo era uma total perda de tempo. Minha cabeça estava cheia de imagens de Gus, e não conseguia olhar para nenhum outro homem.

Enfim, não acreditava, para ser franca, que tudo o que tinha com Gus estava acabado... era cedo demais. Eu precisava levar uma surra de provas na cabeça, tinha de ser nocauteada com evidências, antes de conseguir acreditar. Desistir das coisas acontece facilmente comigo. "Deixar pra lá" não era um dos meus pontos fortes.

Por um lado, eu tinha a certeza de que nunca mais tornaria a ver Gus, mas, por outro lado, não conseguia deixar de ter esperança de que houvesse uma explicação para tudo aquilo, e não importava que ela fosse absurda, pois nós iríamos continuar juntos.

Saí da locadora e entrei na loja de bebidas. Havia um monte de gente jovem e feliz por lá, comprando garrafas de vinho, latas de cerveja e montes de maços de cigarros. Subitamente me senti atingida novamente pela velha impressão de que a vida era uma festa para a qual eu não havia sido convidada. O sentimento de fazer parte de algo fizera uma rápida participação especial no filme da minha vida, durante o tempo em que eu estava com Gus. Agora, porém, me voltava a velha sensação de que eu era um fantasma rondando o banquete da vida.

Ao voltar, andando bem devagar, para o apartamento, fui invadida de repente por uma sensação de pânico, convencida de que Gus estava me telefonando naquele exato momento. Corri feito uma desesperada pela rua e entrei voando em casa, me atirando, ofegante, para ver se a luzinha vermelha da secretária estava piscando, mas não estava. A luzinha ficou ali me olhando, me olhando e me olhando, mas não acendeu nem uma só vez.

Levou uma eternidade para o dia claro entardecer lentamente em direção ao breu total, demorou muito para as outras pessoas voltarem para casa depois de seus programas e todos irem dormir, de forma que a distância entre nós, eu e o resto do planeta, se estreitasse e eu conseguisse parar de me sentir como *a única no mundo*...

Enchi a cara e mais uma vez liguei para o número que Gus me dera. Ninguém atendeu... que sorte! Embora, naquele momento, eu não me sentisse nem um pouco com sorte. Estava apenas furiosa, afogada em frustração e solidão. Desejava apenas falar com ele. Se ao menos conseguisse falar com Gus, saberia que ele faria com que tudo ficasse bem.

Cheguei até mesmo a pensar, em meu estado de embriaguez, em pegar um táxi até Camden e dar umas voltas por lá a pé, para ver se conseguia encontrá-lo, ou então ficar circulando pelos pubs aos quais ele me levara. Felizmente, algo me impediu de fazer isso, talvez o terror da ideia de dar de cara com ele e vê-lo acompanhado pela misteriosa Mandy. Um pouquinho de sanidade penetrou na armadura da minha obsessão.

Acordei na quietude de domingo de manhã. Já sabia, antes mesmo de sair da cama, que eu era a única pessoa no apartamento, e que Karen e Charlotte não haviam voltado para casa na noite anterior. Eram apenas sete da manhã, eu estava completamente acordada e totalmente sozinha.

Como é que eu ia conseguir encher a minha cabeça para manter o sentimento de solidão longe de mim? Como ia conseguir me impedir de ficar louca pensando em Gus?

Podia ler alguma coisa, mas não estava com vontade, não havia nada que eu quisesse ler. Podia assistir à tevê, mas sabia que não conseguiria me concentrar. Podia sair e dar uma corrida, talvez até ajudasse a acabar com um pouco daquela terrível ansiedade, mas eu mal conseguia sair da cama. Estava com a cabeça zumbindo de tanta adrenalina, mas não conseguia me levantar da cama. Podia ligar para os Samaritanos, serviço de aconselhamento por via telefônica, mas ia parecer uma coisa tão tola! Imagine só dizer: “Meu namorado me abandonou, e eu achava que íamos acabar *nos casando*!”, quando havia tanta gente de verdade ligando para eles com problemas reais!

Não foi só Gus que me largou. Os sonhos de me casar com ele também tinham ido todos para a cucuia. Livrar-me da fantasia estava sendo quase tão difícil quanto me livrar do namorado.

Claro que a culpa era toda minha. Jamais deveria ter levado as previsões da Sra. Nolan tão a sério. Logo eu, a primeira a censurar Meredia e Megan por elas acreditarem na taróloga. Assim que as duas viraram as costas, entrei na mesma onda.

Em vez de tratar aquilo como um caso sem consequências, eu começara a achar que Gus era o homem certo para mim, e que estávamos destinados a ficar juntos para sempre.

Não, *na verdade* não foi culpa minha, de certa forma, tentei me convencer. A Sra. Nolan pressentira a minha insegurança e solidão, e simplesmente me disse o que eu queria ouvir. E, embora eu não me ligasse muito no casório em si, isto é, na história do vestido branco, nas brigas com a minha mãe, na salada de presunto e tudo o mais, estava muito interessada na promessa de uma alma gêmea.

É, acho que eu tinha só a mim mesma para culpar, por acreditar em tamanha baboseira.

Fiquei deitada na cama, de barriga para cima, com a cabeça girando, me culpando, depois me absolvendo, tornando a me culpar, prestando atenção para ver se o telefone tocava, sentindo-me tomada por um ciúme assassino da desconhecida Mandy, esperando que ela fosse apenas uma amiga, achando que Gus ainda me ligaria a qualquer momento, dizendo a mim mesma para deixar de ser idiota, depois achando que não, talvez ele ligasse mesmo, afinal, para depois tornar a me xingar por ser masoquista e em seguida protestar, argumentando que eu era simplesmente romântica, e assim por diante.

Tinha a certeza de que o rebote da sensação de vazio que acontecia aos domingos de manhã jamais fora tão bravo. Imensas bolas de capim seco passeavam para cima e para baixo nas ruas desertas e empoeiradas da cidade fantasma em que se transformara a minha psique.

Como é que eu lidava com aquilo antes de conhecer o Gus?, fiquei me perguntando. Como conseguira preencher aquele espaço vazio? Eu nem me lembrava de jamais ter sentido aquele vácuo antes, mas deve ter acontecido, e eu conseguira atravessar inúmeros domingos, um após o outro, sem o Gus.

Então compreendi o que acontecera. Ele chegara, preenchera aquele espaço e, ao sair, levara mais do que trouxera. Gus conseguira entrar no meu coração, com todo aquele charme, fez com que eu confiasse nele e, quando eu estava distraída, roubou todos os meus móveis e utensílios emocionais, deixando minha sala de estar interior completamente pelada. O pior é que provavelmente ele levara tudo para um pub em Camden e vendera o lote todo por uma ninharia, bem abaixo do valor de mercado.

Tinha sido ludibriada, e não era a primeira vez.

O domingo levou uma eternidade para passar. Charlotte e Karen não voltaram para casa. O telefone não tocou nem uma só vez. Quando deu nove horas da noite, devolvi o filme, aluguei outro e comprei uma garrafa de vinho. Entornei o vinho todo, fiquei bêbada e fui dormir.

E então já era segunda de manhã. O fim de semana acabara e Gus não havia me telefonado.

CAPÍTULO 42

A pessoa que ia ficar no lugar de Hetty começou a trabalhar conosco naquela manhã.

Já fazia seis semanas desde que Hetty fora embora, um período longo demais para três pessoas que passavam o tempo tentando desempenhar o trabalho de uma.

Ivor pedira ao Departamento de Pessoal que segurasse o contrato dela por umas duas semanas, antes de colocarem um anúncio à procura de uma nova funcionária. O pobre tolo ainda mantinha a esperança de que Hetty pudesse voltar para os seus braços curtos, gorduchos, rosados e sardentos.

Só que ela agora estava morando em Edimburgo, com o cunhado, e muito feliz, pelo que contavam. Sendo assim, ele finalmente aceitara o fato.

Nosso novo colega aconteceu de ser um rapaz. Não foi assim um puro golpe de sorte, como, à primeira vista, pode parecer. Ah, claro que não!

Meredia tinha mexido os pauzinhos para que a coisa acontecesse daquela maneira.

E eu só soube disso porque a peguei bem no flagra, no dia em que estava maquinando tudo.

Umas duas segundas-feiras antes daquela, devido a uma série de acontecimentos infelizes — o metrô estava chegando à estação no momento em que pisei na plataforma, o trem da conexão já estava literalmente esperando por mim etc. etc. —, eu chegara cedo no trabalho.

E Meredia já estava no escritório *antes de mim*. Aquilo era muito irregular, um espanto total, mas o mais surpreendente é que ela já estava trabalhando, organizando, toda agitada, uma pilha de formulários, separando alguns e colocando outros numa retalhadora de papéis.

— Bom-dia! — disse eu.

— Cale a boca que estou ocupada — resmungou ela.

— Meredia, o que está fazendo?

— Nada — respondeu ela, sem parar de enfiar documentos na retalhadora.

Fiquei intrigada com aquilo, porque era óbvio que ela estava armando alguma. É claro que Meredia não ia estar ali trabalhando, às quinze para as nove da manhã de uma segunda-feira, fazendo alguma coisa relacionada com trabalho *de verdade*.

Dei uma olhada mais de perto na pilha de papéis que estavam sobre a sua mesa. Eram formulários de emprego.

— Meredia, de quem são estes formulários, e onde você os conseguiu?

— São os requerimentos de emprego para preencher a vaga de Hetty. O Departamento de Pessoal os mandou aqui para baixo para o Simmonds Fedorento dar uma olhada.

— Mas por que razão você os está destruindo? Não quer uma pessoa nova para trabalhar aqui conosco?

— Não estou me livrando de todos, só de alguns.

— Ah, entendi — disse eu, sem entender.

— Só estou me livrando das mulheres casadas — continuou ela.

— E eu poderia saber o porquê disso?

— Por que razão elas deveriam ter um marido *e* um emprego? — perguntou Meredia, com um jeito amargo.

— Você está brincando? — perguntei, com a voz fraca. — Está tentando me dizer que você está destruindo todos os formulários de emprego das mulheres que são casadas *só* porque elas são casadas?

— Sim — disse ela, com ar sombrio. — Estou simplesmente equilibrando a sorte do mundo. Não dá para confiar só no carma para fazer isso. Quando queremos que algo seja bem-feito, temos que fazer pessoalmente.

— Mas, Meredia — protestei —, só pelo fato de elas serem casadas não significa que sejam felizes. Elas podem ser casadas com homens que as espancam, têm casos na rua ou são um porre de aturar. E também podem ser viúvas, separadas ou divorciadas.

— Isso não me interessa — fungou Meredia. — Elas, pelo menos, tiveram o seu grande dia, ouviram a marcha nupcial enquanto caminhavam pela igreja cheia, usando vestidos lindos.

— Mas se você não quer que elas sejam felizes, a melhor coisa a fazer é torcer para uma delas conseguir este emprego. Olhe só como somos infelizes.

— Não tente me enrolar, Lucy — disse ela, analisando outra proposta. — O que acha desta aqui, uma tal de L. Rogers? Ela não colocou *sra.* nem *srta.* no formulário. Casada ou solteira?

— Sei lá. Acho que é para a gente *não saber* mesmo. Foi por isso que ela não colocou sra. nem srta.

— Solteira, aposto — continuou Meredia, me ignorando por completo. — Se ela não colocou sra. nem srta. foi para esconder o fato de que está sem homem. Tudo bem, ela pode ficar para a entrevista.

— Olhe só, analise por outro ângulo — sugeri. — Se arrumarmos mais uma mulher solteira para trabalhar conosco, o que acontece? Você não acha que isso ainda vai aumentar a competição pelos poucos homens disponíveis por aqui?

Eu dissera aquilo só por brincadeira, mas um espasmo de horror fez o rosto de Meredia vibrar.

— Meu Deus, você tem razão! — reagiu ela. — Eu não tinha pensado nisso.

— Na verdade — sugeri, sentindo uma vontade repentina de fazer uma grande travessura —, era melhor se livrar logo de todos os formulários preenchidos por mulheres e deixar só as propostas enviadas por homens.

Meredia gostou muito da ideia.

— Brilhante! — exclamou ela, me abraçando. — Brilhante, brilhante, brilhante!

Fiquei satisfeita. Qualquer tipo de comportamento subversivo no local de trabalho servia para amenizar o tédio.

Diante disso, corremos para olhar uma por uma as propostas, em um ritmo frenético, para dar tempo de arrancar *todas* as mulheres da pilha antes de Ivor chegar.

Mas a depuração não parou por aí, porque o poder de decidir sobre a vida e a morte de todas aquelas pessoas subiu à cabeça de Meredia.

— Já que estamos fazendo isso, por que vamos ter que aturar algum coroa rabugento por aqui? — perguntou ela. E passou a destruir todos os homens acima de trinta e cinco.

A pilha, originalmente imensa, foi diminuindo pouco a pouco, e Meredia fez com que ela encolhesse ainda mais ao começar a analisar a lista de hobbies e interesses pessoais dos que restaram.

— Humm... este aqui gosta de jardinagem. *Bye-bye!...* — cantarolou ela, atirando-o para o monte dos rejeitados.

— E este aqui faz parte do corpo de voluntários do Exército! — explicou, atirando outro longe. Quando acabou o massacre, haviam sobrado apenas quatro. Quatro homens, todos com idades entre vinte e um e vinte e sete, que afirmaram que seus hobbies eram "ir a festas", "malhar na academia", "participar de reuniões sociais", "viajar nas férias" e "beber".

Eu tinha de reconhecer que todos pareciam muito promissores.

Se naquele dia eu ainda não estivesse vivendo no paraíso dos otários, ao lado de Gus e achando que tudo no mundo era maravilhosamente lindo, teria ficado ainda mais empolgada.

Todos quatro vieram para fazer entrevista no decorrer daquela semana. A cada um que chegava, Meredia e eu íamos fazer hora na recepção para dar uma boa olhada no candidato, antes que ele fosse conduzido dali para o Departamento de Pessoal, a fim de que Blandina pudesse perguntar-lhes onde imaginavam que estariam dali a cinco anos ("Pendurado numa forca, se ainda estiver trabalhando aqui", seria a resposta certa, embora nenhum deles soubesse desse fato. Não perdiam por esperar: assim que conseguissem o emprego, iam descobrir isso rapidinho).

Dávamos notas de um a dez para beleza de rosto, formato da bunda, tamanho da mala dianteira etc. Não, é claro, que Meredia, Megan e eu tivéssemos algum tipo de voz ativa a respeito do resultado final.

Mas isso não nos impedia de ficar discutindo as particularidades dos candidatos com grande interesse.

— Eu gostei do número dois — disse Megan. — O que achou dele, Louise?

— Meu nome é Meredia! — reagiu ela, com ferocidade. — E, para mim, o número três foi o mais gatinho até agora.

— Também gostei do dois — disse. — Ele me pareceu *muito legal.*

Megan gostou da descrição do número quatro, aquele que colocara "malhação" como um dos hobbies, mas, quando chegou para a entrevista, ficamos arrasadas ao ver que era um homossexual terminal. Evidentemente não foi o escolhido, porque Ivor era homofóbico ao extremo. Quando veio até a nossa sala, depois de entrevistar o rapaz, contou um monte de piadinhas na linha de "se houvesse uma moeda de cinquenta centavos no chão perto dele, eu é que não ia me abaixar para pegá-la" e "traseiros colados na parede, hein?", e caía na gargalhada.

— Agora, sério, garotas — continuou ele. — Não daria certo termos um gay trabalhando aqui.

— Ué, por que não? — perguntei.

Ivor fez cara de envergonhado e explicou:

— Imaginem se ele... hã... *começasse a gostar*... de mim.

— De você? — explodi.

— Sim, isso mesmo. De mim — confirmou Ivor, ajeitando o pouco cabelo que sobrara em sua cabeça.

— Mas ele não me *pareceu* mentalmente retardado — expliquei, provocando risos em Megan e Meredia.

Ivor apertou os olhos enquanto olhava para mim, mas eu nem liguei. Estava furioso.

— O que quer dizer com isso, senhorita Sullivan? — perguntou ele, com frieza.

— Quero dizer que só pelo fato de ele ser gay e você ser homem, não significa, necessariamente, que ele vai se interessar por você.

Que cara de pau a dele achar que *alguém*, homem, mulher, criança ou animal doméstico pudesse achá-lo atraente.

— Mas é claro que ele poderia se interessar por mim — murmurou Ivor. — Você sabe como essa gente é. São uns promíscuos!

Houve um coro de protestos, vindos de Meredia, Megan e de mim: "Como ousa falar assim?" e "Seu fascista!" e "Como é que você sabe que eles são todos assim, hein?".

— E se ele já tiver um namorado? — insistiu Megan. — E se ele já estiver apaixonado por alguém?

— Deixem de ser ridículas — gaguejou Ivor. — E chega desse assunto, podem calar a boca todas vocês, porque nós não vamos contratá-lo e pronto. Ele que procure outro emprego por aí, como cabeleireiro ou garçom em um daqueles restaurantes de comida afrescalhada. Ele vai se dar muito melhor trabalhando em um lugar desses.

Entrou em sua sala, bateu a porta e deixou nós três fumegando de raiva.

O número dois, o simpático e sorridente rapaz de vinte e sete anos, tirou o palito mais curto. Ofereceram-lhe o cargo, e ele próprio completou a desgraça aceitando o emprego.

Seu nome era Jed e, embora não fosse o mais bonito do lote, eu tinha um bom pressentimento a seu respeito. Ele nunca parava de sorrir, seus dentes eram lindos, brancos e imensos. Os cantos de sua boca desapareciam por trás das orelhas, e seus olhos se afilavam tanto que nem se via mais. Seria interessante descobrir em quanto tempo o emprego ia arrancar aquele sorriso da cara dele.

O Sr. Simmonds estava muito empolgado:

— Vai ser ótimo ter outro homem trabalhando por aqui — vivia repetindo enquanto esfregava as mãos de contentamento e imaginava almoços regados a cerveja e papos masculinos a respeito de carros, além de ser capaz de olhar para cima e falar, com ar de deboche, "mulheres!", sabendo que receberia um sorriso cúmplice de volta.

Jed começou a trabalhar na segunda-feira que se seguiu ao fim de semana do sumiço de Gus.

Eu me surpreendi com a minha resistência naquela manhã. Consegui me levantar, tomei banho, me vesti, fui para o trabalho, continuava a pensar sobre o que poderia ter dado errado com Gus, mas não me sentia assim tão mal, embora parecesse uma morta-viva.

Megan já estava no escritório antes de mim. Acabara de chegar de um fim de semana na Escócia. Parecia uma australiana falando da viagem — "Por que ir de avião se podemos passar doze horas em um ônibus caindo aos pedaços e economizar cinco libras?". Conhecera dez cidades em menos de quarenta e oito horas, fizera algumas escaladas, conhecera uns conterrâneos, tomara o maior porre em um pub em Glasgow com eles, dormira no chão no albergue em que eles estavam e ainda encontrara tempo para mandar cartões-postais para todo mundo que já conhecera na vida. Não pregava o olho desde a véspera e, mesmo assim, continuava linda e com todo o fogo. Chegou até a nos trazer um presente, uma barra de caramelo escocês, daquele tipo famoso, que é mais duro do que diamante e gruda os dentes de cima nos de baixo, deixando a pessoa sem poder falar.

Meredia chegou logo depois. Entrou em cena usando sua melhor cortina, em honra do novo colega, e pulou sobre o caramelo, rasgando com avidez o celofane. Caímos todas de boca nele.

Foi quando Jed chegou. Parecia um pouco tímido e nervoso, mas continuava com o sorriso todo de fora, como um idiota. Estava de terno e gravata, mas logo, logo a gente ia dar um jeito para ele sair dessa.

Ivor Veneno chegou todo agitado, pisando firme e fazendo a cena do "homem de negócios cheio de coisas importantes para resolver". Falou muito alto, trocou tapinhas e fez contatos físicos tipicamente masculinos com Jed, jogou a cabeça para trás diversas vezes, soltando poderosas gargalhadas. Copiara aquilo dos chefões lá de cima. Adorava fazer tudo igual sempre que tinha chance.

— Jed! — ladrou ele, esticando a mão com força e apertando a de Jed. — Que bom revê-lo! Fico feliz que tenha conseguido o lugar. Desculpe não estar aqui para recebê-lo, acabei preso lá em cima resolvendo alguns problemas, sabe como é... Espero que estas meninas, um bando de maus elementos... rá-rá-rá!..., estejam tomando conta direitinho de você... rá-rá-rá! Envolveu o ombro de Jed com o braço, de forma paternal, e foi levando-o através da sala, até chegar diante da minha mesa. — Caras damas... rá-rá-rá!... eu gostaria que vocês conhecessem a mais nova aquisição da nossa equipe... rá-rá-rá! Este é o Sr. Davis.

— Apenas Jed, por favor — murmurou ele.

Um silêncio sepulcral se seguiu. Nenhuma de nós podia falar. Nossos queixos estavam totalmente grudados por causa do caramelo. Mesmo assim, sorrimos muito e balançamos a cabeça de modo entusiasmado. Acho que o fizemos sentir bem-vindo.

Ivor resolveu que ia desempenhar o papel de Svengali* na vida de Jed. Estava adorando ter alguém a quem pudesse impressionar, e

---

* Pessoa que serve de guru e domina outra por completo. Personagem do romance *Trilby*, de George Du Maurier. (N.T.)

exibia isso sem pudor. No fundo, sabia que as mulheres não tinham um pingo de respeito por ele.

Ficou falando sem parar da importância do nosso setor na estrutura da empresa e citou as oportunidades que Jed teria para subir na carreira, "se trabalhasse duro". Lançou um olhar de reprovação para todas nós ao dizer isso. "Um dia, quem sabe, você pode até chegar ao nível em que estou."

Encerrou a ladainha, anunciando:

— Bem, não posso ficar aqui de papo o dia todo, sou um homem muito ocupado. — Exibiu um ar tristonho do tipo "eu trabalho tanto...", deu um sorriso do tipo "nós homens nos entendemos" e entrou em sua sala, com ar de importância.

Houve um momento de silêncio. Todos ficaram sorrindo sem graça uns para os outros.

Então Jed falou, olhando para a porta que se fechara:

— Que sujeito babaca.

Ai, que alívio! Jed era um de nós! Megan, Meredia e eu trocamos olhares orgulhosos e alegres. Ele prometia. E olhem que só estava no escritório há dez minutos, hein? Nós íamos conseguir moldá-lo de forma esmerada e orientá-lo com cuidado até ele se tornar tão cínico e sarcástico como, quem sabe, até mesmo *Meredia*.

CAPÍTULO 43

Tentei com toda a determinação não pensar em Gus, e funcionou. A não ser por uma sensação interna e constante de mal-estar, quase não dava para sentir o quanto eu estava infeliz. A impressão de ter engolido um bloco de chumbo e estar sem energia para arrastar o peso extra por toda parte era outra dica.

Mas era só isso.

Não chorei nem nada desse tipo. Nem mesmo contei às meninas no escritório. Eu não conseguia nem *me dar ao trabalho* de fazer isso, porque estava desapontada demais.

Só quando o telefone tocava é que eu perdia ligeiramente o controle. A Esperança Vingadora conseguia me dar uma volta, fugia da caixa e ficava brincando de pular amarelinha dentro da minha cabeça, pisando nas minhas terminações nervosas. Mas não conseguia fazer isso por muito tempo não. No terceiro toque do telefone eu geralmente me atracava com ela, colocava-a de volta na caixa e sentava em cima da tampa.

O único telefonema digno de nota que recebi durante toda aquela semana não era importante. Foi do meu irmão, Peter.

Eu não fazia a menor ideia do motivo pelo qual ele estava me ligando. Ele era meu irmão, e eu o amava, acho, mas não era como se *gostássemos* tanto assim um do outro.

— Esteve lá em casa recentemente, Lucy? — perguntou ele.

— Estive, há algumas semanas — admiti, esperando que a pergunta não fosse seguida por "bem, e você não acha que já estava mais do que na hora de voltar lá não?...".

— Estou preocupado com a mãezinha — disse ele.

— Por quê? — perguntei. — E você tem que ficar chamando a mamãe de "mãezinha"? Até parece o Al Jolson.

— Quem?

— Você sabe... aquele cara que cantava "Percorreria um milhão de quilômetros por um sorriso seu".

Silêncio do outro lado da linha.

— Eu às vezes me preocupo com você, Lucy, sério mesmo. Mas olhe, escute só... a mãezinha anda meio estranha, sabe?... Meio engraçada.

— Engraçada como? — suspirei, tentando parecer interessada.

— Anda esquecendo as coisas.

— Talvez esteja com Alzheimer.

— Rá-rá! Você sempre faz piadinha com tudo, não é, Lucy?

— Não estou brincando, Peter. Talvez ela esteja com Alzheimer mesmo. Que tipo de coisas ela anda esquecendo?

— Bem, você sabe o quanto detesto champignons, não sabe?

— Hã... você detesta?

— Sim! Você sabe que detesto. *Todo mundo* sabe que detesto!

— Certo, está certo. Fique frio!

— Bem, o caso é que outro dia fui até lá, à noite, e ela passou molho de champignons na minha torrada!

— E daí?

— Como "e daí..."? Isso não é o cúmulo? Foi o que eu disse para ela. Falei "mãezinha, eu detesto champignons!", e ela respondeu: "É?... Então devo estar confundindo você com Christopher."

— Isso é muito grave, Pete! Fiquei chocada! — disse, com um tom seco. — Vamos ter sorte se ela chegar ao fim do mês com vida.

— Ah, vocês são todos iguais! — reagiu ele, parecendo magoado. — Mas tem mais!

— Então conte.

— Ela fez um negócio estranho no cabelo.

— Seja o que for, deve ter melhorado.

— Não, Lucy, é sério! Ele está todo ondulado e louro, ela nem se parece mais com a mãezinha!

— Ah! Agora, tudo está começando a fazer sentido — disse eu, com ar solene. — Não há motivo para preocupações, Peter, eu já sei exatamente o que está acontecendo.

— É?... O quê?

— Ela arrumou um namorado novo, seu bobo!

O pobre do Peter ficou muito aborrecido ao ouvir aquilo. Ele achava que a nossa mãe era assim uma espécie de Virgem Maria, só que mais casta e santa. Pelo menos consegui me livrar dele na mesma hora, e esperava que ele não me ligasse mais para me torrar a paciência com telefonemas ridículos como aquele. Só Deus sabe o quanto eu tinha coisas mais importantes na cabeça para resolver.

CAPÍTULO 44

Megan e as amigas que moravam com ela iam dar uma festa no sábado à noite.

Ela dividia uma casa de três quartos com outras vinte e oito pessoas australianas, todas trabalhando em horários diferentes, de modo que havia camas suficientes para cada uma delas dormir, cada uma em um horário diferente. Acho que as camas eram utilizadas em um sistema tipo *time-sharing*, vinte e quatro horas por dia.

Parece que Megan dividia uma cama de solteiro com Donnie, um sujeito que consertava telhados, e um segurança de boate chamado Shane, e jamais se encontrava com nenhum dos dois. Na verdade, pelo jeito que ela falava, acho que eles jamais haviam se conhecido.

Ela jurou que haveria milhares de homens solteiros na festa (na quinta-feira acabei abrindo o jogo, meio sem graça, e contei tudo a Megan e a Meredia sobre o desaparecimento de Gus).

No sábado, eu estava me sentindo o cocô do cavalo do bandido. Sem Gus, nem promessa de casamento iminente, minha vida ficara completamente *vazia*. Não havia equipamentos extras, nem acessórios humanos, nem planos de um futuro suave, nem magia arrebatadora, nada que me levantasse o astral. Eu, ali sozinha, me sentia desbotada, desenxabida, com os pés totalmente no chão e sem adereços. Estava tão sem sal que até *eu* perdera o interesse por mim mesma.

Não estava a fim de ir à festa porque ficaria me divertindo muito mais ali sozinha, sentindo pena de mim mesma, mas era obrigada a ir, porque combinara de me encontrar com Jed para levá-lo até lá. Não podia deixá-lo na mão, porque ele não conhecia mais ninguém na festa.

Meredia não ia estar lá (apareceu outro compromisso), mas isso até que veio bem a calhar, porque a casa era pequena.

Megan ia à festa, é claro, porque morava lá, mas acontece que ela era a anfitriã, e ia estar muito ocupada separando brigas e participando de competições de levantamento de copo para ficar paparicando Jed.

Jed e eu nos encontramos na estação do metrô em Earls Court, ou Pequena Sidney, como eu costumava chamar.

Tomar uns drinques depois do trabalho com o pessoal do escritório é uma coisa, mas sempre tive muito cuidado para não deixar que os drinques se estendessem pelo meu fim de semana adentro.

Só que com Jed era diferente. Ele era maravilhoso, *excepcional*! No final da primeira semana ele já inventara um apelido para o Senhor Simmonds: "Senhor Sêmens". Além disso, já chegara atrasado uma vez, ligara para uma amiga em Madri duas vezes e conseguira enfiar uma barra inteira de chocolate na boca de uma vez só! Era muito mais divertido do que Hetty jamais fora. Acho que Ivor já estava começando a se sentir tão decepcionado e traído por Jed quanto fora por Hetty.

Como Megan prometera, a festa estava entulhada de homens, todos imensos, bêbados, ruidosos e provando a todos que eram do outro lado do planeta. Eu me senti em uma floresta. Jed e eu nos separamos logo no início da festa, e não nos vimos mais pelo resto da noite. É que ele era muito baixo para ser localizado no meio dos outros.

Os gigantes tinham nomes como Kevin O'Leary e Kevin McAllister e recordavam aos berros sobre a vez em que ficaram de porre e desceram um rio violento de caiaque, no Zâmbia. Ou a vez em que ficaram de porre e saltaram de paraquedas em Johanesburgo. Ou quando ficaram de porre e fizeram *bungee jumping* pulando do alto de umas ruínas astecas na Cidade do México.

Eles pareciam muito estranhos para mim, eram de um tipo de homem completamente diferente daqueles aos quais eu estava acostumada. Eram grandes demais, bronzeados demais, entusiasmados demais.

O pior de tudo é que vestiam os mais esquisitos jeans que eu já vi. Eram calças feitas de brim azul, certamente, mas a semelhança acabava aqui. Eram jeans, mas não da forma que conhecemos. Não identifiquei nenhuma marca famosa, e acho que Jed era o único homem na festa que usava calça com braguilha de botões, pois todos os outros usavam zíper. Uma das calças dos caras tinha um papagaio bordado no bolso de trás, outra exibia um corte no tecido, costurado com barbante, e que descia até o meio das pernas, formando uma espécie de dobra embutida. Outro sujeito tinha bolsos enfileirados, um embaixo do outro, em toda a lateral das pernas. E outro ainda vestia uma calça totalmente feita de pequenos retalhos de brim. Eram todas horríveis. No meio, havia até umas duas calças jeans muito desbotadas, mas bem comuns, só que ninguém parecia se importar.

Sempre achei que não ligava para a forma como um homem se vestia, que não fazia diferença se ele simplesmente jogasse alguma coisa velha em cima do corpo, só que naquela noite descobri que ligava sim, e muito! Claro que eu gostava de homens que se vestissem assim, tipo "dane-se o visual", de forma bem casual, só que tinha de ser um tipo muito específico de "dane-se o visual".

Todos eles tentaram chegar em mim. Alguns deles tentaram duas ou três vezes, usando as mesmas frases.

— Tá a fim de uma trepada, gata?

— Não, obrigada.

— Bem, e você se importa de ficar ali, só deitada, bem quietinha, enquanto eu faço o resto?

Ou então as cantadas eram:

— Você dorme de bruços?

— Não.

— Então se importa se eu deitar de bruços por cima de você?

Depois de ter sido abordada umas cinco vezes pelo mesmo cara, pedi:

— Kevin, me pergunte como é que eu gosto de acordar.

— Lucy, gata, como é que você gosta de acordar?

— Sem ter sido tocada por ninguém a noite toda! — berrei. — Agora, cai fora!

Eles eram impossíveis de ofender.

— Tudo bem! — E se afastavam — Sem trauma! — Simplesmente chegavam na primeira mulher que surgisse em seu campo de visão e lançavam as mesmas propostas charmosas. Mais ou menos à uma e meia da manhã eu já tinha bebido quatro milhões de latas de cerveja australiana e continuava completamente sóbria. Não consegui enxergar nem um homem atraente sequer, e sabia que as coisas só podiam piorar. Se eu ficasse por ali ia ser uma perda total de tempo. Resolvi sair fora antes de ficar alta.

Ninguém notou que eu tinha ido embora.

Fiquei parada sozinha na rua, à procura de um táxi, e me perguntando em desespero: será que é só isso? Será que isso é tudo o que posso esperar da vida? Aquilo era tudo que eu podia esperar da vida de solteira em Londres?

Mais um sábado à noite e nada que prestasse.

Meu apartamento estava quieto quando entrei. Comecei a me sentir tão deprimida que vagamente contemplei a ideia de suicídio, mas não consegui entusiasmo bastante para isso. Talvez amanhã de manhã, prometi a mim mesma. Talvez eu consiga me matar quando estiver mais animadinha.

— Você é um tremendo canalha, Gus! — Foi meu último pensamento antes de apagar. — Isso tudo é culpa sua!

CAPÍTULO 45

Duas semanas haviam passado e Gus ainda não ligara.

Todas as manhãs eu achava que estava começando a aceitar aquilo, e todas as noites, ao me deitar, descobria que passara o dia todo prendendo a respiração, ansiosa com a *expectativa* de saber notícias dele.

Descobri também que eu me tornara um embaraço.

Ao me permitir ser descartada por Gus, eu desequilibrara o delicado balanceamento triplo que existia entre mim e as amigas com quem dividia o apartamento. Quando nós três estávamos namorando, as coisas corriam bem. Se um dos casais queria a sala de visitas só para eles, por qualquer motivo, tudo o que os outros casais tinham a fazer era ir para seus respectivos quartos e ficar lá, criando a própria diversão.

Agora que eu estava sozinha, no entanto, o casal que desejasse ficar a sós na sala ia se sentir culpado por me banir para um lugar com a escassez de recursos sensoriais do meu quarto, e no final iam acabar se sentindo aborrecidos com a minha presença, porque se sentir aborrecido é muito mais gratificante do que se sentir culpado. Ter sido largada por Gus era visto como culpa minha, resultado de descuido e comportamento relaxado com o relacionamento.

Charlotte resolveu que já era hora de arrumar um novo namorado para mim. Tinha um desejo meio infantil de ajudar e um outro desejo, não tão infantil, de me fazer sair de casa de vez em quando, para que ela e Simon pudessem brincar de médico e enfermeira, ou seja lá o que for que eles brincavam.

— Você devia esquecer o Gus e tentar procurar outra pessoa — disse ela para me encorajar, em uma noite em que estávamos apenas nós duas em casa.

— Vou dar um tempo — respondi.

Claro que *era ela* que deveria estar dizendo aquilo *para mim*, e não o contrário, pensei, confusa.

— Mas você não vai conhecer ninguém se ficar enfurnada aqui dentro de casa! — exclamou ela.

E, é claro, ela jamais ia conseguir transar com o Simon no chão da sala, também, se eu estivesse sempre em casa. Só que foi gentil o bastante para não dizer isso.

— Mas, Charlotte, eu sempre saio — argumentei. — Fui a uma festa no sábado passado, por exemplo.

— Podíamos colocar um anúncio nos classificados para você — sugeriu Charlotte.

— Que tipo de anúncio?

— Um anúncio na sessão de mensagens pessoais.

— Não! — Fiquei horrorizada pela ideia. — Posso estar assim meio mal, tudo bem, *estou mal* mesmo, mas espero jamais me rebaixar tão fundo.

— Não, Lucy — protestou Charlotte. — Você faz uma ideia totalmente errada disso. Um monte de gente age assim. Um monte de gente normal conhece seu par através das páginas dos corações solitários dos jornais.

— Você deve ter pirado — disse eu, com firmeza. — Não vou penetrar naquele mundo estranho de bares só para solteiros, lavanderias automáticas só para pessoas que moram sozinhas, homens que se descrevem ao telefone como tendo a cara de Keanu Reeves e, quando aparecem, estão mais para Van Morrison, só que sem o bom gosto para as roupas; homens que se dizem em busca de um parceiro no amor quando o que querem, na verdade, é marretar a sua cabeça com uma clava até você morrer e depois entalhar lindas estrelas na sua barriga com a faca da cozinha. De jeito nenhum. Nem pensar.

Charlotte achou aquela descrição muito engraçada.

— Você entendeu tudo errado — disse ela, ofegante de tanto rir e enxugando os olhos. — As coisas não são mais assim. Não são mesmo. Eu sei que isso era considerado baixo, vulgar e...

— Você faria isso se fosse com você? — perguntei de repente, indo direto ao centro da questão.

— Bem, é difícil dizer — gaguejou ela. — Isto é, eu *tenho* um namorado...

— De qualquer modo, não é a vulgaridade disso que me incomoda — exclamei, zangada —, e sim ser tachada de "Pobre Idiota Solitária". É isso que me deixa revoltada. Não entende, Charlotte, se eu tivesse que ir para a seção dos solitários no jornal para arrumar namorado, preferia estar morta. Se eu fizer isso, os poucos gramas de autoestima que me sobraram vão desaparecer juntamente com as esperanças.

— Não seja tola — disse Charlotte, sentando-se reta no sofá e pegando uma caneta e um papel, que me pareceu ser o cardápio de entrega em domicílio do restaurante chinês.

— Vamos lá — começou ela, toda feliz. — Vamos montar uma descrição bem interessante de você, e montes de rapazes adoráveis vão responder ao anúncio. Você vai se divertir à beça.

— Não!

— Sim! — contrapôs ela, de forma gentil, mas firme. — Vamos ver... Como poderíamos descrever você?... Humm, que tal "baixa"?... não, "baixa" acho que não.

— Com certeza, "baixa" não. — Eu me vi concordando. — Isso vai me fazer parecer uma "anã".

— Não, não se deve mais falar "anã", Lucy.

— Verticalmente prejudicada, então.

— Hã?... o que é isso?

— Anã.

— Mas, então, por que não disse logo?

— Mas eu...

— Tudo bem. Que tal "tipo mignon"?

— Não, detesto isso de... "tipo mignon". Parece tão... tão... infantil e patético. É como se eu nem sequer conseguisse alcançar o interruptor.

— Mas você mal alcança o interruptor.

— E daí? Isso não quer dizer que eu precise ficar espalhando isso para todo o mundo.

— Tem razão. Posso pedir a Simon que escreva um anúncio para você. Afinal, ele trabalha com propaganda.

— Mas, Charlotte, ele é um designer gráfico.

Ela ficou olhando para mim sem expressão alguma no rosto.

— O que quer dizer com isso, Lucy?

— Quero dizer que ele trabalha com... hã... as imagens dos anúncios. Não escreve o texto.

— Aahh!... Então é *isso* que um designer gráfico faz — exclamou ela, como se tivesse acabado de descobrir que a Terra era redonda.

Às vezes Charlotte me deixava apreensiva. Eu não gostaria de morar dentro da cabeça dela, não. Lá devia ser um lugar escuro, sombrio, solitário e assustador. Acho que daria para a pessoa caminhar por quilômetros e quilômetros lá dentro sem encontrar um único pensamento inteligente.

— Já sei, já sei! Descobri. Que tal "uma Vênus de bolso"? — Charlotte se virou para mim com os olhos brilhando de prazer, pela sua criatividade.

— Não!

— Por que não? Esse título foi bom.

— Porque não sou tão bonita assim. Não sou uma porcaria de "Vênus de bolso", só por isso.

— E daí? Eles não vão saber até vê-la, e depois que a conhecerem, vão descobrir como você é legal.

— Não, Charlotte, não é correto fazer isso. O tiro pode sair pela culatra. Propaganda enganosa, eles vão querer o dinheiro de volta.

— Ihhh... puxa — concordou Charlotte, desanimada. — Acho que você tem razão.

— Por favor, esqueça essa ideia — supliquei.

— Não, vamos olhar alguns anúncios pessoais aqui na revista *Time Out*, só para ver se tem alguém que poderia servir para você.

— Não — disse eu, já em desespero.

— Olha, olha! Aqui tem um bom... — gritou Charlotte, histérica. — Tenho alta estatura, muitos músculos e pelos por todo o corpo... ai... puxa vida!...

— Argh!... — Eu me encolhi toda. — Esse não faz o meu gênero, nem de longe.

— Ainda bem — continuou Charlotte, meio decepcionada. — É uma lésbica. Que pena! Até eu já estava começando a gostar da descrição. Enfim, vamos em frente.

Charlotte continuou a ler. De vez em quando me perguntava algo:

— O que significa tenho muito "sdh"?

— Quer dizer que a pessoa tem muito senso de humor.

— Então, o que é "gsdh"?

— Grande senso de humor, acho.

— Ah, isso é legal!

— Não, não é, Charlotte — expliquei, aborrecida. — Significa apenas que ele se acha muito engraçado e fica rindo das próprias piadas.

— E o que é "bd"?

— Bem-dotado.

— Não...

— Sim.

— Nossa! Isso me parece um pouco de exibicionismo, não é? Corta logo o tesão, não corta?

— Depende. Certamente corta o *meu* tesão, mas talvez não seja o caso de muita gente.

— Lucy, você não estaria interessada em passar a tarde de uma quarta-feira fazendo uma grande farra em companhia de um homem e uma mulher casados?

— Charlotte! — exclamei, escandalizada. — Como é que você pode sugerir uma coisa dessas?

E acrescentei:

— Ainda mais sabendo que não posso tirar uma tarde de folga no trabalho... — Fiz uma cara rabugenta e nós duas caímos na gargalhada com aquilo.

— Que tal "homem atencioso, extremamente carinhoso e com muito amor no coração para dar à garota certa"?

— De jeito nenhum! Ele parece um perdedor *total*, um mané... Uma versão masculina de mim.

— É mesmo, ele parece meio inocente — concordou Charlotte. — Que tal "gatão exigente procura mulher de classe, bem atlética e flexível, para aventuras"?

— Flexível? — guinchei. — Atlética? Aventuras? Que coisa repulsiva e baixa. Será que ele não podia ser um pouco mais *abrangente* sobre o que deseja de um relacionamento? Nossa!

Eu estava ficando chateada com aquilo. Era terrivelmente depressivo. Sórdido e triste. Enquanto eu vivesse, jamais iria me encontrar com um homem que tivesse conhecido através de um anúncio.

— Você está linda — elogiou Charlotte, ajeitando a minha gola.

— Você está falando isso para que eu me sinta um pouco melhor? — perguntei, com um tom amargo.

— Aposto que você vai se divertir muito — disse ela, meio hesitante.

— Pois eu tenho certeza de que vai ser horrível.

— Pense positivo.

— Pense positivo, tá bom... Por que não vai você no meu lugar?

— Porque não preciso ir. Já *tenho* namorado.

— E fica me esfregando isso na cara o tempo todo. Devia ir até lá.

— Mas pode ser que ele seja um cara legal — sugeriu Charlotte.

— Ele *não vai* ser legal.

— Não, sério mesmo. Pode ser que seja.

— Não acredito que você esteja fazendo isso comigo, Charlotte — reagi, ainda espantada.

Eu realmente não conseguia acreditar naquilo. Charlotte me traíra. A vaca marcou um encontro com um cara que achou na coluna de corações solitários. Sem nem ao menos ter a decência de me consultar, marcara um encontro, em meu nome, com um sujeito que era americano. É claro que, quando descobri, fiquei possessa.

Apesar disso, minha reação não foi tão extrema quanto a de Karen. Ao descobrir sobre a história do meu "encontro às escuras", como Charlotte insistia em chamá-lo, Karen chegou a chorar de tanto rir. Conseguiu parar de rir apenas o tempo suficiente para ligar para Daniel e contar a ele todo o evento, e depois continuou a rir convulsivamente por mais vinte minutos.

— Deus do céu! Você está desesperada *mesmo,* Lucy — comentou ela ao desligar o telefone e enxugar as lágrimas que escorriam pelo rosto.

— Essas coisas não têm nada a ver comigo — protestei, zangada. — E eu não vou.

— Mas, agora, você tem que ir — disse Charlotte. — Não seria justo com o rapaz.

— Sua cabeça tapada está completamente desaparafusada — reagi.

Ela olhou para mim com tristeza e seus imensos olhos azuis se encheram de lágrimas.

— Desculpe o que falei, Charlotte — disse eu, meio sem graça. — Você não é tapada.

Simon a chamara de "tapada" alguns dias antes, e o chefe dela a chamava de "tapada" o tempo todo, então ela estava meio sensível a alegações relacionadas com "tapadice".

— Olhe, Charlotte, falando sério — disse eu, bem alto, tentando me manter firme. — Não vou sair com esse cara. Não ligo a mínima para o fato de ele parecer legal ou normal.

— Eu só estava tentando ajudar — fungou ela, com as lágrimas escorrendo pelos cantos dos olhos. — Simplesmente achei que seria legal para você conhecer um homem bem doce e atencioso.

— Eu sei! — Estiquei o braço e o coloquei em volta do ombro dela, já me sentindo culpada. — Eu sei disso, Charlotte.

— Não fique tão brava assim comigo, por favor, Lucy — ela soluçou.

— Não estou brava — reagi, abraçando-a. — Ah, Charlotte, por favor, não chore.

Eu detestava ver alguém chorando, com a única exceção da minha mãe, só que eu prometera a mim mesma que, não importava o que acontecesse, não importava o quanto ela chorasse, eu não ia ceder aos apelos de Charlotte, e não ia me encontrar com aquele tal de Chuck.

Cedi aos apelos de Charlotte e concordei em me encontrar com aquele tal de Chuck. Não tenho muita certeza do motivo que me fez concordar, mas o fato é que concordei.

Apesar disso, mantive um restinho de autoestima e fiquei reclamando daquilo o tempo todo.

— Tenho certeza de que ele vai ser um sujeito totalmente repulsivo — assegurei a Charlotte enquanto me preparava para sair. – Meu visual está legal?

— Estou lhe dizendo, Lucy, você está linda. Não está, Simon?

— Quê? Ah, sim, sim... linda — concordou Simon, com a maior empolgação. Ele estava doido para me ver pelas costas, para poder transar com Charlotte.

— Lucy, ele pode ser um cara legal — repetiu ela.

— Vai ser horroroso — garanti.

— Nunca se sabe... — voltou Charlotte com ar sério enquanto balançava o dedo na minha direção. — Ele pode ser aquele que apareceu nas cartas.

Para o meu horror, eu me vi concordando com ela ou, ao menos, esperando que ela estivesse certa. Charlotte podia estar com a razão: *era bem capaz* de ele ser um cara legal, podia ser a exceção que confirma a regra. Quem sabe ele não era um bunda-mole, nem um assassino com machado escondido em casa, nem estonteantemente horroroso, nem um aleijado emocional.

A Esperança, uma criatura instável, uma velha filha pródiga, resolveu de repente fazer uma breve aparição, como convidada especial na novela que era a minha vida.

Apesar de todas as vezes que ela me deixara na mão no passado, decidi dar-lhe mais uma chance.

Será que algum dia eu ia aprender?

Será que tenho algum tipo de dependência por desapontamentos?, perguntei a mim mesma.

Mas então uma onda de empolgação já circulava por dentro de mim. E se ele fosse um tipo solitário? E se ele fosse alguém parecido com Gus, só que um pouco mais normal, menos aloprado e sem a abordagem minimalista no que se referia a ligações telefônicas? Não seria maravilhoso? Além do mais, supondo que eu gostasse dele e tudo acabasse dando certo, eu ainda estaria dentro do prazo que a Sra. Nolan determinara. Dava tempo suficiente para eu viajar até os Estados Unidos, a fim de conhecer a família dele, e organizar o casamento, tudo em menos de seis meses.

CAPÍTULO 46

Eu devia encontrá-lo às oito horas em ponto, na porta de uma daquelas churrascarias sem graça que existem aos montes no centro de Londres, e que servem para alimentar as multidões e multidões de americanos que visitam a cidade todos os anos.

Chuck avisara — por um instante minha cabeça pareceu girar, porque eu mal acreditava que estava me preparando para jantar com um sujeito chamado Chuck —, bem, Chuck avisara que seria fácil reconhecê-lo, pois ele estaria usando uma capa azul-marinho e teria a revista *Time Out* nas mãos.

(E todos os que o virem o reconhecerão através de sua capa azul-marinho e de seu exemplar de *Time Out*.)

Não tinha a mínima intenção de ficar circulando por ali do lado de fora do restaurante, esperando por ele e colocando-me à sua mercê, caso ele fosse extremamente medonho. Em vez disso, me misturei a um monte de gente do outro lado da rua e fingi que estava esperando o ônibus. Com a gola do meu casaco levantada, mantinha os olhos grudados na porta do restaurante, em frente.

Estava um pouco nervosa, porque, apesar de esperar que ele fosse horroroso, havia uma pequena possibilidade de ele ser bonito.

Às cinco para as oito o sujeito chegou, com a capa azul-marinho e o exemplar de *Time Out* em punho, tudo certinho.

Do meu posto de vigia, até que ele me pareceu legal. Bem, pelo menos me *pareceu* bem normal. Tinha apenas uma cabeça, nenhuma deformidade aparente, nenhum membro a mais, nenhum membro a menos, pelo menos não que eu conseguisse ver. Não dava para ter certeza com relação aos dedos dos pés ou ao pênis dele, a partir de um contato tão recente.

Atravessei a rua para dar uma olhada nele mais de perto.

Não era mau. Não, nem um pouco.

Na verdade, daria até para descrevê-lo como bonito. Altura média, bronzeado, olhos castanho-escuros, ossatura firme, um rosto *forte*. O todo dele me fazia lembrar alguém... quem seria? Mais tarde eu ia descobrir.

A Esperança começou a zumbir dentro do meu peito. Ele não era o meu tipo de homem favorito, mas as coisas jamais deram certo com os meus tipos favoritos de homem, então, que diabos, eu podia dar uma chance a ele.

Talvez, no fim, eu acabe lhe agradecendo muito, Charlotte, pensei.

Ele já me vira. E reparara no meu exemplar de *Time Out*.

Falou comigo. Nenhum respingo de cuspe me atingiu o rosto. Isso era bom sinal.

— Você deve ser a Lucy — disse ele. Nenhum ponto extra por originalidade, e sete milhões de pontos a menos pelas calças baratas, muito vagabundas. Enfim, os americanos são assim mesmo. E nota dez por não ter lábio leporino, não falar gaguejando nem ficar com baba escorrendo pelo canto da boca.

Ainda.

— E você deve ser o Chuck — afirmei, sem contribuir muito para a abertura de novos horizontes na área de primeiros contatos.

— Chuck Thaddeus Mullerbraun, o Segundo, vindo diretamente de Redridge, Tucson, Arizona. — E sorriu, estendendo-me a mão e me dando um aperto muito entusiasmado em estilo "torno mecânico".

Oh-oh, pensei.

Na mesma hora me segurei para não achá-lo estranho. Aquilo não era culpa dele, os americanos sempre agiam daquele jeito. Pode perguntar qualquer coisa a eles, *qualquer coisa*, desde "Deus existe?" a "poderia me passar o saleiro, por favor?", e a primeira coisa que eles fazem é informar seu nome completo e endereço. É como se eles tivessem medo de que, se não ficassem repetindo o tempo todo quem são e de onde vêm, pudessem desaparecer no ar.

Eu *achava* aquilo meio esquisito. Imagine se alguém me parasse na rua para perguntar as horas e eu respondesse: "Lucy Carmel Sullivan, a Primeira, vinda diretamente do apartamento no último andar, o 43D, da rua Bassett Crescent, em Ladbroke Grove, Zona

Oeste, Londres, Inglaterra, Grã-Bretanha, Europa, desculpe, não tenho relógio, mas deve ser mais ou menos uma e quinze."

Aquele era apenas um costume diferente, lembrei a mim mesma, como os espanhóis jantando às duas da manhã, e eu devia estar recebendo bem a oportunidade de travar contato com uma cultura diferente. *Vive la différence!*

Lucy Mullerbraun?

Eu preferia Lucy Lavan, pensei, divagando um pouco, mas não havia sentido em seguir aquela linha de pensamento naquele momento em particular.

Ou em qualquer outro momento, pensando melhor.

— Podemos entrar? — sugeriu ele, de forma educada, indicando a porta do restaurante.

— Por que não?

Entramos no imenso restaurante e um pequeno sujeito porto-riquenho instalou-nos a uma mesa ao lado da janela.

Eu me sentei.

Chuck sentou-se em frente a mim.

Trocamos olhares inseguros e nervosos.

Resolvemos dizer alguma coisa e, ao abrirmos a boca, começamos a falar ao mesmo tempo. Então nós dois nos calamos e nenhum dos dois disse mais nada por alguns instantes. Então, ao mesmo tempo, nós dois dissemos: "Fale você, primeiro", então nós dois rimos e repetimos, novamente em uníssono: "Por favor, você primeiro, sério."

Até que foi bonitinho. Quebrou o gelo.

— Por favor — disse eu, tomando a iniciativa e com medo de que aquilo continuasse por toda a noite —, fale você primeiro, Chuck, eu insisto.

— Então está bem — sorriu ele. — Eu queria apenas dizer que você tem olhos lindos.

— Obrigada. — Sorri de volta, vermelha de vergonha e satisfação.

— Adoro olhos castanhos — explicou ele.

— Eu também — concordei. Até ali, tudo bem. Pelo jeito, tínhamos algumas coisas em comum.

— Minha mulher tem olhos castanhos — completou ele.

O quê?

— Sua mulher? — foi o que perguntei, com a voz fraca.

— Bem, ex-mulher, na verdade — corrigiu ele. — Nos divorciamos recentemente, mas vivo esquecendo.

O que será que eu devia responder a uma frase *dessas*? Eu não sabia que ele fora casado. Mas, e daí?, decidi, tentando manter o controle. Todo mundo tem um passado, e ele não afirmara no anúncio que *não era* casado.

— Já superei a crise — disse ele.

— Hã... bom... que bom — disse, tentando parecer encorajadora.

— Desejo que ela seja feliz.

— Isso é maravilhoso — disse eu, com honestidade.

Houve uma pausa.

— Não sou um sujeito amargo por causa disso — disse ele, com um tom de amargura na voz, enquanto olhava com ar amargo para a toalha da mesa.

Mais uma pausa.

— Meg — suspirou.

— Co... como disse? — perguntei.

— Meg — repetiu ele. — Era esse o nome dela. Bem, na verdade era Margaret, mas eu sempre a chamava de Meg. Um apelido carinhoso, entende?

— Que simpático — comentei, baixinho.

— Sim — disse ele, dando um sorriso irônico e distante. — Era mesmo.

Um estranho silêncio se seguiu.

Ouvi um barulho de alguma coisa em volta que parecia afundar, submergindo rapidamente. Levei um momento para compreender que aquilo era o barulho do meu coração. Era o som dele indo a toda a velocidade, tipo "viagem expressa só de ida" para a sola das minhas botas.

Mas talvez eu estivesse sendo negativa.

Talvez conseguíssemos curar os corações quebrados um do outro. Talvez tudo o que ele precisasse fosse o amor de uma boa mulher. E talvez tudo que eu precisasse fosse o amor de Chuck Thaddeus Mullerbraun, que veio de — onde era mesmo a cidade dele? — ... sei lá, um lugar do Arizona.

A garçonete chegou para anotar o pedido das bebidas.

— Para mim, um copo da sua mais fina água da torneira — disse Chuck, recostando-se na cadeira e dando um tapinha no estômago. Olhei para aquilo e tive a terrível impressão de que a camisa dele era de poliéster.

A garçonete lançou um olhar de desprezo para ele. Sabia reconhecer um pão-duro assim que colocava os olhos em um.

Ele certamente não queria que eu o acompanhasse e pedisse água da bica também, não é?

Bem, sinto muito, mas, por mim, ele que fosse para o inferno, porque eu queria um drinque. Um drinque de verdade.

É melhor começarmos as coisas logo de cara do mesmo jeito que vamos mantê-las.

— Um Bacardi e uma Coca light — disse eu, tentando fazer aquilo parecer um pedido bem razoável.

A mulher foi embora e Chuck se inclinou para a mesa na minha direção e falou:

— Eu não sabia que você bebia *álcool.*

Talvez nós não fôssemos curar o coração um do outro, afinal.

Do jeito que ele usou as palavras, cheio de aversão e nojo, era como se estivesse dizendo que não sabia que eu fazia sexo com crianças pequenas.

— Sim — disse, com um leve tom de desafio —, por que não? Aprecio um drinque de vez em quando.

— Tudo bem — disse ele, lentamente. — Tudo bem, tudo bem. Para mim está ótimo. Legal.

— Você não bebe? — perguntei.

— Sim, bebo sim — respondeu ele.

Graças a Deus.

— Bebo água — continuou ele. — Bebo refrigerantes. Isso é tudo o que preciso beber na vida. O melhor drinque do mundo é um bom copo de água geladinha. Não preciso de álcool.

Eu me segurei. Se ele me dissesse que a vida já é o maior barato que se pode curtir, eu ia embora, jurei para mim mesma.

Infelizmente, porém, isso não aconteceu.

E a conversa continuou, na mesma linha.

— A sua... hã... Meg não bebe? — perguntei. — Álcool — acrescentei correndo, antes que ele começasse a brincar com as palavras novamente.

— Não, ela jamais tocou em álcool, nunca precisou — respondeu, elevando o tom da voz.

— Bem, mas não é o caso de eu *precisar* da bebida — disse eu, perguntando a mim mesma por que estava me dando ao trabalho de tentar me defender.

— Olha.. — Ele olhou fixamente para mim. — Você deve perguntar isso é a você mesma. Quem está tentando convencer, afinal, a mim ou você?

Pensando melhor, agora que eu estava olhando de perto para seu rosto, ele não parecia tão bronzeado assim, a cor estava mais para alaranjada.

O tom de sua pele não era dourado, não, parecia mais cor de tangerina.

Nossos drinques chegaram. O copo de água da bica para Chuck e o meu Instrumento de Satanás acompanhado pela Coca light.

— E aí, estão preparados para fazer o pedido? — perguntou a garçonete.

— Ei, a gente mal se sentou — reagiu Chuck, de forma rude.

A mulher deu as costas e foi embora. Senti vontade de correr atrás dela e pedir desculpas, mas Chuck me alugou com um papo que só de brincadeira poderia ser chamado de conversa.

— Você já foi casada, Lindy? — perguntou ele.

— Lucy — corrigi.

— Como disse? — quis saber ele.

— Lucy — repeti. — Meu nome é Lucy.

Um olhar sem expressão veio de Chuck.

— Não é Lindy — acrescentei, à guisa de explicação.

— Ah, entendo — disse ele, com uma gargalhada explosiva e jovial. — Desculpe, desculpe. Já saquei. Sim, sim... Lucy.

E caiu na risada de novo, dando um barulhento tapa na coxa.

Levou bastante tempo, na verdade, para ele parar de rir.

Ficava balançando a cabeça, como se não estivesse acreditando naquilo, e repetia, olhando para mim:

— Lindy! Essa foi boa, hein? Rá-rá-rá! Lindy! Dá pra acreditar?

Então engrenou um sotaque de caipira e disse algo que me pareceu: "Uai! Vamo laçá o porco e dispois se empanturrá de melado!"

Pelo menos *eu acho* que foi isso que ele disse.

E o rosto que me pareceu tão forte à primeira vista era, na verdade, sem expressão, *imóvel*, rígido.

Fiquei ali, sentada, com um sorriso colado na cara, esperando que ele se acalmasse, para então falar:

— Em resposta à sua pergunta, Brad, não, eu nunca fui casada.

— Ei, ei, ei — disse ele, com o rosto se fechando de repente, de aborrecimento. — O nome é Chuck. Quem é esse tal de Brad?

— Foi uma piadinha — expliquei bem depressa. — Sabe como é... você me chamou de Lindy, eu chamei você de Brad.

— Ah. Certo. — E ficou olhando para mim como se eu fosse completamente maluca. Seu rosto parecia uma sessão de slides: uma imagem estática atrás da outra, com pequenos períodos de branco, enquanto ele retirava uma emoção e ficava esperando outra aparecer.

— Escute, dona — quis saber ele —, você é algum tipo de doidona? Porque não estou com espaço para doidonas na minha vida neste momento não.

Tranquei a boca e me segurei para não perguntar *quando é* que ele achava que ia arrumar algum espaço para doidonas na vida dele, mas fazer isso foi bem difícil.

— Foi só uma brincadeira — expliquei, com delicadeza. Achei que era melhor tentar apaziguá-lo, porque estava me sentindo um pouco preocupada com as suas abruptas mudanças de humor.

Ele provavelmente pertencia a algum clube de tiro. Havia um jeito meio maníaco e esquisito na forma de ele olhar que eu não reparara assim que o vira. E também havia algo de muito estranho com o seu cabelo... o que seria?

Ele fixou o olhar em mim, balançou a cabeça lentamente (não pude deixar de reparar que, apesar de a cabeça dele se mexer para a frente e para trás, o cabelo ficava no mesmo lugar) e disse:

— O.k., entendi agora. Isso foi um lance de humor, então, certo?

E sorriu de orelha a orelha para mim, exibindo a boca cheia de dentes. Tudo isso para provar que ele apreciava o meu tipo de humor.

... *Ele secara aquele cabelo com um secador bem quente, era óbvio, e os fios estavam meio de lado...*

— Isso então foi um exemplo do seu humor, não é? Sim, foi muito legal.

... *E alguns dos tufos estavam duros de tanto laquê...*

— Gostei da piada sim, sim, gostei mesmo. Você é uma garota engraçada, então, não é?

... *Será que aquilo era uma peruca?...*

— Hummm... — murmurei. Estava com medo de abrir a boca para falar alguma coisa e acabar vomitando em cima dele, bem no colo de sua surrada calça de brim.

... *Aquilo na cabeça dele parecia mais um capacete. Na verdade, era todo duro e com cara de pegajoso.*

Ele pegou um pão, enfiou tudo na boca de uma só vez e ficou mastigando, mastigando e mastigando sem parar, como uma vaca ruminando capim. Foi nojento.

Mas não acreditei no que ele fez em seguida.

Não é que ele tenha exatamente soltado um pum. Parecia mais uma explosão rouca e longa que fez estremecer o ambiente.

Sim, para falar a verdade foi um tremendo peido, bem alto, demorado e sem pedido de desculpas.

Ainda estava tentando me refazer do choque daquilo quando a pobre da garçonete tornou a aparecer para anotar o pedido, embora eu estivesse certa de que ia vomitar ali mesmo se alguém me oferecesse alguma coisa para comer. Com o apetite de Chuck, porém não parecia haver nada de errado.

Ele pediu o maior bife do cardápio e ainda exigiu que viesse muito malpassado.

— Por que não pede que a moça traga logo a vaca inteira ainda viva até aqui? Você pode tentar fazer com que ela suba na mesa e se sente no seu prato para ser degustada — sugeri.

Eu não tinha nada contra pessoas que comem carne vermelha, mas era tão agradável ser cruel com ele que não consegui resistir à chance de falar aquilo.

Infelizmente, ele apenas soltou uma gargalhada.

Uma pena, um desperdício total de uma frase cheia de veneno.

Foi então que ele resolveu que já estava na hora de nos conhecermos melhor. Chegara o momento de trocarmos experiências de vida.

— Ei, você já foi ao Caribe? — ladrou ele, na minha direção. E, sem esperar pela minha resposta, passou direto à descrição das areias brancas, dos habitantes hospitaleiros, da fantástica loja do *free shop*, da maravilhosa cozinha, do pacote cheio de descontos e com tudo incluído que ele conseguiu porque o cunhado trabalhava em uma agência de viagens...

— Bem, tecnicamente, ele não é mais seu cunhado, agora que Meg se divorciou de você, não é mesmo? — interrompi, mas ele preferiu não me ouvir. Toda a sua atenção estava focada nele mesmo.

E a descrição lírica continuava, sem pinta de terminar. O espetacular chalé em que ele se hospedara, a fosforescência dos peixes tropicais... Aguentei tudo aquilo com a maior paciência, até que lotou! De forma bem rude, interrompi a descrição da água limpa, clara e muito azul sobre a qual ele velejou dentro de um barco com fundo de vidro.

— Deixe-me adivinhar — disse eu, com sarcasmo. — Você foi até lá em companhia de Meg.

Ele olhou para mim na mesma hora, enquanto o slide da suspeita apareceu na tela imóvel do seu rosto.

Então exibi um sorriso fulgurante para ele, só para deixá-lo confuso.

— Ei, como foi que você adivinhou? — E sorriu para mim.

Enfiei a mão debaixo da coxa para resistir à tentação de dar um soco na cara dele.

— Ah... acho que é intuição feminina — disse, soltando uma risadinha delicada e quase sentindo o vômito subir até a garganta e ficar bem atrás dos meus dentes.

... E por falar em dentes, o que havia de errado com os dele? Será que ele usava dentadura?...

— E então, você gostaria de tentar um relacionamento comigo, Lisa?

— Hã... — Como poderia dizer a ele que eu preferia ter um relacionamento com um leproso sem ofendê-lo?

Sem ofender o leproso, é claro.

— É melhor você ficar logo sabendo — sorriu ele. — Eu sou um cara muito exigente.

Onde estava o meu jantar?

Eu já nem ligava mais.

— Mas você até que é bonitinha, sabia?

— Obrigada — murmurei. Não se dê a esse trabalho, por favor.

— É sim, muito bonitinha. Em uma escala de um a dez, eu lhe daria nota... deixe ver... é... eu lhe daria um sete. Não, vamos dizer seis e meio. Tenho que deduzir meio por cento porque você bebeu álcool logo no primeiro encontro.

— Acho que você quer dizer meio ponto, e não meio por cento, porque a escala que você usou foi de dez, não de cem. E o que há de errado em beber no primeiro encontro? Se não fosse o primeiro encontro, estaria tudo bem? — quis saber, com frieza na voz.

Ele franziu os olhos e disse:

— Você fala demais. Faz um monte de perguntas, sabia?

— Não, sério mesmo, Chuck. Estou muito interessada em saber por que motivo perdi meio ponto com você.

— Certo, certo. Eu lhe conto, eu lhe conto. Claro que conto. Consegue perceber quais são os sinais que você envia ao seu acompanhante quando bebe logo no primeiro encontro, Lisa? Imagina que tipo de afirmação está fazendo a respeito de si mesma?

Olhei para ele sem expressão.

— Não — disse, com doçura. — Por favor, ilumine a minha mente.

— O quê?

— Ilumi... hã, por favor, me *conte*.

— D-E-S-P-O-N-Í-V-E-L — soletrou ele, lentamente.

— Como disse? — falei, meio confusa.

— Disponível — explicou, impaciente. — A imagem que eu faço é a de que você está disponível.

— Ah, *disponível* — disse eu, compreendendo então. — Bem, talvez se você tivesse soletrado a palavra direito eu tivesse entendido logo de cara o que você queria dizer.

Seus olhos se estreitaram.

— Ei, está insinuando o quê? Que você é mais esperta do que eu ou algo assim?

— Nada disso — expliquei, com educação. — Estava apenas informando a você que a letra E só aparece uma vez na palavra "disponível".

Nossa! Ele era insuportável!

— Nenhum homem tem respeito algum por uma mulher bêbada — afirmou ele, olhando com os olhos apertados para o meu Bacardi, e depois para mim.

Aquilo só podia ser piada. Tinha de ser alguma armação, era a única explicação. Olhei em torno do restaurante, quase esperando ver Daniel sentado a uma das outras mesas, ou algum apresentador famoso da televisão anunciando que aquilo tudo era uma pegadinha.

Mas isso não aconteceu.

Ai, meu Deus! Suspirei para mim mesma. Gostaria que tudo isso já tivesse acabado. Que desperdício de noite! Especialmente uma noite de sexta-feira, quando passavam programas tão interessantes na tevê.

"Sabe de uma coisa, você não é obrigada a aturar isso não", sussurrou uma vozinha rebelde dentro da minha cabeça.

"Claro que é obrigada!", cochichou outra vozinha interna, essa mais ponderada e zelosa.

"Não, francamente não é não", replicou a primeira voz.

"Mas, mas... concordei em vir até aqui para conhecê-lo, tenho de ficar por todo o período combinado. Não posso ir embora. Seria uma *falta de educação*", protestou a minha porção "certinha".

"*Falta de educação*", rosnou a voz rebelde, "Falta de educação! E por acaso ele é educado? Os americanos que pulverizaram Hiroshima provavelmente eram mais educados."

"Sim, mas acontece que não tive muitas oportunidades de conhecer homens diferentes, e de cavalo dado não se olha os dentes", explicou minha porção "comportada".

"Não acredito no que você está falando!", disse a porção "rebelada", parecendo genuinamente chocada. "Você tem de si mesma uma imagem assim tão baixa a ponto de preferir estar com um homem desses a ficar sozinha?"

"Mas eu estou *tão* sozinha...", disse a vozinha boa.

"Você quer dizer desesperada", debochou a voz rebelde.

"Já que você está colocando as coisas desse jeito...", ponderou a porção bondosa de forma relutante, recusando-se a dispensar um homem, *qualquer homem*, até mesmo um sujeito horrível como aquele.

"Eu insisto nisso", disse a porção "rebelada", com firmeza.

"Bem, então tudo bem. Acho que posso fingir que estou enjoada", disse a voz educada. "Posso simular um tombo e dizer que quebrei a perna, que estou com apendicite supurada ou algo desse tipo."

"Não, claro que não!", disse a porção "rebelde". "Para que poupá-lo? Se está disposta a cair fora, faça isso em grande estilo. Deixe que ele perceba o quanto é desagradável e o quanto você o achou repulsivo e antipático. Defenda suas razões! Use o ato para fazer uma declaração!"

"Não, não posso...", protestou a parte zelosa.

A voz rebelde continuou em silêncio.

"Ou será que posso?..."

"Claro que pode!", exclamou minha voz rebelde, toda empolgada.

"Mas... mas... o que devo fazer?", quis saber a porção boa, já com uma coceirinha na boca do estômago.

"Tenho certeza de que você vai conseguir pensar em algo. Aliás, devo lembrá-la de que, se você cair fora agora mesmo, dá para chegar em casa antes de o seriado do Rab C. Nesbitt começar", aconselhou a voz rebelada.

Chuck continuava a falar sem parar:

— Hoje eu estava no metrô e vou te contar, Lizzie... Eu era o único cara branco do vagão!...

Certo! Chega! Não aguento mais!

"Mas estou com medo dele", explicou minha voz boa. "E se ele me seguir, torturar e depois me matar? Vamos ser francos, ele bem que parece ser desse tipo."

"Não se preocupe", disse a voz rebelde. "Ele não faz ideia de onde você mora, nem mesmo tem o número do seu telefone. Tudo o que tem é o número da sua caixa postal. Vá em frente! Não há com o que se preocupar."

Sentindo-me leve com aquela sensação de poder à qual não estava acostumada, eu me levantei, pegando o casaco e a bolsa.

— Desculpe-me. — Sorri docemente, interrompendo o discurso de Chuck sobre como deveria haver um controle mais eficiente da imigração e como apenas as pessoas brancas deveriam ter direito a voto. — Vou até o toalete das meninas.

— E você precisa levar o casaco para o banheiro? — estranhou Chuck.

— Preciso, Chuck — respondi, com doçura.

— Tudo bem.

Panaca!

Fui saindo de fininho, com as pernas tremendo. Estava com medo, mas também estava feliz.

Passei ao lado da garçonete que estava nos servindo. Ela estava limpando uma das mesas e eu estava com tanta adrenalina no sangue que nem conseguia falar direito.

— Desculpe — disse para ela, com as palavras parecendo meio embaralhadas e sentindo a língua maior do que a boca. — Estou naquela mesa ao lado da janela, e o cavalheiro que está comigo pediu que lhe seja servida uma garrafa do seu champanhe mais caro, por favor.

— Claro — disse a mulher.

— Obrigada. — Sorri e fui em frente.

Decidi que assim que chegasse em casa ia telefonar para o restaurante, a fim de me certificar de que nenhum dos funcionários ia ter de pagar pelo champanhe do próprio bolso.

Cheguei à porta do banheiro feminino, hesitei apenas por um momento e continuei andando. Parecia que eu estava sonhando. Só quando atravessei o portal da entrada do restaurante e saí na rua chuvosa foi que acreditei que havia conseguido, e que já estava livre.

Meu plano inicial era simplesmente sair e ir para casa, deixando a longa passagem de tempo servir de indicação para Chuck de que eu nunca mais ia aparecer. Isso, porém, não seria correto. O jantar dele ia ficar frio durante o tempo em que ele ficasse esperando pela minha volta. Esperando, esperando...

Supondo que aquele homem revoltante tivesse a educação de esperar que eu voltasse para a mesa antes de mergulhar no prato e devorar o seu animal recém-abatido.

Apesar de tudo, resolvi dar a ele o benefício da dúvida.

Vesti o casaco e, apesar de ser uma noite chuvosa de sexta-feira, consegui pegar um táxi na mesma hora.

Os deuses estavam sorrindo para mim. Aquele era o tipo de sinal do qual eu precisava para sentir que fizera a coisa certa.

— Ladbroke Grove — indiquei ao motorista, toda empolgada, assim que entrei no carro. — Antes, porém, será que o senhor poderia me fazer um favor?

— Depende... — afirmou ele, desconfiado. Os taxistas de Londres são assim mesmo.

— É que acabei de terminar com o meu namorado. Ele está indo embora para sempre. Está sentado junto à janela daquele restaurante ali. Será que o senhor poderia passar bem devagarzinho com o carro até que ele me veja, para que eu possa acenar para ele uma última vez?

O taxista pareceu sinceramente comovido pelo meu pedido.

— Puxa, parece aquele filme com Frank Sinatra e Ava Gardner. E eu que achei que o romantismo estava morto... — disse ele, com a voz rouca e falha. — Não tem problema, querida. Simplesmente me diga quem é ele.

— É aquele... hã... rapaz bronzeado e bonito bem ali — disse eu, apontando para o lugar em que Chuck estava sentado, admirando o próprio reflexo em uma faca enquanto me esperava voltar do banheiro.

O táxi foi passando bem devagar na frente da janela onde Chuck estava e comecei a abaixar o vidro.

— Vou ligar a luz interna do carro, moça, para ele poder vê-la melhor — disse o taxista.

— Obrigada.

Chuck estava girando a faca diante do rosto, afastando-a e depois aproximando-a, para poder ver o rosto de diferentes distâncias.

— Ele gosta de se apreciar — comentou o motorista.

— Como gosta!

— Tem certeza de que é ele, moça? — perguntou o motorista, meio em dúvida.

— Absoluta.

Chuck já estava começando a mostrar cara de chateado. Pelo jeito eu estava levando mais tempo no banheiro do que Meg, e ele parecia não aprovar aquilo.

— Quer que eu dê um toque na buzina, moça? — perguntou meu leal motorista.

— Por que não?

O taxista apertou a buzina com toda a força e Chuck olhou para fora, para ver que barulheira era aquela. Eu me debrucei para fora e acenei de forma espalhafatosa.

Ele sorriu, com alegria, reconhecendo o meu rosto assim que me viu e levantou a mão para me acenar de volta.

Nesse instante a confusão começou a se instalar lenta e dolorosamente em sua cara idiota, no momento em que ele reparou que a pessoa que lhe parecia familiar e que estava acenando para ele de um táxi era, na verdade, a sua acompanhante daquela noite, a mulher com quem ele estava jantando, a criatura cuja lagosta à moda da casa estava, naquele exato momento, sendo reverentemente colocada diante de uma cadeira vazia, e que a citada criatura estava dentro de um táxi que se preparava para deixar o local. O aceno que preparava não chegou a se completar, e ele parou com a mão no ar.

Franziu sua testa alaranjada. Não compreendia aquilo. Os dados não combinavam.

E então a ficha caiu.

A expressão que se formou em seu rosto valeu toda a cena. O instante em que ele compreendeu que eu não estava no toalete das meninas, e sim efetuando uma fuga em um táxi, foi maravilhoso, nem mais nem menos. Valeu a pena ficar ali por todo aquele tempo terrível só para poder apreciar o ar de descrença, ódio e fúria que surgiu em seu rosto convencido, esquisito e bronzeado. Ele deu um pulo da cadeira e deixou cair a faca com a qual estava se admirando até há poucos segundos.

Não consegui segurar o riso.

— Mas que mer...? — fez ele com os lábios, em mímica, o rosto retorcido de tanta fúria. Quase parecia ter vida.

— Vá... se... fo-der! — fiz com os lábios, devolvendo a mímica. Então, enfiei os dois braços para fora do carro na noite molhada e coloquei a mão direita espalmada sobre o braço esquerdo, puxando-o para trás, dando-lhe uma banana para o caso de a sua leitura labial não ser muito boa. Fiquei sacudindo os braços para cima por uns dez segundos, reforçando o gesto, enquanto ele continuava olhando para mim com fúria impotente através da vidraça.

— Pode seguir! — ordenei.

O motorista começou a acelerar no momento em que dois garçons apareciam por trás de Chuck, um carregando um balde de gelo com um guardanapo sobre o braço e o outro com uma garrafa de champanhe.

No táxi descobri quem Chuck me fizera lembrar: *Donny Osmond!*

Donny Osmond cantando "Amor de cachorrinho".

O alaranjado, sincero e comovente Donny Osmond com olhos de bichinho de estimação para combinar com o seu amor de cachorrinho. Só que o Donny Osmond do restaurante estava meio embaçado, passara por maus pedaços na vida, era um Donny Osmond para quem todas as coisas tinham dado errado, um Donny amargo, sem senso de humor e de extrema direita.

Muito antes de chegar em casa eu já estava me sentindo culpada por causa de Chuck e a garrafa de champanhe. Não era justo que ele tivesse de pagar por ela. Só pelo fato de ele ser uma pessoa detestável e horrível isso não me dava o direito de agir da mesma forma. Assim, no momento em que coloquei os pés dentro de casa, liguei para o restaurante.

— Hã... alô — disse eu, meio nervosa. — Será que o senhor poderia me dar uma ajuda? Eu estava em seu restaurante até ainda há pouco e precisei ir embora correndo, de forma não planejada, só que antes de sair pedi uma garrafa de champanhe para o cavalheiro que estava comigo. Era para ser uma... hã... surpresa, e acho que ele não deve ter concordado em pagar por ela. Gostaria de ter certeza de que a garçonete não vai ter a garrafa descontada do salário, nem nada desse tipo...

— O cavalheiro americano? — perguntou uma voz masculina.

— Sim — confirmei, relutante. Cavalheiro uma ova!

— E a senhorita deve ser a mulher com problemas mentais? — quis saber a voz.

Que cara de pau do atendente. Como é que ele ousava insinuar que eu era maluca?

— O americano explicou que a senhorita faz coisas desse tipo com frequência, que não consegue se controlar.

Engoli minha raiva.

— Quero pagar pelo champanhe — murmurei.

— Não há necessidade — disse a voz. — Nós já combinamos com o americano que não vamos cobrar os danos que ele causou à nossa mobília, desde que pague pelo champanhe.

— Mas não é justo ser obrigado a pagar por algo que não consumiu — expliquei.

— Consumiu sim, ele bebeu — informou a voz.

— Mas ele não bebe — protestei.

— Olha, ele bebe sim — confirmou a voz. — Pode vir e ver com os próprios olhos, se não acredita.

— Quer dizer que ele ainda está aí?

— Ah, sim! E aquilo que ele está bebendo neste instante não é tequila sem álcool não.

Ai, meu Deus! Agora eu tinha mais isso na consciência. Transformara Chuck em um bebum. Ah, que se dane! Talvez isso seja a melhor coisa que já aconteceu a ele.

Certo, agora vamos direto para a televisão!

Para minha total decepção, Karen e Daniel estavam na sala de visitas. Dividiam uma garrafa de vinho e estavam de mãozinhas dadas, assistindo aos *meus* programas, na *minha* televisão. Era de embrulhar o estômago.

— Você voltou cedo — comentou Karen, aborrecida.

— Hummmmm — respondi, de forma esquiva.

Eu também estava chateada. Aquilo significava que eu não ia ver Rab C. Nesbitt. Não podia ficar ali na mesma sala, junto de Karen e Daniel, enquanto eles ficavam de beijinhos e abraços.

Eu ia ter de ir para o meu quarto e ficar sentada lá, enquanto eles continuavam ocupando o sofá todo, Karen deitada com a cabeça no colo de Daniel. Ele ficava acariciando a cabeça dela enquanto ela ficava acariciando o... bem, o que quer que eles estivessem a fim de fazer, aquilo era uma coisa na qual eu não estava a fim de pensar.

Eles andavam tão apaixonados, feito dois pombinhos, que chegava a me causar nojo.

Charlotte e Simon nunca me faziam sentir estranha, não sei por que acontecia aquilo quando a coisa era entre Daniel e Karen.

— Como é que você está? — perguntou Daniel, parecendo todo metido a superior.

— Estou bem — respondi, meio distraída.

— E como foi o encontro às escuras com o americano? — perguntou Daniel.

— Ele era louco.

— É mesmo?

— É mesmo.

— Ah, Lucy, de novo não — suspirou Karen. — Você já está transformando esse tipo de situação em hábito.

— Vou para a cama — anunciei.

— Finalmente! — exclamou Karen, piscando sensualmente para Daniel.

— Rá-rá! — reagi, tentando aparentar um espírito esportivo. — Boa-noite.

— Lucy, não fique achando que você tem de sair da sala só porque estamos aqui — disse Daniel, educado como sempre.

— *Fique sim* — corrigiu Karen.

— Não vá embora — pediu Daniel.

— Vá sim. — Riu Karen.

— Karen, não seja mal-educada — disse Daniel, parecendo sem graça.

— Mas eu não estou sendo mal-educada — sorriu Karen. — Estou só sendo honesta. Estou mostrando a Lucy a posição em que ela se encontra.

Saí da sala com os olhos cheios de lágrimas, inexplicavelmente.

— Ah, por falar nisso, Lucy — gritou Karen, na minha direção.

— Que foi? — perguntei, encostada no portal.

— Ligaram para você.

— E quem era?

— Gus.

CAPÍTULO 47

Senti como se estivesse me livrando de um peso imenso e soltei o ar em um longo e delicioso suspiro. Estava esperando para fazer aquilo há três semanas.

— Bem, e o que foi que ele disse? — perguntei, empolgada.

— Que ia tornar a ligar dali a uma hora, e se você ainda não tivesse voltado ia continuar ligando de hora em hora, até você chegar.

Uma onda de felicidade me lavou por dentro. Ele não me abandonara, eu não fizera nada de errado, minha posição não tinha sido ocupada por Mandy.

Um pensamento me passou pela cabeça.

— Onde foi que você disse que eu estava? — perguntei, ofegante.

— Falei que tinha saído.

— Saído com um homem?

— Foi.

— Ótimo. Isso vai deixá-lo preocupado. A que horas completa uma hora que ele ligou?

Karen se sentou reta no sofá e olhou para mim.

— Por que quer saber? — perguntou. — É claro que você não vai *atender a ligação* dele, vai?

— Hã... vou, vou sim — disse, meio envergonhada, trocando o peso do corpo de um pé para outro.

Daniel balançou a cabeça em uma expressão do tipo "quando será que ela vai aprender?", e me lançou um sorriso meio irritado. Que coragem a dele! O que sabia ele sobre as agonias do amor não correspondido, ou semicorrespondido?

— Você não tem amor-próprio? — perguntou Karen, sem acreditar.

— Não — respondi, distraída, meditando sobre que tipo de tom eu deveria adotar com Gus... Divertido? Chateado? Severo?

Eu já sabia que ia perdoá-lo. A questão agora era quanto eu ia me fazer de difícil para obrigá-lo a lutar por aquilo.

— Bem, o funeral é seu — disse Karen, virando as costas para mim. — Ele deve tornar a ligar daqui a uns vinte minutos.

Entrei no meu quarto e fiquei dando pulinhos sem sair do lugar. Vinte minutos, como é que eu ia me segurar?

Mas eu tinha de permanecer calma, não podia deixar que ele soubesse que eu estava empolgada daquele jeito, então me forcei a respirar fundo e pausadamente.

Mas não conseguia parar de sorrir. Às cinco para as dez eu estaria falando com Gus. Gus, que achei que perdera para sempre, e que agora mal conseguia esperar.

Quando meu despertador digital mostrou nove e cinquenta e cinco, coloquei os pés juntos no chão, preparados, esperando a largada.

E esperei.

E esperei...

Ele não ligou.

É claro que ele não ligou.

Como é que pude achar que ele ia ligar?

Então, já que eu não ia chorar, comecei a preparar para mim mesma as desculpas de sempre.

Meu relógio estava adiantado. Gus não conseguia muito bem calcular a diferença entre cinco minutos e uma hora; provavelmente ele estava em um pub onde, se é que havia telefone, provavelmente estava quebrado; se o telefone não estava quebrado, devia ter alguma mulher de Galway pendurada nele, ligando para casa e disputando uma maratona de lágrimas.

Depois de onze horas admiti a derrota e fui para a cama.

"Aquele canalha", pensei, muito zangada. "Teve a chance de voltar e a estragou. Quando ele ligar, eu *não vou* atender. E se atender, vai ser só para informar a ele que não vou atender."

Algum tempo mais tarde, escutei o interfone tocar, e me sentei na cama, horrorizada. Ah, não! Ele está aqui, entrando no prédio, chegando da rua, e tirei toda a maquiagem! Que desastre! Pulei da cama e ouvi Karen ou Daniel atendendo a chamada e apertando o controle para abrir o portão, lá embaixo.

— Puxe assunto com ele para eu ganhar algum tempo — sussurrei para Karen, enfiando a cabeça para fora do quarto. — Vou me aprontar em cinco minutos.

— Puxar assunto com quem? — perguntou ela.

— Com Gus, é claro!

— Por que, ele está aqui?

— Está subindo. Você acabou de abrir o portão lá embaixo para ele.

— Eu não — disse ela.

— Sim, claro que sim — insisti. — Você acabou de fazer isso.

Karen estava se comportando de modo estranho, só que não parecia *bêbada*.

— Não, não abri não! — insistiu ela, olhando para mim mais de perto. — Você está bem, Lucy?

— Estou ótima — respondi. — Você é que está me deixando preocupada. Se não era o Gus, então *para quem* você acabou de abrir o portão?

— Para o cara da pizza.

— *Que* cara da pizza?

— O cara da pizza que veio entregar a pizza que eu e Daniel pedimos.

— Mas *onde*?

— Aqui — disse ela, escancarando a porta da frente e revelando a figura de um homem que usava macacão impermeável vermelho, capacete e segurava uma caixa baixa, de papelão, nas mãos.

— Daniel — gritou ela —, pode preparar os pratos e os copos.

— Já entendi — sussurrei e mergulhei de novo na cama.

Por que será que Gus se dera ao trabalho de telefonar, para início de conversa?, perguntei a mim mesma com os olhos cheios de lágrimas. O que aquilo me trouxera de bom? Nada! Só serviu para provocar preocupação e tumulto dentro de mim.

Horas mais tarde, quando todo mundo já estava na cama e o apartamento envolto em completa escuridão, o telefone tocou. Acordei na mesma hora — mesmo quando eu dormia, meus nervos continuavam em alerta total, esperando pelo telefonema de Gus. Fui cambaleando de sono até o corredor para atender, porque eu sabia que só podia ser o Gus — ninguém mais ia ligar a uma hora daquelas, só que eu estava sonolenta demais para me sentir feliz com aquilo.

Gus parecia bêbado.

— Posso ir até aí, Lucy? — Foi a primeira coisa que disse.

— Não! — respondi, perguntando-me o que será que havia acontecido com o velho “oi, Lucy”.

— Porém, eu preciso muito vê-la, Lucy! — gritou ele, de forma veemente.

— E eu preciso dormir.

— Lucy, Lucy, onde está o seu fogo, a sua paixão pelas coisas? Dormir? Fala sério!... Você pode dormir em qualquer outra hora. Só que não é todo dia que temos a chance de estarmos juntos.

Eu sabia daquilo bem demais até.

— Lucy, por favor — insistiu ele. — Você está chateada comigo, não é?

— Sim, estou muito chateada com você — respondi, no mesmo tom de voz, tentando não parecer chateada demais para não espantá-lo.

— Mas, por favor, Lucy, eu tenho uma desculpa — garantiu ele.

— Então vamos ouvi-la.

— O cachorro comeu todo o meu dever de casa, o despertador não tocou e a minha bicicleta furou o pneu.

Não achei graça nenhuma.

— Ô-ô... — cantarolou ele. — Ela ficou totalmente muda, então significa que continua chateada — disse. — Sério mesmo, Lucy, eu tenho uma desculpa...

— Então, por favor, me diga qual é.

— Não pelo telefone. Preferia ir até aí para ver você.

— Pois você não vai me ver até eu ouvir sua desculpa — disse eu.

— Você é muito durona, Lucy Sullivan! — gritou, com a voz triste. — Implacável! Cruel!

— E a desculpa?... — perguntei, educadamente.

— Olhe, vai ser muito melhor se eu explicar pessoalmente, ao vivo e em cores. Vozes sem corpo atravessando o espaço não são tão boas para essas coisas — explicou ele, de forma sedutora. — Por favor, Lucy, eu odeio conversar pelo telefone.

Eu sabia disso muito bem.

— Então apareça aqui amanhã, Gus. Agora já está muito tarde.

— Tarde? Lucy Sullivan, desde quando o tempo representou alguma coisa para nós dois? Você é como eu, um espírito livre que não é limitado pelo horário informado por aquele grupo de pesquisadores sem coração do Observatório de Greenwich. O que aconteceu com você? Será que a sua alma foi sequestrada pelos duendes que acorrentam as pessoas ao relógio?

Ele fez uma pausa por um segundo, e então disse em tons de horror contido:

— Por Deus, Lucy, não me diga que você saiu à rua e comprou um... Comprou um *relógio*!?

Eu ri. O pequeno canalha. Como é que eu ia assustá-lo se ele estava me fazendo rir?

— Apareça aqui amanhã de manhã, Gus. — Tentei fazer a voz soar ríspida e autoritária. — Então, vamos conversar.

— Não existe momento melhor do que o agora — anunciou ele, com a voz alegre.

— Não, Gus. Amanhã.

— Quem sabe o que nos reserva o amanhã, Lucy? Amanhã é outro dia, e quem poderá saber onde estaremos?

Não sei se ele teve a intenção, mas eu reconhecia uma ameaça quando ouvia uma. Era possível que ele não me ligasse no dia seguinte. Era bem capaz de eu nunca mais ouvir falar dele. Ali, porém, naquele momento, ele queria me ver. Era *meu*, e eu tornei a me lembrar de que não se deve olhar os dentes de um cavalo dado, nem chutar a bola quando ela ainda está quicando, e eu já devia ter aprendido a diferença entre um pássaro na mão e dois voando.

Você vai mesmo aceitá-lo nestes termos?, perguntou a vozinha dentro da minha cabeça.

Vou!, repliquei, com ar cansado.

Mas você não tem amor-pró...?

Não, não tenho! Quantas vezes vou ter que lhe dizer isto?

— Tá legal, Gus — suspirei, fingindo que acabara de ceder, embora, é claro, já soubesse, no fundo, o tempo todo, que era aquilo que ia acabar acontecendo. — Pode vir.

— Já estou indo — disse ele.

Isso podia significar qualquer período de tempo, de quinze minutos a quatro meses, e o meu grande dilema era: será que eu devia me maquiar para recebê-lo ou ficar assim mesmo, como estava?

Sabia muito bem dos perigos de se testar o destino. Se eu colocasse maquiagem, ele não ia aparecer. Se eu *não colocasse* maquiagem, ele viria, com certeza, mas ficaria tão chocado ao ver a minha cara lavada que ia fugir correndo.

— O que está acontecendo? — sussurrou uma voz. Era Karen. — Quem estava ao telefone? Era o Gus?

— Desculpe por acordar você. — Concordei com a cabeça.

— Você mandou ele ir embora e se foder?

— Hã... não. Sabe, é que não ouvi a história toda ainda. Ele... hã... está vindo aí para me contar o que aconteceu.

— Agora!? Às duas e meia da manhã?

— Não existe melhor momento do que o agora — disse, baixinho.

— Em outras palavras, ele estava em uma festa, não conseguiu arrumar ninguém e está a fim de uma transa. Essa foi legal, Lucy, você está mesmo se valorizando ao se fazer de tão difícil desse jeito.

— Não é bem isso... — disse, com o estômago já ficando embrulhado.

— Boa-noite, Lucy — suspirou ela, me ignorando por completo. — Vou voltar para a cama. Com Daniel — acrescentou, com cara de convencida.

Eu sabia que ela ıa contar a Daniel tudo o que acabara de acontecer, porque ela contava a Daniel *tudo* o que acontecia comigo. Bem, pelo menos contava os vexames, micos diversos e lances embaraçosos. Eu não tinha privacidade, detestava o fato de ele saber tanta coisa a meu respeito e se mostrar complacente e crítico.

Ele vivia no nosso apartamento, era como se morasse lá, conosco. Por que Daniel e Karen não podiam ir para o apartamento *dele*, de vez em quando, só para me deixar um pouco em paz?

Eu adoraria se eles terminassem o namoro, pensei, de forma cruel.

Decidi ludibriar o destino, já estava farta de vê-lo exercer sozinho todo aquele poder, e assim, apesar de colocar um pouco de maquiagem, não troquei de roupa.

Logo depois, a campainha do interfone ecoou por todo o apartamento de um jeito capaz de acordar até os mortos. O barulho parou por um breve tempo, oferecendo uma bendita oportunidade de apreciarmos as maravilhas do silêncio, e depois voltou a atacar, agredindo nossos ouvidos por mais alguns segundos intermináveis que nos pareceram horas. Gus chegara.

Abri o portão da rua e fiquei esperando que aparecesse, subindo as escadas, mas isso não aconteceu. De repente, ouvi vozes alteradas no corredor, alguns andares abaixo do nosso. Finalmente, ele surgiu, cambaleando, subindo o lance de escadas, parecendo lindo, sexy, descabelado e bêbado.

Eu estava perdida, de forma irremediável e completa. Só no momento em que o vi compreendi o quanto sentira a sua falta.

— Nossa, Lucy — resmungou ele, enquanto passava por mim, meio tonto, e entrava no apartamento. — Aquele seu vizinho tem um gênio muito bravo. Qualquer um pode se enganar de porta.

— O que aconteceu, Gus? — perguntei.

— Toquei a campainha errada — disse com ar ressentido, arrastando-se direto para o meu quarto.

Ei, ei, espere um minutinho!, pensei. Ele está parecendo muito atirado e seguro de si. Não pode entrar valsando assim aqui dentro, depois de ficar sem dar as caras por três semanas e ainda achar que pode pular direto na cama comigo.

Aparentemente, ele podia. Já estava sentado na beira da cama, tirando as botas.

— Gus... — tentei falar, prestes a dar início à palestra que preparara. Vocês sabem, o texto de sempre... como ousa me tratar desse jeito, quem você pensa que é, quem você pensa que sou, tenho muito respeito por mim mesma (uma mentira), não vou aturar uma coisa dessas (outra mentira) etc. etc.

— E então, Lucy, eu disse para o seu vizinho: "Eu apenas acordei você. Até parece que estou invadindo a Polônia!" Rá-rá, eu sabia que isso ia deixá-lo desarmado. Ele é alemão, não é?

— Não, Gus, não é. É austríaco.

— Claro, dá no mesmo. Não são aqueles caras grandes, louros, que só comem salsichas?

E então conseguiu focar os olhos errantes e injetados de vermelho em mim, notando meu rosto pela primeira vez desde que invadira o apartamento.

— Lucy! Minha querida Lucy, você está linda!

Levantou-se da cama de um pulo e correu até onde eu estava. O cheiro dele ativou em mim uma carência e um apetite que me pegaram de surpresa, pela intensidade.

— Hummmmm, Lucy, senti muitas saudades — disse ele, esfregando o nariz no meu pescoço e enfiando a mão por baixo do meu paletó de pijama. O toque da mão dele na minha pele nua me fez começar a estremecer, despertando um desejo que dormia dentro de mim a sono solto havia três semanas, mas, em um gesto supremo de autocontrole, eu o empurrei para longe.

Chega pra lá!, pensei. Você ainda não ouviu o meu sermão.

— Ah, Lucy, Lucy — murmurou ele, tornando a me atacar. — Nunca mais vamos nos separar, nunca mais.

Enlaçou minha cintura fortemente com um braço, apertando-a com a mão, enquanto começava a desabotoar o meu pijama com a outra. Eu me desvencilhei, tentando fechá-lo de novo, mas era só para fazer gênero.

Não conseguia me controlar. Ele era sexy demais. Lindo, perigoso e muito malandro. E tinha um *cheiro* tão gostoso, *tão tipicamente* Gus.

— Gus! — Lutei com ele enquanto ele tentava tirar a parte de cima do meu pijama. — Você não me ligou por três sema...

— Eu sei, Lucy, sinto muito — replicou ele, enfiando os dedos com mais força. — Eu não queria que isso tivesse acontecido. Nossa, você é linda!

— Eu mereço uma explicação, sabia? — Resisti com mais força, enquanto ele me empurrava em direção à cama.

— Claro que merece, Lucy, claro que merece — concordou vagamente, enquanto fazia pressão sobre os meus ombros para me obrigar a dobrar as pernas. — Mas isso não pode ser feito amanhã de manhã?

— Gus, você jura solenemente que tem uma boa desculpa e que amanhã de manhã vai me contar tudo o que houve?

— Juro — afirmou, olhando fixamente para os meus olhos e ao mesmo tempo enfiando os dedos com mais força, tentando arriar minha calça de pijama. — E você pode me esculachar, me dar um esporro. Pode até me fazer chorar — garantiu ele.

Então fomos para a cama.

Eu me lembrava do que Karen dissera, mas discordava dela. Não me sentia usada. *Queria* que Gus tivesse vontade de transar comigo. Isso provava que ele ainda gostava de mim, que não desistira de ficar comigo, e que, embora tivesse sumido por três semanas, a culpa não fora minha.

Decidi que o sermão podia ficar para de manhã. Assim, cedi ao desejo: Gus e eu começamos a transar. Só que eu havia esquecido que Gus era assim meio "bateu-valeu, muito obrigado". A transa mal começara e já tinha acabado. Como no passado, Gus gozou em questão de segundos. O que deixou bastante tempo de sobra para que eu ouvisse as suas desculpas. Mas ele caiu no sono na mesma hora. Finalmente, eu peguei no sono também.

CAPÍTULO 48

Quando amanheceu, Gus não se mostrou mais fácil de se deixar segurar, a fim de ouvir o sermão.

Considerando-se o quanto estava bêbado na noite anterior, ele acordou surpreendentemente cheio de energia. Pela ordem natural das coisas, ele devia estar chapado de costas, com ressaca, morrendo de sede e jurando nunca mais tornar a beber, como qualquer pessoa normal. Em vez disso, já estava acordado aos primeiros raios da manhã, comendo biscoitos. Quando o carteiro chegou, ele foi correndo até a porta para pegar a correspondência e, fazendo uma barulhada danada enquanto manuseava os envelopes, rasgou com estardalhaço os envelopes das cartas endereçadas a mim e me informou o que havia nelas.

— Ora, muito bem, Lucy, grande garota! — Ele parecia orgulhoso. — Fico satisfeito em saber que você está devendo ao pessoal do cartão de crédito muito mais do que antes. Agora, tudo o que tem a fazer é se mudar daqui sem avisar a eles.

Fiquei deitada na cama, desejando vagamente que ele acalmasse o facho. Ou pelo menos parasse de me lembrar do quanto eu devia na praça.

— Que loja é essa... Russell & Bromley? — quis saber ele. — É aquele seu velho problema de novo?

— É. — Um par de botas de camurça preta que iam até os joelhos e umas sandálias sexy, de pele de cobra, para ser mais exata. — Agora, Gus — tentei falar com firmeza para atrair a sua atenção —, nós temos que conver...

— E o que é isto aqui, Lucy? — acenou com um envelope para mim. — Parece que é o extrato bancário da Karen. Você não quer dar uma olhadinha?

Nossa, aquilo era tentador! Charlotte e eu desconfiávamos de que Karen tinha milhares de libras aplicadas, sem contar para ninguém, e eu *adoraria* ter a confirmação disso.

Mas tinha outro trabalho a fazer.

— Deixe o extrato de Karen pra lá, Gus. — Tentei novamente. — Você disse que tinha uma boa desculpa, na noite passada, e que...

— Posso tomar um banho, Lucy? — interrompeu ele. — Acho que estou fedendo um pouco.

Levantou o braço e enfiou o nariz na axila.

— Puuff... — reagiu, fazendo cara de nojo. — Estou fedendo, logo existo... — filosofou.

Para mim, ele estava com cheiro bom.

— Você pode tomar um banho daqui a pouco, Gus. Passe esse envelope para cá.

— Mas nós podemos abri-lo no vapor, e Karen jamais vai descobrir...

Era óbvio que, a despeito das suas promessas entusiasmadas da noite anterior, ele não tinha a menor intenção de me explicar coisa alguma.

E eu estava tão maravilhada por ele ter voltado que não queria espantá-lo exigindo explicações e pedidos de desculpas.

Ao mesmo tempo, ele precisava entender que não podia escapar impune depois de me tratar tão mal.

É claro que ele *podia* escapar impune depois de me tratar mal, na verdade acabara de conseguir isso. Mas eu precisava, pelo menos, lançar o meu protesto, e agir como se tivesse respeito por mim mesma. Na esperança de que, apesar de não conseguir me enganar, eu conseguisse enganá-lo.

Eu ia ter de enganá-lo para chegar à velha Conversa Séria. O que aconteceu ia ter de ser arrancado dele aos poucos, com muita paciência e persuasão, para que ele nem sentisse que estava entregando o ouro.

Gus jamais cooperaria se fosse abordado assim de frente, cara a cara.

Eu ia ter de me mostrar muito, muito gentil, mas com um fundo de firmeza e determinação.

Virei-me para Gus, que estava esticado em cima da cama, lendo a oferta de um plano de previdência privada que o banco me enviara.

— Gus, preciso muito conversar com você — declarei, tentando fazer com que aquilo soasse agradavelmente firme ou, na falta disso, firmemente agradável.

Devo ter exagerado na firmeza, porque ele disse "ô-ô..." e fez uma cara de "ô-ô...". Pulou da cama na mesma hora e se enfiou todo encolhido, com cara de assustado, no espaço entre o guarda-roupa e a parede, choramingando:

— Tô com medinho...

— Ora, vamos lá, Gus, não há razão para ficar assustado.

— Não estou assustado. Estou só com medinho...

— Com medinho, então. Não precisa ficar.

Mas ele não estava levando nada daquilo a sério. Continuava a colocar a cabeça cheia de cabelos cacheados para fora do buraco, mostrando os olhinhos brilhantes por um segundo, e então se escondia outra vez, começando a murmurar, baixinho:

— Ai, eu tô lascado, tô ferrado, já era... ela vai fazer picadinho de mim!

Então ele começou a cantar uma canção, alguma coisa sobre manter o bastão sempre ereto e assobiar uma melodia alegre quando se sentisse amedrontado, para que ninguém suspeitasse de que ele estava com medo.*

— Gus, pare com isso e saia daí, não precisa ter medo!

Tentei rir, para provar como eu era bem-humorada, mas era muito difícil manter a paciência. Seria maravilhoso poder gritar com ele.

— Vamos lá, Gus, eu não assusto ninguém, você sabe disso.

— A única coisa que devemos temer é o próprio medo, não é? — perguntou a voz atrás do armário.

— Exato — concordei, olhando para o guarda-roupa.

— O problema, Lucy — a voz continuou —, é que eu morro de medo do medo.

---

* Referência à letra de "I whistle a happy tune" do musical da Broadway *O Rei e Eu*. (N.T.)

— Bem, então pode parar de ter medo. Não há nada a temer comigo.

Ele colocou a cabeça para fora, parecendo um gatinho.

— Você não vai gritar comigo?

— Não — fui obrigada a prometer a ele. — Não vou gritar com você. Só que preciso saber onde foi que esteve nas últimas três semanas.

— Tem tanto tempo assim?

— Ah, qual é, Gus? A última vez em que tive notícias suas foi na terça-feira, antes da reunião que a Karen ofereceu aqui em casa. O que tem feito por aí?

— Ah, uma coisa e outra... — explicou, de forma bem vaga.

— Você não pode simplesmente desaparecer por três semanas, sabia? — Mas disse isso com todo o jeitinho, para que ele não ficasse aborrecido e mandasse eu me catar, dizendo que ia sumir por quanto tempo quisesse e não havia nada que eu pudesse fazer para evitar isso.

— Tudo bem, então... eu conto — disse ele. Eu me inclinei em sua direção, ávida, na esperança de ouvir histórias de desastres naturais e atos de Deus. Assim, nem eu nem Gus seríamos responsáveis pela separação de três semanas.

— Meu irmão chegou para me visitar, vindo da Irlanda, e nós festejamos com uma rodada de bebidas.

— Uma rodada que durou três semanas? — perguntei, sem acreditar. Não estava gostando daquela história de ficar falando "três semanas" sem parar, senti que devia ser mais vaga a respeito do período de tempo. Não queria que ele ficasse achando que fiquei em casa, contando os dias desde que ele sumira, o que, é claro, fora *exatamente* o que eu havia feito.

— Foi, uma rodada que durou três semanas — confirmou ele, parecendo surpreso. — O que há de errado nisso?

— O que há de errado nisso? — ecoei, com voz de deboche.

— Já andei desaparecido, perdido em ação, por muito mais do que três semanas — afirmou ele, parecendo confuso.

— Você está tentando me dizer, então, que esteve bebendo sem parar durante *três semanas*?

E subitamente me senti estarrecida comigo mesma. Estava parecendo a minha mãe, com o mesmo tom de voz, o ar de acusação e até as palavras que estava usando.

— Opa, desculpe, Lucy, gatinha... — disse Gus. — A coisa não é assim tão má quanto parece. Eu me esqueci da festa de Karen, e quando lembrei, fiquei com medo de telefonar para você, porque sabia que você devia estar *por conta* comigo.

— Mas, então, por que não me telefonou no dia seguinte? — perguntei, encolhendo-me de dor ao lembrar da agonia pela qual eu passara, esperando por ele.

— Porque eu me senti arrasado por ter me esquecido da festa e ter deixado você aborrecida, e então Stevie disse para mim: "Só tem uma coisa que pode resolver isso, garoto..."

— ... Mais uma dose, sem dúvida — completei a frase para ele.

— Exato! E quando chegou o dia seguinte...

— ... Você se sentiu tão mal por não ter me telefonado na véspera que teve que tomar mais um porre para se sentir bem a respeito do problema...

— Não — reagiu ele, parecendo surpreso. — No dia seguinte ia haver um grande festival em Kentish Town, que começava às onze da manhã. Eu e o meu irmão fomos até lá e enchemos a cara. Foi um porre federal, Lucy. Federal! Aposto que você nunca viu uma pessoa tão bêbada. Eu nem sabia qual era o meu nome.

— Isso não é desculpa! — exclamei, e então parei de falar na hora ao ouvir saindo da minha boca, novamente, a voz da minha mãe.

— Você sabe que não me incomodo de você ficar bêbado. — Tentei fazer a voz parecer bem calma. — Mas não está certo simplesmente desaparecer e depois voltar agindo como se não houvesse nada de errado.

— Desculpe! — exclamou ele. — Desculpe, desculpe, desculpe!

Então eu me preparei para a pergunta mais difícil de todas:

— Gus, quem é Mandy?

Fiquei olhando bem firme para o seu rosto, para ver se conseguia tirar alguma conclusão pela reação dele.

Foi minha imaginação ou ele pareceu um pouco assustado?

Pode ter sido minha imaginação. Afinal, ele não deixou cair o queixo nem enterrou o rosto nas mãos, soluçando e dizendo: "Eu sabia que este dia ia chegar."

Na verdade, tudo o que fez foi parecer irritado, e respondeu:

— Ninguém.

— Ela não pode ser "ninguém". É uma pessoa. — Sorri com vontade para convencê-lo de que não o estava acusando de nada, e que a minha raiva era totalmente amigável.

— Ela não é ninguém em especial. Apenas uma amiga.

— Gus — disse eu, sentindo o coração bater mais depressa —, não há necessidade de mentir para mim.

— Mas eu *não estou* mentindo. — Ele parecia ofendido, magoado.

— Não estou dizendo que você está. Mas, se você está saindo com mais alguém, eu gostaria de saber.

Eu não disse "se você está saindo com mais alguém, quero que vá se foder", que é o que eu *devia* ter dito. Não queria cometer o pecado capital de parecer me importar. Reza a sabedoria popular que as mulheres ficam desesperadas para prender os homens, e que os homens morrem de medo de se sentirem presos. Portanto, a melhor maneira de prendê-los é fingir que não quer prendê-los. Entretanto, esse tiro havia saído pela culatra mais vezes do que eu gostava de lembrar, comigo dizendo "você não é propriedade minha, mas, se está se encontrando com mais alguém, eu gostaria de saber". E então encontrando o tal namorado em uma festa, todo enroscado em volta de outra mulher enquanto oferecia um drinque a outras duas, para no fim me dizer: "Mas você *disse* que não se importava."

— Lucy, não estou saindo com nenhuma outra garota — disse Gus. Não estava mais na defensiva e tinha um ar de sinceridade nos olhos verdes.

Parecia se importar comigo. E mesmo com o receio de ser ingrata, forcei um pouco mais:

— Gus, você estava saindo com outra pessoa quando, hã... nós começamos a sair juntos?

Ele pareceu intrigado por um momento, enquanto traduzia a minha pergunta para a língua dele. Finalmente sacou.

— Você quer saber se eu estava chifrando você? — pareceu horrorizado. — Pois eu NÃO estava.

Sempre havia a chance de ele estar falando a verdade. Pensando bem, provavelmente estava, pois não possuía a capacidade organizacional para levar uma vida dupla. Do jeito que ele era, já era um triunfo ele se lembrar de continuar respirando quando acordava, todas as manhãs.

— Como ousa? — reagiu ele. — Que tipo de pessoa você acha que sou?

A combinação de suas negativas enérgicas e o meu desejo desesperado de acreditar nele resolveu o problema. O alívio me fez ficar alegre e com a cabeça bem mais leve.

Então ele me beijou e eu me senti com a cabeça ainda mais leve.

— Lucy — afirmou ele —, eu jamais faria nada que pudesse magoar você.

Acreditei nele. Seria grosseiro trazer à baila o fato de que ele *já me magoara*. O importante é o fato de que ele não fizera aquilo de propósito.

— Agora, posso tomar uma chuveirada? — perguntou ele, humilde.

E foi para o banheiro, enquanto fiquei pensando em minha mãe. Ficara muito apavorada por me ouvir falando as coisas que ela dizia. Ia tentar ser cada vez mais liberal, prometi a mim mesma.

Ouvi quando Daniel e Karen cumprimentaram Gus, no momento em que ele saía do banheiro.

— Bom-dia, Gus — disse Daniel. Será que havia um certo tom de divertimento em seu tom de voz? Analisei, na defensiva.

— Bom-dia, Daniel, meu garoto. Bom-dia, senhorita Morag McVitie — disse Gus, bem jovial, dirigindo-se a Karen, como se nunca tivesse desaparecido dali.

— Bom-dia, senhor Bronco McBronca — respondeu Karen para Gus.

— Bom-dia, senhorita Invocada McCroquete — disse Gus para Karen.

— Bom-dia, senhor Pirado McZureta — disse Karen para Gus.

— Bom-dia, senhorita Mão-Fechada McSeanConnery — disse Gus para Karen.

— Bom-dia, senhor Maria do Rosário McSemtex* — disse Karen para Gus.

---

* Semtex — Explosivo usado por grupos terroristas na Irlanda do Norte. (N.T.)

— Bom-dia, senhorita Ronald McDonald — disse Gus para Karen.

Ouvi-os se dobrando de tanto rir. A porta do banheiro era, certamente, o lugar mais divertido da casa.

Uma amiga que dividia o apartamento comigo e seu namorado já haviam conseguido reatar a amizade com Gus de forma bem-sucedida, e ninguém se sentia constrangido, exceto eu mesma.

CAPÍTULO 49

Assim, Gus e eu voltamos a ficar juntos.

Tentei relaxar e afrouxar um pouco a corda em volta do pescoço dele.

Gus era um espírito livre, eu vivia me lembrando. Regras normais não se aplicavam a ele. Só porque ele se atrasava ou ficava conversando durante horas com alguém em uma festa na qual ele me levara e na qual eu não conhecia ninguém não significava que ele não ligava para mim.

Não que eu estivesse baixando o nível das minhas expectativas, decidi. Simplesmente estava mudando o ângulo de ver as coisas.

Sabia que ele gostava de mim porque voltara depois de um hiato de três semanas. Ele não tinha de fazer isso, ninguém o obrigara.

Assim, com minha nova atitude, Gus e eu nos dávamos maravilhosamente bem. Ele se comportava de modo impecável. Bem, tão impecável quanto ele conseguia sem deixar de ser Gus.

Era verão e, para variar, parecia um verão de verdade.

O tempo em Londres estava quente e ensolarado, tão diferente de suas características que muitas pessoas viam naquilo um sinal de que o mundo estava próximo do fim.

Era um dia dourado atrás do outro, com céu azul e calor, mas a população da cidade já havia sido traída tantas vezes pelo tempo que todos esperavam que a onda de calor fosse se dissipar a qualquer momento.

Todos balançavam a cabeça e previam, com ar sombrio: "Esse tempo não vai durar muito não." Só que durou, e parecia que o sol ia brilhar para sempre.

Lembro-me daquela época como idílica.

Semanas e semanas durante as quais a vida parecia paradisíaca, e eu sentia como se estivesse vivendo dentro de um pequeno casulo dourado.

Meu quarto era inundado por uma quente luz amarela todas as manhãs, de modo que era quase um prazer me levantar e tocar a vida.

Minha depressão sempre diminuía no verão, e até mesmo ir para o trabalho não me parecia tão penoso. Especialmente depois que armamos um minimotim e o Departamento de Manutenção foi obrigado a nos comprar um ventilador.

Na maioria dos dias, na hora do almoço, Jed e eu íamos à praça Soho, onde nos misturávamos com milhares de outros empregados de escritório em busca de um metro quadrado de grama no qual pudéssemos lagartear ao sol e ler nossos livros.

Jed era a melhor pessoa para fazer isso, porque se ele tentasse falar comigo eu podia simplesmente mandá-lo calar a boca, e ele calava. Ficávamos então ali, estendidos, em um silêncio cheio de companheirismo.

Pelo menos eu considerava companheirismo.

Meredia nunca ia conosco, porque odiava o sol. Passava sua hora de almoço enfiada no escritório, com as persianas abaixadas, tentando lançar uma praga no clima, para que chovesse. Todo dia ela lia a previsão do tempo, na maior ansiedade, esperando por notícias a respeito de uma queda na temperatura, revoltando-se quando as imensas nuvens negras que vinham da Irlanda passavam direto pela Grã-Bretanha e seguiam em frente, em direção à França.

Durante o dia todo ela nos brindava regularmente com a imagem de sua saia levantada, enquanto espalhava toneladas de talco entre as coxas colossais.

— Tempo quente não é bom para gente gorda, não — explicava ela, com tom amargo, e a seguir perguntava se queríamos ver as suas assaduras.

A única coisa que a deixava mais animada era descobrir no jornal as temperaturas dos lugares onde estava mais quente do que em Londres.

— Pelo menos eu não estou em Meca — suspirava, de vez em quando. Ou então:

— Imagine só como deve estar quente no Cairo!

Megan também não ia conosco para o parque.

Como uma verdadeira australiana, ela estava feliz como pinto no lixo, com aquele calor todo, e levava o seu banho de sol muito a sério. Bem mais a sério do que Jed e eu.

Debochava abertamente de mim e de todas aquelas mulheres que ficavam sentadas na grama com a saia levantada acima dos joelhos, se achando ousadas e liberadas. Ela era de outra tribo. Ia para a piscina e fazia topless.

A implicância dela com Meredia andava ainda mais forte do que o normal.

— Escute aqui, Pauline — dizia ela, entre dentes —, se você não parar de reclamar do suor nas suas coxas, vou mostrar pra todo mundo os meus mamilos queimadinhos de sol.

— Continue reclamando, não pare de reclamar — pediu Jed, todo assanhado, para Meredia. Ela jogou-lhe um olhar azedo e murmurou para Megan:

— Meu nome é Meredia!

Megan floresceu com o calor. Estava totalmente à vontade com ele. Ia trabalhar de shortinhos jeans curtos, desfiados na bainha. Não era culpa dela se parecia uma daquelas personagens do seriado *S.O.S. Malibu*. Não estava tentando ser provocante, simplesmente não podia deixar de ser linda.

Eu, por mim, estava contente por não ser australiana. Ficaria inibida demais se tivesse de circular pela rua seminua. Agradecia a Deus por ter nascido em um país frio.

Quase todas as tardes havia uma rodada de sorvete, e até Ivor se juntava a nós. Como soldados inimigos que jogavam uma partida de futebol em campo neutro no Natal, aquele tempo incomum fazia com que suspendêssemos as hostilidades do dia a dia.

Apesar disso, não era nada agradável ter de aturar Ivor mastigando toda a cobertura de chocolate do seu Magnum para depois ver sua língua gorda e vermelha lambendo lentamente o interior cremoso.

Megan acabou sendo convocada para ir até o Departamento de Pessoal, porque houve uma queixa a respeito dos seus shorts. A reclamação devia ter sido feita por alguma funcionária. Certamente o reclamante não foi nenhum dos homens que vinham em bandos e entravam em nossa sala ao menor dos pretextos só para inspecionar as pernas de Megan, longas e douradas.

Meredia ficou toda empolgada quando soube que Megan subira. Tinha esperanças de que ela fosse despedida. Só que Megan voltou com um sorriso misterioso e satisfcito.

— Quer que nós a ajudemos a esvaziar a sua mesa? — ofereceu Meredia, esperançosa.

— Talvez, Rosemary, talvez. — Sorriu Megan, de forma afetada.

— Por que você está assim tão satisfeita? — Meredia estava confusa e desconfiada. — E o meu nome é Meredia — acrescentou, com olhar vago.

— É que talvez eu seja *promovida*... — Megan enfatizou bem a frase, apontando para o teto. — Acho que vou lá pra cima.

Meredia pareceu fulminada.

— O que quer dizer? — perguntou ela, com um gemido.

E então, se recuperando, debochou:

— Lá para cima, no andar da fila do auxílio-desemprego?

— Ah, não — disse Megan, com aquele misterioso, enigmático e satisfeito sorriso de esfinge. — Mais acima.

Meredia estava com um olhar de quem ia morrer a qualquer momento.

— Quantos andares? — conseguiu perguntar, com a voz rouca. — Um?

Megan sorriu e balançou a cabeça.

— Dois?

Outro sorriso e outro balançar de cabeça.

Meredia mal conseguiu piar, bem baixinho:

— Três?

E Megan, cruel como nunca, esperou alguns segundos, deixando-nos sem respirar por uma eternidade, antes de balançar a cabeça mais uma vez.

— Não pode... não *pode* ser o quarto andar — sussurrou Meredia.

— Mas é esse mesmo, gordinha. O quarto andar!

Pelo jeito, Megan e seus shorts exíguos haviam agradado a Frank Erskine, um dos velhos carecas barrigudos e flácidos da Administração. E, à maneira típica com que os deuses costumavam agir, ele prometera a Megan arranjar uma posição para ela no quarto andar.

— Mas que posição será essa? — perguntou Meredia, com amargura. — A posição "de costas em cima da mesa"?

A novidade se espalhou mais depressa do que piolho em escola fundamental, pois a história do curto atalho de Megan para a glória cativou a imaginação de todos os funcionários. Aquela era a fantasia de todo mundo: ser arrancado do anonimato do Controle de Crédito, no andar térreo, e ser subitamente elevado às alturas do quarto andar. Com um aumento proporcional no salário, é claro.

As pessoas suspiravam e falavam:

— E eu que não acreditava em contos de fadas...

Meredia recebeu muito mal a notícia, ficou arrasada. Já estava ali havia oito anos, gemia, *oito anos,* e a piranha australiana mal desembarcara do avião! Além de, provavelmente, ser descendente de um ladrão de ovelhas. Ou até mesmo de um cara que *transava* com as ovelhas... Aquela vadia!...

Sempre que alguém comentava com Meredia "ouvi dizer que Megan vai subir na vida...", ela explicava: "Vai subir na vida porque já desceu muito, se é que você me entende..." E então apertava os lábios e balançava a cabeça para a frente como quem sabe das coisas.

Não levou muito tempo para as declarações insultuosas de Meredia chegarem aos ouvidos de Megan.

Megan, com os olhos afilados de tanta raiva, levou Meredia para um canto. Não estou bem certa do que disse a ela, mas, seja o que for, foi o bastante para deixar Meredia pálida e aterrorizada por uns dois dias. A partir daí, ela passou a acentuar com muita ênfase que Megan conseguira a promessa de promoção por conta unicamente dos seus méritos profissionais.

Pelo menos era o que ela falava em público.

CAPÍTULO 50

Relembrando aquele verão, eu me recordo de que Gus sempre ia me pegar depois do trabalho, bem na hora em que o calor mais escaldante do dia começava a diminuir. E nós íamos então sentar do lado de fora de pubs, em noites agradáveis, para beber cerveja bem gelada, conversar e rir.

Às vezes havia um monte de gente conosco, outra vezes era apenas Gus e eu. Mas havia sempre aquele ar parado, morno, o bater dos copos e o zumbido das conversas.

O sol não se punha até bem tarde, e o céu nunca se transformava totalmente em um breu. O azul se fechava um pouco, se aprofundava, até assumir um tom mais escuro, e então, poucas horas mais tarde, o sol se levantava novamente, trazendo mais um dia fulgurante.

E o calor também mexia com as pessoas, deixando-as muito mais simpáticas.

Londres estava cheia de gente conversadeira e amigável, as mesmas pessoas que se arrastavam devagar de forma infeliz por todo o resto do ano. Seu estado de espírito parecia mais aberto, mais mediterrâneo, pelo fato de elas serem capazes de se sentar na calçada às onze da noite vestindo apenas uma camiseta sem morrerem congeladas.

E quando olhávamos em volta de uma taberna com mesas ao ar livre cheias de gente, estava na cara quem trabalhava e quem estava desempregado. Não apenas pelo fato de os desempregados jamais pagarem a rodada, mas pelo seu brilhante bronzeado.

Estava sempre quente demais para alguém sequer pensar em comer antes das dez ou onze da noite, hora em que íamos perambulando até algum restaurante com portas e janelas dando para a rua e bebíamos vinho barato, fingindo que estávamos em solo estrangeiro.

Todas as noites íamos para a cama com as janelas abertas, cobertos só por um lençol, e mesmo assim continuava muito quente para dormir.

Era impossível imaginar que a gente um dia ia voltar a sentir frio. Uma noite estava tão quente que eu, desesperada, entornei um copo d'água em cima de mim mesma, na cama. O que foi muito agradável. E o nível de paixão que aquilo provocou em Gus foi ainda mais agradável.

Havia sempre coisas demais a fazer. A vida se resumia a um desfilar infinito de churrascos, festas e noites ao ar livre, pelo menos é como me lembro daqueles dias. Deve ter havido *algumas* noites em que fiquei em casa assistindo à tevê e fui para a cama cedo, mas, se houve, não me lembro delas.

Não apenas havia sempre um monte de coisas para fazer, mas um monte de pessoas com quem compartilhar tudo. Sempre havia alguém com quem sair. Isto é, além de Gus, que estava disponível em todas as noites.

Jamais havia perigo de querermos tomar um drinque e não termos com quem sair.

O pessoal do escritório saía muito em nossa companhia. Até a pobre Meredia se arrastava conosco, arquejando e se abanando toda, descrevendo o quanto se sentia fraca.

Jed e Gus se deram muito bem um com o outro, pelo menos depois de algum tempo. Quando se encontraram pela primeira vez, pareciam dois meninos tímidos que queriam brincar um com o outro, mas não sabiam como. Finalmente, aos poucos, os dois foram saindo da barra da minha saia e se conectaram. Gus deve ter se oferecido para mostrar seu estoque de baseados a Jed, ou algo assim. A partir disso, não pararam mais. Eu mal conseguia conversar com Gus nas noites em que Jed saía conosco. Os dois ficavam de papo, muito compenetrados e falando baixinho sobre algum assunto que eu achava que tinha a ver com música. Os rapazes sempre conversam sobre esse tipo de coisa. Ficam disputando uns com os outros quem lembra do nome de algum grupo obscuro com quem alguém tocava guitarra, antes de sair para tocar com outro grupo. Aquilo era capaz de distraí-los durante *dias*.

Quando alguém perguntava a Jed e a Gus sobre o que estavam conversando, eles respondiam misteriosamente: "É conversa de homem, você não vai entender."

O que lhes garantia sorrisos indulgentes, até a noite em que disseram isso para Simon, o namorado de Charlotte.

Jed e Gus ficavam zoando Simon o tempo inteiro, por causa de seu interminável estoque de roupas fashion de boa qualidade, sua agenda eletrônica e o exemplar de *Arena* ou *GQ* que ele sempre carregava debaixo do braço. Só que eles não precisavam ser tão cruéis a respeito disso.

Jamais perdiam a oportunidade de implicar com o velho Simon.

— Essa camisa é nova? — perguntou Gus a Simon uma noite. Estava com uma expressão adocicada no olhar, que prometia alguma...

— Sim, comprei na loja do Paul Smith — disse Simon, todo orgulhoso, abrindo os braços para todos darem uma boa olhada nela.

— Nós até parecemos irmãos gêmeos! — exclamou Gus, de forma encantadora. — Essa camisa é *igualzinha* a umas que eu comprei no camelô da Chapel Street, a uma libra cada. Só que eu acho que os caras de quem comprei não trabalhavam na loja do Paul Smith, não, porque eles foram em cana no mês passado por receptação de mercadorias roubadas. Tem certeza de que essa aí é uma Smith legítima?

— Sim — disse Simon, com a voz rígida. — Tenho certeza.

— Talvez eles já tenham saído da cadeia — comentou Gus, vagamente. E então passou para outro assunto, feliz por ter estragado a alegria de Simon e sua camisa nova.

Pintou então a tão esperada noite em que Dennis finalmente conheceu Gus. Dennis apertou a mão de Gus e sorriu, com toda a educação. Então, virou-se para mim com uma cara angustiada, enfiando os nós dos dedos na boca e dizendo:

— Quero uma palavrinha em particular com você. — E me empurrou até o fundo do pub.

— Ai, Lucy — gemeu ele.

— Que foi?

Dennis colocou as duas mãos no rosto de forma histérica e sussurrou, muito dramático:

— Ele parece um anjo, um *anjo completo*!

— Você gostou dele? — Fiquei com o peito inflado de orgulho.

— Lucy, ele é DIVINO!

Eu tinha de concordar.

— É tão raro a gente encontrar um irlandês boa-pinta — comentou Dennis —, mas também, quando eles resolvem ser bonitos, arrasam!

Não que Dennis tivesse como saber disso. Pelo menos se tomasse como base o que via no espelho.

Dennis alugou Gus a noite inteira, o que me deixou meio cabreira. Dennis vivia apregoando que no amor e na guerra valia tudo. Pelo menos quando ele se interessava pelo namorado de alguém, era assim que agia. E mais tarde, naquela noite, quando Gus e eu estávamos indo para casa de ônibus, Gus disse:

— Aquele seu amigo, Dennis, é um cara muito legal.

Será que Gus era tão inocente assim?

— Ele tem namorada, Lucy?

— Não.

— Que pena, um cara tão legal como ele.

Eu me preparei para ouvir Gus contar que marcara um encontro com Dennis no meio da semana para uma rodada de cerveja, só para rapazes, mas felizmente ele não disse nada.

— Precisamos arrumar uma namorada para ele — sugeriu Gus. — Você tem alguma amiga que esteja solteira?

— Só Meredia e Megan.

— Bem, então podemos descartar aquela pobre criatura, a Meredia — disse Gus, querendo parecer simpático.

— Por quê? — perguntei, na defensiva.

— Bem, não é óbvio para você? — perguntou Gus.

— O quê, exatamente, é tão óbvio? — Olhei-o com desdém, preparando-me para empurrá-lo do banco para ele cair de bunda no chão do ônibus.

— Ah, qual é, Lucy, não me diga que você não reparou? — disse ele, de modo racional.

— Que ela é obesa? — Quis saber, já fula da vida. — Que grande atitude essa sua...

— Não, sua manezona — disse ele. — Não estou falando disso. Puxa, Lucy, isso que você pensou agora de mim me deixou chocado, não esperava isso de você.

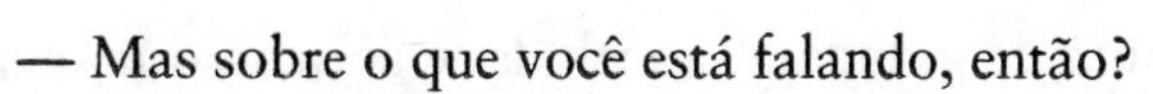

— Mas sobre o que você está falando, então?

— Meredia e Jed, é claro!

— Gus — disse, bem séria —, você pirou de vez!

— Pode ser — concordou ele.

— O que quer dizer com "Meredia e Jed"?

— Quero dizer que Meredia gosta muito de Jed.

— Todas nós gostamos muito de Jed. — repliquei.

— Não, Lucy — insistiu Gus. — Estou dizendo que Meredia gostaria de colocar Jed pelado para os dois fazerem um roça-roça.

— Claro que não — debochei.

— Gostaria sim.

— Como é que você sabe? — perguntei.

— Não está na cara?

— Não para mim.

— Bem, pois para mim está — disse Gus. — E olha que você é mulher, devia ter intuição para essas coisas.

— Mas, mas... ela é velha demais para ele.

— E daí? Você é mais velha do que eu.

— Só dois anos.

— De qualquer modo, o amor não conhece idade — disse Gus, com sabedoria. — Li essa frase numa embalagem de biscoitos de Natal.

Ora, ora, ora. Que empolgante! O romance! As intrigas! O amor brotando entre as cartas de ameaça aos clientes inadimplentes.

— E *ele* está a fim *dela*? — perguntei, ansiosa, e, de repente, muito interessada.

— Sei lá. Como é que vou saber?

— Bem, tente descobrir. Você conversa com ele, e ele conversa com você.

— Ah, mas nós somos homens, não conversamos sobre esse tipo de coisa.

— Mas prometa que você pelo menos vai tentar, Gus — implorei.

— Prometo — disse ele. — Mas isso ainda não resolve o problema de Dennis não ter uma namorada.

— Que tal a Megan?

Gus fez uma careta e balançou a cabeça, dizendo:

— Ela tem mania de grandeza, aquela lá, e se acha o máximo! Provavelmente ia se achar bonita demais para namorar o Dennis, mesmo ele sendo um cara tão legal.

— Gus! Megan não é nem um pouco desse jeito.

— É sim — murmurou.

— Não é não — insisti.

— É sim — confirmou ele.

— Então está bem. Seja como você quiser — encerrei.

— Que bom, para variar — disse ele, com ar sério.

Quando interroguei o Dennis, depois daquela noite, ele me disse, em primeiro lugar, que Gus era lindo, e depois me contou que Gus era gay — até aí, nenhuma surpresa. Então ele estragou o clima de celebração me perguntando qual era a situação financeira de Gus.

— Ah, isso — respondi, sem dar importância. — Isso não é problema.

— Mas ele tem algum dinheiro?

— Não muito.

— Mas vocês dois vivem saindo o tempo todo.

— E daí?

— Você já esteve em algum dos shows em que ele toca?

— Não.

— Por quê?

— Porque é só no inverno que ele consegue trabalho.

— Tenha cuidado, Lucy — alertou Dennis. — Ele tem cara de quem arrasa corações.

— Obrigada pelo aviso, Dennis, mas já sou bem grandinha e capaz de tomar conta de mim mesma.

— Não é não.

Vimos muito Charlotte e Simon durante aquele verão. Quando a panelinha de sempre se reunia para um drinque depois do trabalho, eles quase sempre iam junto.

Então, foram para Portugal, por uma semana. Convidaram a mim e a Gus para ir com eles. Ou, melhor, Charlotte me convidou e disse que eu podia levar o Gus na viagem também, se eu quisesse.

E falou para eu não me preocupar com as implicâncias entre Gus e Simon.

O problema é que Gus e eu não tínhamos dinheiro suficiente para viajar. Não que eu me incomodasse com isso, porque a minha vida estava parecendo um período de férias, de qualquer modo.

Gus, Jed, Megan, Meredia, Dennis e eu fomos até o aeroporto para nos despedirmos deles, porque o grupo havia ficado tão grudado que não aguentávamos a ideia de nos separarmos.

Durante toda a semana em que eles estiveram fora, aconteceram muitos comentários do tipo "o que será que Charlotte e Simon estão fazendo agora?" e "será que eles estão pensando em nós aqui?".

Até mesmo Gus sentiu falta de Simon.

— Estou sem ninguém pra zoar — reclamou.

Na noite em que eles voltaram, todos nós ficamos tão empolgados que preparamos uma festa para celebrar. Bebemos todo o vinho verde que eles trouxeram do *free shop*. A noite era para ser um sucesso total, mas Charlotte passou mal, vomitou e teve de ser levada para a cama.

Durante todo aquele verão, as únicas pessoas que não saíram de casa para se divertir na rua foram Karen e Daniel.

Eu mal os via.

Karen passava a maior parte do tempo no apartamento de Daniel. Passava lá em casa de vez em quando, para pegar uma muda de roupas, entrando e saindo na mesma hora, enquanto Daniel ficava esperando no carro.

Daniel e eu *nunca mais* nos encontramos a sós. Para falar a verdade, nem nos telefonávamos mais.

Eu lamentava muito isso, porque sou esse tipo de pessoa sentimental e idiota. Mas não sabia o que fazer a respeito, não havia volta para aquela situação.

Assim, tentei me focar nas coisas boas da minha vida, principalmente em Gus.

Só compreendi o quanto o namoro de Daniel e Karen ficara sério quando soube da notícia de que eles estavam planejando viajar até a Escócia, em setembro. Pelo brilho nos olhos de Karen, ela já se sentia totalmente segura com relação a Daniel. Era apenas uma questão de tempo antes de começar a brigar com a mãe sobre convidar ou não os primos de quinto grau, ou outros ainda mais afastados, e comparar os respectivos méritos da torta recheada com limão em comparação com o recheio de creme do Alasca.

Ficava me perguntando se ela me convidaria para ser dama de honra. Por algum motivo, achava que não.

Um sábado à noite, todos nós — eu, Charlotte, Simon, Gus, Dennis, Jed, Megan e até mesmo Karen e Daniel — fomos a um concerto ao ar livre nos jardins de uma mansão, ao norte de Londres.

Apesar de ser música clássica, nos divertimos muito. Esticados sobre a grama acolhedora, ouvindo o farfalhar das folhas no ar calmo da noite, tomando champanhe, comendo salsichinhas empanadas, daquelas compradas prontas, e bombinhas de chocolate.

Depois que o concerto acabou, decidimos que já nos comportáramos como adultos por muito tempo, a noite inteira, e ainda não conseguíramos arrancar uma boa dose de diversão da noite. Ainda era meia-noite, e irmos para a cama antes de o sol raiar era visto como uma prova de noite perdida.

Assim, compramos um monte de garrafas de vinho em uma loja de conveniência aberta vinte e quatro horas, que adorou vender tudo aquilo, mesmo fora do horário permitido por lei, e nos enfiamos em vários táxis, a fim de irmos para o nosso apartamento.

Não havia nenhum copo limpo, então Karen me ofereceu como voluntária para lavar alguns.

Enquanto eu estava na cozinha, enxaguando com rapidez os copos debaixo da torneira, reclamando de cada minuto da muvuca que acontecia na sala e eu estava perdendo, Daniel entrou, em busca do saca-rolhas.

— Como é que você está? — perguntei a ele. Antes de perceber, já estava sorrindo, porque velhos hábitos são difíceis de largar.

— Estou legal — respondeu ele, sem expressão. — E você?

— Legal.

Uma pausa estranha.

— Não via você há séculos — disse eu.

— Não — concordou ele.

Outra pausa. Conversar com ele estava mais difícil do que tirar leite de pedra.

— Então, você vai até a Escócia? — perguntei.

— Vou.

— Está louco para chegar o dia da viagem?

— Estou. É que eu nunca fui à Escócia — explicou, bem sucinto.

— E não é só por causa disso, é? — brinquei, com delicadeza.

— O que quer dizer? — Ele olhou para mim com frieza.

— Ah, você sabe! Conhecer a família de Karen e tudo o mais. — E balancei a cabeça com força. — E aí, o que vem depois?

— Sobre o que você está falando? — perguntou ele, com os lábios tensos.

— Você *sabe* — disse eu, sorrindo meio incerta.

— Não, não sei não! — reagiu ele. — É apenas uma porcaria de viagem de férias, tá legal?

— Nossa — murmurei. — Antigamente você tinha mais senso de humor.

— Desculpe, Lucy. — Ele tentou segurar o meu braço, mas me desvencilhei e saí da cozinha.

Meus olhos se encheram de lágrimas, o que era assustador, porque eu *nunca* chorava. Exceto quando estava na TPM, e isso não contava.

Ou então quando passava na tevê um programa sobre gêmeos siameses que tiveram de ser separados e um deles morreu. Ou quando eu via uma pessoa muito idosa capengando pela rua, sozinha. Ou quando eu chegava na sala e todo mundo berrava comigo por voltar da cozinha sem trazer os copos lavados. Aqueles filhos da mãe!

Apesar da honrosa presença de Meredia, Jed, Megan, Dennis, Charlotte e Simon na minha vida, não há como negar que aquele foi o Verão de Gus.

Desde o momento em que ele reapareceu, depois daquelas três semanas de sumiço, quase nunca nos separávamos.

Fiz algumas tentativas superficiais de passar algumas noites sozinha, não porque quisesse, mas porque achava que era o que devia fazer.

Eu precisava fingir que era independente, que tinha vida própria, mas a verdade é que mesmo as coisas que eu gostava de fazer sem Gus, gostava ainda mais quando fazia com ele.

E, nisso, ele era igual a mim.

— Hoje à noite não vamos nos ver — avisei algumas vezes. — Vou lavar minhas roupas, e tenho umas coisas para fazer.

— Mas, Lucy — choramingou ele. — Vou sentir saudades.

— Vamos tornar a nos ver amanhã — disse, fingindo estar irritada, mas, é claro, adorando aquilo. — Você certamente consegue passar uma noite sem mim.

Só que todas as vezes Gus acabava aparecendo lá em casa, às nove da noite, tentando parecer envergonhado, mas sem convencer.

— Desculpe, Lucy — sorria ele. — Sei que você queria ficar um dia sozinha, mas eu precisava vir até aqui, nem que fosse por cinco minutos. Já vou embora, agora que tomei a minha dose diária de ver você.

— Não, não vá — pedia eu, todas as vezes, como ele já sabia que ia acontecer.

Era alarmante refletir que eu considerava desperdiçados todos os minutos que não passava ao lado de Gus.

Embora tentasse não dar muita bandeira, estava na cara que eu era louca por ele. E ele parecia ser louco por mim também, a julgar pela quantidade de tempo que passávamos juntos.

O único problema, se é que se pode chamar de problema, era que ele jamais confessou que me amava. Não dissera textualmente as palavras "eu te amo, Lucy". Não que eu me preocupasse com isso, bem, pelo menos não muito, porque eu sabia que as regras normais não se aplicavam a Gus. Ele provavelmente me amava, mas deve ter se esquecido de mencionar o fato. Afinal, ele era assim mesmo. Por via das dúvidas, eu achava melhor não dizer a ele que eu o *amava*, embora fosse verdade, até ele me dizer primeiro.

Não havia motivos para colocar o carro na frente dos bois.

Além do mais, sempre havia uma pequena chance de que ele *não me amasse*, e não há *nada* mais embaraçoso do que isso.

Bem que eu gostaria de ter conversado com ele a respeito do nosso relacionamento, a fim de saber para onde estávamos indo e qual era o nosso futuro. Ele, porém, jamais mencionou o assunto, e eu ficava sem graça de falar.

Tinha de ser paciente, mas era muito difícil fazer o jogo da paciência. Nas poucas vezes em que pintava alguma dúvida ou medo, eu me consolava com a previsão da Sra. Nolan, e me lembrava de que eu já vislumbrara o futuro, e Gus estava nele (ou eu já vislumbrara o futuro, mas Gus bebera tudo, como o estraga-prazeres do Daniel costumava dizer).

Eu me convencia de que a paciência era uma virtude, que as coisas acabavam acontecendo para aquele — ou aquela — que espera, pois quem espera sempre alcança. Lembrava esse ditado e ignorava os que me avisavam de que devemos malhar enquanto o ferro está quente, cobra que não anda não engole sapo e quem dorme no ponto perde o bonde.

Não me lembro de ter tido grandes preocupações a respeito do meu futuro com Gus por todo aquele verão mágico e dourado. Naquela época eu *achava* que estava feliz, e isso já era o suficiente para mim.

CAPÍTULO 51

A manhã do dia 12 de agosto não me pareceu diferente de nenhuma outra das manhãs douradas que a precederam.

Exceto por um detalhe importante: Gus se levantou antes de mim.

Não dá para descrever o quanto isso era incomum. Todas as manhãs, quando eu saía para o trabalho, Gus ainda estava profundamente adormecido. Em algum momento, muito, *muito* mais tarde, ele ia embora, batendo a porta atrás de si (não antes de comer qualquer coisa que não estivesse se movendo dentro da geladeira, e depois de dar alguns telefonemas para Donegal). O resultado disso é que o apartamento ficava com a porta da frente destrancada o resto do dia, à mercê dos gatunos e ladrões de domicílio, o que era motivo de várias brigas entre mim e Karen nas raras ocasiões em que ela passava em casa.

O problema é que eu não queria dar uma cópia das chaves a Gus, para não espantá-lo com a mensagem "vamos morar juntos".

E consolava Karen, argumentando que o nosso apartamento era tão bagunçado que se algum ladrão realmente entrasse ali, ia achar que uma gangue rival acabara de assaltar o lugar há poucos minutos. Era capaz até de encontrarmos uma tevê *nova* e um som mais moderno, deixados por caridade, sugeri, entusiasmada, diante do cético levantar de sobrancelhas de Karen.

Naquela manhã, Gus se levantou antes de mim, e isso acionou sirenes distantes dentro do meu cérebro.

Ele se sentou na cama enquanto calçava os sapatos e comentou, de forma casual:

— Sabe, Lucy, isso aqui está ficando meio pesado para mim.

— Hummmmm, é mesmo? — perguntei, ainda sonolenta demais para reparar que devia estar alarmada.

Mas levou apenas um segundo para eu compreender que ele não estava apenas jogando conversa fora no instante em que completou:

— Acho que a gente devia dar um tempo.

A expressão "isso está ficando meio pesado", particularmente o uso da palavra "pesado", já fizera com que meus pastores alemães internos começassem a ladrar em sinal de alerta, junto da cerca. Quando ele disse "acho que a gente devia dar um tempo", as sirenes principais foram todas ligadas, girando loucamente, com os fachos de luz iluminando todo o terreno em volta da área de desastre iminente.

Enquanto tentava me arrastar, ainda tonta, sobre os lençóis, tentando me sentar, uma voz dentro da minha cabeça anunciou: *Isto é uma emergência! Namorado tentando fugir, repito, namorado tentando fugir!*

Fiquei com a sensação de estar dentro de um elevador que descia rápido demais, de forma perigosa, porque toda mulher sabe que esse papo de "dar um tempo" e "vamos ficar uns dias sem nos vermos para não enjoar" é, na verdade, a versão masculina para a frase "dê uma boa olhada em mim, porque você nunca mais vai tornar a me ver".

Tinha a esperança de conseguir entender o que estava acontecendo pela expressão no rosto dele, mas Gus não olhou para mim. Estava com a sua cabeça cheia de cabelos pretos encaracolados inclinada na direção dos pés, colocando o laço nos sapatos com um perfeccionismo jamais visto.

— Gus, você está tentando me dizer alguma coisa?

— Acho que a gente deve ficar uns dias sem se ver — murmurou ele.

Parecia que ele treinara aquela frase, era como se estivesse lendo as palavras, meio trôpegas, em um *teleprompter*. Pensando melhor, parecia que ele estava lendo frases escritas no sapato. Naquela hora, no entanto, eu estava tão chocada com as implicações do que ele estava dizendo que nem reparei que aquilo não era o tipo de coisa que ele normalmente falava.

Eu devia ter notado que o próprio fato de Gus se dar ao trabalho de me comunicar que estava terminando o namoro não tinha nada a ver com o jeito dele.

— Mas por quê? — perguntei, horrorizada. — O que aconteceu? O que foi que deu errado? O que mudou entre nós?

— Nada.

Finalmente, nervoso, ele levantou a cabeça. Deve ter feito e desfeito o laço do sapato umas quarenta vezes.

Quando seu olhar meio de lado se encontrou com o meu, ele pareceu se sentir culpado, mas apenas por um breve segundo, pois logo depois explodiu:

— A culpa é sua, Lucy! Você não devia ter se envolvido tanto comigo, não devia deixar que as coisas ficassem assim tão sérias.

Eu nunca percebera que Gus era partidário da tática "a melhor defesa é o ataque" para terminar relacionamentos. Sempre achei que "fugir correndo" fazia mais o seu estilo.

Estava atordoada demais para lembrar-lhe que *ele* é que jamais me deixara sozinha nem por uma noite, que eu não conseguia nem mesmo depilar as pernas sem tê-lo acampado do lado de fora do banheiro, reclamando que estava com saudades, pedindo que eu cantasse para ele e perguntando quanto tempo eu ainda ia demorar.

Mas eu não podia me dar ao luxo de ficar zangada com ele. Isso ia ter de esperar até mais tarde.

Enquanto eu gaguejava e tropeçava, tentando sair da cama, Gus foi em direção à porta e acenou para mim em sinal de adeus.

— Vou nessa, Lucy. Boa sorte. Que a estrada siga comigo* — Ele parecia animado e alegre. E ia ficando ainda mais, a cada metro que se afastava de mim.

— Não, Gus, espere, por favor. Vamos conversar a respeito disso. Por favor, Gus.

— Não, tenho que ir agora.

— Mas por que tanta pressa?

— Preciso ir, só isso.

— Bem, podemos nos encontrar mais tarde? Não estou compreendendo isso, por favor, fale comigo direito, Gus!

Ele parecia mal-humorado e irritado.

---

* Primeiras palavras de uma antiga bênção irlandesa. (N.T.)

— Você vai me pegar depois do trabalho? — perguntei, tentando parecer calma, lutando para manter os indícios de histeria longe da voz.

Ele continuava calado.

— Por favor, Gus — pedi novamente.

— Tá legal — murmurou, saindo devagarzinho do quarto.

Então a porta da frente bateu. Ele se fora e eu ainda me sentia meio sonolenta, imaginando se estava apenas perdida dentro de um pesadelo.

Não eram nem oito da manhã.

Eu estava muito zonza para pensar em me atirar na frente dele, para impedi-lo de passar pela porta. E quando essa ideia me ocorreu, em vez de gostar dela, fiquei furiosa

De algum modo consegui chegar ao trabalho, não que eu pudesse realizar algo de útil ao chegar lá. Sentia-me como se estivesse caminhando embaixo d'água. Tudo em volta estava meio abafado, desfocado e acontecendo em câmera lenta. As vozes pareciam vir de muito longe, roucas e distorcidas. Não conseguia ouvi-las nem me concentrar no que elas queriam de mim.

O dia se arrastava em uma lenta agonia em direção às cinco da tarde.

De vez em quando, como o sol que sai por breves instantes de trás das nuvens, eu conseguia pensar com clareza. Quando isso acontecia, ondas de pânico me cobriam. E se ele não viesse me pegar na saída?, perguntei a mim mesma, estarrecida e horrorizada. O que eu faria?

Mas ele *tinha* de vir, considerei, usando a razão e meio desesperada. Eu *precisava* falar com ele, descobrir o que estava errado.

A pior parte é que eu não podia contar a ninguém no trabalho o que acontecera. Porque Gus não estava apenas me abandonando, estava abandonando Jed, Meredia e Megan também, e eu tinha medo de magoá-los. Também tinha medo de levar a culpa.

Passei o dia todo meio atordoada.

Em vez de ligar para os clientes, ameaçando processá-los se não pagassem logo o que nos deviam, eu estava em outro mundo, onde só o que importava para mim era Gus.

Por que será que ele achava que o nosso namoro estava ficando sério demais?, eu matutava. Além do fato óbvio de que estava mesmo. Mas o que havia de errado nisso?

Tentei fazer um pouco do meu serviço, mas tudo no meu trabalho parecia ter tão pouca importância...

Quem se importava se a Companhia de Pneus Vulcano estava com a fatura com vencimento em noventa dias atrasada há mais de dois anos? Eu não ligava a mínima. Tinha coisas maiores e mais importantes com que me preocupar. Qual o problema se a Roda-Viva, uma fábrica de rodas, fechara as portas, apesar de estar devendo milhares de libras à minha empresa? Qual a importância dessas pequenas questões se o meu coração estava machucado?

A falta de propósito do meu emprego sempre adquiria mais ênfase quando eu estava com o coração partido. Ser abandonada sempre fazia aparecer a niilista que havia dentro de mim.

Desanimada, eu fazia ligações, ameaçando processar pessoas e arrancar-lhes até o último tostão, mas fazia isso de forma insípida e pouco convincente, enquanto pensava: "Daqui a cem anos, *nada disso* vai ter importância mesmo."

Vários milênios mais tarde, o dia finalmente acabou de se arrastar e chegou ao seu letárgico fim.

As cinco horas chegaram, mas o Gus não.

Esperei, desesperada, até as seis e meia, porque estava completamente perdida sobre o que devia fazer comigo, com o meu tempo e com a minha vida.

Esperar por Gus, era só nisso que eu era boa.

E ele não apareceu.

É claro que ele não apareceu.

E enquanto eu ficava ali, imaginando o que fazer em seguida, algo que estava me incomodando de leve, bem no fundo da mente, se cristalizou em um medo consciente.

Eu não sabia onde Gus morava.

Se ele não me procurasse, eu não poderia procurá-lo. Não tinha nenhum número de telefone nem o endereço dele.

Ele jamais me levara até a sua casa. Tudo o que havíamos feito juntos — de dormir a fazer sexo e ver tevê — acontecera no meu apartamento. Eu sabia que aquilo não estava certo, mas sempre que sugeria ir até a casa dele em sua companhia, Gus me enrolava com um monte de desculpas surrealistas. Histórias tão bizarras que agora eu estremecia só de lembrar da facilidade com a qual eu havia engolido tudo aquilo.

Eu não devia ter sido tão maleável com ele, pensei, em desespero. Devia ter *insistido*. Se tivesse sido mais exigente, não estaria naquele sufoco. Pelo menos saberia onde encontrá-lo.

Não podia acreditar no quanto fora submissa. Como é que eu nem sequer ficara *com a pulga atrás da orelha*?

Na verdade, agora que eu pensava naquilo, eu *ficara* com a pulga atrás da orelha sim. Mas me forçara a não ficar, porque isso ia agitar a plácida superfície da minha felicidade.

Deixei Gus fazer o que bem queria, sempre com a vaga e abrangente explicação de que ele era assim mesmo, diferente e excêntrico. Agora que ele desaparecera, mal podia acreditar na minha ingenuidade.

Se eu tivesse lido uma história como aquela no jornal ou em alguma revista, a respeito de uma garota que já estava com um cara há cinco meses (mais ou menos, incluindo as três semanas de maio em que ele sumiu), e visse que a garota nem mesmo sabia onde ele morava, eu iria descartá-la, chamando-a de palerma e dizendo que merecia tudo o que estava acontecendo.

Ou, no caso, *não estava* acontecendo.

A realidade, porém, fora bem diferente. Fiquei com medo de forçá-lo a fazer qualquer coisa, porque não queria que ele me escapasse.

De qualquer modo, achara que não havia necessidade de forçá-lo a fazer nada, porque ele se comportava como se *gostasse* de mim.

Agora, a frustração de não ser capaz de entrar em contato com ele era insuportável. Especialmente por saber que a culpa era toda minha.

Passaram-se alguns dias intermináveis e infernais sem que Gus aparecesse e, no fundo, eu não tinha muita esperança disso.

Porque descobri algo terrível. Eu estava *esperando* que ele me abandonasse. Durante todo o tempo em que estivera com ele, vivia aguardando por isso.

Meu verão idílico fora apenas uma joia falsificada. E só naquele instante, analisando em retrospecto, eu conseguia ver tensões sob a superfície calma e ensolarada.

Jamais me sentira segura, desde que Gus sumira naquelas três semanas. Eu *fingia* que estava segura, porque me sentia melhor desse jeito. Mas as coisas nunca mais foram as mesmas. Aquilo fizera a balança do poder pender visivelmente para o lado de Gus — ele me tratara com total falta de respeito, e sinalizei que para mim estava tudo bem que ele agisse daquela forma. Eu lhe concedera *carta branca* para me tratar mal.

Ele foi muito nobre a respeito disso, jamais me lembrando do quanto eu era uma refém dele. Mas essa afirmação estava sempre em toda parte, nas entrelinhas: ele me abandonara uma vez e poderia tornar a fazer isso quando bem quisesse. Ele empunhava a sua habilidade de desaparecer como se fosse uma arma.

Entre nós dois havia uma disputa de poder que ficava sempre encoberta. Ele bancava o temerário e eu bancava a impassível. Por quanto tempo ele podia me deixar sozinha no canto em uma festa, antes de eu ficar chateada? Quanto dinheiro ele podia "pegar emprestado" comigo, antes que eu me recusasse de vez a "emprestar"? Quantas vezes ele podia ficar de flerte com Megan e quantas vezes ele precisava tocar no cabelo dela, antes de eu arrancar o sorriso pregado em minha cara?

Todo esse medo drenara muito da minha energia — eu vivia nervosa junto dele. Tensa. Toda vez que ele falava que ia me pegar em algum lugar ou se encontrar comigo, eu ficava com os nervos à flor da pele até ele aparecer.

Mas eu conseguira reprimir todos os meus questionamentos para mantê-los abaixo da superfície. Não podia deixar que eles colocassem a cabeça de fora nem para respirar, para não estragar as coisas.

Eu remendava rachaduras, colocava paninhos quentes, suprimia medos e engolia insultos, uma vez que achava que tudo isso valia a pena.

E isso assim me parecia porque — pelo menos externamente — Gus e eu estávamos felizes.

Agora, porém, que ele se fora, eu compreendia que em cada momento que passara em sua companhia, tinha medo de que pudesse ser o último. Havia uma espécie de desespero em mim, uma necessidade de receber o melhor produto em troca do que pagara. Uma urgência de estocar o máximo que conseguisse de Gus na minha vida, para enfrentar o tempo em que ele tornaria a fugir.

CAPÍTULO 52

Finalmente, tive de contar aos outros, no trabalho, que Gus e eu não estávamos mais juntos. Foi horrível. Jed e Meredia ficaram arrasados, pareciam crianças que acabaram de descobrir que Papai Noel não existe.

— Gus não gosta mais da gente? — perguntou Meredia, com uma vozinha fraca, a cabeça baixa, ajeitando a tenda que usava como saia.

— Claro que gosta — garanti a ela, com firmeza.

— Foi culpa nossa? — perguntou Jed, parecendo tão pesaroso quanto um menino de quatro anos. — Nós fizemos alguma coisa errada?

— Claro que a culpa não é de vocês — disse, de coração. — Gus e eu não podemos mais ficar juntos, mas...

Eu me segurei, antes que acabasse sentada no chão com os braços em torno deles dois, explicando que "às vezes as pessoas grandes deixam de amar uma à outra, e isso é muito triste, mas não significa que Gus não continue a amar muito vocês dois...".

Em vez disso, exclamei, com os olhos cheios d'água:

— Ai, pelo amor de Deus! Vocês não são os filhos de um casal que está se divorciando; portanto, parem de agir como se fossem. Essa é a *minha* tragédia — lembrei a eles, em um tom mais conciliador.

— Talvez ainda possamos continuar nos encontrando com ele. — Jed virou-se para Meredia. — Lucy não precisa estar presente.

— Obrigada, seus porcos cruéis — reagi. — Agora só falta que vocês me peçam para negociar com ele os dias de visita.

Megan foi mais direta e pouco simpática:

— Você está muito melhor sem aquele perdedor — anunciou ela, carregando ainda mais no sotaque australiano e balançando a mão com ar de pouco caso.

Ela tinha razão, é claro. Mas era difícil eu me sentir grata.

Eu estava paralisada, ainda me sacudindo por dentro pela perda súbita.

A forma inesperada da partida de Gus me deixara em estado de choque. Porque eu não notara nenhum indício de que o interesse dele por mim estava diminuindo. Até os últimos instantes ele agira como se *estivesse* feliz.

E só podia estar feliz mesmo, pensei, me enaltecendo por dentro. Afinal, eu não medira esforços para fazer com que tudo corresse às mil maravilhas para ele.

Naturalmente, pelo fato de eu ter a dupla desvantagem de ser mulher e ter baixa autoestima, comecei a me culpar. Por que motivo ele me abandonara? O que eu fizera? O que eu *não* fizera?

Se eu soubesse, pensei, indefesa, poderia ter tentado com mais energia. Embora, para ser franca, achasse meio difícil que isso fosse possível.

A pior coisa no fato de Gus ter saído da minha vida era também a mais difícil de enfrentar, quando eu me sentia rejeitada: a quantidade imensa de tempo que sobrava. Como na última vez em que ele sumira, havia horas demais nos meus dias. Uma quarta dimensão inteira havia entrado em minha vida, um buraco sem fundo de noites intermináveis, e eu não conseguia dar conta de todo aquele tempo extra.

Eu não me lembrava de outra ocasião em que essa sensação tivesse sido tão forte. Por outro lado, era isso que eu achava todas as vezes que me sentia abandonada.

Para tentar me livrar das horas excedentes e dos minutos infindáveis, eu ia para a rua o tempo todo, tentando dispersar a minha tristeza e cremar minhas mágoas em festas. *Tinha* de fazer isso, eu estava agitada demais para ficar em casa. Ficar *inerte* era impossível.

Só que não adiantou nada, pois aquele sentimento horrível não me largava. Mesmo quando eu me sentava em pubs lotados de gente feliz e sorridente eu continuava a sentir um medo, um pânico frenético que me percorria as veias.

Não havia como escapar daquilo. Só conseguia dormir algumas horas todas as noites. Pegar no sono até que não era difícil, mas eu acordava bem cedo, ainda de madrugada, às quatro ou cinco da manhã, e perdia o sono. Não aguentava ficar sozinha. Mas também não havia ninguém com quem eu quisesse estar. O pior é que, onde quer que eu estivesse, queria sempre estar em outro lugar que não fosse ali.

Não importa com quem eu estivesse, não importa o que estivesse fazendo, não importa onde, tudo me parecia errado, e eu rejeitava.

A cada noite eu me sentava em companhia de um monte de gente e me sentia totalmente só.

Passaram-se umas duas semanas, e me pareceu que eu estava ligeiramente melhor, mas as mudanças ainda eram muito pequenas para serem notadas.

— Você vai superar isso e esquecê-lo — todos diziam para me dar força.

Mas eu não queria esquecê-lo. Continuava achando que ele era o homem mais engraçado, mais inteligente e sexy que jamais encontrara, ou jamais encontraria.

Ele era o meu ideal masculino. E se eu o esquecesse, se não o desejasse mais, era como se estivesse perdendo uma parte de mim mesma.

Eu não queria deixar a ferida cicatrizar.

Além do mais, apesar do que todos me diziam, eu *sabia* que jamais conseguiria esquecê-lo. Sentia tanta dor por dentro que não conseguia mais me imaginar sem senti-la.

Para piorar, a Sra. Nolan e sua maldita previsão continuavam na minha cabeça. Eu achava difícil aceitar todos aqueles sinais que *gritavam nos meus ouvidos* que Gus não era o homem certo para mim, porque era mais cômodo acreditar que a nossa união estava escrita nas estrelas.

— Aquele Gus é mesmo um canalha, hein? — comentou Megan certo dia, no trabalho, com descontração.

— Acho que é... — concordei, para ser educada.

— Você não vai me dizer que não tem ódio dele, vai? — Megan parecia indignada.

— Mas eu não tenho ódio dele mesmo — disse. — Talvez devesse ter, mas não tenho.

— Mas, por que não tem?

— Porque eu sei que Gus é assim mesmo, é o jeito dele. — Tentei explicar. — Se você o amasse, também iria aceitar a parte dele que é pouco confiável.

Fiquei esperando que Megan debochasse de mim, zombasse de tudo aquilo e me chamasse de covarde, fraca e infantil. E foi exatamente o que ela fez.

— Ah, deixe de ser boçal, Lucy! — E riu. — Foi culpa sua, você não devia ter aturado nenhuma das gracinhas dele. Quando se trata de animais como Gus, temos que mostrar logo de cara quem é que manda, é preciso *dominá-los*.

— Eu sempre faço isso — acrescentou ela.

Para Megan, aquilo podia funcionar, pois ela fora criada em uma fazenda, e uma fazenda *australiana* ainda por cima. Sabia tudo a respeito de prender animais com correntes, subjugá-los e domá-los.

— Eu não queria *dominá-lo*, Megan — argumentei. — Se ele ficasse bem comportado, deixaria de ser Gus.

— Você não pode ter as duas coisas, Lucy — disse ela.

— Mas não fiquei com *nenhuma* das duas — lembrei a ela.

— Vamos lá, anime-se! Você não se importa tanto assim com isso, se importa? — perguntou ela, animada.

— Eu me importo sim — respondi, abaixando a cabeça, porque uma falta de amor-próprio tão grande assim não é algo de que devamos nos orgulhar.

— Não, não acredito que se importe — zombou ela.

— Mas eu me importo.

— De verdade? — E olhou para mim com ansiedade.

— De verdade.

— Mas... por quê? — quis saber.

— Porque... porque. — Eu não conseguia me expressar. — Porque ele é *tão* especial! Jamais encontrei alguém como ele antes. E nunca mais vou tornar a encontrar... — funguei — ... em toda a minha vida.

Minha voz estremeceu de modo perigoso quando falei "em toda a minha vida", mas consegui a façanha de não lançar a cabeça em cima da mesa sobre os braços e soluçar amargamente.

— Quer dizer então que se ele entrasse aqui nesse instante, por aquela porta, pedindo para que você o aceitasse de volta, você o perdoaria? — perguntou Megan, continuando a me pressionar.

Não gostei das implicações daquela frase. Formei uma vaga imagem de uma mulher terrivelmente infeliz, espancada o tempo todo pelo marido, que roubava todo o seu dinheiro e ainda tinha casos com suas amigas.

— Megan — respondi, ansiosa —, não sou uma daquelas mulheres que são maltratadas pelos homens a vida inteira e mesmo assim continuam aceitando-os de volta todas as vezes.

— Essa é boa — disse Megan —, porque você está agindo exatamente dessa maneira.

— Só por Gus — expliquei. — Só no caso dele. Não faria isso por nenhum outro homem que já tenha encontrado. Essa é uma exceção.

— Gus é alguém por quem vale a pena quebrarmos as regras — acrescentei.

— Pelo jeito, parece que sim — comentou ela.

Senti uma estranha vontade de dar um soco na cara dela.

— Mas tudo bem — disse ela, em voz alta, de forma decididamente empolgada. — Você vai superar isso e esquecê-lo. Em mais duas semanas você não vai nem se lembrar do nome dele, e não vai mais nem lembrar o motivo de todo esse drama.

CAPÍTULO 53

Dava para ouvir os gritos três andares abaixo do nosso, como se fossem os pavorosos sons de um animal em agonia, uma mulher dando à luz ou uma criança sendo escaldada.

Algo de terrível acontecera no prédio e, ao subir as escadas, percebi que os urros vinham do *nosso* apartamento.

— Ai, Lucy — disse Charlotte, ofegante, assim que apareci na porta. — Que bom que você chegou.

Ela estava com sorte. Eu só tinha ido direto para casa depois do trabalho porque não havia ninguém com quem tomar um drinque, a não ser Barney e Slayer, as duas pré-históricas figuras do setor de postagem.

— O que houve? — perguntei, horrorizada.

— Foi a Karen — disse ela.

— Onde ela está? Está ferida? O que foi?

Karen irrompeu na sala, vindo do quarto, com as roupas em desalinho, a cara muito vermelha, inchada de chorar, e atirou um copo na parede, o qual se estilhaçou em mil pedaços por toda a sala.

— Aquele canalha, aquele canalha! Canalha! — guinchava.

Alguma coisa de muito desagradável acontecera com Karen, mas pelo menos não me pareceu haver nada de errado com ela fisicamente, apesar do cabelo, que estava precisando com urgência de um pente. Havia um cheiro muito forte de álcool, que vinha dela.

Então ela notou a minha presença.

— Você é que foi a culpada disso, Lucy, sua vaca! — berrou.

— Fui culpada de quê? Eu não fiz nada — protestei, sentindo-me culpada e assustada.

— Fez sim!... Foi você que me apresentou a ele. Se eu não o tivesse conhecido, não teria me apaixonado por ele. Não que eu *esteja* apaixonada por ele, eu o odeio com todas as minhas forças! — rugiu ela, entrando de volta no quarto e atirando-se de bruços na cama.

Charlotte e eu fomos atrás dela.

— Isso tem alguma coisa a ver com o Daniel? — cochichei para Charlotte.

— Não pronuncie o nome dele! — guinchou Karen. — Nunca mais quero ouvir o nome dele sequer mencionado dentro deste apartamento, nunca mais!

— Lembra o dia em que você virou a única solteirona do pedaço? — sussurrou Charlotte para mim.

Concordei com a cabeça.

— Bem, agora você não é mais a única.

Então acontecera um rompimento no namoro de Daniel e Karen.

— O que houve? — perguntei a Karen, com toda a delicadeza.

— Eu terminei com ele! — Engoliu em seco, esticando a mão para pegar a garrafa de conhaque que estava ao lado da cama, e bebeu direto do gargalo. Mais da metade da garrafa já tinha ido embora.

— Mas por que você terminou com ele? — perguntei, intrigada. Eu achava que ela realmente gostava dele.

— Nunca se esqueça disso, Lucy. *Eu* terminei com *ele*, e não o contrário.

— Tudo bem — disse, meio nervosa. — Mas... por quê?

— Porque... porque... — As lágrimas começaram a escorrer novamente pelo seu rosto. — Porque eu perguntei se ele me amava, e ele respondeu, ele respondeu que... que... que...

Charlotte e eu esperamos educadamente ela completar a frase.

— ... que NÃO ME AMAVA — finalmente conseguiu soltar, e começou a emitir aqueles horrendos gritos de desespero novamente.

— Ele não me ama — continuou ela, fixando em mim os olhos infelizes e um pouco fora de foco. — Dá pra acreditar? Ele me disse que não me ama!

— Se serve de alguma ajuda, Karen, eu sei como você está se sentindo. Gus terminou comigo tem só duas semanas, lembra?

— Deixe de ser tola — disse ela, com a voz meio engrolada por entre as lágrimas. — O caso entre você e Gus não era sério, o meu namoro com Daniel era!

— Pois eu levava Gus muito a sério — repliquei, com firmeza.

— Então era idiota — disse Karen. — Qualquer um podia ver que ele era maluco, pouco confiável e irresponsável. Daniel, não... ele tem um... um BOM EMPREGO!

E tornou a falar coisas incoerentes misturadas com os soluços, e não dava para entender nada do que ela estava dizendo. Era alguma coisa sobre Daniel ter o próprio apartamento, e usar algo de uma marca muito cara... o que era mesmo?... cigarro?!... não, não, desculpem. Era um *carro*!

— Coisas como essa não acontecem comigo — soluçou ela. — Isso não estava nos planos.

— Mas elas acontecem com todo mundo — disse eu, tentando ser gentil.

— Não, não mesmo. Não acontecem comigo.

— Karen, escute só... isso acontece com todo mundo — insisti. — Veja só o que aconteceu comigo e Gus...

— *Não* me compare com você — gritou ela. — Eu sou totalmente diferente. — Os homens terminam com você... e com você também. — Balançou a cabeça, incluindo Charlotte no insulto. — Só que eles jamais terminam comigo. Eu não permito que isso aconteça.

Isso nos deixou sem fala, a mim e Charlotte.

— Ai, meu Deus — recomeçou Karen, com uma nova rodada de lamúrias. — Como é que eu posso ir à Escócia agora? Já contei pra todo mundo a respeito do Daniel e do quanto ele é rico. Íamos até lá no carro dele. Agora vou ser obrigada a pagar a minha própria passagem, e aquele blazer que eu ia comprar no caminho, quando passássemos em Morgans, não vou mais poder comprar. Aquele canalha!

Pegou novamente a garrafa de conhaque.

Era um conhaque muito antigo, de uma marca caríssima, daquele tipo que os homens de negócios oferecem uns aos outros no Natal; o tipo de bebida que não é para bebermos de verdade. Deve ficar só como peça decorativa, como forma de ostentação de riqueza, e não como algo que misturamos com alguma outra coisa e bebemos.

— Onde arranjou essa bebida? — perguntei a Karen.

— Peguei no apartamento do filho da mãe, ao sair — disse ela, com ferocidade. — Só me arrependi de não ter trazido mais.

Então vieram mais lágrimas.

— E aquele é um apartamento tão lindo... — uivou ela. — Eu ia redecorá-lo todo, ia fazer com que ele comprasse uma cama de ferro toda trabalhada que vi na edição de decoração da *Elle*. Ele é mesmo um canalha!

Sim, sim, sim, muito.

— Temos que colocá-la sóbria — disse eu.

— Talvez possamos fazer com que ela coma alguma coisa — sugeriu Charlotte. — Eu estou com vontade de comer.

O problema é que, como sempre, não havia nada em casa, a não ser iogurte *light* vencido.

Assim, fomos ao Curryfour e provocamos o maior rebuliço e preocupação entre os garçons, porque a vida inteira só tínhamos ido lá aos domingos.

— Puxa, eu podia jurar que hoje era segunda — disse Pavel para Karim, em idioma bengali, assim que nos viu entrando e sentando à nossa mesa de sempre.

— Nossa, eu também — concordou Karim. — Mas só pode ser domingo. Que bom, o restaurante fecha uma hora mais cedo hoje. Então, vamos correr! Você pega o vinho para elas e eu digo ao chef que elas chegaram e que ele já pode preparar o frango ao molho picante com masalas. Elas nos pegaram desprevenidos, com certeza.

— Vamos querer uma garrafa de vinho branco, por favor — pedi a Mahmood, mas Pavel já estava atrás do balcão, abrindo-a para nós. Sempre comíamos exatamente a mesma coisa no restaurante indiano, eles nem nos traziam mais o cardápio. Era sempre um biriani de legumes, dois frangos ao molho picante com masalas, arroz de forno com especiarias e vinho branco. Só o número de garrafas de vinho é que variava, mas tomávamos sempre, pelo menos, duas.

Enquanto esperávamos pela comida, conseguimos descobrir exatamente o que acontecera com Karen e Daniel.

Pelo jeito, Karen estava certa de que Daniel se apaixonara por ela e resolveu que já estava na hora de receber uma declaração formal disso. Assim eles teriam tempo suficiente para comprar um anel de noivado, antes de irem para a Escócia, quando então comunicariam as boas novas aos pais de Karen. O problema é que Daniel se mostrou desagradavelmente reticente com a tal declaração, e então

Karen resolveu que era melhor tomar as rédeas dos acontecimentos, já que a viagem para a Escócia estava bem próxima. Assim, com toda a certeza de que a resposta de Daniel seria afirmativa, Karen perguntou-lhe se ele a amava. E Daniel embolou o meio de campo ao lhe dizer que gostava muito dela.

E Karen disse "que bom que você gosta", e quis saber se ele a *amava*.

E Daniel falou que era sempre uma satisfação e uma alegria para ele estar ao lado de uma mulher tão linda.

"Eu sei de tudo isso", anunciou Karen, com cara de desdém. "Mas eu quero saber se você me *ama*!"

"Quem pode explicar o que é o amor?", perguntou Daniel, sem dúvida cada vez mais desesperado.

"Responda apenas *sim* ou *não*" exigiu Karen. "VOCÊ ME AMA?"

"Receio que a minha resposta teria que ser *não*", disse Daniel.

Entraram em cena os sonhos despedaçados, uma briga violenta, o roubo de uma caríssima garrafa de conhaque, a busca por um táxi e os votos de que Daniel queimasse no inferno; seguiu-se a saída de Karen do apartamento de Daniel e a sua chegada ao nosso.

— Ele é um canalha — soluçou Karen.

Mahmood, Karim, Pavel e mais outro que disse se chamar Michael balançaram a cabeça juntos, em solidariedade. Estavam escutando atentamente cada palavra da história de Karen. Pavel parecia à beira das lágrimas.

Karen entornou um cálice de vinho de uma vez só, deixando escorrer um pouco pelo queixo, e imediatamente tornou a encher o cálice.

— Ôtra-arrafa! — pediu, lançando a que acabara de esvaziar em direção aos garçons, que continuavam aglomerados.

Charlotte e eu trocamos olhares que diziam "Acho que ela já bebeu demais!", mas nenhuma das duas ousou falar aquilo em voz alta.

Karim nos trouxe mais vinho e, ao colocar a garrafa sobre a mesa, murmurou:

— Essa é por conta da casa, com as nossas condolências.

Charlotte e eu acabamos ficando bêbadas também, porque na tentativa de evitar que Karen ficasse ainda mais alta, bebemos o máximo de vinho que havia na mesa. Isso não adiantou nada, pois Karen rugia pedindo outra garrafa assim que a anterior era esvaziada, e o processo começava todo de novo.

Embora, a essa altura, eu já estivesse começando a me divertir.

Karen foi ficando cada vez mais bêbada. Acendeu o cigarro pelo lado do filtro duas vezes, enfiou os punhos do blazer no prato, derrubou um copo de água dentro do meu biriani de legumes, e falou, com a voz arrastada:

— Isso já estava com aspecto nojento mesmo.

E então, para meu horror total, ficou com os olhos vidrados e foi inclinando o corpo lentamente para a frente, até cair de cara em cima do frango ao molho com masalas e arroz.

— Depressa, depressa, Charlotte — comandei, em pânico. — Vamos levantá-la, tire a cara dela do prato, senão ela vai se afogar no molho.

Charlotte puxou a cabeça de Karen pelos cabelos, e Karen olhou-a com um aspecto confuso e bêbado, perguntando:

— Que porra é essa que você está fazendo? — quis saber. Tinha molho vermelho na testa e grãos de arroz nos cabelos.

— Karen, você desmaiou — arfei. — Acabou de desabar em cima do prato. É melhor nós irmos para casa.

— Sai pra lá — disse, com a língua enrolada. — Num foi nada dizzo. É queu dejei o cigarro caí no chaum e tive que mabaixá papegá.

— Ah — disse eu, aliviada e meio sem graça.

— Zua abaca — murmurou Karen, agressiva. — Tá dizeno queu num consigo segurá meu drinque?

— Vem cá, ocê! — convocou Mahmood. — Cê acha queu sô atraente? Heinnn?

— Muito atraente — concordou ele, caloroso, achando por um segundo que ia se dar bem.

— Claro queu sou — disse Karen. — Claro queu sou!

— Ocê num é não — acrescentou, olhando para ele.

O garçom pareceu magoado, então acabei dando uma gorjeta maior do que a habitual na hora em que saímos. Acabei tendo de pagar a conta, porque Charlotte esquecera de pegar a bolsa na correria, e Karen, embora tentasse preencher um cheque, estava bêbada demais para conseguir segurar a caneta.

Levamos Karen para casa, trocamos a roupa dela e a colocamos na cama.

— Vamos, beba um pouquinho de água, Karen... isso, boa menina... Assim você não vai se sentir tão mal quando acordar de manhã — disse Charlotte, empurrando um copo d'água embaixo do nariz de Karen. Charlotte estava longe de parecer sóbria.

— Nunnn-ca, nunn-ca mais quero me levantar — disse Karen, falando arrastado.

Começou então a soltar alguns gemidos curtos e engraçados, e depois de algum tempo percebi que ela estava cantando. Mais ou menos.

— Você é tão vaidoso... aposto que está achando que esta canção foi feita pra você... não está?... não está?... —, gemia ela, murmurando a letra de uma antiga canção de Carly Simon.

— Vamos lá, Karen, *por favor*! — implorou Charlotte, voltando a atacar com o copo d'água.

— Num minterrompe qdo eu tô cantano... Tô cantano u'a música que fala do Daniel. Vamo cantá todo muno junto. "Você é tão vaidoso... aposto... achando... que esta canção..." Vamos lá! — berrou ela, agressiva. — Cantem comigo!

— Karen, por favor — murmurei, para acalmá-la.

— Num vem me tratá feito criança não — reagiu ela. — Cantem a porra da música! "Você é tão vaidoso..." Vamos lá, todo muno!

— Hã... Você é tão vaidoso — cantamos juntas, Charlotte e eu, nos sentindo tolas. — Hã... Aposto que você está achando que esta canção foi feita pra você...

Karen apagou antes do verso seguinte.

— Ai, Lucy — gemeu Charlotte. — Estou tão preocupada...

— Não fique assim não — disse eu, animando-a com uma confiança que eu mesma não sentia. — Tenho certeza de que ela vai ficar legal. Vai se sentir em forma logo, logo...

— Não é com ela — explicou Charlotte. — Estou preocupada comigo.

— Por quê?

— Primeiro foi o Gus, agora o Daniel, e se o Simon for o próximo a cair fora?

— Mas por que cargas d'água ele seria o próximo? Isso não é uma doença contagiosa.

— Mas as coisas ruins sempre acontecem em grupos de três — explicou Charlotte, com o rosto rosado todo franzido de preocupação.

— Talvez as coisas sejam assim em Yorkshire — disse eu, com carinho —, mas você agora está em Londres, portanto não se preocupe.

— Você tem razão — reagiu ela, mais animada —, e tem mais uma coisa... Gus dispensou você duas vezes, então contando o rompimento de Daniel e Karen, já temos as três vezes.

— É... foi uma pena Gus não ter me dispensado uma terceira vez, porque então eu pouparia Karen de toda essa tristeza — comentei, com sarcasmo.

— Não se torture com isso — disse Charlotte. — Você não tinha como adivinhar.

CAPÍTULO 54

E então aconteceu a terceira vez.

Apesar de ser meio tapada, o instinto de Charlotte se mostrou totalmente correto. Simon não ligou para o trabalho dela na terça-feira, e ele normalmente telefonava todos os dias, às vezes duas vezes no mesmo dia.

Quando ela ligou para ele na terça à noite, ele não estava em casa, e o amigo com quem dividia o apartamento, normalmente gentil, parecia meio sem graça e pouco informativo a respeito do paradeiro de Simon.

— Lucy, estou com um mau pressentimento a respeito disso — disse Charlotte.

Ela tornou a ligar para o trabalho dele na quarta-feira, mas Simon não atendeu a ligação. Quem atendeu foi uma mulher, e quando Charlotte pediu para chamá-lo, ela perguntou: "Quem deseja?..." Quando Charlotte disse seu nome, a mulher na mesma hora disse: "Simon não pode atender porque está em reunião..."

Charlotte tornou a ligar mais ou menos uma hora depois, e aconteceu exatamente a mesma coisa.

Então, na mesma hora, Charlotte pediu para Jennifer, sua colega, telefonar, e de repente Simon já estava atendendo os telefonemas, pois pegou o fone para falar com "Jennifer Morris".

Jennifer passou o fone para Charlotte assim que Simon disse "alô". Ela perguntou:

— Simon, o que está havendo? Você está tentando me evitar?

Simon riu, meio nervoso, e, com um jeito bem jovial, respondeu:

— Não, deveras não, deveras. Não, deveras.

Charlotte disse que foi nesse instante que ela realmente sacou que havia algo errado, porque Simon normalmente jamais falaria "Não, deveras".

— Vamos nos encontrar para almoçarmos juntos, Simon — disse Charlotte.

— Eu adoraria, adoraria... — disse Simon — ... mas não vai ser possível.

— Por que você está falando desse jeito? — perguntou Charlotte.

— De que jeito? — quis saber Simon.

— Como um babaca parado na rua com um celular na mão para parecer importante — disse Charlotte.

(O que achei extremamente irônico, porque eu *sempre* achei que Simon falava que nem um babaca parado na rua com um celular na mão para parecer importante, mas não falei isso para Charlotte quando ela me contou a história, porque não queria deixá-la ainda mais chateada.)

— Não tenho ideia do que você está falando — disse Simon.

— Tudo bem, então nos vemos à noite — suspirou Charlotte.

— Receio que isto seja impossível — replicou ele.

— Por quê?

— Trabalho, Charlotte, trabalho — disse Simon, bem devagar.

— Mas você nunca teve que trabalhar à noite — argumentou Charlotte.

— Sempre existe uma primeira vez para tudo — explicou Simon, em voz baixa.

— Bem, então quando é que vou *poder* ver você? — quis saber Charlotte.

— Más notícias, Charlie — disse Simon. — Não vamos poder nos encontrar.

— Até quando? — perguntou ela.

— Você não está facilitando nem um pouco as coisas para nós dois, não é verdade? — perguntou ele, falando ainda mais baixo.

— Sobre o que você está falando?

— Estou falando, Charlotte, que nunca mais vamos poder nos encontrar.

— Por que não?

— Porque acabou... A-C-A-B-O-U!

— Acabou? A gente? Você está me dizendo que terminamos o namoro? — perguntou ela.

— Bravo! — E riu. — A luz finalmente acendeu.

— E quando é que você estava planejando me comunicar isso? — perguntou ela.

— Acabei de comunicar, não acabei? — disse ele, de forma sensata.

— Mas só porque liguei para você. Quando é que você ia ligar para mim? Ou você ia deixar que eu acabasse descobrindo por mim mesma?

— Você ia descobrir logo, logo... — disse ele.

— Mas por quê? — perguntou Charlotte, com a voz tremendo. — Você não, você não... *gosta* mais de mim?

— Ora, Charlotte, não faça papel de boba — disse ele. — Foi um lance legal, nos divertimos juntos, só que agora encontrei outra pessoa com quem me divertir.

— Mas, e quanto a mim? — quis saber Charlotte. — Com quem eu vou me divertir agora?

— Isso não é problema meu — disse Simon. — Enfim, de qualquer modo, vai aparecer outra pessoa, rapidinho. E não vai demorar muito, com esses peitos que você tem.

— Mas eu não quero me divertir com mais ninguém — implorou Charlotte. — Quero me divertir com você.

— É pena — disse ele, todo animado. — Seu tempo acabou. Não seja egoísta, Charlotte, deixe que as outras garotas tenham uma chance também.

— Mas eu achava que era importante para você — disse ela.

— Bem, não devia ter levado as coisas tão a sério — replicou ele.

— Então isso é tudo? — perguntou ela, com os olhos cheios de lágrimas.

— Isso é tudo — concordou ele.

— Lucy, ele parecia uma pessoa totalmente estranha. — comentou ela, mais tarde. — E eu achava que o *conhecia*... achava que ele se importava comigo, não consigo acreditar que ele tenha me descartado assim, tão de repente.

— Não consigo descobrir o *porquê* disso — repetiu ela, diversas vezes. — O que foi que eu fiz de errado? Por que ele me largou? Talvez eu tenha engordado um pouco. Eu engordei, Lucy? Ou será que enchi muito o saco dele, reclamando dos problemas no meu trabalho?... Se pelo menos eu soubesse...

E balançou a cabeça, em total perplexidade.

— Não há nada mais esquisito do que os homens — suspirou.

Pelo menos ela não ficou se torturando com imagens daquela mulher lendária que perturba a imaginação das mulheres de pouco busto quando são rejeitadas: a *Garota com Peitos Maiores*. Charlotte não tinha esse problema, porque ela já era a própria *Garota com Peitos Maiores*.

Mas era insegura em todas as outras áreas.

Charlotte forçou a maior barra para se encontrar com Simon. Ficou de tocaia e o perseguiu com uma tenacidade e uma determinação que ninguém julgava possível ao ver o seu rostinho redondo e inocente pela primeira vez. Acampou do lado de fora do prédio em que ele trabalhava por uns dois dias, e ficava atenta na hora em que ele saía para ir embora, até que Simon finalmente concordou em tomar um drinque com ela, na esperança de que ela o deixasse em paz.

Um drinque leva a outro e levou a muitos outros. Os dois ficaram completamente bêbados, acabaram indo para o apartamento de Simon e transaram.

Então, de manhã, Simon disse:

— Foi muito agradável, Charlotte. Agora, pare de rodear o prédio onde trabalho. É uma situação embaraçosa para você.

Isso pegou Charlotte totalmente de surpresa. Ela ainda era inexperiente o bastante no ringue do amor para imaginar que, pelo fato de Simon ter dormido com ela, isso significava que o romance entre eles ia entrar de novo nos eixos.

— Mas... mas... — disse ela. — E o que aconteceu ontem à noite entre nós? Não serviu para...?

— NÃO, Charlotte — interrompeu Simon, com impaciência. — Não significou coisa alguma para mim. Uma transa é só uma transa. Agora, por favor, vista-se e pegue o seu cartão vermelho na saída.

— E o pior, Lucy — ela se queixou, depois que tudo aconteceu —, é que eu *continuo* sem saber por que ele terminou comigo.

— Como assim?

— Esqueci de perguntar.

— E o que vocês ficaram fazendo a noite toda? — perguntei, surpresa. — Não, não, não precisa me contar, eu imagino.

— Eu sou muito jovem para ser a mais nova *Solteirona do Pedaço* — afirmou Charlotte, de forma sombria.

— Nunca somos jovens demais para isso — afirmei, com sabedoria.

CAPÍTULO 55

Megan ia assumir seu novo cargo naquela semana, mas houve complicações. Bem, na verdade, apenas uma.

Para o conhecimento de todos: a saúde mental de Frank Erskine.

Os médicos da empresa não estavam muito satisfeitos com o comportamento de um dos diretores.

A oferta da criação de um novo cargo para uma jovem bronzeada e atraente que usava shorts no trabalho foi encarada como um ato constrangedor para a empresa, feito por um homem de meia-idade que devia dar o exemplo. A empresa fervilhava com os rumores de que ele estava tendo uma combinação de crise da meia-idade com colapso nervoso e não era capaz de pensar de forma racional.

Foi persuadido (na verdade, forçado, de acordo com as minhas fontes do Departamento de Pessoal) a tirar uma licença por motivo de saúde. Por sorte, sua mulher concordou em lhe dar todo o apoio, e o rastilho de fofocas não foi em frente.

Quando ele voltasse — embora ninguém estivesse achando que ele fosse mesmo voltar —, a Gerência Geral teria todo o prazer de conversar com Megan a respeito da promoção prometida.

Enquanto isso não acontecia, Megan estava condenada a apodrecer na Seção de Controle de Crédito. Meredia quase vomitou de tanto júbilo.

CAPÍTULO 56

Três corações estavam arrasados.

Parecia que todas nós havíamos sido atingidas por alguma praga. Nosso apartamento devia urgentemente ser isolado por uma cortina preta, e depois deviam pregar na porta uma cruz também preta. Em toda a volta havia um ar de trevas terríveis, de doença e morte.

Todas as vezes que eu voltava para casa, esperava ouvir cantos fúnebres e réquiens tocados em um órgão, vindos do sótão.

— Um soturno flagelo desceu sobre esta casa — comentei, e as outras duas concordaram plenamente, com ar de tristeza.

Então Charlotte perguntou o que era um "soturno flagelo".

Embora ainda estivéssemos no meio do verão, todo mundo que cruzava o portal do nosso apartamento notava que ali dentro era inverno, triste e desolador.

Um domingo, na hora do almoço, Karen e Charlotte foram para o pub, a fim de se embebedarem e zombarem dos ex-namorados uma com a outra, de forma venenosa, comentando o quanto os pênis de Simon e Daniel eram, na verdade, minúsculos, e como o sexo com eles tinha sido uma bosta, além do fato de que nenhuma das duas jamais teve um orgasmo sequer durante o namoro, simplesmente fingiram o tempo todo.

Eu adoraria ir com elas, mas resolvera me colocar em estado de prisão domiciliar voluntária.

Estava um pouco preocupada com a exagerada quantidade de bebida que andava tomando, tanto durante quanto, especialmente, depois de Gus. Portanto, resolvi que ia sair daquela fossa por outro caminho.

Estava lendo um ótimo livro que pegara em um estande da Oxfam.* O livro era sobre mulheres que amavam demais. Fiquei surpresa, tentando imaginar a razão de aquele livro jamais ter passado pelas minhas mãos. Talvez fosse pelo fato de que ele havia sido publicado uns dez anos antes, quando eu ainda era novata no ofício de me tornar neurótica, e mal começava a compreender as coisas.

O telefone tocou.

— Daniel — disse eu, pois era ele. — O que você quer, seu galinha sem-vergonha?

— Lucy... — disse ele, falando baixinho e com pressa — ... ela está aí?

— *Quem* está aqui? — perguntei, com frieza.

— A Karen?

— Não, não está. Pode deixar que eu aviso a Karen que você ligou. Mas não fique sentado ao lado do telefone, esperando que ela ligue de volta, não.

— Não, Lucy. — Ele parecia assustado. — Não conte a ela que eu telefonei, não. Eu queria falar é com você mesmo.

— Ah, é?... Pois eu não quero falar com você — reagi.

— Por favor, Lucy.

— Não, vá ver se estou na esquina! — atirei. — Tenho minhas lealdades, sabia? Você não pode sacanear a minha amiga, partir o coração dela e ainda ficar esperando que eu continue a ser a sua velha amiga do peito.

Fiquei esperando que ele soltasse alguma piadinha sobre o meu peito, mas ele não disse nada.

— Mas, Lucy... — argumentou ele — ... você já era minha amiga *antes* dela.

— Pois é uma pena — repliquei. — Você conhece as regras: rapaz namora garota, rapaz termina com garota, rapaz fica jurado de morte pelas amigas da garota.

— Lucy — disse Daniel, parecendo muito sério. — Tenho uma coisa para falar com você.

---

* Organização não governamental britânica com fins humanitários. Tem sede em Oxford e representantes em todo o mundo. (N.T.)

— Então fale, mas fale depressa.

— Bem... eu jamais achei que ia me ouvir dizendo isso, mas... bem... estou *sentindo a sua falta*, Lucy.

Senti uma fisgada de dor por ele. Mas isso era a coisa mais comum para mim.

— Você não me telefonou durante todo o verão — lembrei a ele.

— E você também não telefonou para mim.

— Ah, é? E como é que eu podia ligar? Você estava saindo com outra pessoa, e essa pessoa ia me matar se eu ligasse para você.

— E você também estava saindo com outra pessoa — observou Daniel.

— Rá! Essa é boa. Gus não era exatamente uma ameaça física para você, era?

— Eu não diria isso.

— Entendo o que quer dizer — disse toda melosa ao me lembrar de Gus. — Embora ele não fosse muito alto, Daniel, aposto que era capaz de se defender no braço muito bem, se fosse preciso.

— Não quis dizer isso — continuou Daniel. — Ele não precisa bater em ninguém. Era capaz de me deixar completamente imobilizado só com cinco minutos daquela conversa chata dele.

Fiquei indignada. Que desaforo, *Daniel* dizer que *Gus* era chato. Era tão ridículo que nem valia a pena contestar.

— Desculpe — voltou Daniel. — Eu não devia ter falado uma coisa dessas. Ele era um cara divertido, de verdade.

— Você está falando de coração?

— Não. Mas, se eu não disser isso, você vai bater com o fone na minha cara e se recusar a me ver.

— Pois você está muito certo em achar isso — disse eu —, porque não tenho a mínima intenção de ver você.

— Por favor, Lucy — pediu ele.

— De que serve isso? Você é um sujeito patético, sabia, Daniel? Está momentaneamente sem mulher e o seu ego não consegue lidar com isso, então você telefona para a velha Lucy e...

— Qual é? — reclamou ele. — Se eu estivesse precisando de alguém para inflar o meu ego, você seria a última pessoa no mundo para procurar.

— Então, por que quer me ver?

— Porque estou com saudade.

Por um momento, acabou meu estoque de insultos contra ele, e Daniel aproveitou a brecha.

— Não estou entediado — continuou ele. — Não estou me sentindo sozinho, não estou em busca de companhia feminina nem de alguém para inflar o meu ego. Queria simplesmente ver você. Mais ninguém, só você.

Houve uma pausa. O ar reverberou por um momento com a sua sinceridade, e quase acreditei nele.

— Olhe só para você — disse eu, dando uma risada. — Acha que pode seduzir todas as garotas que cruzam o seu caminho, não é?

Com toda a minha arrogância, porém, senti a sensação de alguma coisa a mais. Alívio, talvez? Apesar disso, continuava disposta a não ceder. Isso ia deixá-lo desapontado.

— Daniel, você sabe que toda a sua lábia e suas palavras doces não funcionam comigo — lembrei a ele.

— Sim, eu sei — concordou. — E sei também que, se você concordar em se encontrar comigo, vai me tratar muito mal.

— Ah, sabe?

— Vai me chamar de galinha e... e...

— Um cara desprezível? — ajudei, esperançosa.

— Isso mesmo. Um cara desprezível. E um conquistador barato?

— Claro, isso também. Você nem imagina os outros títulos que tenho para você.

— Tudo bem.

— Você é doente, Daniel Watson.

— Mas você vem me ver?

— Mas estou bem, aqui em casa, sozinha...

— O que está fazendo?

— Estou deitada, descansando...

— Você pode descansar aqui.

— Estou comendo chocolate...

— Posso comprar todo o chocolate que quiser.

— Mas estou lendo um livro ótimo, e você vai ficar puxando conversa comigo.

— Não vou, prometo.

— E estou sem maquiagem, com a cara horrível.

— E daí?

— Como vou fazer para chegar aí? — ao perguntar isso, minha rendição foi completa.

— Vou até aí de carro e pego você — ofereceu Daniel.

Ao ouvir isso, joguei a cabeça para trás e soltei uma gargalhada de ironia.

— Qual é a graça? — perguntou ele.

— Daniel, caia na real. Como é que você acha que a Karen vai se sentir se avistar o seu carro parado bem na porta aqui de casa?

— Ah, é! É verdade... — murmurou Daniel, parecendo envergonhado. — Como é que pude ser tão insensível?

— Não seja bobo — debochei. — Todo mundo já sabe que você é insensível. Afinal, você é homem... não, o que quero dizer é que se ela descobrir que você veio até aqui para *me* ver, e não *a ela*, Karen vai tentar matar você. E vai tentar me matar também — acrescentei, sentindo-me subitamente tocada pela mão fria do medo.

— É mesmo... Vamos ter que pensar em algum outro modo, então — concordou Daniel.

Esperei um pouco para ver se ele reconhecia que não dava para nos encontrarmos.

— Já sei! — anunciou, todo empolgado. — Vou pegar você na esquina, bem no sinal de trânsito. Ela jamais vai conseguir me ver lá...

— Daniel! — gritei, indignada. — Como é que você consegue ser tão...? Tudo bem, nos encontramos na esquina.

Enquanto me arrumava, tive uma sensação de suspense com aquele subterfúgio, que era assustador e ao mesmo tempo empolgante.

Karen não me proibira de ver Daniel. Não proibira, *em termos*... Mas eu sabia que ela esperava que eu o odiasse pelo que fizera com ela. A velha solidariedade entre amigas que dividem apartamento ditava que, "se uma sai de campo, todas saem junto". Isso era para acontecer sempre que um namorado dispensava uma de nós. Se eles terminavam com uma das três, eram obrigados a abrir mão do prazer da companhia das outras duas também.

Só que, depois de conversar com Daniel pelo telefone, reparei no quanto sentia falta dele também. Agora que voltáramos a ser amigos, era seguro reconhecer isso. Eu estava com aquela sensação acredoce que experimentamos sempre que fazemos as pazes com alguém.

Daniel era divertido, e alegria era uma mercadoria que andava muito em baixa na praça naquelas semanas.

Já estava cheia de andar pela casa com o rosto franzido, junto com Karen e Charlotte, sem comer quase nada. Nós pegávamos um biscoito, mordiscávamos uma pontinha e depois o deixávamos de lado, nos esquecendo por completo do coitado.

E também já estava saturada dos filmes violentos que Karen andava alugando. *Carrie, a Estranha, Beleza Fatal* e qualquer outra história que mostrasse mulheres conseguindo vingança de forma brutal e sanguinolenta.

E Charlotte teve uma regressão brava. Achávamos que havíamos dado adeus para sempre a Christopher Plummer e suas calças justas. Charlotte, porém, teve uma recaída terrível, e assistia à *Noviça Rebelde* sempre que Karen não estava enchendo a telinha com imagens de sangue e dor. Sangue e dor *masculinos*, de preferência.

Eu estava cansada de morar em uma casa que vivia de luto. Queria colocar um vestido vermelho e ir a uma festa.

Mas eu não estava sendo justa. Foi um puro golpe de sorte que o meu namorado tivesse enjoado de mim antes do namorado de Charlotte ou o de Karen sentirem o mesmo, pois graças a isso eu já estava umas duas semanas à frente delas no processo de recuperação emocional.

Como a gente esquece rápido.

Na verdade, havia só dez dias desde que eu estivera sentada naquele mesmo sofá, fungando, com o controle remoto na mão, assistindo à cena de *O Exterminador do Futuro* em que ele fala: "Vim do futuro e viajei pelo tempo apenas por você." Então, voltava a cena e assistia a ela de novo. Então, voltava a cena e assistia a ela de novo, Então, voltava a cena...

São assustadoras as coisas que fazemos depois de uma desilusão amorosa.

Bem, pelo menos a crise significava que os negócios estavam indo de vento em popa para Adrian.

Daniel parecia atento e nervoso enquanto esperava por mim no carro, bem na esquina, em frente ao sinal de trânsito.

— Não fique esperando que eu fale com você — avisei assim que entrei no carro.

Tinha de admitir que Daniel parecia muito atraente, para quem gosta daquele gênero de beleza.

Graças a Deus não era o meu caso.

Em vez do terno que normalmente eu o via usar, estava de calça jeans desbotada e um suéter cinza muito bonito.

Bonito *de verdade*, pensei. Talvez ele me emprestasse.

E eu jamais reparara antes como os cílios dele eram compridos e espessos. Assim como o suéter, aqueles cílios iam cair muito melhor em mim do que nele.

Comecei a me sentir meio tímida e sem graça. Já fazia tanto tempo que eu o vira pela última vez assim, só nós dois, que eu me esqueci de como devia me comportar.

Pela sensação de carinho e amizade que senti por ele, porém, vi que aquilo só podia ser alegria por revê-lo.

— Quer dirigir? — perguntou ele. A sensação de afeição se intensificou dentro de mim.

— Você deixa? — perguntei, rouca de empolgação.

Eu fizera algumas aulas de direção e tirara carteira de motorista mais ou menos um ano antes, embora não tivesse carro nem dinheiro para comprar um, e nem mesmo precisasse de um carro.

Fiz isso só para me sentir poderosa, uma das muitas coisas que tentara para me sentir mais satisfeita com a vida. Claro que não adiantou nada. Um dos efeitos colaterais daquilo, no entanto, foi que descobri que adorava dirigir. E Daniel tinha um automóvel lindo, esportivo, muito sexy. Não sei dizer qual era a marca nem o modelo, afinal sou mulher. Mas sabia de duas coisas importantes: o carro era lindo e muito veloz.

As mulheres o adoravam.

Só para implicar com Daniel, eu batizara o carro de "fodomóvel" ou "o carrão do garanhão", e vivia dizendo que as garotas só saíam com ele por causa do carro.

Então saltamos, trocamos de lugar e ele me atirou as chaves por cima do veículo.

Dirigi por toda Londres até o apartamento de Daniel, e passei os melhores momentos da minha vida, desde aquela última noite em que transara com Gus.

Embora não planejasse isso, saí dirigindo que nem uma louca. Já fazia muito tempo desde a última vez em que eu me vira diante de um volante. Tempo demais, talvez.

Fiz todas as coisas imprudentes que parecem maravilhosas quando estamos dirigindo um carro veloz. Saía na frente dos outros carros no sinal, cantando pneus, provocando cara feia nos motoristas. Isso se chamava "deixar os outros na poeira", informou Daniel. Ultrapassava os carros e ia para a outra pista. Daniel me informou que isso se chamava "costurar no trânsito". No momento em que ficamos parados em um pequeno congestionamento, comecei a piscar e a sorrir para os homens bonitos dos outros carros. Daniel disse que isso se chamava "ficar de galinhagem".

Eu me senti ligeiramente chocada quando os outros motoristas começaram a me xingar e a fazer gestos obscenos sempre que eu os deixava para trás ou os cortava, mas isso foi só no início. Logo, logo me adaptei à etiqueta que existe entre os motoristas. Assim, sempre que alguém me cortava, eu berrava, furiosa: "Babaca!", e tentava baixar o vidro para fazer gestos obscenos para ele, só que não conseguia achar a manivela.

Ele ia embora com um ar de medo nos olhos e, subitamente, como uma névoa que se desfaz, descobri como é que eu devia estar parecendo aos outros, isto é, tão babaca quanto eles. Fiquei abalada. Jamais pensei que pudesse ser tão agressiva. Pior, jamais achei que pudesse gostar tanto daquilo.

Olhei para o lado, com medo de que Daniel ficasse chateado comigo. Afinal, o sujeito podia ter saído do carro para nos agredir. Violência nas ruas estava tão na moda que as pessoas se sentiam quase obrigadas a agredir alguém. Achavam que não estavam aproveitando todas as vantagens que a carteira de motorista lhes dava se, pelo menos uma vez por semana, não chegassem em casa com a camisa rasgada depois de se atracarem com outro motorista em um engarrafamento.

— Desculpe por ter dito aquilo, Daniel — murmurei, lançando um olhar de lado, meio nervoso, para ele, mas ele estava rindo.

— Viu só a cara daquele sujeito? — ele estava ofegante de tanto rir. — Ele parecia *não acreditar* que fora xingado.

Continuou a rir tanto que algumas lágrimas escorreram pelo seu rosto, e finalmente conseguiu dizer:

— A propósito, o botão para mover os vidros elétricos são esses aqui.

Ao chegarmos à rua onde Daniel morava, falei, depois de estacionar a um metro do meio-fio:

— Obrigada, Daniel. Foi a coisa mais divertida que fiz em várias semanas.

Eu não era má motorista, mas meu forte não era estacionar.

— De nada — disse ele. — Você é boa na direção. Você e o carro combinam um com o outro.

Fiquei vermelha e sorri, sentindo-me feliz e um pouco sem graça.

— Foi divertido, mas acabou muito depressa — reclamei.

— Bem, se você quiser — disse ele —, na semana que vem eu levo você para um passeio pelo campo, e vai poder deixar todo mundo na poeira, pela estrada.

— Hummmmm — disse eu, sem me comprometer a aceitar. Havia alguma coisa no jeito como ele disse "eu levo você" em vez de "podemos ir" que me fez sentir estranha. Não exatamente nervosa... bem, talvez não *só* nervosa.

— Hã, Lucy...

— Que foi?

— Você ficaria muito ofendida se eu estacionasse o carro um pouquinho só mais perto da calçada?

— Não. — De repente, senti a necessidade de sorrir para ele. — Nem um pouco.

CAPÍTULO 57

Eu não ia ao apartamento de Daniel há séculos. Da última vez em que estivera lá, o lugar parecia estar em obras, porque Daniel tentara instalar umas prateleiras na sala e tudo havia despencado no chão, inclusive partes da tinta e do reboco. Mal dava para ver o carpete, de tanta poeira e pedaços de gesso.

Naquele dia, porém, estava tudo arrumado. Nem dava para perceber que era o apartamento de um rapaz. Não parecia um terreno cheio de sucata, nem o interior da mochila de um atleta depois do treino. Não havia peças de moto espalhadas em cima da mesa da cozinha, nem pedaços de caixas de papelão espalhados pelo chão, nem raquetes de *badminton* em cima do sofá, nem uma fileira daquelas petecas de jogar *badminton* em cima da tevê.

Ao dizer tudo isso, não estou querendo dar a impressão de que o apartamento de Daniel era *legal*. A mobília era um pouco estranha, porque ele herdara muita coisa do irmão mais velho, Paul, que se divorciou e foi trabalhar na Arábia Saudita, e muita coisa veio também da avó dele, quando ela vestiu o paletó de madeira. Acho que a melhor coisa que eu poderia dizer a respeito da mobília de Daniel é que ela não tinha uma personalidade suficiente o bastante para ser ofensiva.

Aqui e ali, como oásis no deserto, havia alguns objetos que eram realmente interessantes: um suporte para CDs com o formato de uma girafa vermelha, um candelabro avulso, o tipo de coisa que entulhava o apartamento de Simon, por exemplo. Só que se você dissesse "prateleira legal, esta" para Simon, ele não diria simplesmente "obrigado". Em vez disso, recitava a árvore genealógica da peça. "Foi do Antiquário Conran, é uma peça Ron Arad, de edição limitada, vai estar valendo uma fortuna qualquer dia desses." O que podia ser verdade, mas, por algum motivo, me parecia... como dizer... *pouco masculino*. Todos os artigos inanimados de Simon possuíam pedigrees e linhagens, e ele era capaz de traçar a origem deles até o antepassado, sempre um Le Corbusier ou um Bauhaus.

Simon jamais dizia "coloque a água na chaleira para ferver". Em vez disso, falava "por favor, acenda com todo o cuidado o bico de gás do fogão laqueado em turquesa, que é uma reprodução genuína de um original dos anos 50, e coloque sobre ele a minha chaleira Alessi de aço inoxidável com design premiado, em forma de pirâmide, e se você fizer um arranhãozinho sequer em sua tampa de prata polida eu vou matá-la com a faca mais comprida do meu faqueiro Sabatier completo".

Se eu não tivesse sido informada do contrário, poderia jurar que Simon era gay.

Ele tinha uma paixão por "coisas do lar" que eu costumava associar, de forma justa ou injusta, com membros da comunidade homossexual.

Os objetos legais da casa de Daniel eram uma mistura estranha. Algumas peças pareciam antiguidades, enquanto outras eram coloridas, brilhantes e modernas.

— Ai, que lindo aquele despertador — disse eu, pegando o objeto em cima de uma mesinha com cara de velha que era parte da sua herança. — Adorei! Onde foi que você comprou?

— Hã... foi a Graça que me deu de presente.

— Ah, sei. — Então avistei outra coisa que *amei*.

— Olha só que espelho lindo — disse, prendendo a respiração e correndo para tocar a trabalhada moldura de madeira pintada de verde com uma cobiça quase explícita. — Onde conseguiu isso?

— Hã... foi a Karen que me deu — explicou ele, meio encabulado.

Aquilo explicava o caleidoscópio de peças, a miscelânea de estilos diferentes no apartamento. As namoradas de Daniel deviam ter tentado, cada uma a seu tempo, deixar a sua marca pessoal nos objetos de decoração do lugar. O problema é que cada uma delas tinha um gosto diferente.

— Estou surpresa por Karen não exigir este espelho de volta — disse eu.

— Na verdade, ela o quis de volta sim — admitiu Daniel, baixinho.

— Então, por que ele ainda está aqui?

— Ela desligou o telefone na minha cara depois de me comunicar que o queria de volta, e desde então tem se recusado a atender os meus telefonemas, de modo que não sei como devolvê-lo.

— *Eu* posso levá-lo para casa, mais tarde — sugeri, toda animada, já imaginando aquele espelho pendurado na parede do meu quarto.

— Não, não... — completei, depressa. — Não posso levar não. Ela ia descobrir que estive aqui, e acho que não ia ficar nem um pouco satisfeita.

— Lucy, você tem todo o direito de estar aqui... — disse Daniel, mas o ignorei. *Sabia* que tinha todo o direito de estar ali, mas tinha certeza de que Karen ia encarar isso de forma diferente.

— Vamos ver agora o cômodo mais importante da casa — disse, encaminhando-me para o quarto. — O que comprou de novidades?

Atirei-me com determinação na cama de Daniel e fiquei rolando um pouco ali, de um lado para outro.

— Então é aqui que tudo acontece, não é? — perguntei.

— Não sei do que você está falando — murmurou ele —, a não ser que seja dormir.

— Mas o que é isso aqui? — quis saber, beliscando o edredom e puxando-o para cima com dois dedos. — Isso tem toda a pinta de ter vindo daquela loja de cama e mesa, a Habitat. Eu achava que máquinas de fazer amor como você tinham colchas feitas de pele sobre a cama. Não que eu saiba a diferença exata entre uma colcha e um edredom.

— Bem, eu tenho uma dessas, mas a tirei e deixei guardada quando você falou que vinha aqui em casa. E retirei o espelho do teto também. Só não tive tempo ainda de desmontar a câmera de vídeo, que fica escondida.

— Você é repulsivo, sabia? — disse, distraída.

Ele sorriu de leve.

— Imagine só — continuei, olhando para ele de onde estava, estendida na cama. — Estou na cama de Daniel Watson. Bem, por cima das cobertas, pelo menos, o que já deve servir para alguma coisa. Milhares de mulheres estão morrendo de inveja de mim.

— Pelo menos *duas*, com certeza — completei, pensando em Karen e Charlotte.

Então fiz o que sempre fazia quando me via no quarto do Daniel.

— Adivinhe quem sou, Daniel — provoquei. Então comecei a me retorcer toda, fazendo pequenos gemidos de êxtase.

— Ai, Daniel... ai, Daniel... — arfava, baixinho.

Esperei que ele começasse a rir, como fazia normalmente, mas continuou sério.

— Adivinhou quem é? — quis saber.

— Não.

— Dennis — respondi, triunfante.

Ele sorriu sem muita vontade. Lembrei que eu já havia feito aquela piadinha muitas vezes antes.

— Então, qual é a sua atual companheira de cama? — perguntei, mudando de assunto.

— Ah, deixe pra lá.

— Mas *existe* alguma atualmente?

— Não exatamente.

— Mas como? Quer dizer que você paquerou uma mulher por mais de quatro horas e não conseguiu seduzi-la com o seu papo tipo "sou tão inocente, não sou um devasso como os outros, sou um cara muito legal", depois de uma dose extra de charme? Você deve estar perdendo o seu toque de mestre, Daniel! — exclamei.

— Devo estar.

Ele não estava sorrindo como fazia sempre. Simplesmente saiu do quarto. Aquilo era alarmante. Então, pulei da cama e corri atrás dele.

— E como é que pode o seu apartamento estar tão limpo e arrumadinho? — perguntei, desconfiada, quando chegamos de volta à sala.

Estava me sentindo envergonhada, porque, apesar de Karen, Charlotte e eu fazermos rodízio para faxinar o apartamento todas as semanas, ele continuava uma zona.

Sempre começávamos cheias de boas intenções, mas, depois de um ou dois dias, nossa determinação para manter o apartamento impecável começava a perder fôlego, e falávamos coisas como: "Charlotte, se você limpar o banheiro no meu lugar, empresto o meu vestido de camurça pra você usar na festa de sexta à noite" e "Não enche o saco, Karen, eu *limpei* isso, sim senhora... quer dizer, não deu pra limpar com esponja de aço, né?... A Charlotte acabou com o nosso estoque: usou tudo nela, depois que dormiu com aquele dinamarquês. Não é minha culpa que não tenha saído tudo, não foi por falta de esfregar" e "Eu sei que hoje é domingo à noite, estamos todas esticadas no sofá e nas poltronas vendo tevê e estamos em um estado de relaxamento tão grande que é quase comatoso, mas vou ter que passar o aspirador na sala. Portanto, sinto muito, mas vocês vão ter que sair daí, e também têm que desligar a tevê, porque preciso usar a tomada... ei, não gritem comigo! Não gritem! Se vai atrapalhar tanto assim, acho que posso deixar a limpeza pra outra hora, não que eu queira, mas se vocês têm certeza de que preferem que eu não limpe agora...".

O que precisávamos mesmo era pagar a alguém que fizesse a faxina, pelo menos uma vez por semana, mas Karen vetava a ideia todas as vezes que ela surgia. "Por que pagar para alguém fazer uma coisa que nós mesmas podemos fazer?", argumentava ela. "Somos jovens, fortes e capazes para o serviço!"

Só que a gente não fazia o serviço nunca.

— Daniel, você tem alguma refugiada filipina de dezesseis anos que já é casada e para quem você paga menos de um salário mínimo para vir até aqui fazer toda a faxina para você?

— Claro que não — respondeu ele, ofendido.

— Nem mesmo uma daquelas coitadas que fazem ponta em novela, em papel de empregada, com avental, lenço na cabeça, problemas de coluna e o joelho vermelho, que vem aqui de vez em quando para espanar o pó, beber chá e reclamar da vida?

— Não — garantiu Daniel. — Eu faço toda a limpeza, na verdade.

— Sei... — disse eu, sem acreditar. — Então aposto que você pega a sua atual namorada pra Cristo e a obriga a passar sua roupa toda e lavar o banheiro.

— Não faço nada disso.

— Ué, por que não? — quis saber. — Tenho certeza de que elas adorariam. Se qualquer pessoa aparecesse na minha frente e se oferecesse para passar a minha roupa em troca de favores sexuais, eu não conseguiria recusar.

— Lucy, eu me ofereço para passar toda a sua roupa em troca de favores sexuais — disse Daniel na mesma hora.

— Qualquer pessoa menos você, devo ter esquecido de mencionar — corrigi.

— Sério, Lucy, é que na verdade gosto de fazer trabalhos domésticos — disse ele.

Lancei-lhe um olhar de deboche e disse:

— E você ainda diz que *eu é que sou* estranha...

— Eu não digo isso, Lucy — disse ele, parecendo magoado.

— Não? — perguntei, surpresa. — Pois devia... Quanto a mim, *odeio* trabalhos domésticos. Se existe um inferno sendo preparado para quando eu morrer, e não vejo razão para achar que não exista, com certeza isso vai incluir eu ter que passar todas as roupas de Satanás. E passar aspirador de pó, isso é que é o pior! É a Sala 101* dos trabalhos domésticos, para mim, e vou ser obrigada a passar aspirador de pó no inferno todos os dias.

— Eu sou como a Mãe Natureza — acrescentei.

— Como assim? — perguntou Daniel.

— A Mãe Natureza rejeita os aspiradores de pó, é por isso que não existem aspiradores de pó naturais. Só que *nem ela* rejeita esse aparelho com tanta força quanto eu.

Daniel deu uma risada. Graças a Deus, pensei. Ele estava muito sério, o que era estranho.

— Vamos lá, venha até aqui, Lucy — disse Daniel, colocando o braço em volta da minha cintura. Senti uma fisgada de pânico até compreender que ele estava apenas me empurrando pela sala até onde estava o sofá.

— Você não queria ficar deitada? — lembrou ele.

— Queria.

— Pois este é o lugar certo para isso.

— E quanto ao chocolate que você me prometeu? — quis saber, sem aceitar ser enrolada. Ficar deitada não tinha graça nenhuma sem

* Sala 101 é o lugar onde fica guardada a pior coisa do mundo. Referência ao romance *1984*, de George Orwell. (N.T.)

chocolate. E chocolate é muito mais gostoso de se comer quando a gente está deitada.

— Já está vindo. — E saiu da sala para ir pegar.

Esse foi o dia em que o tempo virou.

Estávamos no fim de agosto, e embora o calor não estivesse mais sufocante, ainda estava muito quente, e todas as janelas da sala de Daniel estavam abertas.

De repente, como se um interruptor tivesse sido ligado, o vento começou, o farfalhar das folhas se intensificou, o céu escureceu e ouvimos o primeiro troar ameaçador da tempestade.

— Isso foi um trovão? — perguntei, esperançosa.

— Parece que sim.

Corri para a janela e me debrucei para fora. Um saco plástico que provavelmente estivera na calçada o verão inteiro sem ser perturbado começou a rodopiar na brisa. Em poucos segundos, a chuva começou e o mundo se transformou.

As ruas e os jardins, que eram de cor bege, secos e empoeirados, se transformaram em escuros e luzidios, e o esverdeado brilhante das folhas ficou preto, quase de repente.

Era lindo.

O ar ficou com um odor de verde, muito perfumado e fresco. O cheiro de terra molhada subia até onde eu estava, e eu me debruçava ainda mais, de modo cada vez mais precário, para fora da janela.

De vez em quando meu rosto era atingido por gotas de chuva tão grossas que pareciam pedradas.

Eu amava os temporais. O único momento em que realmente me sentia em paz comigo mesma era durante uma tempestade. Todo aquele alvoroço exuberante conseguia me acalmar.

Aparentemente isso não acontecia apenas porque eu era esquisita. Havia uma explicação científica para esse fato. Tempestades com relâmpagos enchiam o ar com íons negativos, embora eu não tenha certeza de o que eles são. Só sei que fazem nos sentirmos bem. Quando soube disso, cheguei a *comprar* um ionizador, só para tentar recriar o efeito de uma tempestade sempre que quisesse.

Mas nada se comparava à coisa real.

Houve mais um trovejar forte, e a sala foi cortada por uma luz prateada, com uma vibração muito intensa.

Durante o efêmero espocar da luz prateada, a mesa de Daniel, as cadeiras e todas as outras coisas em volta pareceram perplexas, como pessoas acordadas subitamente por alguém que acendeu a luz do quarto.

A chuva caía em cascatas e dava para eu sentir o ribombar dos trovões bem no fundo de mim.

— Isso não é demais? — perguntei, virando-me para trás e sorrindo para Daniel.

Ele estava em pé, poucos metros atrás de mim, me observando. Olhava-me fixamente, com uma intensidade estranha e curiosidade no olhar.

Na mesma hora me senti sem graça. Ele achou que eu ficara completamente doida, ali, curtindo a chuvarada.

Então, o olhar intenso e engraçado desapareceu de seu rosto e ele sorriu, dizendo:

— Eu havia me esquecido de que você sempre gostou de chuva — disse ele. — Uma vez você me disse que, quando chove, sente que a sua parte de dentro e a parte de fora combinam e se completam.

— Eu disse isso? — Fiquei embaraçada. — Não é de admirar que você ache que sou doida.

— Mas eu não acho isso — disse ele.

Sorri para ele. Ele sorriu de volta, um sorriso meio torto, engraçado.

— Acho você incrível, Lucy.

Isso me desmontou.

Houve um longo intervalo. Tentei pensar em algo que servisse de insulto a ele ou a mim, mas não me veio nada à cabeça. Qualquer coisa servia para dissolver a tensão. Mas não consegui dizer uma palavra. Fiquei muda. Tinha a certeza de que ele dissera "incrível" como um elogio, mas não sabia como responder a isso.

— Saia da janela — disse ele, afinal. — Não quero que você seja atingida por um raio.

— Ora, Daniel, temos que reconhecer, se é possível que isso aconteça com alguém, é bem capaz de acontecer comigo — disse eu, e nós dois rimos com muita vontade.

Embora continuássemos afastados um do outro.

Ele fechou as janelas, abafando os sons da tempestade.

Mesmo assim, os trovões reclamavam, rugiam e explodiam sobre as nossas cabeças. A chuva continuava, torrencial, e quando deu cinco horas da tarde estava quase tão escuro como se estivesse de noite. Exceto quando um relâmpago brilhava e clareava a sala toda, iluminando-a por um ofuscante segundo. A água escorria pelas vidraças.

— Isso está me parecendo o fim do verão — disse Daniel.

Senti um pouco de tristeza, mas só por um momento.

Eu sempre soube que o verão não ia durar para sempre, e que era hora de tocar a vida para a frente.

De qualquer modo, eu também gostava do outono. O outono era a estação das botas novas.

Finalmente, todas as emoções do temporal se esvaziaram, e a chuva se acomodou em um tamborilar leve e constante. Calmante, hipnotizante, aconchegante. Enfiei-me debaixo de um edredom, no sofá, aproveitando o deleite de me sentir bem acomodada, confortável e segura.

Li meu livro e comi chocolate.

Daniel ficou sentado na poltrona, comendo biscoitos salgadinhos, lendo os jornais e assistindo à tevê com o som bem baixinho.

Acho que ficamos duas horas sem dizer uma palavra um ao outro.

De vez em quando eu suspirava, me espreguiçava e dizia: "Deus, isso é bom demais" ou "Sirva-me de outra uva, Copernicus". Daniel sorria para mim quando eu falava essas coisas, mas não acho que isso conte como conversa.

A sensação de fome foi a única que, finalmente, foi capaz de fazer com que nos comunicássemos.

— Daniel, estou *morrendo* de fome.

— Bem...

— E não venha me dizer que fiquei aqui comendo chocolate a tarde inteira e não é possível que eu esteja com fome.

— Eu não ia falar isso. — Ele pareceu surpreso. — Sei que você tem um segundo estômago só para biscoitos e doces. Quer que eu leve você a algum lugar para comermos alguma coisa?

— Eu vou ter que sair do sofá para isso?

— Ah, já entendi o seu problema. — Riu ele. — Quer uma pizza?
— Com pão de alho pra acompanhar? — perguntei, esperançosa.
— E queijo — completou ele, com a voz suave.
Que grande sujeito!
Abrindo a gaveta de um armário modulado sofisticado, Daniel pegou montes de cardápios e folhetos de pizzarias.
— Dê uma olhada nestes aqui e resolva qual você quer.
— Tenho que fazer isso?
— Não, só se quiser.
— Mas, se eu não der uma olhada neles, como é que vou poder escolher entre os diferentes tipos?
Assim, ele leu para mim em voz alta todos os sabores e ingredientes.
— Massa fina ou tradicional, Lucy?
— Fina.
— Farinha comum ou integral?
— *Comum!* Farinha integral?... que ideia revoltante
— Pequena, média ou grande?
— Pequena — respondi.
Ele ficou em silêncio.
— Tá legal, então... média.
Depois que o pedido foi efetuado, a conversa parou novamente. Assistimos à tevê, comemos, quase não falamos. Eu não me lembrava de me sentir tão feliz assim em muito tempo.
Não que isso signifique muito, se considerarmos que eu andara à beira do suicídio por semanas.
Durante toda a tarde e a noite, o telefone só tocou duas vezes, mas quando Daniel atendia, a pessoa desligava. Eu desconfiava de que provavelmente era uma das centenas de ex-namoradas dele. Isso fez com que eu me sentisse desconfortável, porque aquilo me fazia lembrar do tempo em que *eu também* costumava fazer isso com qual quer homem que terminasse *comigo*. Se eu soubesse o novo telefone de Gus, teria feito exatamente aquilo no mínimo umas dez vezes por dia.

Mais tarde, Daniel me deixou em casa. Insisti para saltar na esquina, no sinal de trânsito.

— Não — argumentou ele. — Você vai ficar ensopada.

— Por favor, Daniel — implorei. — Estou com medo de que Karen veja o seu carro.

— E o que há de errado com isso?

— Ela vai transformar a minha vida em um inferno.

— Mas nós temos todo o direito de vermos um ao outro.

— Talvez — concordei. — Mas sou eu que tenho que conviver com ela. Você não seria tão valente se ela fosse a *sua* companheira de apartamento.

— Então vou entrar com você e *acertar* as coisas com ela — ameaçou.

— Não! — exclamei. — Isso ia ser terrível.

— Escute, Daniel — disse, um pouco mais calma. — Eu converso com ela sobre isso, tudo vai ficar bem.

CAPÍTULO 58

Enquanto eu corria pela rua cheia de poças, com a chuva escorrendo pelo corpo, fiquei agoniada sobre o que deveria dizer a Karen quando ela me perguntasse por onde eu andara. A coisa mais fácil seria mentir, é claro, só que ela ia acabar descobrindo.

De qualquer modo, por que deveria mentir? Eu não fizera nada de errado, disse a mim mesma.

Tinha todo o direito de ver Daniel, ele era meu amigo, já era meu amigo há muitos anos, muito antes de ele conhecer a Karen, muito antes de eu mesma conhecer Karen, por falar nisso.

Tudo me parecia perfeitamente razoável quando era dito dessa forma.

Porém, assim que enfiei a chave na porta, minha coragem fugiu correndo.

— Em que porra de lugar você esteve?

Karen estava me esperando, seu rosto parecia um trovão e havia um cinzeiro com um metro de cinzas e guimbas na mesa, na frente dela.

— Hã...

Eu poderia ter mentido, tranquilamente, mas era óbvio que ela já sabia.

Como é que ela sabia? Quem será que me entregara?

Descobri mais tarde, por Charlotte, que tinha sido o Adrian. Depois que o pub fechara, Karen e Charlotte resolveram alugar um filme para ajudar a passar algumas horas do domingo à tarde, e Adrian perguntara a elas quem era "o palhaço pintoso com o tremendo carrão" com quem eu tinha saído.

— Ele parecia à beira das lágrimas — disse Charlotte. — Acho que ele gosta de você, Lucy.

Tudo tinha sido culpa minha, é claro. Se eu tivesse me encontrado com Daniel no meu apartamento, em vez de armar todo aquele esquema, não teria sido descoberta daquele jeito. Honestidade era sempre a melhor política. Ou então cobrir os rastros de forma decente.

— Então, o que está havendo? — quis saber Karen, com a voz aguda. Seu rosto estava muito pálido, a não ser pelas bochechas, que estavam muito vermelhas. Ela parecia uma *demente* de tanta fúria, nervos ou algo assim.

— Não está havendo nada — afirmei, louca para tranquilizá-la. Não apenas por preocupação com a minha segurança física, mas por conhecer bem o inferno que é quando desconfiamos de que o homem que amamos encontrou outra pessoa.

— Não me venha com essa.

— Sério, Karen, só dei uma passada no apartamento dele. Foi uma visita totalmente inocente.

— Inocente, sei... Nada do que aquele homem faz é inocente. E sabe quem foi que me avisou sobre isso? Você mesma, Lucy Sullivan!

— Comigo é diferente...

— Ah, não, não é não, Lucy. — E deu um sorriso amargo. — Não fique aí se achando o máximo.

— Mas eu não estou me achando...

— Está sim! É assim mesmo que ele faz. Ele *me* fez sentir como se eu fosse a única garota do mundo.

— Não, não é disso que estou falando, Karen. Eu quis dizer que comigo é diferente porque não estou interessada nele, nem ele em mim, somos apenas amigos.

— Não seja tão ingênua... Enfim, sempre suspeitei de você, fazendo questão o tempo todo de dizer que não o achava lindo...

— Estava sendo apenas lúcida...

— ... Além do mais, ele não ia se dar ao trabalho de perder tempo com você se não pretendesse ganhar esse troféu. Ele não resiste a um desafio. Vai tentar uma transa só pelo fato de você agir o tempo todo como se não estivesse a fim.

Abri a boca, mas não consegui falar nada.

— E é verdade que ele deixou que você dirigisse o carro dele?

— É.

— Canalha! Ele nunca me deixou dirigir. Em seis meses, ele não me deixou dirigir nem uma vezinha.

— Mas você *não sabe* dirigir.

— Ah, mas ele podia ter me ensinado, não podia? Se tivesse o mínimo de decência, ele teria dado umas aulas de direção para mim.

— Hã...

— E então, ele já está saindo com outra mulher por aí? — perguntou, torcendo o rosto todo ao tentar sorrir.

— Acho que não — disse, para tranquilizá-la. — Não se preocupe.

— Eu *não estou* preocupada com isso — ridicularizou ela. — Por que estaria preocupada? Afinal, *fui eu* que terminei com ele.

— Claro. — Era difícil saber o que dizer.

— Como é que você pode ser tão patética, Lucy? — implicou ela. — Vá procurar um cara só para você, pare de se contentar com as minhas sobras.

Antes de eu conseguir me defender, ela já passara para uma acusação diferente:

— Lucy, como é que você pode ser tão desleal comigo? Como ia se sentir se eu estivesse saindo com o Gus?

— Desculpe — pedi, humilde. Ela tinha razão, e me senti envergonhada, uma traidora.

— Você *não vai* tornar a se encontrar com ele. Não vai trazer meu ex-namorado para dentro da minha própria casa.

— Mas eu não faria isso. — Achei que estava sendo cuidadosa, mostrando consideração pelos sentimentos dela, mas Karen fez com que eu me sentisse insensível e egoísta.

— E aposto que ele meteu o pau em mim...

Não sabia o que responder. Tinha receio de que ela ficaria magoada se eu dissesse que ele nem tocara no nome dela.

— ... Olhe, não quero que ele saiba de nada do que acontece na minha vida. Como é que posso ter um pouco de privacidade se a amiga com quem divido o apartamento está saindo com o meu ex?

— Mas não é nada disso...

Eu me sentia arrasada com a culpa e o remorso. Odiava a mim mesma por estar provocando aquele sofrimento em Karen, e já não conseguia compreender como pudera considerar aquilo justificável.

Então o raio me atingiu:

— Eu *proíbo* você de se encontrar com ele! — Karen falou isso olhando *dentro* dos meus olhos.

Aquela era a minha deixa para levantar os ombros, engolir em seco e dizer a Karen que ela não tinha o direito de proibir que eu me encontrasse com ninguém.

Mas não fiz nada disso.

Estava me sentindo culpada demais para enfrentá-la. Não tinha o direito de me colocar contra ela. Eu era uma amiga da onça, uma péssima companheira de moradia, um ser humano desprezível. Não pensei em como seria ficar sem ver Daniel nunca mais, porque queria apenas resolver as coisas com Karen.

— Tudo bem — concordei, abaixando a cabeça e saindo da sala.

CAPÍTULO 59

Tornei a sair com Daniel na noite seguinte. Não sei o que estava acontecendo comigo. Sabia muito bem que estava proibida de vê-lo, e estava *morrendo de medo* de Karen, estava petrificada.

Só que, quando ele me telefonou e perguntou se poderia me levar a algum lugar para jantarmos depois do expediente, por algum motivo respondi que sim. O mais provável é que eu tenha concordado simplesmente pelo fato de que fazia séculos desde a última vez que alguém me levara para jantar e pagara a conta.

Embora, pensando melhor, talvez fosse uma espécie de rebelião, ainda que secreta e particular. Um desafio, como se eu estivesse debochando de Karen balançando dois dedos bem debaixo do seu nariz, embora estivesse usando luvas de pegar panelas para isso.

Pouco antes de Daniel chegar à minha sala, resolvi retocar a maquiagem. Apesar de estar saindo com Daniel, um programa noturno era sempre um programa noturno, e nunca dava para saber quem poderíamos conhecer de interessante. Ao pegar o delineador, fiquei preocupada ao reparar que estava me sentindo meio nervosa e trêmula Pelo amor de Deus, é claro que eu não estava a fim de Daniel!, pensei, horrorizada. Então me tranquilizei, vendo que aquilo era apenas o meu velho conhecido, o pavor. Pavor de Karen e do que ela poderia fazer comigo se descobrisse. Ai, que alívio! Era muito melhor estar nervosa de medo e não de empolgação.

Quando Daniel entrou na minha sala, às cinco horas (usando um crachá de visitante, pois ele jamais faria papel de Gus), eu me senti tão feliz por vê-lo, apesar do terno, que senti uma fisgada de raiva compreensível contra Karen. Cheguei a pensar em bater de frente com ela, mas a ideia se dissolveu na mesma hora.

— Vamos a um pub antes de jantar — avisei Meredia, Megan e Jed. — Vocês podem ir conosco, se quiserem.

Mas eles recusaram o convite. Meredia e Jed estavam com aquela cara de "ele não é o Gus", e me olhavam com olhares desconfiados e de censura enquanto eu vestia o casaco. Mamãe arranjou um novo namorado, e eles queriam que mamãe voltasse para papai.

Idiotas.

Mamãe também queria voltar para o papai, mas o que é que ela podia fazer? Recusar uma refeição grátis ia trazer Gus de volta, correndo?

Megan recusou a oferta, anunciando para Daniel, com ar satisfeito:

— Obrigada pelo convite, e espero que *fiquem* bastante ofendidos se eu dispensar a saída com vocês. O problema é que não estou a fim de passar a noite com um cara assim todo certinho como você, Daniel. Marquei um encontro com um homem *de verdade*.

Como eu, Megan sentia uma forte necessidade de punir Daniel por ele ser bonito, simpático e transformar mulheres inteligentes em palermas derretidas. Mesmo assim, aquilo me pareceu meio grosseiro. E quem seria esse tal de homem *de verdade* de quem ela estava enchendo a bola? Provavelmente um daqueles gigantes tosquiadores de ovelhas que não se barbeavam há muitos dias e não trocavam de cueca há mais tempo ainda.

Assim, Daniel e eu fomos ao pub sozinhos.

— Karen me telefonou — informou ele, assim que nos sentamos.

— Ah. — Senti um friozinho na barriga. — O que foi que ela queria?

Será que eles dois iam reatar?

— Ela me mandou ficar longe de você — disse ele.

— Mas que cara de pau a dela, hein? — explodi, aliviada. — E você, o que respondeu?

— Respondi que nós dois éramos adultos e podíamos fazer o que nos desse na telha.

— Ai, por que você teve que dizer isso pra ela? — choraminguei.

— E por que não?

— Para *você* está tudo bem, ser um adulto e fazer o quer der na telha... Você não tem que conviver com ela. Se eu tentar ser adulta e fazer o que me der na telha, ela me mata.

— Mas...

— Qual foi a reação dela quando você falou isso? — perguntei.

— Ela pareceu muito chateada comigo.

— Como assim? — Fiquei desanimada.

— Ela me disse... deixe-me ver se consigo lembrar exatamente quais as palavras que ela usou. Ah!... disse que sou horrível na cama. E, é claro, disse que o meu pênis é um dos menores que ela já viu na vida.

— Naturalmente — concordei.

— E que a única vez em que ela viu um menor foi no sobrinho dela de dois meses, e que não era de espantar que eu tenha tantas namoradas, porque é óbvio que estou apenas tentando provar a mim mesmo que sou homem.

Todo aquele papo de membro pequeno fazia parte do repertório de uma mulher largada pelo namorado, mas havia o perigo de Daniel ficar preocupado pelo desencadear de "toda a fúria do Inferno", segundo a versão de Karen. Porém, pelo jeito como ele sorria ao contar aquilo, *não parecia* preocupado.

— O que mais ela falou para mim, aos berros?... — disse ele, tentando lembrar, pensativo. — Bem que eu gostaria de me lembrar de tudo, porque a cena foi muito boa, mas posso perguntar a qualquer um do escritório, porque todos ouviram junto comigo.

— Mas entendi que ela tinha apenas telefonado para você... — comentei, intrigada.

— E *telefonou* mesmo. Mas todo mundo em minha sala conseguiu ouvir. Ah, consegui lembrar mais um pouco!... Ela jura que viu dois pelos pubianos grisalhos em mim, e disse que só saía comigo porque eu a levava de carro até o trabalho e ela economizava a passagem. Disse também que o meu cabelo está ficando ralo na parte de trás da cabeça, e que vou ficar tão careca quanto o Right Said Fred antes dos trinta e cinco anos, e nenhuma garota vai querer chegar perto de mim.

— Que vaca — disse eu. Aquela de ficar tão careca quanto o vocalista do Right Said Fred foi muito baixo.

Tínhamos de tirar o chapéu para Karen.

— E que coisas horríveis ela falou a meu respeito? — Cruzei os braços com força, para me preparar para o que vinha.

— Nada.

— Sério?

— Sério.

Daniel estava mentindo. Quando Karen ficava furiosa, atacava todo mundo, indiscriminadamente.

— Não acredito em você, Daniel. Vamos lá, o que ela falou de mim?

— Nada, Lucy.

— Eu *sei* que você está mentindo, Daniel. Aposto que ela contou que às vezes encho meu sutiã com pedaços de algodão.

— Ah, isso ela contou, mas eu já sabia.

— Como?! Não, não me conte, não quero nem saber. Tudo bem, aposto que ela falou que devo ser horrível de cama, porque sou inibida demais. Ela sabe que isso ia me deixar muito chateada.

Daniel parecia agoniado.

— Ela falou isso? — fiz questão de saber.

— Algo parecido — murmurou.

— O *quê*, exatamente, ela disse?

— Ela disse que a gente ia se dar muito bem um com o outro, porque provavelmente um é tão horrível na cama quanto o outro — admitiu ele.

— Safada, sem-vergonha — disse, mostrando admiração por ela. — Karen é muito boa em saber o que machuca mais as pessoas.

— Mas ela não estava falando sério sobre você — atalhei em seguida, ansiosa para tranquilizar Daniel. — Ela sempre me falou que você era ótimo de cama, e que o seu pênis é bonito e muito grande.

Os dois operários da mesa ao lado da nossa, no pub, olharam para nós com muito interesse.

— Obrigado pela força, Lucy — disse Daniel, de forma calorosa. — E eu já soube também, por uma fonte confiável, que você também é muito boa de cama.

— Gerry Baker? — perguntei. Gerry Baker era um colega de Daniel com que eu ficara por alguns dias.

— Gerry Baker — confirmou Daniel, meio sem graça.

— Eu *avisei* a você para não perguntar a Gerry sobre o meu desempenho na cama — reclamei, zangada.

— Mas *eu não perguntei* — protestou Daniel, meio nervoso. — Apenas aconteceu de ele mencionar de passagem que você era boa de cama e...

Um dos operários piscou para mim e disse:

— Eu acredito nisso, querida.

O outro operário pareceu indignado e na mesma hora pediu desculpas a Daniel:

— Sinto muito, amigo, desculpe o meu companheiro. Ele andou bebendo mais do que devia. Não quis faltar ao respeito com a sua namorada.

— Tudo bem — respondi, bem depressa, antes que Daniel se sentisse obrigado a defender a minha honra. — Não sou a namorada dele não.

O que era o mesmo que dizer que estava tudo bem se ele me insultasse.

Os operários sorriram aliviados, mas ainda levou mais algum tempo para convencer Daniel de que eu não me ofendera com eles.

— É *com você* que estou pau da vida — expliquei.

— Mas eu não perguntei nada a Gerry — murmurou Daniel. Ficou com cara de muito envergonhado, como era de esperar. — Ele deixou isso escapar sem querer, e não falou com a intenção de...

— Tá bom, chega — interrompi. — Você está com muita sorte. Estou muito revoltada com o que Karen falou de mim para me preocupar com você e Gerry trocando ideias sobre as minhas calcinhas.

— Gerry sequer *mencionou* suas calcinhas — tranquilizou-me ele.

— Ótimo.

— Pelo que ouvi, você não as usava por tempo suficiente para que ele reparasse nelas...

— Brincadeira... — avisou correndo quando viu o olhar de ódio que lancei para ele.

De volta a Karen, eu disse:

— Ela não está achando realmente que está rolando alguma coisa entre nós dois. Sabe muito bem que somos apenas amigos.

— Exato! — confirmou Daniel na mesma hora. — Foi isso exatamente o que falei para ela, que éramos apenas bons amigos.

E nós dois rimos daquilo, com vontade.

CAPÍTULO 60

Se eu não estivesse tão revoltada com Karen, jamais teria participado da Grande Sessão de Fofocas que aconteceu em seguida.

Aquilo não era uma coisa honrada nem ética, fazer fofoca e meter o malho na minha amiga, colega de apartamento e companheira do sexo feminino. Pior ainda era fofocar com um *homem*. Enfim... sou apenas humana.

Uma bosta na cama, não é? Que cara de pau gigantesca a dela.

É claro que não sai nada de construtivo de um festival de fofocas. Mais tarde eu ia me odiar por aquilo, vocês sabem como é, o que vai sempre volta para nós, o meu carma negativo ia retornar triplicado, pe-re-ré, pe-re-ré e assim por diante. Mas resolvi que conseguia viver com aquele peso.

Fazer fofoca era o mesmo que ir ao McDonald's para a minha psique. Eu não conseguia resistir na hora, e depois de comer sempre ficava com uma sensação de enjoo... E a fome voltava dali a dez minutos.

— Fale-me sobre o namoro de você com a Karen. O que você fez para deixá-la com tanto ódio assim? — perguntei a Daniel.

— Não sei — afirmou ele.

— Imagino que seja o fato de você ser egocêntrico, um canalha egoísta que quebrou o coração dela.

— E eu sou assim, Lucy? É isso o que você pensa de mim? — E fez cara de chateado.

— Bem... É, eu acho.

— Mas, Lucy — insistiu ele. — Eu não sou não. Não sou nada disso. As coisas entre nós não eram desse jeito.

— Então, como é que *era*? Quero saber por que foi que você não falou para ela que a amava — disse, arregaçando as mangas para fofocar melhor.

Ela ia ver só!... Insinuar que sou uma inútil na cama.

— Eu não disse a Karen que a amava simplesmente porque não a amava — suspirou ele.

— Mas, *por que* você não a amava? — indaguei. — O que havia de errado com ela?

Nesse ponto, prendi a respiração. Apesar do que Karen dissera a respeito de Daniel, e de mim, era muito importante que ele não dissesse coisas cruéis a respeito dela, ele tinha de tratá-la com respeito. Era importante que ele se comportasse como um cavalheiro.

Eu não me esquecera de que ele era um homem e, portanto, era basicamente o inimigo.

Por mim estava tudo bem se ele destruísse a reputação de Karen, divulgando alguns segredos bem escolhidos, mas Daniel não tinha permissão de tratá-la de outra forma que não fosse o mais extremo respeito. Pelo menos até que eu resolvesse o contrário.

— Lucy — disse ele com todo o cuidado, escolhendo bem as palavras e olhando para mim, para avaliar a reação em meu rosto. — Não quero dizer nada a respeito de Karen que possa ser mal interpretado e pareça detestável.

Resposta certa.

Nós dois sorrimos, aliviados.

— Compreendo a sua situação, Daniel — afirmei, balançando a cabeça, muito séria.

Pronto, agora já era o bastante de todo aquele papo. Já havíamos observado as formalidades usuais, e a partir daquele instante eu queria saber *tudo* a respeito de Karen. Quanto mais escandaloso, melhor.

— Tudo bem, Daniel — continuei, falando rápido. — Eu não vou interpretar nada errado. Pode me contar tudo.

— Lucy — disse ele, meio constrangido. — Não sei não... Isso não me parece correto...

— Tudo bem, Daniel, você já me convenceu de que é um cara realmente legal — tranquilizei-o.

— Mesmo, de verdade? — perguntou.

— Mesmo — afirmei, sem sinceridade. — Agora quer me contar logo de uma vez a porcaria da história? Daniel, como todos os homens, precisava ser persuadido com paciência. Os homens gostam de apregoar que não é da natureza deles fazer fofocas, mas, como todos sabem, eles adoram arrasar com uma pessoa pelas costas, e quanto mais sangue, melhor.

Os homens me fazem rir quando atiram os olhos para cima e com a maior cara de santinhos dizem "ai, essa doeu!", sempre que uma mulher faz um comentário desagradável sobre alguém. Os homens são *muito mais* fofoqueiros do que as mulheres.

— Lucy, qualquer coisa que eu venha a lhe contar, e veja bem, não estou dizendo que vou contar, não é para você passar adiante para ninguém — afirmou ele, com expressão austera.

— Claro que não — concordei, com a cara séria. Será que Charlotte ainda vai estar acordada quando eu chegar em casa?

— Nem mesmo para Charlotte — acrescentou ele.

Cretino!

— Ah, puxa... deixe pelo menos que eu conte para a Charlotte — pedi, com cara de emburrada.

— Não.

— Por favor.

— *Não*, Lucy. E se você não prometer, não vou lhe contar nada.

— Prometo... — disse, com a voz cantarolada.

Não havia problema. Falar era fácil, e eu não estava sob juramento.

Dei uma olhada rápida em Daniel e reparei que ele mal estava conseguindo manter o rosto sério e compenetrado. Tentava segurar o riso, mas não estava conseguindo. Senti uma onda de satisfação ao perceber que eu ainda era capaz de fazê-lo rir.

— Puxa, Lucy. — Ele respirou fundo e finalmente começou a contar. — Você sabe que não quero falar mal de Karen.

— Ótimo — reagi, decidida. — Nem eu gostaria que você fizesse isso.

Nossos olhos se cruzaram mais uma vez e sua boca se torceu ligeiramente. Ele olhou para os dois lados por cima dos ombros, fingindo avaliar o pub, mas eu sabia que ele estava apenas tentando disfarçar o sorriso.

Fora um erro muito grande de Karen insultar Daniel e a mim ao mesmo tempo, porque aquilo nos unira contra ela. Até que o ferrão das ofensas dela parasse de doer, seríamos aliados. Nada une mais duas pessoas de forma tão completa e dedicada quanto o ressentimento contra uma terceira pessoa.

Finalmente, Daniel pigarreou e começou a falar:

— Vai parecer que estou tentando jogar toda a culpa do que aconteceu nas costas dela — disse ele —, mas Karen na verdade não se importava muito comigo. Ela nem mesmo gostava muito de mim.

— Parece que você está tentando jogar toda a culpa do que aconteceu nas costas dela — olhei firmemente para ele.

— Mas é verdade, Lucy, com toda a honestidade! Ela não estava nem aí para mim.

— Seu mentiroso de cara lavada — debochei. — Ela estava completamente cativada por você.

— Não, não estava — afirmou ele, com um ar amargo que me pegou de surpresa. — Ela estava completamente cativada pela minha conta bancária, ou pelo menos pela conta bancária que ela imaginava que eu tinha. Deve ter confundido o valor total das minhas dívidas com o saldo das minhas aplicações.

— Ah, Daniel, sem essa. Nenhuma mulher sai com um homem por causa do dinheiro dele. Isso é história da carochinha — afirmei.

— Karen saía. Sim, o tamanho era importante para ela. No caso, aqui, o tamanho da minha carteira.

Fiquei com vontade de soltar uma gargalhada, mas me pareceu muito triste.

— E ela vivia tentando me modificar — continuou ele, ainda triste. — Não gostava de mim do jeito que eu era. Ficou desapontada porque descobriu que levou gato por lebre.

— Acho que isso está mais me parecendo a história de um gato que fugiu dela mais depressa do que uma lebre. — Não consegui resistir à piadinha.

— Eu não fiz isso — reclamou ele, ofendido.

— De que modo ela tentava modificar você? — perguntei, bem gentil. Não queria que ele ficasse tão ofendido que parasse de me contar as coisas.

— Ela me dizia que eu não levava o meu emprego muito a sério. Disse que eu devia ser mais ambicioso. E vivia tentando fazer com que eu aprendesse a jogar golfe. Dizia que mais acordos eram fechados no campo de golfe do que numa mesa de reuniões.

— Mas você trabalha com outro lance, na área de pesquisas. Você não *fecha* acordos com ninguém, fecha?

— Exatamente — disse ele.

— E você se lembra de quando a levei para aquela festa com o pessoal do meu trabalho, na última semana de julho?

— Não — respondi, conseguindo morder a língua antes de gritar para ele "como é que eu ia saber *aonde é* que você a levava? Você nem me telefonava mais, para me manter atualizada sobre o que acontecia na sua vida...".

— Bem, Lucy, você precisava ver o jeito como ela se comportou na festa.

Senti um tremor de empolgação e cheguei mais para perto, o mais possível, para ouvir as coisas horríveis que ele estava a ponto de me contar.

— O jeito como ela se jogou em cima de Joe...

— Joe, o seu chefe, *é esse* Joe? — perguntei.

— ... Esse mesmo. Foi horrível, Lucy. Ela praticamente se ofereceu para dormir com ele, em troca de melhores perspectivas de promoção para mim.

— Meu Deus, isso é terrível — disse, ficando vermelha de vergonha por ela. — Logo Joe, entre tanta gente. Você não tentou impedi-la de pagar esse mico?

— *Claro* que tentei, mas você sabe como ela é cabeça-dura.

— Que tortura, meu Deus, que situação. — Torci as mãos de aflição.

— Lucy, morri de vergonha por ela — disse Daniel. Ficou pálido e suado, só de lembrar do caso. — Eu me senti realmente horrível pela situação dela.

— Aposto que sim.

Joe era gay.

Ficamos sentados ali, em silêncio. Nossos pensamentos estavam ocupados por imagens da pobre Karen sacudindo a peitaria diante de Joe, e sacudindo em vão...

— Mas, tirando os problemas da sua carreira e do dinheiro, vocês se divertiam juntos? — quis saber. — Você gostava dela?

— Ah, sim — respondeu ele, com firmeza.

Fiquei calada.

— Bem, ela era uma pessoa legal, acho — e suspirou. — O que ela não tinha muito é senso de humor. Nenhum, na verdade.

— Isso não é verdade. — Senti que *tinha* que falar aquilo.

— Não, você tem razão, Lucy. Ela tinha senso de humor sim. É daquele tipo de pessoa que morre de rir diante de gente que escorrega em cascas de banana.

O sentimento de culpa lutava dentro de mim com a vontade de arrasar com ela.

A culpa venceu a batalha.

— Mas ela é muito bonita. Não é? — perguntei.

— Muito — concordou ele.

— E tem um corpo lindo, não tem? — perguntei, pressionando-o.

Ele me olhou com uma cara estranha.

— Tem — respondeu. — Acho que tem.

— Então, por que você desistiu de tudo isso?

— Porque não estava mais a fim dela.

Soltei uma risada de ironia.

— Rá! Até parece. Uma loura peituda...

— Mas ela era fria — protestou ele. — É o maior corta-tesão quando a pessoa com quem você transa nem mesmo *gosta* de você. Lucy, ao contrário do que você pensa a meu respeito, e a respeito dos homens em geral, peitos grandes e muito sexo não são as coisas mais importantes na minha lista de prioridades. Existem outros fatores também.

— Como o quê? — perguntei, desconfiada.

— Bem, senso de humor é um deles. E também seria legal se eu não tivesse que pagar sozinho por tudo o que a gente fazia.

— Daniel, por que você de repente ficou assim tão estranho com essa história de dinheiro, hein? — Eu estava surpresa. — Não é do seu feitio ser tão pão-duro.

— Não é pela grana, o problema é o dinheiro. — E riu. — Não, Lucy, falando sério, eu não me importo com o dinheiro, mas o problema é que ela jamais se ofereceu, pelo menos, para dividir alguma coisa. Isso é que me deixava injuriado. Seria legal se *ela* tivesse *me* levado a algum lugar e pagado a conta, só para variar.

— Mas talvez ela não tenha assim tanta grana — sugeri, meio em dúvida.

— Não precisava ser um lugar que custasse muito caro. Apenas o gesto já seria o suficiente.

— Mas ela ofereceu um jantar sofisticado para você.

— Não, não foi ela. Você e Charlotte é que fizeram tudo.

Subitamente me voltou à cabeça uma lembrança vívida da terrível "Noite dos Longos Preparativos". Minha integridade se transformara em uma sombra do que era.

— E eu ainda tive que bancar um terço de toda a despesa — lamentei-me.

— Eu também — completou ele.

— O quê? — Dei um guincho. — Não acredito.

Nós realmente tínhamos de admirar a cara de pau de Karen.

— E ela provavelmente obrigou Simon e Gus a pagarem um terço cada um também! — exclamei. — Karen deve ter faturado *uma grana* com aquela porcaria de jantar.

— Mas deve ter passado um sufoco para conseguir arrancar algum dinheiro de Gus — disse Daniel.

Não o mandei calar a boca e deixar Gus fora daquela história. Afinal, passáramos a última hora metendo o pau na ex dele. Era justo que Daniel desse um golpe no meu ex também.

— E ela jamais lê nada, a não ser aquela revista idiota cheia de fotos da Lady Fulana, da condessa Beltrana e da Ivana Trump — acrescentou ele.

— Isso é mau — concordei.

— Eu prefiro aquela que traz artigos sobre homens que querem ter filhos e reportagens do tipo "casei-me com um pedófilo". Como é mesmo o nome?...

— Que revista, a *The National Enquirer*?

— Não, Lucy, aquela outra, uma revista de mulher.

— *Marie Claire*?

— Essa. — Ele ficou entusiasmado. — Eu gosto muito dessa revista. Você leu a reportagem que saiu sobre as mulheres que foram presas por fazer aborto? Acho que foi na edição de fevereiro. Nossa, Lucy, aquilo foi...

Eu o interrompi, dizendo:

— Mas a Karen *lê* a *Marie Claire*! — exclamei, em defesa dela.

— Ah. — Aquilo fez com que ele parasse de falar. Ficou pensativo e calado por algum tempo. — Não... — finalmente disse.

— Não o quê?

— Mesmo assim eu não a amo.

Comecei a rir. Não consegui evitar. Deus ia me castigar por aquilo.

— Acho que, no fundo — explicou Daniel, com ar triste —, é que eu já estava de saco cheio dela.

— De novo? — perguntei.

— O que quer dizer com "de novo", Lucy?

— É que foi exatamente isso que você falou sobre a Graça: que ela o deixava entediado, de saco cheio. Talvez você tenha um limiar de tédio muito baixo.

— Não, não tenho. Você nunca me deixa entediado.

— Nem o seu carro. Mas ele também não é a sua namorada — argumentei, com esperteza.

— Mas...

— E essa misteriosa namorada nova que você ainda não conseguiu levar para a cama... Ela o deixa entediado? — perguntei, de forma simpática.

— Não.

— Ah, dá um tempo, Daniel... Aposto que daqui a três meses você vai estar reclamando comigo sobre o quanto ela é sacal.

— Provavelmente você tem razão — disse ele. — Você geralmente está certa.

— Ótimo. Agora leve-me a algum lugar e me dê comida. Qualquer comida, menos pizza.

Essa fora uma das maiores desvantagens de Gus, seu medo de qualquer rango estrangeiro. A única comida da qual ele não tinha medo era pizza.

Fomos ao restaurante indiano que ficava ao lado do pub.

Queria ficar séria e desabafar um pouco com Daniel a respeito de Gus. O problema é que não consegui fazê-lo ficar quieto para um papo sério. Sempre que eu lhe fazia uma pergunta, ele cantarolava algum provérbio, fazendo trocadilho com o nome da comida. Aquilo, sem dúvida, era muito divertido, mas eu queria falar sobre assuntos sérios, coisas do coração. Do *meu* coração. Mas Daniel não era Gus. Pelo menos havia uma boa chance de ele não me espoliar até o último centavo. Isso era um lado positivo.

— Daniel, você acha que Gus e eu nos víamos demais? — perguntei no momento em que o garçom serviu o arroz *pillau*, feito no forno e acompanhado de pequenos *bhajees* com cebola.

— Não se a-*bhajee* demais que o traseiro aparece — comentou Daniel, colocando os *bhajees* lado a lado. — Não sei como responder a isso, Lucy, não sei mesmo.

Aquele alto astral todo de Daniel parecia um pouco estranho. Mas, não, talvez não fosse. Ele costumava ser assim mesmo, engraçado, antes de minhas amigas começarem a dar em cima dele. Na verdade ele ainda era muito engraçado, mas aquele não era o momento para ficar de brincadeira, meu dever era discipliná-lo. Reconheçamos, ninguém mais conseguiria fazer isso.

— No fundo — continuei —, não acho que o meu problema com Gus tenha sido nos vermos demais, não. Às vezes eu queria ficar com ele menos do que ele queria ficar comigo e...

— Sua vez... — interrompeu ele. — Fale um provérbio.

Olhei para um prato de frango grelhado que o garçom carregava e soltei:

— Quando pobre come frango, um dos dois está doente. — Apontei para o frango que passava para ele saber do que eu estava falando. — E então, Daniel, você acha que vou conseguir superar isso?

— Olhe, aí vem o *korma* que a gente pediu — anunciou ele, apontando para o prato com castanhas, amêndoas, creme de leite e condimentos. — Não devore a comida, *korma* devagar: a pressa é inimiga da refeição — acrescentou ele, chegando o prato para mais perto de mim e afastando-o em seguida. — Claro que você vai conseguir superar a perda de Gus, Lucy. Vamos, é a sua vez de inventar um provérbio.

Olhei para a mesa ao lado e vi um prato de *tarka daal*, lentilhas com alho, gengibre e coentro. Na mesma hora me veio a inspiração:

— Quem *daal* aos pobres ou empresta... adeus. Quando é que você acha que vou superar esse problema, Daniel?

— Deixe-me ver — disse ele, com cuidado. — Vou ter que pensar bastante agora, Lucy. Ah, sim. Já sei.

Meu coração deu um pulo de esperança. Será que Daniel *sabia* quando é que eu ia conseguir superar a perda de Gus?

— Quem não arrisca não pe-*tikka*. Essa foi boa, não foi? — E sorriu.

Fiz cara de quem não entendeu nada.

— *Tikka* de pescado — explicou ele, com toda a paciência, para a minha cara aparvalhada. — Filé de peixe com creme de leite, maçã e champignons.

— Tá bom, mas e quanto ao meu problema com Gus? — perguntei, com a voz fraca. — Ah, que se dane. Não vale a pena tentar levar um papo sério com você. O que é isto aqui?

— Vegetais com molho curry.

— O.k. Quem *curry* cansa, quem anda, alcança.

Ele levou mais um momento para pensar em outro provérbio. Viu no cardápio a descrição de *dhorme de camarão* e anunciou:

— Camarão que *dhorme*, a onda leva.

Parei um garçom que passava e pedi uma porção de *nan*, pequenos pãezinhos indianos. Na mesma hora falei:

— *Nan* se fala de corda em casa de enforcado.

— *Nan* se deixa para ama*nan* o que se pode fazer *depois* de ama*nan* — completou Daniel.

Passamos o resto da noite em convulsões de riso. Sabíamos que estávamos nos divertindo muito porque as pessoas da mesa ao lado foram reclamar de nós com o maître. Nem me lembrava da última vez em que me divertira tanto. Bem, provavelmente fora uma das noites em que saíra com Gus.

Quando cheguei em casa, Karen não estava esperando por mim, já tinha ido dormir.

Essa era uma das grandes vantagens de ela não ter nenhum respeito por mim. Significava que eu podia fazer as coisas debaixo do nariz dela, desobedecendo às suas ordens explícitas, e jamais passaria pela sua cabeça que eu faria isso.

CAPÍTULO 61

Na manhã seguinte, quando cheguei ao trabalho, Megan disse:

— Aquele asqueroso do Daniel acabou de ligar. Disse que vai tornar a ligar mais tarde.

— O que foi que ele fez contra você, Megan? — perguntei, surpresa.

— Nada. — Foi a vez dela de parecer surpresa.

— Então por que você se referiu a ele desse jeito? — Havia um tom de defesa na minha voz.

— Mas é *essa* palavra que você usa para falar dele... — protestou Megan.

— Ah! — Fiquei abalada. — Acho que é mesmo.

Tecnicamente ela estava certa, sem dúvida. Eu era muito cruel quando falava de Daniel, *é claro que sim*, o tempo todo, mas não falava nada daquilo *a sério*.

— É assim que nós duas sempre nos referimos a ele, Lucy — lembrou-me ela. Parecia preocupada, e não era para menos. Quando Megan conheceu Daniel e foi logo afirmando que não gostava muito do gênero supergato que ele fazia e não conseguia ver motivo para tanta empolgação por parte de todo mundo, eu me animei. Ela subiu no meu conceito, como um exemplo de mulher inteligente, e era assim que eu falava dela para quem quisesse ouvir. "Megan disse que Daniel não ia ter a menor chance na Austrália", comentava alegremente com todo mundo, inclusive com o próprio Daniel. "Megan disse que ele é certinho demais, muito arrumadinho, e que ela gosta de homens mais selvagens e rudes do que ele."

Agora, Megan estava preocupada, achando que eu modificara as regras. A temporada de caça a Daniel estava fechada.

Eu não *modificara* regra alguma, pensei, sentindo-me desconfortável, mas me soou estranho ouvir Megan chamar Daniel de asqueroso. Foi horrível, para falar a verdade. Senti como se eu estivesse sendo desleal com ele, especialmente depois de ele ter sido tão legal comigo, além de ter pago pelo jantar.

Nesse momento Meredia entrou, fazendo tudo estremecer, seguida por Jed, e acabei esquecendo o Daniel, porque Jed era muito engraçado. Logo ao chegar ele pendurou o casaco, olhou em volta para Megan, para Meredia e depois para mim, esfregou os olhos e disse:

— Ah, não... Então é tudo verdade, eu não sonhei. Achei que tudo fora um pesadelo. Isso é horrível, HORRÍVEL!

Ele fazia aquilo quase todas as manhãs. Todas nós ficávamos orgulhosas dele.

O dia prosseguia.

Eu mal acabara de ligar o meu computador (o que significa que já deviam ser umas dez para as onze) quando a minha mãe telefonou e disse que estava vindo para o centro da cidade e gostaria de se encontrar comigo.

Não gostei nem um pouco daquilo, mas ela insistiu.

— Preciso lhe contar uma coisa — disse, toda misteriosa.

— Mal posso esperar — respondi, com toda a paciência. As "coisas" que ela precisava me contar geralmente eram a respeito do vizinho da casa ao lado que roubara a tampa de nossa lata de lixo ou dos gatos que tentavam abrir as tampas das embalagens de leite com a unha, embora ela já estivesse cansada de pedir ao leiteiro que fechasse o portão quando saísse, ou algo igualmente devastador.

O toque estranho era ela estar vindo até a cidade. Ela jamais fazia isso, embora morasse a apenas trinta quilômetros do centro de Londres.

Trinta quilômetros e cinquenta anos de distância.

Eu não estava nem um pouco a fim de me encontrar com ela, mas achei que devia, porque não a via desde o início do verão. Não que a culpa fosse minha. Eu tinha ido visitá-la *um monte* de vezes... Bem, uma ou duas, pelo menos, e só encontrara papai em casa.

Concordei em me encontrar com ela para almoçarmos juntas, embora não exatamente nesses termos, pois acho que ela não estava a par do conceito exato de "almoço".

Era uma mulher do tipo "vamos pedir só um chá com sanduíches".

— Encontre-se comigo no pub do outro lado da rua, aqui em frente ao prédio em que trabalho, à uma hora — sugeri.

Mas ela ficou escandalizada com a ideia de se sentar desacompanhada em um pub para esperar por mim.

— O que as pessoas vão pensar? — perguntou, alarmada.

— Tudo bem — suspirei. — Chegarei lá um pouco antes, e então a senhora não vai ter que ficar esperando sozinha.

— Não — disse ela, parecendo em pânico. — Essa ideia é tão má quanto a outra. Imagine uma mulher solteira sozinha em um lugar público.

— O que há de errado com isso? — zombei, começando a contar a ela que eu vivia indo a pubs sozinha, mas resolvi não falar nada, senão ela ia começar a soltas lástimas, do tipo "ai, acabei criando uma garota de vida largada!...".

— Eu queria apenas um lugarzinho qualquer onde pudéssemos tomar uma xícara de chá — tornou a sugerir.

— Tudo bem, então. Tem uma cafeteria perto da...

— Nada que seja muito sofisticado — interrompeu ela, ansiosa, apavorada com a possibilidade de se ver em uma situação do tipo "qual desses cinco garfos devo usar?". Só que ela não precisava se preocupar com isso, pois eu também não me sentia muito à vontade nesse tipo de lugar.

— A cafeteria não é muito sofisticada, não — tranquilizei-a. — É um local bem agradável, relaxe.

— E o que eles servem lá?

— Comida normal — acalmei-a. — Sanduíches, cheesecake, coisas desse tipo.

— Será que tem bolo Floresta Negra? — perguntou, esperançosa. Ela conhecia bolo Floresta Negra.

— Provavelmente — afirmei. — Se não tiver, deve ter alguma coisa parecida.

— E eu tenho que pedir o chá no balcão ou é preciso...?

— A senhora se senta à mesa, mamãe, e a garçonete anota o seu pedido.

— E posso simplesmente ir entrando e me sentar onde quiser ou tenho que...

— Espere até que a moça a acompanhe até uma das mesas vagas — aconselhei.

Quando cheguei, ela já estava sentadinha à mesa, parecendo uma matuta na cidade grande, pouco à vontade, como se achasse que não tinha o direito de estar ali. Usava um sorriso nervoso do gênero "estou bem" e mantinha a bolsa bem apertada debaixo do braço, a salvo dos assaltantes que, segundo ouvira, atacavam em todo lugar em Londres. "Eles não vão se dar bem à minha custa não", era o que suas mãozinhas miúdas pareciam anunciar.

Ela estava um pouco diferente. Emagrecera e exibia uma aparência mais jovem do que de costume. Pelo menos daquela vez Peter acertara: minha mãe fizera algo diferente no cabelo. E ficou bem com o novo penteado, tive de admitir, mesmo a contragosto.

E havia também algo estranho com a sua roupa. Ela era... era... como dizer? Era *bonita.*

Ainda por cima, estava usando batom vermelho. Ela jamais usava batom, exceto em casamentos. E às vezes em funerais, quando não gostava da pessoa que falecera.

Eu me sentei do lado oposto da mesa, em frente a ela, sorri meio sem jeito e me perguntei o que será que ela poderia estar querendo me contar.

CAPÍTULO 62

Ela estava se separando do meu pai.

Era isso que ela queria me contar (não era exatamente o caso de ela querer me contar, seria mais exato afirmar que ela *tinha* de me contar).

O choque me provocou náuseas, literalmente. Fiquei surpresa por ela ter esperado eu pedir um sanduíche antes de me dar a notícia, pois detestava desperdício.

— Não acredito — disse, com a voz rouca, buscando em seu rosto um sinal de que aquilo não era verdade. Tudo o que notei, porém, foi que ela estava usando delineador, com pontinha virada para cima no canto do olho e tudo.

— Sinto muito — disse ela, humilde.

O mundo pareceu desmoronar em volta, e me senti confusa. Eu me via como uma mulher independente, de vinte e seis anos, que já deixara a casa dos pais, construíra a própria vida, e não tinha mais nenhum interesse nas peripécias sexuais que seus pais pudessem estar aprontando. Só que, naquele momento, senti receio e raiva, como se fosse uma menina com quatro anos e abandonada.

— Mas por quê? — perguntei. — Por que a senhora está deixando o papai? Como pode?

— Porque, Lucy, aquele tem sido um casamento apenas de aparência há muitos anos. Lucy, é claro que você já sabia disso, não sabia? — perguntou ela, encorajando-me a concordar.

— Não, eu não sabia de nada disso — respondi. — Para mim é novidade.

— Lucy, mas você deve ter reparado — insistiu ela.

Minha mãe estava exagerando um pouco, me chamando de "Lucy" o tempo todo. Ficava tentando pegar no meu braço, como se estivesse implorando alguma coisa.

— Pois não reparei e não sabia de nada — repeti. Ela não ia conseguir me fazer concordar com ela, não importa o quanto tentasse.

O que estava acontecendo?, perguntei a mim mesma, horrorizada. Os pais das outras pessoas se separavam, mas os meus não. Especialmente pelo fato de os meus serem *católicos*.

Um lar estável era o único motivo de eu ter aturado pais católicos e suas tolices por tanto tempo. Isso era um acordo tácito. Minha parte envolvia, entre outras coisas, ir à missa todos os domingos, jamais usar sapatos de verniz em um encontro e me abster de doces por quarenta dias antes da Páscoa. Em troca, os meus pais tinham de permanecer eternamente juntos, mesmo que odiassem um ao outro profundamente.

— Pobre Lucy... — suspirou ela. — Você jamais conseguiu encarar de frente nada que fosse desagradável, não é? Sempre fugia ou enfiava o nariz em um livro quando a coisa ficava feia.

— Ai, que foda — reagi, zangada. — Pare de pegar no meu pé. A senhora é que é a errada nessa história, sabia?

— Desculpe — disse ela, com toda a gentileza. — Não devia ter falado isso.

Aquilo me deixou ainda mais chocada. Uma coisa era ela me dizer que estava abandonando o meu pai, mas o que acabara de acontecer era algo totalmente inusitado. Não só ela não berrara comigo, ralhando por eu ter soltado um palavrão, como também pediu *desculpas* para *mim*!

Olhei fixamente para ela, paralisada de pavor. A coisa devia ser mesmo muito séria.

— Lucy — tornou ela a dizer, ainda mais gentil —, seu pai e eu já não nos amávamos há anos. Sinto muito que isto represente um choque tão grande para você.

Eu nem conseguia falar. Estava testemunhando o momento da destruição do meu lar e de mim mesma. Meu senso de identidade já era amorfo sem precisar de mais essa. Tinha medo de desaparecer no ar por completo se uma das minhas principais referências de autodefinição se desintegrasse.

— Mas, por que *agora*? — apelei, depois de ficarmos sentadas sem falar nada por alguns momentos. — Se vocês já não se amavam mais há anos, no que não acredito, de qualquer modo, por que a senhora escolheu este momento em especial para largá-lo?

E de repente me bateu o motivo. O penteado diferente, a maquiagem, as roupas novas, tudo começava a se encaixar.

— Ai, meu Deus — disse eu. — Eu não acredito. A senhora conheceu alguém, não foi? Arranjou um... um... namorado.

Ela não me olhou nos olhos, a megera, e senti que acertara na mosca.

— Lucy — implorou ela. — Eu me sentia tão solitária...

— Solitária? — perguntei, sem acreditar. — Como é que a senhora podia se sentir solitária se tinha o papai?

— Lucy, por favor, compreenda — suplicou ela. — Viver com o seu pai era como viver com uma criança.

— Não — reagi. — Não tente colocar a culpa nele. Foi a senhora que criou o problema, a culpa é *sua*.

Ela fixou o olhar nas próprias mãos e não disse nada para se defender.

— Afinal, quem é ele? Quem é esse seu... esse seu... *novo namorado*? — Joguei na cara dela.

— Por favor, Lucy — murmurou ela. Sua suavidade estava me incomodando, eu me sentia muito mais à vontade quando ela me alfinetava e criticava.

— Conte logo — exigi.

Ela ficou me olhando sem dizer nada, com lágrimas nos olhos. Por que não queria me contar quem era?

— É alguém que eu conheço, não é? — perguntei, ligando as antenas.

— Sim, Lucy. Sinto muito, Lucy, jamais imaginei que isso pudesse acontecer...

— Então me diga simplesmente quem é — pedi, com a respiração já curta e ofegante.

— É...

— Sim?

— É o...

— QUEEEM? — quase gritei.

— É o Ken Kearns — revelou ela.

— *Quem?* — Fiquei pensando no nome, meio tonta. Quem é Ken Kearns?

— Ken Kearns. Você o conhece, é o Sr. Kearns, da lavanderia.

— Ah, o *senhor* Kearns — disse, lembrando-me vagamente do velho careca com casaco de lã, sapatos de plástico e dentadura postiça que parecia ter vida própria.

Que alívio. Por mais ridículo que possa parecer, por alguns momentos fiquei morrendo de medo de que o novo namorado de minha mãe fosse *Daniel*. Especialmente por ele andar tão misterioso a respeito de sua nova namorada, e ainda mais com a minha mãe flertando com Daniel quando ele foi visitá-la comigo aquela vez e, depois, pelo jeito de ele falar que a minha mãe era uma mulher bonita...

Ótimo, fiquei feliz por não ser Daniel, mas, fala sério, o *Sr. Kearns, da lavanderia*?! Ela não ia conseguir achar alguém mais horroroso nem que tentasse.

— Deixe ver se entendi isso direito — disse, meio zonza. — O Sr. Kearns, aquele com dentadura postiça grande demais, é o seu novo namorado.

— Ele está trocando a dentadura — comentou ela, cheia de lágrimas.

— Isso me dá nojo — disse eu, balançando a cabeça. — A senhora realmente me deixa enojada.

Ela não gritou comigo nem me repreendeu como normalmente fazia quando eu lhe dizia algo desrespeitoso. Em vez disso, se mostrou toda martirizada e humilde.

— Lucy, olhe para mim, por favor — pediu ela, as lágrimas escorrendo pelos cantos dos olhos. — Ken faz com que eu me sinta uma adolescente, não entende?... Eu sou uma mulher, uma mulher com carências...

— Não quero saber a respeito das suas carências repugnantes, muito obrigada — disse, tentando apagar da minha mente a ultrajante imagem de minha mãe se esfregando com o Sr. Kearns entre os cabides da loja.

Ela continuava sem mover um só músculo para se defender, mas eu a conhecia bem. Mais cedo ou mais tarde ela ia acabar reagindo.

— Lucy, estou com cinquenta e três anos, esta talvez seja a minha última chance de encontrar a felicidade. Certamente você não pode me negar isso, não é?

— A senhora e a sua felicidade. Bem, e quanto a papai? E quanto à felicidade *dele*?

— Eu tentei fazê-lo feliz — defendeu-se ela, baixinho —, mas nada funcionou.

— Conversa fiada — reagi. — A senhora sempre tentou transformar a vida dele em um inferno. Por que cargas d'água não caiu fora alguns anos atrás?

— Mas... — disse ela, com a voz fraca.

— Onde é que a senhora vai morar? — interrompi, sentindo enjoo.

— Com Ken — sussurrou ela.

— E onde é que ele mora?

— Naquela casa amarela em frente à escola. — Ela tentou, mas não conseguiu esconder o tom de orgulho na voz. Ken, o Rei das Lavanderias, pelo visto tinha alguma grana.

— E quanto aos seus votos de casamento? — perguntei. Eu sabia que dizer aquilo era tocar bem na ferida. — E quanto às promessas que a senhora fez, em uma igreja, de que ficaria com papai para sempre, na saúde e na doença, nas horas boas e nas ruins?

— Por favor, Lucy — disse, numa voz quase inaudível. — Não consigo descrever o quanto lutei com a minha consciência. Rezei, rezei tanto, pedindo uma orientação...

— A senhora é uma hipócrita — exclamei. Não que aquilo me importasse em algum nível moral, mas eu sabia que ia atingi-la, e aquela era a minha prioridade. — A senhora me enfiou pela goela abaixo os ensinamentos da Igreja Católica a vida toda. Vivia malhando as mães solteiras e as mulheres que faziam abortos, e acabou fazendo uma coisa tão terrível quanto elas. A senhora é uma adúltera, quebrou o seu precioso sétimo mandamento.

— Sexto — retrucou ela, com a velha cara azeda fazendo uma participação especial na cena.

Ah-ah!! Eu sabia que conseguiria dobrá-la.

— O que foi? — perguntei, com cara de nojo.

— Eu quebrei o *sexto* mandamento. O sétimo é "não furtar", você não aprendeu nada naquelas aulas de catecismo, não é?

— Viu só, viu só? — vociferei, com aquela sensação amarga de triunfo. — Lá vem a senhora de novo, julgando os outros, colocando-se como sentinela moral. Bem, que aquele que não tem nenhum pecado atire a primeira pedra.

Ela levantou a cabeça e torceu as mãos. De volta ao papel de mártir.

— E o que o padre Colm tem a dizer sobre isso? — quis saber. — Aposto que ele não está mais tão amiguinho da senhora agora, depois que a senhora se transformou em uma... em uma... uma *destruidora de lares*.

— E então? — tornei a perguntar, ao ver que ela não respondia.

— Eles me disseram para eu não preparar mais os arranjos de flores do altar — finalmente admitiu. Uma lágrima solitária lhe descia lentamente pelo rosto, deixando atrás de si uma trilha esbranquiçada ao escorrer pela base mal aplicada.

— Fizeram muito bem — bufei.

— E o comitê para obras de caridade não quer mais a torta de maçã que eu sempre fazia para o bazar — disse ela, com outras lágrimas começando a escorrer pela sua face. Seu rosto ficou listrado como um pijama.

— Fizeram muito bem também! — afirmei, enfurecida.

— Acho que eles pensaram que isso podia ser algo contagioso — disse ela, dando um pequeno sorriso. Fiquei olhando com frieza para ela e, depois de alguns segundos, o sorriso se desfez.

— E *que hora* maravilhosa a senhora escolheu para me contar, hein?... — acusei-a, de forma injusta. — Como é que vou poder voltar para o trabalho agora e realizar o meu serviço da tarde com tranquilidade depois de ouvir isso?

Essa alegação era mais do que injusta, porque Ivor estava fora e eu ia passar a tarde toda sem fazer nada mesmo, mas isso não vinha ao caso.

— Lucy, desculpe — pediu ela, baixinho —, mas preferi contar a você logo de cara. Não queria que descobrisse por outra pessoa.

— Tudo bem — disse eu, de forma brusca. — Agora já contou. Agradeço muitíssimo, e agora, adeus.

Não coloquei dinheiro algum sobre a mesa. Ela que pagasse pelo meu sanduíche, já que tinha sido a causa de eu não conseguir comê-lo.

— Espere, por favor — pediu, elevando a voz. — Não vá embora ainda, Lucy, espere mais um pouco. Por favor, me dê a oportunidade de explicar tudo, é só o que lhe peço.

— Então vá em frente — afirmei. — Aposto que isso é bem engraçado.

Ela respirou fundo e começou:

— Lucy, sei muito bem que você sempre amou muito mais o seu pai do que a mim...

Fez uma pausa, para o caso de eu precisar contradizê-la. Continuei calada.

— ... Mas tudo foi sempre muito difícil para mim — continuou. — Eu precisava ser a parte forte, tinha que ser a disciplinadora, porque ele não fazia esse papel. Sei perfeitamente que você o considerava muito divertido, e que eu era a mesquinha e cruel, mas um dos dois tinha que fazer o papel de mãe ou pai de vocês.

— Como ousa?... — reagi. — Papai foi um pai duas, *dez* vezes melhor do que a mãe que a senhora foi.

— Mas ele era tão irresponsável... — começou ela a protestar.

— Não fale comigo a respeito de responsabilidade — interrompi. — E quanto às suas responsabilidades? Quem vai tomar conta do papai? — perguntei.

Embora já soubesse a resposta para essa pergunta.

— Por que alguém deveria tomar conta do seu pai? — perguntou ela. — Ele tem apenas cinquenta e quatro anos, e não tem nenhuma doença.

— A senhora sabe que ele precisa de alguém para tomar conta dele — disse eu. — Sabe muito bem que ele é incapaz de cuidar de si mesmo.

— E qual o motivo de isso ser dessa forma, Lucy? — perguntou ela. — Muitos homens vivem sozinhos, homens muito mais velhos do que o seu pai, e que, no entanto, são capazes de tomar conta de si próprios.

— Mas papai não é como os outros homens, e a senhora sabe disso — argumentei. — Não pense que pode fugir da raia assim tão fácil.

— E por que o seu pai não é como os outros homens? — perguntou ela.

— A senhora sabe por quê — respondi, zangada.

— Não, não sei. Conte-me o motivo.

— Não vou mais ficar aqui conversando sobre esse assunto com a senhora — reagi. — A senhora sabe que papai precisa de alguém que olhe por ele, apenas isso.

— Você não consegue encarar a verdade de frente, não é, Lucy? — perguntou ela, olhando para mim com aquela carinha de santa e os olhos de bichinho sofredor que me deixavam enfurecida. Era pura compaixão fingida aquela cara preocupada de assistente social.

— Não consigo encarar que verdade? — perguntei. — Não há nada para encarar, a senhora está falando coisas ainda mais sem sentido do que de costume.

— Ele é alcoólatra — disse ela, com suavidade. — *É isso* que você não consegue encarar.

— Quem é alcoólatra? — perguntei, enojada das manipulações dela. — Papai *não é* um alcoólatra. Já entendi qual é a sua... Acha que pode xingar o meu pai e dizer coisas terríveis a respeito dele, para que as pessoas possam sentir pena da senhora e digam que é muito correto abandoná-lo. Bem, a mim a senhora não engana.

— Lucy, ele é alcoólatra há muitos anos, provavelmente já era antes mesmo de casarmos, mas eu ainda não conhecia os sintomas naquela época.

— Isso é papo-furado — bufei. — Ele não é alcoólatra, a senhora deve me achar uma perfeita idiota. Alcoólatras são aqueles homens que vagueiam pelas ruas com casacos imundos e barbas grandes, falando sozinhos.

— Lucy, os alcoólatras existem de muitas formas e maneiras diferentes. Aqueles homens que andam pelas ruas são exatamente iguais ao seu pai, a única diferença é que eles têm um pouco menos de sorte.

— Ninguém tem tão pouca sorte quanto uma pessoa que é casada com a senhora — atirei na cara dela.

— Lucy, você nega que o seu pai bebe muito?

— Ele bebe um pouco — admiti. — Por que não deveria beber? A senhora o fez infeliz por todos esses anos. Minhas lembranças mais antigas são da senhora gritando com ele, sabia?

— Desculpe, Lucy — disse ela, com as lágrimas voltando a rolar pelo rosto. — Nossa vida era tão difícil, jamais tínhamos dinheiro algum, seu pai não conseguia arrumar emprego, pegava o pouco dinheiro que eu escondia para comprar comida para você e seus irmãos, e o gastava todo em bebida. Eu era obrigada a ir até a mercearia e dar a eles alguma desculpa esfarrapada, dizendo que não conseguira passar no banco antes de a agência fechar, e eles me vendiam fiado. Eles sabiam muito bem do meu problema, entenda, e eu tinha o meu orgulho, Lucy, sabia? Aquilo não era nada fácil para mim. Tinha sido criada para esperar muito mais da vida do que aquilo.

Ela estava chorando sem parar agora, mas eu não me compadeci. Aquilo não significava nada para mim.

— E eu o amava, amava de verdade — soluçou ela. — Eu tinha apenas vinte e dois anos e o achava lindo. Ele vivia me dizendo que ia parar de beber e eu vivia na esperança de que as coisas fossem melhorar. Acreditava nele todas as vezes, e todas as vezes ele me decepcionava.

E minha mãe foi em frente, desfiando a ladainha, um catálogo de acusações. Contou como ele já estava bêbado na manhã seguinte ao casamento. Relatou como ela entrou em trabalho de parto para ter Chris e teve que ir para o hospital sozinha, porque ele estava sumido, provavelmente caído, bêbado, em algum lugar. Contou como ele ficou nos fundos da igreja durante toda a cerimônia de crisma de Peter, cantarolando: "Os homens do outro lado da cerca"...

Eu não queria nem ouvir. Resolvi que já estava na hora de voltar para o trabalho.

Ao me levantar para sair, disse:

— Sei que a senhora não está nem aí para isso, mas pode deixar que vou cuidar dele. Provavelmente vou fazer um trabalho bem melhor do que a senhora jamais fez.

— Está falando sério, Lucy? — Ela pareceu pouco impressionada.

— Estou.

— Boa sorte, então. Você vai precisar.

— Como assim?

— Você é boa para lavar lençóis? — perguntou, enigmática.

— Do que a senhora está falando?

— Você vai descobrir — encerrou ela, com ar cansado. — Você vai descobrir.

CAPÍTULO 63

Voltei para o trabalho em estado de choque.

A primeira coisa que fiz foi ligar para papai, para me certificar de que ele estava bem, mas ele me pareceu incoerente e confuso, o que me deixou doente de tão preocupada.

— Vou direto para aí assim que sair do trabalho, logo mais, papai — prometi. — Tudo vai ficar bem, por favor, não se preocupe.

— Quem vai tomar conta de mim, Lucy? — perguntou, parecendo muito, muito velho. Senti vontade de matar a minha mãe.

— Eu tomarei conta do senhor — prometi, fervorosa. — Vou cuidar do senhor para sempre, não se preocupe.

— Você não vai me abandonar? — perguntou ele, de forma patética.

— Nunca — afirmei, sincera como jamais fora na vida.

— Você vai passar a noite aqui? — perguntou.

— Claro que vou, vou ficar sempre com o senhor.

Depois liguei para Peter. Ele não estava no trabalho, então presumi que mamãe já tivesse lhe dado a notícia, e ele, um edipiano idiota como nenhum outro, devia ter ido para casa e àquela altura estava deitado em um quarto escuro, esperando morrer de desgosto. Para confirmar minha ideia, liguei para a casa dele, e ele mesmo atendeu o telefone, com uma voz rouca e um pesar profundo. Garantiu-me que ele, também, odiava a nossa mãe. Só que eu sabia muito bem que ele a odiava por motivos totalmente diferentes dos meus e, portanto, não tínhamos nada em comum. Peter estava se sentindo arrasado não pelo fato de minha mãe ter trocado meu pai por outro homem, e sim por ela não ter trocado meu pai por ele.

Em seguida, liguei para Chris e soube que mamãe já o informara da novidade logo de manhã cedo. Fiquei aborrecida por ele não ter me ligado, me preparando com antecedência para o que eu ia ter de enfrentar. Por conta disso, armamos um pequeno barraco pelo telefone, o que foi ótimo, pois consegui tirar papai da cabeça por algum tempo. Chris se mostrou tremendamente aliviado quando eu disse que ia passar a noite com papai. ("Puxa, Lucy, valeu mesmo, vou ficar lhe devendo essa.") Chris e a Responsabilidade não se conheciam muito bem, acho que jamais haviam se encontrado cara a cara.

Depois, liguei para Daniel e contei a ele o que acontecera. Ele era uma pessoa boa para contarmos essas coisas, porque era totalmente solidário. Além do mais, ele sempre demonstrou gostar muito da minha mãe. Eu estava satisfeita por dar a ele a oportunidade de constatar a megera que ela era.

Daniel não comentou nada sobre a minha mãe fujona. Simplesmente se ofereceu para me levar de carro até meu pai.

— Não — recusei.

— Sim — disse ele.

— De jeito nenhum — tornei a recusar. — Estou muito transtornada, não sou uma boa companhia. Além do mais, a viagem é longa e cansativa, e quando eu chegar lá, vou querer ficar sozinha com o meu pai.

— Tudo bem — disse ele. — Mesmo assim, eu gostaria de estar com você.

— Daniel — suspirei —, é obvio que você deve estar precisando de ajuda psiquiátrica, e estou sem tempo agora para lidar com os seus problemas mentais.

— Lucy, seja sensata — disse ele, com firmeza.

Demos uma boa risada diante dessa ideia.

— Daniel, você está me pedindo algo impossível. Pare de criar expectativas inalcançáveis para mim, senão você vai se decepcionar.

— Agora me escute — gritou ele. — Eu tenho carro, é um longo caminho até lá, você vai ter que passar no seu apartamento para pegar algumas roupas e outras coisas. Não tenho nenhum compromisso para hoje à noite. Vou levar você de carro até Uxbridge e não quero ouvir mais recusas, já está decidido!

— Uau! — reagi, divertida e ligeiramente impressionada com ele apesar das circunstâncias terríveis. — Você está parecendo um daqueles heróis machões de romances açucarados! Dê uma olhada em suas coxas. Aposto que elas ficaram todas musculosas só com esse discurso.

Daniel não tinha a menor ideia de sobre o que eu estava falando. Estranho, eu jamais pensara nas coxas de Daniel até aquele momento. Tinha uma vaga suspeita de que elas já eram musculosas. Senti uma espécie de nervoso, e então parei com a zoação.

— Obrigada, Daniel — desisti. — Se realmente não se incomoda, ia ser de muita ajuda se você pudesse me levar até lá.

O terror de mamãe abandonando papai não fizera desaparecer o medo que eu tinha de Karen, ou do que ela faria se descobrisse que Daniel estava me acompanhando até Uxbridge. Para sorte minha, ela ainda não havia voltado do trabalho quando Daniel e eu saímos do apartamento.

Passamos no supermercado, a caminho de casa, para comprar mantimentos para o papai. Gastei uma fortuna, comprando tudo o que lembrava que talvez ele gostasse. Guloseimas, bolinhos de frutas, macarrão de letrinhas, tortinhas inglesas, mães-bentas, balinhas coloridas e uma garrafa de uísque. Não ligava a mínima para o que a minha mãe dissera sobre ele ser alcoólatra. Não acreditava naquilo. E mesmo se acreditasse, não me importava. Teria dado a ele *qualquer coisa* que o fizesse se sentir um pouco melhor, sabendo que ainda havia alguém que o amava.

Ia montar um novo lar para ele, todo feito de amor, pensava eu, com zelo missionário.

Estava até gostando daquilo. Ia mostrar à minha mãe como é que se fazia.

Ao chegarmos lá, Daniel e eu encontramos papai jogado em uma poltrona, bêbado e choroso. Fiquei abalada ao vê-lo assim tão aborrecido, porque, de certa forma, achava que ele ia ficar feliz por mamãe ter caído fora da sua vida, deixando-o em paz. Quase esperava encontrá-lo aliviado, já que agora íamos ser apenas ele e eu.

— Pobre papai, pobrezinho. — Larguei as sacolas em cima da mesa e corri para onde ele estava.

— Ah, Lucy — disse ele ao me ver, balançando a cabeça lentamente. — Ah, Lucy, o que vai ser de mim agora?

— Vou tomar conta do senhor. Olhe aqui, tome um drinque, papai — sugeri, fazendo gestos para Daniel pegar a garrafa de uísque.

— Puxa, seria muito bom, Lucy — concordou papai, com o rosto tristonho. — Seria ótimo.

— Tem certeza, Lucy? — perguntou Daniel, baixinho.

— Não comece... — sussurrei, irritada. — A mulher dele acabou de abandoná-lo, deixe-o beber a porcaria de um drinque.

— Calma, Lucy — disse ele, pegando uma garrafa vazia de uísque ao lado da poltrona onde papai estava e estendendo-a na minha direção. — É que eu simplesmente não quero matar o seu pai.

— Mais uma dose não vai fazer mal — afirmei, teimosa.

Subitamente, senti pena de mim mesma e de papai. Antes de perceber o que estava acontecendo, já estava tendo um pequeno chilique.

— Pelo amor de Deus, Daniel! — berrei. Então saí da sala e bati a porta atrás de mim.

Escancarei a porta do quarto “bom” que dava para a rua e me atirei, no auge do chilique, em cima do sofá “de boa qualidade” que havia ali, com estrutura de metal e forrado de veludo cotelê. Aquele quarto vivia fechado, à espera de visitas. Como jamais tínhamos visitas, porém, ele permanecia intacto e imaculado, nas mesmas condições em que fora montado, em 1973. Era como entrar no túnel do tempo.

Sentei-me e comecei a chorar, sentindo-me ao mesmo tempo ousada por estar sobre o sofá bom, reservado apenas para padres e parentes da Irlanda, que eram os únicos autorizados a sentar ali. Em poucos momentos Daniel entrou, como eu já sabia que faria.

— Já serviu o drinque a ele? — perguntei, em tom de acusação.

— Já — afirmou ele, passando a mão por sobre a mesinha com tampo de vidro fumê. Sentou-se a seguir no sofá fossilizado. Colocou o braço em volta do meu ombro, como eu sabia que ele faria. Daniel era bom para aquele tipo de coisa, era simpático e previsível. Eu sempre tinha certeza de que ele faria a coisa certa.

Então ele me puxou para junto dele e colocou-me no colo, com uma das mãos em volta dos meus ombros e a outra por trás dos joelhos. Eu não esperava aquilo, mas fiquei feliz em aceitar. Um monte de demonstrações de carinho, era disso que eu estava precisando.

Eu me permiti aproveitar o momento e me aninhei nos braços dele, chorando mais um pouco. Daniel era ótimo para chorarmos e desabafarmos, porque havia algo de muito tranquilizador e protetor nele. Deixei-me levar e enfiei o rosto no ombro do terno dele, enquanto ele levantava a mão e me fazia um cafuné carinhoso, enquanto falava coisas como "pronto, pronto, Lucy, não chore...". Foi muito agradável.

Ele tinha um cheiro gostoso. Meu nariz estava grudado no pescoço dele e o seu perfume era envolvente. Másculo e doce.

Muito sexy, na verdade, avaliei, com surpresa. Pelo menos *seria* sexy se não estivesse vindo de Daniel.

Distraída, me pus a imaginar como seria o gosto dele. Na verdade, eu estava tão junto dele que tudo o que tinha de fazer era colocar a ponta da língua para fora e lamber a pele do seu pescoço.

Parei com aquilo na mesma hora. Não podia sair por aí lambendo homens, mesmo sendo apenas Daniel.

Ele continuava acariciando o meu cabelo com uma das mãos e enfiou a outra por trás da minha nuca, onde começou a fazer uma espécie de massagem gostosa com o polegar e o indicador.

Suspirei e me senti ainda mais relaxada junto dele. Era maravilhoso, muito tranquilizante.

Hummmm, pensei, sentindo um conforto agradável e um ligeiro tremor por dentro. Gostoso e assim meio...

De repente me toquei de que não estava mais chorando. Entrei em pânico, compreendendo que precisava me soltar dos braços de Daniel imediatamente. Eu só deveria me aconchegar a homens com os quais estivesse emocionalmente envolvida, ou se estivesse consolando algum amigo, e não era o caso ali. Estava nos braços de Daniel sob falsos pretextos, pois minha fragilidade se acabara junto com as lágrimas.

Torcendo para ele não achar que eu era ingrata, tentei me desvencilhar dos braços dele.

Ele sorriu para mim, seu rosto junto do meu, como se soubesse de algo que eu desconhecia. Ou talvez algo que eu *deveria* saber.

Às vezes a beleza de seu rosto, do tipo que se via a toda hora em revistas, me deixava irritada e chateada, pensei. E os dentes dele pareciam mais brancos do que de costume, ele devia ter ido ao dentista há pouco tempo. Aquilo me irritava também.

Senti um calor desconfortável, não sabia por quê.

Devia ser por havermos chegado a um estado esquisito de explosão emocional. A enxurrada de felicidade ou tristeza já passara, e ficar ali de mãos dadas, ou abraçados, ou vertendo um restinho de lágrimas ou qualquer coisa desse tipo se tornou terrivelmente embaraçoso. Talvez por isso é que eu sentia que precisava escapar dele, pensei, em busca de uma razão para o sentimento.

Não me sentia muito à vontade com demonstrações explícitas de afeto.

Pelo menos não quando estava sóbria.

Daniel, porém, nem parecia notar que eu queria escapar dos seus braços. Tentei empurrar o corpo para fora do círculo dos braços dele, mas nada aconteceu. Outra onda de pânico me atingiu.

— Obrigada — funguei, olhando para ele e tentando fazer o agradecimento soar bem normal. E, mais uma vez, torci o corpo, em uma nova tentativa de me afastar dele. — Desculpe pela cena, Daniel.

Eu *tinha* de escapar dali, pensei, de modo frenético. Estava me sentindo sem graça e estranha nos braços dele, embora não fosse o tipo normal de estranheza e embaraço.

Ele estava me deixando *perturbada.*

Comecei a perceber uma porção de coisas nele que não reparara durante os momentos em que estava ocupada, chorando.

Como, por exemplo, o fato de ele ser tão *grande.* Eu estava acostumada com homens menores. Era diferente ser abraçada por alguém tão grande quanto Daniel.

Diferente assim, no sentido de *aterrorizante.*

— Não se desculpe — disse ele.

Fiquei esperando que ele me lançasse um sorriso meio debochado, mas isso não aconteceu. Ele continuou olhando para mim com olhos sombrios e sérios, e não se moveu.

Olhei fixamente para ele de volta. Uma tranquilidade baixou entre nós. Uma espera. Momentos antes, eu sentira segurança. Agora eu sentia tudo, menos isso. E não conseguia prender a respiração, estava toda ofegante.

Daniel se inclinou ligeiramente e dei um pulo. Mas ele estava apenas afastando o cabelo que me caíra sobre a testa. O toque de sua mão lançou um arrepio que me percorreu o corpo todo.

— Mas eu tenho que me desculpar — consegui balbuciar, nervosa, incapaz de encará-lo. — Você me conhece. Sabe que adoro me sentir culpada.

Ele não riu.

Mau sinal.

E continuou agarrado, sem me soltar.

Um sinal ainda pior.

Para o meu horror, senti um poderoso surto de atração sexual por ele, que quase me derrubou do seu colo.

Fiz mais uma tentativa para me desvencilhar dele.

Acho que não me esforcei o bastante.

— Lucy — disse ele, colocando a mão no meu queixo e levantando bem de leve o meu rosto, para me obrigar a olhar para ele. — Eu não vou soltar você; portanto, pare de tentar escapar.

Ai, meu Deus, pensei. As cartas estavam abertas em cima da mesa. Não estava gostando do tom de sua voz. Bem, na verdade estava gostando sim, até muito... Se eu não estivesse tão apavorada sobre o que aquilo significava, teria adorado até.

Algo de muito estranho estava rolando ali. Por que a Atração Sexual estava batendo à nossa porta, chamando a mim e a Daniel para brincar lá fora? Por que logo agora?

— Por que você não vai me soltar? — gaguejei, olhando para ele, tentando ganhar tempo. Fiquei vagamente distraída pelas pestanas dele. Eram indecentes de tão longas e grossas. E a boca de Daniel sempre fora assim tão sexy? Ele estava com uma cor linda na pele, levemente bronzeada em contraste com a brancura da camisa.

— Porque — explicou ele, olhando para mim — eu quero você.

Caraca! Minhas entranhas se retorceram todas com uma espécie de emoção apavorada. Estávamos chegando perto de um limite, prestes a cruzar a fronteira de uma terra desconhecida. Se eu tivesse um pingo de bom senso, iria dar um basta naquilo, naquele exato momento.

Só que não tinha senso algum. Não consegui me segurar.

E, mesmo que quisesse, certamente não conseguiria *impedi-lo*.

Por séculos antes de acontecer, eu já sabia que ele ia me beijar.

Seu rosto pairou no ar, nossas bocas quase se tocando, aproximando-se cada vez mais, milímetro a milímetro.

Durante anos o seu rosto fora tão familiar para mim, e agora ele me parecia um estranho, um estranho muito atraente.

Era aterrorizador.

De um jeito muito gostoso.

Finalmente, quando meus nervos já estavam retesados a ponto de eu gritar, e eu tinha certeza de que não aguentaria esperar nem mais um segundo, ele inclinou a cabeça e colocou os lábios sobre os meus. Seu beijo me inundou por dentro como uma bebida borbulhante.

Retribuí o beijo.

Porque — é uma vergonha admitir isso — eu *queria* beijá-lo também.

Detestei a situação, porque foi maravilhoso.

Foi o beijo mais fantástico que experimentara em toda a minha vida, e vinha de Daniel. Que coisa horrível sentir aquilo. Se ele descobrisse, seu ego ia entrar em órbita. Tinha de cuidar para que ele jamais ficasse sabendo disso, pensei na hora.

Reparei em um monte de coisas nas quais jamais reparara. Notei como as costas dele eram largas e firmes, enquanto passava as mãos ao longo do tecido encorpado de seu terno.

Não era de admirar que ele soubesse beijar assim tão bem, considerando-se a sua prática, pensei, enquanto tentava me afastar aos poucos.

Então ele tornou a me beijar e eu pensei: Ah, o mal já está feito mesmo; perdido por um, perdido por mil, é melhor aproveitar de uma vez.

Ele era delicioso. Tinha uma boca perfeita e a *pele* era suave. Tinha um cheiro sexy de almíscar.

Era um *homem*, um homem de verdade.

Ai, meu Deus, pensei na mesma hora... Nunca vou superar essa mancada.

Ele jamais vai me deixar esquecer esse mico. Que vergonha. Depois de todas as zoações que eu fizera com ele, por sua galinhagem.

Se eu não estivesse tão ligada, poderia até cair na risada por tudo aquilo.

Karen ia me matar, percebi. Já podia me considerar morta.

Como permiti que isso acontecesse?, perguntei a mim mesma, chocada.

Mas... como conseguiria evitar?

Todos esses pensamentos entravam por um lado, passavam voando pela minha cabeça e saíam pelo outro lado, enquanto meu desejo por ele ia aumentando a cada vez.

De vez em quando uma vozinha lá no fundo me lembrava: "Sabe quem é esse cara? Esse é o *Daniel*, caso você ainda não tenha reparado. E já se ligou no *lugar* em que vocês estão? Sim, exatamente, vocês estão no quarto bom da casa. Em cima do *sofá do padre Colm.*"

Eu tremia por dentro, completamente a fim dele. Queria transar com ele ali mesmo, naquela hora, no sofá do padre Colm e com papai no cômodo ao lado. Não me importava.

Tudo o que Daniel fazia era me *beijar*. Beijava minha boca e me acariciava nos lugares mais recatados. Eu não sabia se estava impressionada ou chateada por ele não estar tentando me palmear toda, nem me empurrar de costas no sofá, enfiando a mão por baixo da minha saia.

Finalmente ele se afastou de mim e disse:

— Lucy, você não imagina há quanto tempo eu esperava por isso.

Tínhamos que reconhecer: ele era bom naquilo. Parecia intenso e apaixonado. E parecia *lindo*! Suas pupilas estavam totalmente dilatadas. Seus olhos estavam quase pretos e seu cabelo estava todo em desalinho, muito sexy, bem diferente do visual bem penteado de sempre. A expressão do seu rosto é que era o melhor de tudo: ele parecia mesmo um homem apaixonado ou, pelo menos, cheio de tesão.

Não era de espantar que tantas mulheres ficassem caidinhas por ele.

— Tá bom, Daniel... — reagi, com a voz trêmula, tentando sorrir — ... aposto que você fala isso para todas as garotas.

— Não, estou falando sério, Lucy — disse ele, com a voz séria e um tom sério, olhando para mim com seriedade.

— Eu também — disse, em um tom leve.

A sanidade, pelo jeito, já começava a voltar, relutante, para a minha cabeça inconstante. Embora todo o meu corpo continuasse tremendo de desejos não saciados.

Olhei para Daniel, querendo acreditar nele, embora soubesse que jamais poderia.

Ficamos sentados lado a lado, um pouco mais separados, ele parecendo triste, eu parecendo triste, mas ainda em seus braços, sabendo que já ficara ali tempo demais, mas sem querer ir embora.

— Por favor, Lucy — disse ele, colocando as duas mãos no meu rosto, segurando-o com tanto carinho e cuidado como se a minha cabeça fosse um balde de ácido sulfúrico transbordante.

Nesse momento a porta se abriu e papai entrou no quarto, cambaleando. Embora Daniel e eu tenhamos dado um pulo para cima, como se fôssemos ágeis cabritos, papai conseguiu perceber o que estava rolando e fez uma cara de choque e aborrecimento.

— Meu bom Deus — rugiu. — Vocês estão se agarrando, é?... Esta casa virou Sodoma e Begorra.

CAPÍTULO 64

Minha vida mudou muito nos dias que se seguiram. De uma hora para outra eu tinha uma casa nova, ou uma velha, dependendo do ponto de vista. Resolvera dar a notícia de imediato para as amigas do apartamento, pois estava louca para começar logo a minha nova vida, ansiosa para mostrar a todos o quanto eu estava comprometida com aquilo.

Alguém tinha de se mudar para a casa de meu pai, para tomar conta dele. Eu era a candidata óbvia.

Mesmo que Chris e Peter tivessem se oferecido, eu teria insistido em assumir o lugar, por mim mesma. Não que eles *tivessem* se oferecido, os patifes preguiçosos. Ficaram indignados diante da possibilidade. Até que ia ser muito bom para qualquer um dos dois. Minha mãe sempre fizera tudo por eles, desde o dia em que nasceram, e devido a isso eles mal sabiam preparar um banho, muito menos administrar uma casa. Era um milagre que tivessem conseguido aprender a dar laço no cadarço dos próprios sapatos. Não que eu fosse muito melhor na área de prendas do lar, porém, de algum modo, conseguia me virar. E estava disposta a *aprender* como preparar iscas de peixe, pensava, arrebatada. Seria um trabalho de puro amor.

Todo mundo tentou me convencer a não voltar a morar em Uxbridge. Karen e Charlotte não queriam que eu fosse embora, quanto mais não fosse, pela trabalheira que ia dar ter de arrumar uma nova pessoa que servisse para dividir o apartamento.

— Mas não há nada de errado com o seu pai — comentou Karen, intrigada. — Muitos homens conseguem viver por conta própria. Por que você tem que ir *morar* com ele, literalmente? Não dá para passar lá dia sim, dia não, sabe com é, pedir a um vizinho para ficar de olho, revezar com os seus irmãos, esse tipo de coisa?

Eu não ia conseguir explicar o problema a Karen. Fazer as coisas pela metade não ia me satisfazer, eu tinha de resolver tudo direito. Resolvera me mudar de volta para aquela casa, a fim de cuidar do meu pai como ninguém jamais cuidara dele, como sempre deveria ter sido. Estava *contente*, satisfeita por tê-lo todinho para mim, íamos ser apenas nós dois. Estava me sentindo amarga e zangada com a minha mãe por sua leviandade, mas isso era de esperar dela. Sentia alívio por ela ter saído de cena, finalmente.

— Mas deve ser horrível para você voltar a morar com seus pais — disse Charlotte, parecendo horrorizada. — Quer dizer, pai... — acrescentou ela, depressa. — Pense só, Lucy, como é que você vai conseguir transar com seus namorados? Não tem medo de que seu pai entre enfurecido no quarto, pegue você no ato e comece a berrar, dizendo que você não pode fazer esse tipo de coisa debaixo daquele teto?

— Será que ele vai determinar a que horas você vai ter que chegar em casa? — continuou ela, jogando conversa fora, sem reparar que eu estava me encolhendo toda. — Será que ele vai dizer "você não pode ir para a rua vestida desse jeito" ou "parece uma prostituta com essa maquiagem toda" e outras coisas desse tipo? — perguntou. — Você pirou.

O problema de Charlotte é que ela conseguira escapar da casa dos pais há pouco tempo. As lembranças de viver sob o jugo do pai ainda estavam muito frescas em sua cabeça. Ela ainda estava curtindo a liberdade recém-adquirida. Isto é, nos dias em que não se sentia à beira do suicídio, corroída pela culpa.

— E se o seu pai arrumar uma nova namorada? — continuou ela. — Não vai ser nojento se você entrar em casa e pegá-lo no flagra, transando?

— Mas... — tentei interromper. A ideia do pobre papai arrumando uma namorada nova era quase cômica. Tão engraçada quanto a ideia de eu mesma começar a namorar alguém.

Um namorado não estava no cardápio. O beijo em Daniel fora um fato isolado. Uma chance única que jamais se repetiria na vida. Venham, corram todos, porque o produto está acabando!

Naquele dia, depois que papai nos pegou em pleno pós-beijo, olhou para nós com os olhos vidrados, por algum tempo. Ficamos encolhidos, como devíamos, debaixo do seu olhar de desaprovação. Então ele se retirou do quarto, enquanto Daniel e eu nos recompúnhamos. Esperei um pouco para meu coração disparado voltar ao normal e minha respiração se acalmar. Daniel esperou um pouco para a sua ereção baixar e ele voltar a caminhar direito (descobri isso algum tempo depois).

Ficamos sentados lado a lado no sofá, a imagem perfeita de uma timidez muda.

Fiquei com vontade de morrer.

Tudo aquilo era tão horrível.

Ficar me esfregando com Daniel! *Me esfregando* com Daniel. Me esfregando com... *Daniel.* E ser pega no flagra por papai, que humilhação. Uma parte de mim sempre ia ter catorze anos.

De qualquer modo, eu estava em estado de choque, com mamãe abandonando papai. E, de certo modo, estava *além do choque* por Daniel ter se agarrado comigo.

Aquilo era esquisito demais só de pensar.

Não sei explicar por que razão ele teve um efeito tão grande em mim. Decidi que estava provavelmente me sentindo vulnerável, devido à desintegração da unidade familiar.

Quanto aos motivos do Daniel, bem, quem sabe? Ele era um homem, eu era uma mulher (bem, mais ou menos, no fundo eu me sentia mais como uma garotinha). Acho que, basicamente, eu simplesmente *estava ali.*

Tudo ficou bagunçado na minha cabeça, era muita agitação para um dia só, e eu queria que Daniel e eu voltássemos ao normal. A melhor maneira de fazer isso era *agir* de forma normal. Assim, resolvi insultá-lo:

— Você se aproveitou de mim — resmunguei. — Seu canalha, grosso — acrescentei, só por garantia.

— Eu me aproveitei? — perguntou ele, surpreso.

— Isso mesmo — reagi. — Você sabia que eu estava abalada por causa do pobre do meu pai. E então me insultou com aquele papo suave que costuma jogar para cima de todas as garotas e me agarrou.

— Desculpe — disse ele, parecendo horrorizado. — Não foi essa a minha intenção.

— Esquece — suspirei, com cara de virtuosa. — Vamos simplesmente esquecer o que aconteceu. Mas não podemos deixar que aconteça de novo.

Aquilo era maldade minha, eu bem sabia, porque a culpa era dos dois, para dançar o tango são necessárias duas pessoas etc. etc., mas eu já estava com a cabeça cheia demais, e não precisava ficar encucada tentando decidir se gostava dele.

Não ia mais pensar naquilo, resolvi. Eu era boa nessa história de não pensar nas coisas desagradáveis.

Naquela época eu nem desconfiava do quanto era boa nisso.

Depois de uns dez minutos, Daniel saiu de fininho, morrendo de vergonha. Papai ficou na porta, quase sacudindo os punhos pelas costas dele enquanto o observava ir embora, até se certificar de que Daniel já fora de vez. Nós não chegamos nem a oferecer a ele uma xícara de chá de despedida. Minha mãe ia se virar no túmulo se soubesse disso.

Eu torcia para que isso acontecesse.

CAPÍTULO 65

Daniel apareceu em Uxbridge para me ver uns dois dias depois do episódio do grande amasso. Eu estava tão envergonhada e confusa que ficaria feliz se nunca mais tornasse a vê-lo, mas ele havia me perturbado.

Primeiro, telefonou para o meu trabalho, logo no dia seguinte, e me pediu que o encontrasse para almoçar. Eu lhe disse que não queria.

— Por favor, Lucy — tornou a pedir.

— Por quê? — perguntei. — Ah, não!...

— Ah, não o quê?

— Se vier me dizer que nós precisamos conversar, eu mato você — avisei.

Megan, Meredia e Jed levantaram a cabeça tão depressa que quase ficaram vesgos de tão interessados.

— Na verdade, precisamos realmente conversar — disse Daniel — a respeito do seu apartamento.

Meu apartamento?

— O que é que tem o meu apartamento? — Estava surpresa.

— Pelo menos me deixe falar com você.

Aquilo era, evidentemente, uma desculpa, mas resolvi deixar a coisa rolar.

— Passe lá em casa amanhã à noite, então — concordei, finalmente.

Para minha preocupação, me senti animada e feliz diante da perspectiva de vê-lo. Tinha de parar com aquilo.

— Eu passo aí e a pego depois do trabalho — ofereceu ele.

— Não — reagi, depressa. De jeito nenhum eu ia querer aguentar uma viagem inteira de metrô com ele. Ia acabar sofrendo combustão instantânea de tão embaraçada que ia ficar.

Assim que coloquei o fone no gancho, Megan, Meredia e Jed caíram em cima de mim como urubus.

— Quem era?

— Era Gus?

— O que está havendo?

— Você e ele estão transando de novo? — clamaram.

Eu estava tremendamente nervosa enquanto esperava a chegada de Daniel.

Minha cabeça ficava pesando os prós e os contras... Bem, na verdade, os contras e os contras de tudo aquilo. Ficar de amassos com Daniel fora um grande erro. Qualquer esfrega-esfrega adicional seria levar a falta de cuidado ao extremo.

Tudo bem, eu achava que estava gostando dele, mas sabia que não era verdade.

O choque de ver minha mãe abandonar meu pai tinha confundido as minhas emoções, e eu simplesmente *estava achando* que gostava dele.

O beijo de Daniel fora o resultado de um conjunto de circunstâncias muito incomuns.

Vamos encarar os fatos de forma objetiva, pensei, enquanto escovava os cabelos com força. Papai me olhava com olhar terno. Não ficaria tão terno quando descobrisse para quem eu estava escovando os cabelos.

De um lado, lá estava eu, imaginei, de forma teatral. Confusa, vulnerável, carente, uma criança recém-saída de um lar destroçado, pronta para se apaixonar pela primeira pessoa que lhe oferecesse um pouco de afeto.

Do outro, estava Daniel. Um homem habituado a muito sexo, e que já não transava há alguns dias. Devido a isso, naturalmente, ele não era muito exigente a respeito de quem agarrar. Eu estava bem ali... e ele me agarrou.

Viu só? Uma prova de que ele era pouco exigente.

Além do mais, Daniel era um homem que adorava um desafio. O que Karen me revelara aos gritos na noite de domingo serviu para confirmar o que eu sempre soube: Daniel era capaz de tentar agarrar a própria mãe se sentisse que ela ia reagir e brigar com vontade.

Mas não vou sucumbir, pensei, com ar sombrio.

Pelo menos naquela vez eu ia resistir ao impulso autodestrutivo. *Não ia* me interessar por Daniel. Ia bancar a diferente.

Assim que abri a porta da frente para ele, minha resolução de não me interessar por ele fraquejou, depois se dissolveu. Ele estava lindo, muito atraente, o que foi uma espécie de choque desagradável. Como era possível ele me parecer tão sexy de uma hora para outra? Ele jamais conseguira passar essa impressão antes. Pelo menos não para mim. Para meu grande desapontamento, me comportei de forma assanhada, parecendo uma garotinha tímida, rindo feito uma idiota.

— Oi — cumprimentei, encarando o nó da sua gravata.

Ele se inclinou para me beijar, e um berro veio lá de dentro da cozinha:

— Ei, você! — Era papai. — Deixe minha menininha em paz, seu verme.

Daniel recuou na mesma hora. Eu me senti como uma pessoa faminta que acabara de ver um saco de batatas fritas passar bem debaixo do seu nariz para depois ser recolhido.

— Entre — convidei, falando para o colarinho dele.

Eu estava terrivelmente sem graça. Ao guiá-lo pelo vestíbulo, bati com o quadril de forma violenta na quina da mesinha do telefone, mas fingi que não doeu. Não queria que ele oferecesse um beijinho para a dor passar, porque eu ia acabar aceitando.

— Tire o paletó. — Encarei o bolso do terno.

Fiquei revoltada pelo efeito que ele estava conseguindo sobre mim. Estava na cara que eu tinha dificuldades para respirar direito, embora apenas por alguns instantes, é claro. A causa era a separação dos meus pais, mas mesmo assim eu não podia dar bandeira.

Resolvi que não ficaria a sós com ele e, depois que ele fosse embora, jamais ia revê-lo, nunca mais, ia manter a decisão para sempre. Bem, talvez não para sempre, mas pelo menos por um bom tempo. Até eu voltar ao meu normal, o que quer que isso significasse.

Como parte do meu plano astuto, forcei Daniel a ir para a cozinha, onde meu pai estava sentado, de antenas ligadas.

— Boa-noite, Sr. Sullivan — cumprimentou Daniel, nervoso.

— Você tem mesmo a maior cara de pau, não é, rapaz? — rugiu papai. – Voltar aqui depois de ter se comportado como se a minha casa fosse um... fosse um *puteiro*.

— Por favor, papai. — Eu estava morrendo de vergonha. — Não vai tornar a acontecer.

— É preciso ter colhões de aço para agir com esse descaramento — murmurou papai.

Então, graças a Deus, ele calou a boca.

— Você gostaria de uma xícara de chá? — perguntei ao ombro de Daniel.

— Quando é que você vai servir os crepes? — interrompeu papai, sem a menor cerimônia.

— Que crepes?

— Sempre comemos crepes às quartas.

— Mas hoje é quinta.

— Ah, é? Bem, então, quando é que você vai servir o cozido? — E olhou para mim com ar desolado.

— Desculpe, papai, prometo entrar na rotina da casa a partir da semana que vem. Dá para nos ajeitarmos com uma pizza hoje à noite?

— Uma pizza daquelas que as pessoas pedem pelo telefone? — subitamente ele se interessou.

— Claro. — Que outro tipo poderia haver?, perguntei a mim mesma.

— Não é uma daquelas congeladas? — O olhar esperançoso que exibiu era de cortar o coração.

— Nossa, não.

— Ótimo — afirmou, com alegria. — E podemos tomar uma cervejinha para acompanhar?

— Claro.

Desconfiei que ele estava realizando um antigo sonho. Minha mãe teria torcido o nariz diante de uma extravagância como aquela.

Quando liguei para a pizzaria, papai insistiu em falar pessoalmente com o homem que preparava as pizzas, a fim de discutir quais os ingredientes disponíveis.

— O que são anchovas? Ah, é? Então vou querer um pouco sim, claro. O que são alcaparras? Ah... pode espalhar um pouco disso, então. Escute, você acha que as anchovas (ele pronunciava *heinchovas*) vão combinar com o abacaxi?

Eu tinha de reconhecer a paciência de Daniel, embora continuasse sem conseguir olhar nos seus olhos.

Quando as pizzas e as cervejas chegaram, nós três nos sentamos em torno da mesa da cozinha. Tão logo acabou de comer, papai recomeçou a olhar fixamente para Daniel. A tensão era insuportável.

Papai não olhava direto para Daniel. Olhava com cara feia sempre que Daniel estava olhando para outro lugar, mas desviava o olhar depressa na hora em que Daniel jogava os olhos nele. Daniel desconfiou que meu pai estava lhe lançando olhares ameaçadores, e tentou pegar papai no ato. Ficava bebendo a cerveja, descontraído e então, em um microssegundo, girava a cabeça e olhava para papai, a fim de flagrar a careta. Nesse instante, em outro microssegundo, papai também girava a cabeça e molhava o bico na cerveja com a cara mais inocente, parecendo um anjo.

Aquilo rolou durante horas. Pelo menos foi assim que me pareceu.

A atmosfera estava tão carregada que, quando acabamos com a cerveja, entramos com a maior disposição no uísque.

Nas poucas vezes em que papai se virava para gritar insultos para algum político que aparecia na televisão (coloque a língua para fora, para vermos como ela está preta de tanta mentira que você fala!), Daniel fazia um monte de caretas e gestos enérgicos com a cabeça, indicando a porta e sugerindo que saíssemos dali e fôssemos para outro cômodo da casa. Provavelmente a sala de estar, para um repeteco do esfrega-esfrega.

Eu o ignorava.

Finalmente, porém, meu pai resolveu ir para a cama.

Todos nós já estávamos bem altos a essa altura.

— Você vai ficar aqui a noite toda? — papai quis saber, dirigindo-se a Daniel.

— Não — respondeu ele.

— Bem, então, caia fora — enxotou ele, se levantando.

— O senhor se importaria se eu trocasse uma palavrinha com Lucy a sós, Sr. Sullivan? — pediu Daniel.

— Se eu me importaria? Imagine. — E começou a tropeçar nas palavras. — Depois da forma como vocês dois se comportaram na outra noite, é claro que eu me importo.

— Sinto muito pelo que houve — disse Daniel, com humildade. — Posso assegurar ao senhor que aquilo não vai tornar a acontecer.

— Promete? — pediu papai, muito sério.

— Prometo — afirmou Daniel, solenemente.

— Tudo bem, então — aceitou papai.

— Obrigado — disse Daniel.

— Veja bem, estou confiando em vocês dois, hein? — completou papai, balançando o indicador na nossa direção. — Nada de ficar com altas gracinhas, viu?

— Nenhuma — prometeu Daniel. — Não vamos fazer gracinhas de nenhum tipo, nem altas, nem médias, nem baixas.

Papai lançou-lhe um olhar desconfiado, enquanto parecia avaliar se Daniel não o estava levando na brincadeira. Daniel, no entanto, exibiu a expressão mais honesta, do tipo "o senhor pode confiar em mim quanto à sua filha, Sr. Sullivan".

Ainda não completamente convencido, papai foi para a cama.

É claro que eu esperava que Daniel pulasse em cima de mim no instante em que papai fechou a porta. Fiquei meio decepcionada quando isso não aconteceu. Estava louca para lutar contra ele, tentando afastá-lo, para depois ficar a noite toda chamando-o de tarado.

Ele me confundiu toda ao pegar na minha mão com suavidade e falar com carinho.

— Lucy — disse ele. — Preciso conversar com você sobre uma coisa muito importante.

— Ah, claro... — exclamei, com sarcasmo. — Conversar sobre a minha... — risadinha — ... moradia.

Conhecia um pretexto de longe, como qualquer mulher.

— Isso mesmo — confirmou ele. — Espero que você não pense que estou me metendo na sua vida. Na verdade *eu sei* que você vai achar que estou me metendo de qualquer modo, mas, por favor, não entregue as chaves, não abra mão da sua vaga no apartamento assim tão depressa.

Aquilo me derrubou. Eu *realmente* não estava imaginando que ele viesse mesmo conversar sobre os meus problemas de moradia.

— Mas, por que não? — perguntei.

— O que estou dizendo é que você não deve se precipitar e fazer algo que não vai poder desfazer depois — explicou.

— Eu não estou fazendo isso — argumentei.

— Está sim — afirmou Daniel. Que coragem a dele! — Lucy, você está muito confusa neste momento para tomar uma decisão racional.

— Não, não estou — neguei, já com os olhos cheios de lágrimas. Talvez ele tivesse razão, mas eu não podia reconhecer esse fato sem brigar um pouco antes.

Tomei um gole bem grande de uísque.

— Não faz sentido algum, faz? — perguntei. — Morar com meu pai e pagar o aluguel de um apartamento no centro?

— Mas pode ser que você *não queira* mais ficar morando com o seu pai daqui a algum tempo — sugeriu ele.

— Deixe de bobagens — reagi.

— Bem, sua mãe pode resolver voltar para casa. Pode acertar as coisas com o seu pai — disse ele.

Essa ideia me deixou preocupada.

— É pouco provável — explodi.

— Bem, e se acontecer de uma noite você estar na cidade, perder o último metrô para casa e não quiser gastar mil libras de táxi até Uxbridge? Não seria mais sensato ter um cantinho para dormir em Ladbroke Grove? — sugeriu ele.

— Mas, Daniel — argumentei, desesperada —, eu não vou mais fazer noitadas na cidade. Essa parte da minha vida se encerrou. Quer mais uísque?

— Sim, obrigado. Lucy, estou muito preocupado com você — disse ele, exibindo uma cara inquieta.

— Pois não fique — retruquei, chateada e frustrada. — E não me venha com essa cara bonitinha, porque eu não sou uma das suas... das suas... *mulheres*! Obviamente você não faz ideia da seriedade do que acaba de acontecer com a minha família. Minha mãe abandonou o meu pai e tenho responsabilidades pela frente.

— A mãe de um monte de gente abandona o marido todo dia. E o pai dessas pessoas segue com a vida — garantiu Daniel. — Eles não precisam que as filhas desistam de tudo e passem a agir como se tivessem entrado em um convento.

— Daniel, *eu quero* fazer isso, não é sacrifício algum. Preciso fazer isso, não tenho outra escolha. Não me importo se não puder mais sair para me divertir. Além do mais, eu já não estava mais me divertindo mesmo.

Meus olhos estavam à beira das lágrimas diante da ideia de tanta bondade e devoção filial.

— Por favor, Lucy, espere pelo menos um ou dois meses. — Ele não pareceu tão comovido com a história quanto eu.

— Ah, tá bom, então... — concordei.

— Isso é uma promessa?

— Acho que sim.

E então levantei os olhos e fitei Daniel bem nos olhos. Nossa, ele era muito bonito, um pedaço de homem. Quase entornei o uísque.

Estava louca para a sessão de assédio começar. Tinha tanta certeza de que ele tinha armado tudo aquilo só para me ver, a fim de tentar ficar de esfregação, que queria só ver se ele ia embora sem pelo menos tentar.

CAPÍTULO 66

O que fiz em seguida foi algo fora do meu feitio.

Agora, coloco a culpa na quantidade de bebida que tomara. Combinada com o trauma. Somada com o fato de que eu não transava há séculos.

Sabem aquela força de vontade quando estamos a fim de uma pessoa, no duro, mas conseguimos nos segurar porque temos certeza de que não vai ser uma boa? Pois esse tipo de força de vontade não existe na vida real. Pelo menos não no meu caso. O coração sempre governou a minha cabeça.

O tesão sempre governou a minha cabeça.

— Talvez já esteja na hora de eu começar — disse, com a voz mole.

— Começar o quê?

— A me divertir.

De modo intencional, ainda que um pouco instável, eu me levantei, encarei Daniel bem nos olhos e andei em torno da mesa até o lugar em que ele estava. Enquanto ele continuava sentado, olhando meio desconfiado para mim, puxei uma mecha do meu cabelo, colocando-a na frente de um dos olhos, de forma sedutora, rebolei de forma devassa e me sentei no colo dele, colocando os braços em volta de seu pescoço.

Cheguei meu rosto bem perto do dele.

Nossa, ele era lindo! Olhe só para essa boca maravilhosa, Lucy, a qualquer segundo ela vai estar beijando você. Era daquilo que eu precisava, um pouco de sexo descontraído e muito carinho. E quem melhor para isso do que Daniel?

Claro que eu não estava apaixonada por ele. Estava apaixonada pelo Gus. Mas eu era uma mulher, e tinha minhas necessidades. Por que só os homens tinham direito a uma trepadinha sem compromisso? Eu também queria uma dessas, o que quer que isso significasse.

— Lucy, o que está fazendo? — perguntou ele.

— O que está lhe parecendo? — Tentei fazer minha voz soar rouca e sexy.

Ele não me enlaçou com os braços. Eu me agitei e cheguei ainda mais perto dele.

— Olha lá, você prometeu ao seu pai... — Ele parecia preocupado.

— Não, não fui eu. Foi você que prometeu.

— Fui eu? Tudo bem então, *eu* prometi ao seu pai.

— Você mentiu — disse eu. Novos tons baixos e ardentes. Esse jogo de sedução era muito divertido, decidi. E incrivelmente fácil de armar.

Eu estava doida por aquilo. Ia me divertir como não me divertia há séculos.

— Lucy, não — disse ele.

Não? *Não?!* Eu estava ouvindo coisas?

Ele se levantou e escorreguei do colo dele.

Caí sentada no chão, ligeiramente tonta. A humilhação devastadora ainda não chegara. Foi impedida de entrar pela minha intoxicação. Com certeza, porém, estava a caminho.

Aquilo era doloroso demais. Daniel podia agarrar *qualquer* mulher que quisesse. O que havia de errado comigo? Eu não era assim tão repugnante, era?

— Lucy, considero tudo isso um elogio, mas...

Nesse momento fiquei injuriada.

— *Elogio?!* — rugi. — Não me venha com essa de ser condescendente não, seu cretino. Você gosta de dar, mas não gosta de receber. Flerta comigo e, quando eu pago pra ver, foge da raia.

— Lucy, não se trata *disso*. Você está muito aborrecida, confusa e seria tirar vantagem...

— *Eu* decido isso — afirmei.

— Olhe, Lucy, sinto muita atração por você...

— Mas não quer transar comigo — terminei a frase por ele.

— Isso mesmo, não quero transar com você.

— Caramba, isso é que é ser humilhada — murmurei.

Então, contra-ataquei.

— Qual foi aquela da outra noite? — exigi saber. — Aquela protuberância na sua calça não era um revólver. Você certamente provou que a cobra estava pronta para dar o bote.

O rosto dele se contorceu, e a princípio achei que era de aversão, até que percebi que Daniel estava prendendo o riso.

— Com quem você aprendeu essa expressão, Lucy?

— Com você mesmo, pelo que lembro.

— Sério? Ahn, acho que foi mesmo.

Fez-se um instante de silêncio e olhei para os pés. Eles pareciam ser quatro. Não, dois. Não, eram quatro de novo.

— Lucy, olhe para mim com atenção — persuadiu-me ele, com paciência. — Quero falar uma coisa para você.

Levantei o rosto vermelho de vergonha a fim de olhar para ele.

— Quero deixar bem claro que não quero *transar* com você — explicou. — Porém, assim que as coisas assentarem e a poeira baixar, você não estiver tão abalada e sua vida não estiver tão tumultuada, eu gostaria de *fazer amor* com você.

Essa foi muito boa.

Comecei a rir, e ri sem parar.

— Qual foi a graça? — Ele parecia confuso.

— Ah, Daniel, dá um tempo! Que coisa ridícula e safada de se dizer. “Gostaria de fazer *amorrr* com você, mas não no momento.” Por favor, deixe eu gastar um pouco do meu semancol. Consigo sacar quando estou sendo rejeitada.

— Você *não está* sendo rejeitada!

— Então deixe ver se entendi a coisa direito. Você gostaria de fazer *amorrr* comigo — imitei a sua voz, com crueldade.

— Isso mesmo — confirmou ele, baixinho.

— Mas não agora. Se isso não é rejeição, não sei o que pode ser.

Gargalhei novamente.

Ele me magoara e me humilhara, e eu queria pagar na mesma moeda.

— Por favor, Lucy, me escute...

— Não!

Nesse ponto, ou fiquei mais sóbria ou consegui me acalmar um pouco.

— Olhe, Daniel, sinto muito por tudo o que aconteceu. Não estou com o controle total das minhas faculdades mentais. Foi um erro terrível.

Não, não foi...

— E agora acho que já está na hora de você ir embora, é um longo caminho até a sua casa.

Ele me olhou com um ar muito triste.

— Você está legal? — perguntou.

— Ah, qual é? Pare de se considerar tão importante — reagi, rabugenta. — Já fui rejeitada por homens muito mais bonitos do que você. Assim que a humilhação suicida passar, vou ficar bem.

Ele abriu a boca para soltar uma nova rodada de lugares-comuns.

— Adeus, Daniel — disse, com firmeza.

Ele me beijou no rosto. Fiquei dura, como se fosse de pedra.

— Ligo para você amanhã — avisou ele, quando chegou à porta da rua.

Dei de ombros.

As coisas nunca mais seriam as mesmas.

Nossa, eu estava deprimida.

CAPÍTULO 67

No dia seguinte, fiz minha mudança oficial do apartamento de Ladbroke Grove. Charlotte e Karen ficaram na porta, dando-me adeuzinhos, depois de Karen ter me obrigado a deixar uma montanha de cheques pré-datados para garantir o aluguel.

— Adeus, Karen. Pode ser que eu nunca mais veja você — disse eu, na esperança de fazê-la se sentir culpada.

— Ai, não fale assim, Lucy. — Era Charlotte, à beira das lágrimas. Ela era toda sentimental.

— Vamos nos ver sim — replicou Karen —, quando a conta do telefone chegar.

— Minha vida está acabada — afirmei, com frieza.

— Mas — acrescentei —, se o Gus telefonar, não deixem de informar para ele o número lá de casa.

CAPÍTULO 68

Morar com papai não foi do jeito que imaginei que fosse.

Achei que queríamos as mesmas coisas. Eu ia devotar a minha vida à missão de tomar conta dele e fazê-lo feliz, e ele ia me retribuir, permitindo a si mesmo ser bem cuidado e permanecendo feliz.

Algo, porém, havia saído errado, porque eu não o estava fazendo feliz. Ele nem mesmo parecia *querer ficar* feliz.

Vivia chorando, e eu não conseguia compreender por quê. Achava que ele devia estar contente por ter se livrado da minha mãe, pois estava bem melhor comigo ali.

Eu não sentia saudades dela e não entendia por que *ele* sentia.

Eu transbordava de amor e preocupação por ele, e estava bem preparada para fazer qualquer coisa por ele, passar o tempo que fosse necessário com ele, paparicá-lo, cozinhar para ele, trazer-lhe qualquer coisa que quisesse ou de que necessitasse. A única coisa que eu não queria era ouvi-lo dizer o quanto a amara.

Só queria tomar conta dele se ele fosse ficar feliz com isso.

— Talvez ela volte para mim — repetia ele o tempo todo.

— Talvez — murmurava eu, pensando: *O que há de errado com ele?*

Apesar disso, felizmente, ele jamais fez nada prático para tentar reconquistá-la. Não fez grandes demonstrações de paixão, como ficar do lado de fora da casinha amarela de Ken, berrando desaforos para ele, até acordar os vizinhos. Ou grafitar a porta da frente do rival, pintando a palavra "adúltera" em letras verdes fluorescentes. Ou esvaziar as latas de lixo de toda a vizinhança bem na calçada de Ken, para que, quando ele saísse de manhã, para mais uma árdua jornada de trabalho na tinturaria, acabasse atolado até os tornozelos em cascas de batatas e latas enferrujadas e sujas. Ou fazer um piquete na porta da tinturaria, com cartazes dizendo: "Esse homem roubou a minha mulher. Não lavem suas camisas aqui".

Embora não conseguisse compreender sua dor, eu tentava amenizá-la. Mas tudo o que conseguia fazer era empurrar comida e bebida nele, além de tratá-lo como um convalescente inválido, sugerindo algumas das (poucas) amenidades e distrações oferecidas pela nossa casa. Tipo assim, perguntando a ele, em tom carinhoso, se queria assistir à tevê. *Futebol? Novela?* Ou sugerindo que ele fosse para a cama descansar um pouco.

Cama e tevê eram as nossas únicas atividades recreativas.

Ele quase não comia, não importa o quanto eu insistisse. Nem eu. Porém, apesar de saber que eu ficaria legal, receava que ele começasse a definhar.

Antes do fim da primeira semana, eu já estava exausta.

Achava que o meu amor por ele serviria para me dar uma energia ilimitada, e que quanto mais ele exigisse de mim, melhor eu ia me sentir, e quanto mais eu fizesse por ele, mais eu ia querer fazer.

Tentei com todas as forças agradá-lo, e isso me desgastou, exigindo uma quantidade absurda de energia.

Eu o observava com avidez, prevendo qualquer necessidade que ele pudesse sentir, e fazia as coisas para ele, mesmo quando ele me assegurava de que não era preciso.

De repente fiquei surpresa ao notar que me sentia um caco.

As menores atividades já representavam uma dificuldade imensa para mim.

Como o fato de eu levar pelo menos uma hora e meia de viagem para o trabalho todas as manhãs. Eu ficara mal acostumada com a viagem de meia hora que fazia quando morava em Ladbroke Grove, lugar onde eu tinha inúmeras linhas de metrô, ônibus e táxis para escolher.

Já havia esquecido como era ter de fazer baldeações entre as linhas ao vir do subúrbio, onde havia apenas um trem disponível e, se eu o perdesse, a espera pelo seguinte seria de vinte minutos.

No passado eu fora uma especialista na antiga arte de escolher as melhores estações de transferência entre as linhas do metrô, para chegar mais rápido. O problema é que eu morara na cidade por muito tempo e perdera a maioria dessas habilidades. Esquecera como cheirar o ar, olhar para o alto (e para o painel eletrônico) e sentir que o meu trem ia sair em um minuto e não ia dar tempo de comprar o jornal. Já não conseguia sentir as vibrações de uma plataforma lotada e notar em um relance que três trens seguidos passaram lotados e, se estivesse a fim de entrar no seguinte, tinha de começar a empurrar e me espremer entre as pessoas para ficar bem na frente da porta de entrada do que ia chegar.

Eu costumava saber dessas coisas por instinto. Passava de uma linha para outra quase como se estivesse unida em um mesmo corpo com o sistema de trens subterrâneos, ser humano e máquinas trabalhando em sincronia e harmonia perfeitas.

Aquele tempo terminara.

Embora antes eu sempre chegasse atrasada no trabalho, *poderia* chegar a tempo, se quisesse. Agora, não tinha escolha. Encontrava-me à mercê da companhia do metrô de Londres e seus vários mecanismos para provocar atrasos, objetos obstruindo as linhas, corpos atirados sobre os trilhos, problemas de sinalização e tráfego intenso, ou alguém que esquecera um pacote cheio de sanduíches de queijo sobre um banco e provocara um alarme de bomba.

Tinha de acordar muito cedo. Antes de a primeira semana terminar, descobri que papai tinha um pequeno problema noturno, e tornou-se óbvio que eu teria de me levantar ainda mais cedo.

No trabalho, eu ficava o tempo todo preocupada com ele, pois logo ficou bem claro que ele não podia ser deixado sozinho em casa por nenhum período de tempo. Tomar conta de papai era parecido com vigiar uma criança. Do mesmo jeito que uma criança, ele não tinha medo nem avaliava as consequências dos seus atos. Achava que não havia nada de mais em sair de casa e deixar a porta aberta. Não simplesmente destrancada, mas escancarada. Não que ele tivesse muito o que roubar, mas, enfim...

Assim que eu saía do trabalho, ia voando para casa. Qualquer coisa poderia ter acontecido. Quase todo dia havia uma crise de algum tipo. Perdi a conta das vezes em que ele dormiu deixando a torneira da banheira aberta ou o gás ligado. Ou uma panela fervendo ou seca, queimando, esquecida sobre uma das bocas do fogão. Ou sentado com o cigarro aceso lentamente incendiando a almofada sobre a qual estava recostado.

Muitas vezes eu chegava do trabalho exausta e encontrava água quente escorrendo e pingando do teto da cozinha. Ou sentia um cheiro de queimado e encontrava uma frigideira toda preta, com o fundo carbonizado, sobre o fogão aceso, enquanto papai dormia a sono solto, desmoronado na poltrona.

Não havia mais noites na cidade para mim. Achei que não ia ligar, e estava envergonhada por descobrir que me importava, sim.

Ir para a cama cedo também não garantia que eu ia dormir o suficiente, porque papai normalmente me acordava no meio da noite e eu tinha de levantar para ajudá-lo.

Papai urinou na cama na primeira noite em que voltei para casa.

A tristeza que senti quase me atirou além dos limites da sanidade.

"Não consigo suportar isso, não consigo!", pensei, desesperada. "Por favor, meu Deus, ajude-me a suportar essa dor."

Testemunhar a perda de toda a dignidade de meu pai era quase insuportável para mim.

Ele me acordou mais ou menos às três da manhã para me contar o que acontecera.

— Sinto muito, Lucy — disse ele, parecendo humilhado. — Sinto muito, me desculpe.

— Está tudo bem — acalmei-o —, pare de se desculpar.

Dei uma rápida olhada em sua cama e vi que não havia condições de ele continuar a dormir ali.

— Por que não vai dormir no quarto dos meninos enquanto, o senhor sabe, limpo a sua cama? — sugeri.

— Pode deixar que eu vou — concordou.

— Então vá — encorajei.

— Você não ficou brava comigo? — perguntou ele, com a voz mansa.

— Brava? — respondi. — Mas por que eu ficaria brava com o senhor?

— Você vai até lá para me dar boa-noite?

— Claro que vou.

Então ele deitou na cama de solteiro de Chris e puxou as cobertas até o queixo, sua pele enrugada de velho cheia de pontas brancas da barba por fazer. Acariciei seu cabelo grisalho, já ralo, e o beijei na testa, inundada na mesma hora por um forte sentimento de orgulho, e a sensação de o quanto estava cuidando bem dele. Ninguém jamais poderia cuidar de nenhuma pessoa tão bem quanto eu ia cuidar de papai.

Assim que ele tornou a pegar no sono, arranquei os lençóis da cama e os coloquei para lavar. Em seguida, peguei uma bacia com água quente, sabão e desinfetante e esfreguei o colchão com força, para limpá-lo.

A única coisa que me deixou preocupada em toda aquela história foi que, na manhã seguinte, quando papai acordou e se viu na cama de Chris, ficou confuso e assustado. Não sabia como tinha ido parar ali, pois não se lembrava de nada do que acontecera durante a noite.

Quando ele molhou a cama, na noite em que cheguei, achei que aquilo tinha acontecido pelo fato de ele estar chateado, e que se tratava de um evento isolado.

Mas não era.

Acontecia quase todas as noites. Às vezes mais de uma vez.

Às vezes na cama de Chris também.

Quando isso acontecia, eu fazia com que ele se mudasse para a cama de Peter. Felizmente ele conseguia se segurar e nunca molhou a cama de Peter, porque não havia mais nenhuma cama para onde ele pudesse ir, a não ser a minha.

Ele sempre ia me acordar para me contar o que acontecera e, nas primeiras vezes, eu levantava, o consolava e o trocava de cama.

Depois das primeiras noites eu já estava tão exausta que resolvi deixar a minha limpeza noturna para fazer de manhã, antes de ir para o trabalho.

Eu *não podia* deixar aquilo sem desinfetar até a noite seguinte, e pedir para papai ajudar na limpeza do colchão estava fora de questão.

Em vez disso, coloquei o despertador para tocar trinta minutos antes da minha nova hora de levantar, que já era terrivelmente cedo. Assim, dava tempo de limpar o que precisasse ser limpo ou lavado a cada manhã.

Quando ele me acordava para avisar que molhara a cama, eu simplesmente o mandava trocar de cama e tentava pegar no sono novamente.

Só que isso era muito difícil, porque ele ficava arrasado, sentindo-se culpado toda vez que aquilo acontecia, e queria conversar, dizendo que estava muito chateado por causa daquilo e queria ter certeza de que eu não estava brava com ele. Às vezes ele ficava nessa cantilena durante horas, chorando e dizendo que era um fracasso, mas ia tentar fazer com que aquilo nunca mais tornasse a acontecer. Por estar tão cansada, eu achava difícil não perder a paciência com ele. Isso, porém, ia arrasá-lo ainda mais, e eu sabia que, se estourasse, ia acabar me sentir corroída pela culpa, por isso ouvia tudo, dormia cada vez menos horas e ficava ainda mais impaciente quando tudo se repetia.

E todas as vezes, como se fossem cochichos no fundo da minha cabeça, me vinha a lembrança do que minha mãe dissera a respeito de ele ser alcoólatra. Vigiava tudo o que ele bebia. E me parecia que era demais. Bem mais do que eu me lembrava de vê-lo beber quando eu era mais jovem. Por outro lado, eu não sabia se estava sendo apenas influenciada pelo que minha mãe dissera, então tentava empurrar essa ideia para fora da cabeça.

Talvez ele realmente estivesse bebendo demais, sim, mas e daí? Sua mulher tinha acabado de abandoná-lo, por que ele não deveria beber?

CAPÍTULO 69

Rapidamente, desenvolvi uma nova rotina na minha vida.

De noite, ia correndo até a lavanderia para secar os lençóis que deixara para lavar antes de ir para o trabalho. Depois, preparava o jantar dele. Sempre havia alguma pequena crise para resolver, porque papai vivia queimando as coisas, quebrando-as ou perdendo-as.

Não sei bem em que momento o cansaço se transformou em ressentimento. Mantive essa mudança escondida por muito tempo, porque sentia vergonha dela. Usando um poço de sentimento de culpa e orgulho mal colocado, consegui esconder o sentimento até de mim mesma por algum tempo.

Comecei a sentir falta da minha vida antiga.

Queria sair, tomar um porre, ficar acordada até tarde, pegar as roupas de Karen e Charlotte emprestadas e jogar conversa fora com as meninas, especulando se os rapazes eram bem-dotados ou não.

Estava cansada de ficar vigilante o tempo todo, e de sempre ter de estar por perto para ajudar meu pai.

Uma grande parte do problema era o fato de que eu queria ser perfeita para ele. Queria ser a pessoa que tomava conta dele melhor do que qualquer outra.

Só que eu não podia fazer tudo sozinha e, depois de algum tempo, também não queria. Aquilo deixara de ser um desafio e se transformara em um fardo.

Eu tinha consciência de que era uma mulher jovem, e que cuidar de papai não era responsabilidade minha.

Mas preferia morrer a ter de admitir isso.

Tomar conta de nós dois me parecia muito mais difícil do que cuidar apenas de mim. Aquilo era muito mais do que apenas o dobro.

E as despesas eram muito mais do que o dobro também.

Em pouco tempo, o dinheiro se transformou em uma preocupação real. Antes, eu *achava* que tinha problemas financeiros, sempre sentia que não havia grana suficiente para comprar coisas essenciais, do tipo sapatos novos e roupas. Agora, no entanto, estava aterrorizada por descobrir que não tinha o suficiente nem para cobrir as despesas essenciais do tipo *comida* para nós dois.

Não conseguia descobrir para onde aquele dinheiro todo estava indo. Pela primeira vez na vida, fiquei com medo de perder o emprego, um medo *real.*

Tudo se modificara agora que eu tinha um dependente. Subitamente compreendi por que os noivos sempre prometiam durante o casamento "até que a morte nos separe". Deviam estar falando da morte financeira.

Só que eu não era casada com o meu pai.

Era fácil ser generosa com o dinheiro quando eu estava com bastante grana. Jamais imaginei que poderia ter ressentimentos com o meu pai. Sempre achei que, se ele precisasse, eu lhe daria até mesmo a minha roupa do corpo.

Mas isso não era verdade. À medida que o dinheiro ficava mais curto, eu me ressentia de ter de dar alguma grana a ele. Sentia má vontade quando ele dizia para mim todas as manhãs, antes de eu ir para o trabalho: "Lucy, meu amor, dá pra você deixar um dinheirinho em cima da mesa? Umas dez libras, se você tiver."

Ressentia-me com as preocupações. Detestava ter de pegar empréstimos no banco. Não gostava de ficar sem dinheiro para gastar comigo mesma.

E odiava o que aquilo tudo estava fazendo comigo: a mesquinharia de ficar vigiando cada garfada que ele dava, ou ficar vigiando cada garfada que ele *não dava*. Já que eu me dava ao trabalho de comprar comida para ele e prepará-la, o mínimo que ele podia fazer era comer a droga da comida, pensava, zangada.

Papai recebia auxílio-desemprego a cada duas semanas, mas eu não sabia onde é que ele enfiava o dinheiro. Eu bancava todas as despesas da casa só com o meu salário.

"Será que ele não podia, pelo menos, comprar um litro de leite?", pensava às vezes, com uma raiva impotente.

Comecei a me sentir cada vez mais isolada. Tirando o pessoal que trabalhava comigo, a única pessoa que eu via era o meu pai.

Nunca mais tornara a sair com os amigos com quem costumava me encontrar. Não havia tempo, porque era muito importante ir direto para casa assim que o expediente terminava. Karen e Charlotte viviam dizendo que iam até lá em casa para me fazer uma visitinha, mas, pelo jeito como falavam, parecia que aquela era uma viagem para um país longínquo. De qualquer modo, era até um alívio que elas não aparecessem. Acho que não ia conseguir fingir que estava feliz por duas horas inteiras.

Morria de saudades de Gus. Criava fantasias nas quais ele aparecia para me resgatar. Só que não havia a mínima chance de eu me encontrar com ele por acaso enquanto estivesse morando em Uxbridge.

A única pessoa da minha outra vida que eu via de vez em quando era Daniel. Ele estava sempre "dando uma passadinha", e eu odiava aquilo.

Todas as vezes que eu atendia a campainha e era Daniel, o meu primeiro pensamento era o quanto ele era grande, sexy e atraente. Então, logo em seguida, pensava na noite em que tentara me jogar para cima dele e ele se recusara a me levar para a cama. Ficava vermelha de vergonha só de lembrar a cena.

Para piorar, como isso já não fosse o suficiente para aturar, ele fazia perguntas constrangedoras o tempo todo:

"Por que você está tão abatida?" e "Você vai até a lavanderia *outra vez*?" e "Por que as panelas estão todas queimadas e com os cabos quebrados?".

"Posso fazer alguma coisa para ajudar?", Daniel vivia perguntando o tempo todo. Mas o meu orgulho me impedia de contar a ele o quanto as coisas estavam difíceis com o meu pai.

Eu respondia apenas: "Vá embora, Daniel, não há nada para você fazer aqui."

A situação da grana piorou.

A coisa mais sensata a fazer seria desistir da minha parte no apartamento em Ladbroke Grove. Afinal, o que eu tinha a ganhar ajudando a pagar o aluguel de um lugar aonde eu jamais ia?

Subitamente, porém, compreendi que não queria fazer isso e ficava apavorada com a possibilidade de acabar tendo de tomar essa atitude. Meu apartamento no centro era o último elo que eu tinha com a minha antiga vida. Se aquilo desaparecesse, isso seria um sinal de que eu nunca mais voltaria, que ia ficar presa em Uxbridge para sempre.

CAPÍTULO 70

No fim de algum tempo, por puro desespero, fui fazer uma consulta com o clínico geral do bairro, que, aliás, era o Dr. Thornton, o mesmo homem que me receitara antidepressivos muitos anos antes.

Para todos os efeitos, eu ia em busca de conselhos a respeito do fato de papai molhar a cama toda noite, mas, na realidade, era um velho e simples pedido de socorro. Uma esperança de que ele me dissesse que o fato que eu sabia ser verdade na realidade não era.

Eu detestava ir ao consultório do Dr. Thornton. Não só porque ele era um velho rabugento, que já devia estar aposentado há muitos anos, mas também, principalmente, porque ele achava que toda a nossa família era constituída de malucos. Ele já havia lidado comigo e com a minha depressão. E houve aquela outra vez, quando Peter estava com quinze anos e caiu-lhe nas mãos, por acaso, uma enciclopédia médica. Peter ficou convencido de que tinha todas as doenças que vira no livro. Mamãe ficava com ele para cima e para baixo no ambulatório, enquanto ele ia trilhando de forma hipocondríaca o caminho de todas as doenças, em ordem alfabética. Exibiu sintomas de Acne, Agorafobia, Alzheimer, Angina, Ansiedade e Antrax, até que finalmente alguém o dedurou. Nem mesmo a Acne era real. Embora a Ansiedade fosse verdade, por medo de que a mamãe arrancasse o couro dele.

A sala de espera do médico parecia a antessala do Juízo Final, entulhada de gente até as sancas, junto do teto (modo de falar, porque paredes divisórias não têm sancas). Havia um monte de crianças brigando umas com as outras, mães berrando enlouquecidas e velhos tossindo os pulmões para fora.

Quando finalmente me foi concedida uma audiência com Sua Alteza Curandeiríssima, ele estava apoiado na mesa, parecendo exausto e mal-humorado, já com a caneta posicionada sobre o bloco de receitas.

— Em que posso ajudá-la, Lucy? — perguntou, com ar cansado.

Eu sabia que o que ele estava querendo dizer na realidade era: "Eu me lembro de você, menina. Você é uma daquelas malucas da família Sullivan, não é? O que houve, pirou de novo?"

— Bem, na verdade o problema não é comigo — comecei, um pouco hesitante.

Na mesma hora ele pareceu interessado.

— Trata-se de uma amiga sua? — perguntou ele, esperançoso.

— Mais ou menos — concordei.

— Ela acha que pode estar grávida? — perguntou. — É isso, não é?

— Não, é...

— Ela está com um sangramento misterioso? — interrompeu ele, animado.

— Não, não, nada disso...

— Menstruações muito longas?

— Não...

— Caroço no seio?

— Não — respondi, quase rindo. — Não sou eu, não... *sério*. Trata-se do meu pai.

— Ah, ele — exclamou ele, meio aborrecido. — Bem, e por que *ele* não veio? Você não pode simplesmente vir no lugar do doente, não faço diagnósticos virtuais.

— Como assim?

— Já estou farto disso — explodiu. — Agora é tudo na base do telefone celular, da Internet, são só joguinhos de computador e voos simulados. Nenhum de vocês quer saber mais da realidade.

— Hã... — disse, chocada, sem saber como reagir diante dessa overdose de sarcasmo típica do luddismo.* Ele estava ainda mais excêntrico desde que o vira pela última vez.

— Todos vocês acham que não precisam fazer nada — continuou ele, em voz alta. Seu rosto estava vermelho. — Podem simplesmente

* Movimento inglês do século XVIII, que era contrário às máquinas, responsabilizando-as pelo desemprego e miséria social. (N.T.)

ficar sentados em casa, com seus modems e seus computadores, crentes que estão vivendo, achando que não precisam levantar os traseiros preguiçosos da cadeira nem para interagir com outros seres humanos. Basta mandar um e-mail para o médico, descrevendo os sintomas, não é assim?

Eu, hein! Médico, cura-te a ti mesmo. Acho que o Dr. Thornton estava com um parafuso a menos.

De repente, tão subitamente quanto surgira, a agitação desapareceu do seu rosto.

— Muito bem... Diga-me então, o que há de errado com o seu pai? — E suspirou, recostando-se na cadeira.

— É um pouco embaraçoso — disse eu, meio sem graça.

— Por quê?

— Bem, ele não acha que esteja acontecendo alguma coisa de errado com ele... — comecei, tentando relatar com cuidado a complicada história.

— Olhe, se ele não acha que há coisa alguma de errado com ele, e você acha que há, quem está com problema é você — disse o Dr. Thornton, de forma brusca.

— Não, escute, o senhor não está entendendo...

— Estou sim — interrompeu. — Não há nada de errado com Jamsie Sullivan. Se ele parar de beber, vai ficar ótimo.

— Talvez não fique assim tão ótimo — acrescentou, analisando melhor, como se estivesse falando para si mesmo. — Só Deus sabe em que estado o fígado dele está agora. Provavelmente em estado desesperador.

— Mas...

— Lucy, você está me fazendo perder tempo. Estou com uma sala de espera lotada lá fora, gente doente *de verdade*, que precisa de cuidados. Em vez disso, recebo todas as mulheres da família Sullivan entrando em minha sala como uma praga, em busca de cura para um homem que já decidiu que vai beber até cair duro, mortinho da silva.

— Como assim, todas as mulheres da família Sullivan? — perguntei.

— Você... sua mãe. A sua mãe já é considerada parte da mobília por aqui.

— Sério? — perguntei, com a voz aguda, pega de surpresa.

— Bem, para falar a verdade, agora que estamos falando nela, já não a vejo há algum tempo. Resolveu mandar a filha no lugar, não foi?

— Hã... não foi isso não.

— O que foi então? O que aconteceu?

— Ela largou o meu pai — informei, esperando um olhar compreensivo.

Em vez disso, ele soltou uma gargalhada. Ou quase isso. O Dr. Thornton estava realmente se comportando de uma forma muito estranha.

— Então ela finalmente tomou coragem — disse ele, abafando uma risadinha enquanto eu olhava para ele, com a cabeça meio de lado, perguntando-me o que havia de errado com aquele homem.

E que papo era aquele de dizer que papai resolvera beber até cair duro? Por que o assunto voltava sempre para papai e a bebida?

Alguma coisa no fundo da minha mente começou a descer lentamente e se encaixar no lugar, e isso me assustou.

— E você assumiu a casa a partir do momento em que a sua mãe caiu fora, não foi? — perguntou ele.

— Se o senhor está querendo saber se estou cuidando do meu pai, a resposta é sim — afirmei.

— Lucy, vá para casa — suspirou ele. — Não há nada que você possa fazer pelo seu pai, já tentamos de tudo. Até ele próprio resolver parar de beber, ninguém mais vai poder fazer nada por ele.

Mais coisas se encaixaram na minha cabeça.

— Olhe, o senhor entendeu tudo errado — afirmei, lutando contra uma coisa que eu já sabia que era verdade. — Não vim aqui para falar da bebida dele. Vim consultá-lo porque há uma coisa errada com ele, que não tem nada a ver com bebida.

— Ah, é? O quê? — perguntou o médico, com impaciência.

— Ele anda molhando a cama.

Fez-se silêncio. Aquilo o obrigaria a calar a boca, pensei, nervosa, esperando que fosse verdade.

— Urinar na cama é um problema emocional — continuei, esperançosa. — Não tem nada a ver com bebida.

— Lucy — ele me olhou com ar sombrio —, isso tem tudo a ver com a bebida.

— Não sei do que o senhor está falando — reagi, sentindo-me enjoada com tanta apreensão. — Não compreendo por que o senhor está me dizendo todas essas coisas sobre o meu pai e a bebida.

— Não sabe? — Ele franziu a testa. — Mas você deve saber, é claro que sabe. Como é que pode morar com ele na mesma casa e não saber?

— Eu não moro com ele — disse —, pelo menos não morava há anos. Acabei de voltar.

— Mas a sua mãe não lhe contou tudo a respeito do...? — perguntou ele, olhando para o meu rosto contorcido de ansiedade. — Ah. Ah, entendo. Ela não contou.

Senti um tremor nas pernas, porque já pressentia o que ele estava prestes a me contar. Aquele era o desastre que andei a vida inteira evitando, e agora estava cara a cara com ele. Esse era o problemão. Quase senti alívio por não poder mais fugir para evitá-lo.

— Bem — suspirou o Dr. Thornton —, seu pai é um alcoólatra crônico.

Meu estômago se retorceu todo. Eu já sabia e, no entanto, não tinha a confirmação final.

— O senhor tem certeza? — perguntei.

— Você realmente não sabia, não é? — perguntou ele, de forma menos mal-humorada.

— Não — disse eu. — Agora, porém, que o senhor está me dizendo, não consigo entender como é que só fui descobrir agora.

— Isso é muito comum — explicou ele, com ar cansado. — Vejo isso o tempo todo, todo mundo sabe que alguma coisa de muito irregular está acontecendo em uma casa e age como se não houvesse nada errado.

— Oh! — exclamei.

— É como se as pessoas tivessem um elefante circulando pela sala de estar. Todos ficam andando na ponta dos pés em volta dele, fingindo que não o enxergam.

— Ah, é? — tornei a exclamar. — Bem, e o que posso fazer?

— Para ser bem franco, Lucy — ele disse —, essa não é bem a minha especialidade. Conheço apenas remédios contra males físicos. Se o seu pai tivesse, digamos, uma unha encravada ou problemas de intestino, eu poderia sugerir um monte de tratamentos. Esse, porém, é um caso de terapia familiar, psicodrama e problemas de relacionamento e confronto. Não é o tipo de coisa com a qual eu esteja familiarizado. Tudo isso apareceu depois que me formei.

— Ah.

— Mas *você* está se sentindo bem? — perguntou, esperançoso. — Esta revelação foi um choque para você? Porque de choque entendo, isso *eu sei* tratar.

— Vou ficar bem — disse, levantando-me para sair. Precisava sair dali para lidar com as coisas que ele acabara de me contar. Tinha de sair bem depressa.

— Espere um instante — sugeriu ele, falando mais rápido. — Eu posso lhe passar uma receita.

— Receita para o quê? — respondi. — Para um pai novo? Um que não seja alcoólatra?

— Não fique assim... — disse ele. — Quer remédios para dormir? Tranquilizantes? Antidepressivos?

— Não, obrigada.

— Bem, tenho mais uma sugestão que pode ser de alguma ajuda — anunciou ele, pensativo.

Senti a esperança ricochetear dentro do peito.

— Sim? — perguntei, quase sem fôlego.

— Forros de plástico para o colchão.

— Forros de plástico? — perguntei, desanimada.

— Sim, você sabe para que servem, eles evitam que a urina penetre no colchão e...

Saí da sala.

Fui para casa em estado de choque. Quando cheguei, papai esta va dormindo sentado, com um buraco de brasa recém-aplicado no braço da poltrona. Ele esticou o pescoço para trás quando entrei.

— Será que você podia dar um pulinho no bar para mim, Lucy? — pediu ele.

— Tudo bem — concordei, chocada demais para argumentar. — O que quer que eu traga de lá?

— Qualquer coisa que você consiga comprar serve — respondeu ele, humilde.

— Ah, sei... — disse, com frieza. — Então o senhor quer que eu ainda pague pela bebida.

— Bem... — disse ele, com o olhar vago.

— Mas o senhor recebeu o auxílio-desemprego há menos de dois dias — reagi. — O que fez com ele?

— Ah, Lucy. — E riu, de um jeito meio cruel. — Mas você é mesmo igualzinha à sua mãe, cuspida e escarrada.

Saí de casa, abalada e enjoada. Será que eu era igualzinha à minha mãe? Fiquei com aquilo na cabeça. Quando cheguei ao bar, comprei para ele uma garrafa de uísque decente, em vez daquele troço vagabundo do Leste Europeu que ele geralmente consumia. Mas continuava aflita, doida para gastar mais dinheiro com ele, então comprei dois maços de cigarros, quatro barras de chocolate e dois sacos de batatas fritas.

Quando minha despesa atingiu a marca das vinte libras, consegui respirar tranquila de novo, certa de que a minha extravagância acabara de destruir qualquer semelhança que houvesse entre mim e minha mãe.

Não conseguia parar de pensar no que o Dr. Thornton me contara. Não queria acreditar nele, mas não havia outro jeito. Tentei analisar papai do jeito que costumava vê-lo e, a seguir, sob a luz do alcoolismo, e o ângulo do alcoolismo combinava melhor. Serviu nele como uma luva.

A revelação do Dr. Thornton derrubara o primeiro dominó, e o resto estava caindo sucessivamente, em uma velocidade espantosa.

Como vinho tinto derrubado por sobre uma toalha branca, aquele novo conhecimento foi se espalhando e preenchendo toda a minha vida, de volta às minhas lembranças mais antigas, manchando tudo por dentro.

E as coisas *deviam*, mesmo, parecer manchadas. Elas *estavam* manchadas.

Fiquei analisando a minha vida, o meu pai, toda a minha família, virando-a de cabeça para baixo, e de repente tudo fez sentido. Estava detestando enxergar as coisas do jeito que realmente eram.

O pior é que papai começou a me *parecer* diferente. Como uma pessoa que eu jamais tivesse visto antes. Eu não queria que a imagem do homem que eu amava tanto começasse a oscilar e a desaparecer bem diante dos meus olhos. Precisava amá-lo. Ele era tudo o que me restara.

Continuei a olhar para ele, disfarçadamente, pensando em todas as coisas que haviam acontecido, todos os sinais. Tentei controlar aquilo, ou pelo menos olhar para um pedacinho da minha vida de cada vez, a fim de dosar as partes desagradáveis, dividindo-as em fragmentos fáceis de engolir. Tentava me proteger, para não me sentir massacrada pela perda de tudo.

Mas não conseguia evitar a sensação de vê-lo com outros olhos.

Ele já não me parecia mais tão adorável, bonito, fofinho e divertido. Eu o via bêbado, torto, gaguejante, totalmente incapaz e muito *egoísta*.

Não queria pensar essas coisas do meu pai, aquilo era insuportável. Ele era a pessoa que eu mais amara no mundo, talvez a única que eu tivesse realmente amado em toda a minha vida. E de repente descobria que a pessoa que eu adorara por tanto tempo nem sequer existia.

Não era de admirar que eu o achasse tão engraçado quando menina. É fácil sermos brincalhões quando estamos bêbados. Não era à toa que ele cantava tanto. Não era de espantar que ele gritasse tanto.

A única coisa que me impedia de pirar era a esperança de que talvez eu pudesse modificá-lo.

Só conseguia admitir para mim mesma, de forma relutante, que ele tinha um problema de bebida se pudesse me convencer de que era um problema solucionável.

Eu já ouvira a respeito de pessoas com problemas de bebidas e que melhoraram. O que eu precisava era descobrir tudo a respeito daquilo. Eu ia cuidar dele. Meu pai conseguiria voltar, curado, e todos viveriam felizes para sempre.

CAPÍTULO 71

Então resolvi marcar outra consulta com o Dr. Thornton. Estava cheia de esperanças, convencida de que havia um jeito de salvar papai.

— Será que o senhor não pode lhe receitar um remédio para que ele não sinta mais vontade de beber? — perguntei, confiante de que devia existir no mercado um medicamento contra isso.

— Lucy — disse ele —, não posso receitar nada que *você* possa dar para *ele*.

— Certo — concordei na mesma hora. — Pode deixar que eu vou trazê-lo até aqui em pessoa, e então o senhor vai poder receitar.

— Não — disse ele, aborrecido. — Você não entendeu. Não existe cura para o alcoolismo.

— Não fale essa palavra.

— Por que não, Lucy? É o nome do problema.

— Mas então... o que vai acontecer?

— Simplesmente ele vai morrer se não parar de beber logo — respondeu o médico.

O medo me deixou zonza.

— Mas, então, temos que fazê-lo parar — disse, desesperada. — Tenho certeza de que já soube de gente que bebia demais e conseguiu parar. Como é que eles conseguiram?

— A única coisa que sei que pode funcionar é o AA — afirmou ele.

— O que é iss...? Ah, o senhor quer dizer os Alcoólicos Anônimos? — perguntei, compreendendo. — Bem, acho que ele não precisa ir até lá. Isto é, aquele lugar é cheio de... de... *alcoólatras*.

— Exato!

— Mas, não, vamos falar sério. — Quase ri. — Homens fedorentos, com calças presas na cintura por pedaços de corda grossa e sacos plásticos em volta dos pés? Ora, doutor, o meu pai não é nem um pouco desse jeito.

Embora, pensando bem, meu pai *vivia* com um cheiro meio estranho, parecia não tomar tantos banhos quanto *deveria*, mas eu não ia contar nada disso ao Dr. Thornton.

— Lucy — disse ele —, alcoólatras existem de todas as formas e tamanhos, homens e mulheres, velhos e jovens, fedorentos e perfumados.

— Sério? — perguntei, cética.

— Sério.

— Até mulheres?

— Sim. Mulheres com casas lindas, maridos, empregos, filhos, roupas chiques, sapatos elegantes, perfumes caros e cabelos maravilhosos... — E parou de falar abruptamente, como se tivesse se lembrado de alguém em particular.

— Mas, quando eles vão a esse lugar, o AA, o que acontece?

— Eles não bebem mais.

— Nunca mais?

— Nunca mais.

— Nem mesmo no Natal, em festas de casamento, nas férias e coisas desse tipo?

— Não.

— Acho que ele não ia topar isso não — declarei, meio em dúvida.

— É tudo ou nada — explicou o médico. — No caso do seu pai, tem que ser nada.

— Tudo bem — suspirei. — Se esta é a nossa única opção, vamos contar a ele a respeito dessa organização, os Alcoólicos Anônimos.

— Lucy — disse o Dr. Thornton, parecendo novamente aborrecido. — Ele *sabe* do AA. Seu pai já sabe disso há muitos anos.

Tentei trazer o assunto à baila naquela mesma noite, como quem não quer nada. Fiquei tentando rodear a hora de falar sobre aquilo até que, no fim, papai já estava bêbado antes que eu começasse a falar.

— Papai — chamei-o, com a voz meio trêmula —, o senhor não acha que anda bebendo um pouco demais?

Ele apertou os olhos e olhou para mim. Jamais o vira daquela maneira. Ele parecia diferente. Como um velho bêbado, desagradável e cruel, um daqueles que vemos largado pelas ruas, cambaleando, berrando insultos ininteligíveis e tentando bater em todos, mas em situação de tão completa bebedeira que não consegue atingir ninguém.

Ele estava me observando, analisando-me com atenção, como se eu fosse o inimigo.

— Minha mulher acabou de me abandonar — disse, de forma agressiva. — Você vai me negar um drinque depois disso?

— Não — respondi. — Claro que não.

Eu não era muito boa nessas coisas.

— Entenda uma coisa, papai — continuei, cautelosa, detestando cada segundo daquela conversa. Eu não era mãe dele, era sua *filha*. Não era eu que devia estar ralhando com ele, devia ser o contrário.

— O problema é o dinheiro — continuei, quase sem voz.

— Já entendi, já entendi! — reagiu ele, elevando a voz. — Dinheiro, dinheiro, dinheiro. Você é mesmo igualzinha à sua mãe. Então por que não me abandona também? Vá, ande logo, pode ir. A porta é bem ali.

Isso colocou um fim na conversa.

— É claro que não vou abandoná-lo — sussurrei. — Jamais vou abandonar o senhor.

Não ia admitir, de jeito nenhum, que a minha mãe estava certa em fazer o que fez.

Só que, pouco depois desse incidente, papai pareceu piorar muito. Ou talvez eu é que estivesse mais alerta a essa altura. Tornou-se óbvio que ele bebia todas as manhãs. E provocava brigas no pub perto de casa. E umas duas vezes a polícia o trouxe para casa, no meio da noite.

Mesmo assim, eu procurava me segurar. Não podia me deixar esfacelar porque não havia ninguém para ajudar a recolher meus cacos de volta.

Voltei ao Dr. Thornton mais uma vez, e ele simplesmente balançou a cabeça de repente, assim que me viu entrar na sala, e disse:

— Desculpe, mas não inventaram nenhuma cura milagrosa. A não ser que isso tenha acontecido hoje de manhã.

— Não, espere! — disse, nervosa. — Andei lendo a respeito de hipnose. Será que o meu pai não poderia ser hipnotizado para parar de beber? Sabe como é, do mesmo jeito que as pessoas são hipnotizadas para parar de fumar ou de comer chocolates?

— Não, Lucy — assegurou ele, parecendo chateado. — Não há provas científicas de que a hipnose funcione nesses casos, e, mesmo que houvesse, a pessoa que vai ser hipnotizada tem que *desejar* desistir dos cigarros ou lá o que seja. Seu pai nem ao menos admite que bebe demais, portanto não há a mínima chance de ele chegar à conclusão de que deve parar.

— Além do mais — acrescentou, com um ar presunçoso —, se ele quiser parar de beber, então já estará pronto para o AA.

Virei os olhos para cima. Ele e a droga dos Alcoólicos Anônimos.

— Tudo bem — disse, desencorajada. — Esqueça a hipnose. Que tal acupuntura?

— O que é que tem? — perguntou ele, sem expressão.

— Será que não podíamos fazer isso? Levá-lo a alguém que lhe espete uma agulhinha na orelha? Ou em algum outro lugar?

— Em algum outro lugar pode ser... — murmurou. Achei aquilo detestável.

— Não, Lucy — encerrou ele.

Assim, como último recurso, peguei o telefone dos Alcoólicos Anônimos no catálogo e liguei, a fim de perguntar como eu devia proceder com o meu pai. Embora eles tenham me atendido de forma muito gentil e simpática, disseram-me que não poderiam fazer nada pelo meu pai até o momento em que ele admitisse que tinha um problema. Aquilo me fez lembrar que, realmente, eu já sabia disso de algum lugar, de ouvir falar ou ler em uma revista. E disseram mais uma coisa: se a pessoa admitir que tem um problema, metade do problema já está resolvido. Só que não acreditei naquilo.

— Ora, vamos lá... — argumentei, contrariada. — O pessoal da organização de vocês existe para fazer as pessoas pararem de beber, então vocês devem ter como fazê-lo parar.

— Sinto muito — disse a mulher com quem eu estava falando. — Ninguém pode fazer isso, a não ser ele próprio.

— Mas ele é alcoólatra — explodi. — Ninguém espera que um alcoólatra consiga parar de beber por conta própria.

— Não — concordou ela. — Mesmo assim, eles têm que resolver parar por conta própria.

— Escute, acho que você não compreendeu o problema — expliquei. — Ele sempre teve uma vida muito difícil, a mulher dele acabou de abandoná-lo e, de certa forma, ele *tem* que beber para superar isso.

— Não, não tem — retrucou ela. De forma gentil.

— Isso é ridículo — exclamei. — Será que posso falar com o seu chefe? Preciso conversar com um especialista no problema. Meu pai é um caso muito especial.

Ela riu. Isso me deixou ainda mais chateada.

— Todos nós achávamos que éramos casos muito especiais — disse ela. — Se eu tivesse ganho um centavo para cada alcoólatra que já me falou isso, estaria rica.

— Do que você está falando? — perguntei, com frieza.

— Bem, eu sou alcoólatra — explicou ela.

— É mesmo? — perguntei, surpresa. — Sua voz não demonstra.

— E como você acha que a minha voz deveria parecer? — perguntou ela.

— Bem... devia parecer arrastada, meio bêbada, imagino.

— Não tomo um drinque sequer há muito tempo, quase dois anos — explicou ela.

— *Nadinha?*

— Nadinha.

— Ah, fala sério... nadinha *mesmo*?

— Não. Nadinha mesmo.

Ela não devia beber muito, pensei, se conseguiu se manter abstêmia por dois anos. Provavelmente era aquele tipo de pessoa que bebe umas quatro doses de sidra na sexta-feira à noite.

— Olha, eu lhe agradeço — disse eu, já me preparando para desligar. — Acho que o meu pai não é nem um pouco como você. Ele bebe uísque, e começa a beber logo de manhã cedo — expliquei, quase como se estivesse contando vantagem. — Para ele ia ser muito mais difícil parar. Jamais conseguiria ficar sem uma dose de bebida por dois anos.

— Eu começava a beber logo de manhã cedo — afirmou a mulher.

Engoli em seco. Não acreditava nela.

— Meu drinque favorito era conhaque. Puro — continuou ela.

— Uma garrafa por dia — acrescentou quando viu que eu continuava sem dizer nada. — Não era nem um pouco diferente do seu pai.

— Mas ele é velho... — expliquei, em desespero. — Você não me parece velha.

— Há gente de todas as idades no AA. Muitas pessoas aqui são velhas. Olha, posso enviar alguém até aí para conversar com o seu pai — sugeriu.

Só que pensei na mesma hora no quanto ele ficaria zangado por causa daquilo, e como ia se sentir humilhado, e achei melhor não.

Nesse momento, ela me deu o telefone de outro grupo chamado Al-Anon, e disse que era uma organização que auxiliava amigos e familiares de alcoólatras, e que eles poderiam me ajudar. Assim, como último recurso, liguei para eles. Cheguei até mesmo a ir a uma de suas reuniões, na expectativa de receber todo tipo de dica para ajudar papai a parar de beber: como esconder a birita em pontos estratégicos da casa, como batizar as bebidas, completando-as com água, como persuadi-lo a ficar sem beber até depois das oito da noite, esse tipo de coisa.

Fiquei revoltada ao ver que não havia nada desse tipo.

Todos ali ficavam falando o tempo todo sobre como estavam tentando abandonar o marido alcoólatra, namorado, esposa, filha, amigo ou sei lá mais quem a ficar por conta própria, para que eles próprios conseguissem viver as suas vidas. Um sujeito falou sobre a sua mãe, que vivia bêbada, e como ele sempre acabava se apaixonando perdidamente por mulheres que também tinham problemas com a bebida.

Todos falavam de uma coisa chamada "codependência", conceito que eu conhecia, por ter lido tantos livros de autoajuda, mas não conseguia enxergar como poderia ser aplicado ao meu caso e ao de meu pai.

— Você não pode modificar o seu pai — disse-me uma mulher. — Ao fazer isso, você está apenas tentando evitar os próprios problemas.

— Mas o meu pai *é* o meu problema — retruquei, com cara de ofendida.

— Não, não é — rebateu ela.

— Como vocês podem ser tão insensíveis? — perguntei. — Eu amo o meu pai.

— Você não acha que tem direito a uma vida melhor? — quis saber ela.

— Mas não posso simplesmente abandoná-lo — continuei, falando com firmeza.

— Isso talvez seja a melhor coisa que você vai fazer, em toda a sua vida.

— A culpa ia me matar — argumentei, com cara de santa.

— Culpa é apenas autoindulgência — disse ela.

— Como ousa dizer isso? — reclamei. — Não faço ideia do que você está falando.

— Fui casada com um alcoólatra — informou ela. — Sei exatamente o que você está enfrentando.

— Sou apenas uma pessoa normal que, por acaso, tem um pai com problemas com a bebida. Não sou como vocês, que são um bando de... de... perdedores que precisam vir a reuniões idiotas como essa para conversar sobre como vão fazer para *se livrar* do alcoólatra que existe em suas vidas.

— Foi exatamente isso o que eu disse logo que vim para cá — rebateu ela.

— Meu Deus — repliquei, zangada. — Tudo o que quero é ajudá-lo a parar de beber. O que há de tão errado nisso?

— O que há de errado é que você não pode ajudá-lo — respondeu ela. — Você é totalmente impotente com relação a ele e ao álcool que ele consome. Mas não é impotente com relação à sua vida.

— Eu tenho responsabilidades.

— Com você mesma. As coisas nunca são assim tão simples. Quando a pessoa parar de beber, o codependente não fica automaticamente bem.

— O que quer dizer com isso?

— Bem, que tipo de relacionamento você tem com outros homens?

Não respondi.

— Muitas mulheres como nós — continuou ela — passam um sufoco para conseguir relacionamentos felizes.

— Eu não sou uma mulher como você — disse, em tom de deboche.

— Você ficaria abismada ao descobrir quantas de nós têm o tipo errado de relacionamentos, sempre com o tipo errado de homens — disse ela, com delicadeza. — Isso é devido ao fato de que as nossas expectativas no relacionamento sempre se baseiam no que aprendemos convivendo com o álcool em nossas vidas.

— Olhe, vou lhe dar o meu telefone — completou. — Ligue para mim se precisar conversar com alguém. A qualquer hora.

Fui embora sem pegar o número.

Mais um caminho explorado. Mais um beco sem saída.

Agora, o que é que eu ia fazer?

Tentei dar menos dinheiro ao meu pai. Mas ele implorava, chorava, e a culpa que eu sentia era tão horrível que acabava entregando-lhe a quantia que ele pedia, mesmo sabendo que eu de fato não tinha aquele dinheiro.

Oscilava entre a sensação de estar furiosa e uma tristeza tão profunda que parecia que o meu coração ia se partir. Às vezes eu odiava o meu pai, e às vezes o amava.

Fui me sentindo cada vez mais aprisionada e desesperada.

CAPÍTULO 72

O Natal foi horrível. Não pude ir a nenhuma das centenas de festas e porres coletivos para os quais fui convidada. Enquanto todo mundo usava roupas curtas, pretas e cintilantes (inclusive alguns homens), eu estava no trem, a caminho de casa, em Uxbridge. Enquanto todas as garotas estavam metendo o pau no chefe, ou se agarrando com ele, eu estava em casa, pedindo pelo amor de Deus a papai que ele voltasse para a cama, garantindo-lhe que não tinha importância que ele tivesse molhado a cama mais uma vez.

Acho que minha fada madrinha deve ter entendido errado as instruções, porque, em vez de ela me dizer "você *vai* dançar no salão a noite toda!", ela falou "você *vai* limpar o xixi do salão a noite toda!".

Mesmo que eu tivesse alguma outra pessoa que tomasse conta de papai, não dava para eu ir a lugar nenhum, porque estava dura demais para pagar uma rodada de drinques.

Papai começou a beber ainda mais, animado pela época das festas de fim de ano. Não sei exatamente por que aconteceu isso. Afinal de contas, ele não precisava de um *pretexto* para beber mais.

Para piorar o meu estado de autopiedade, só recebi dois cartões de Natal. Um de Daniel e outro de Adrian, da locadora.

O Dia de Natal propriamente dito foi o pior de todos. Chris e Peter não apareceram nem para me ver nem para ver papai.

— Não quero que pareça que estou tomando partido. — Foi a desculpa de Chris.

— Não quero deixar mãezinha chateada. — Foi a desculpa de Al Jolson, isto é, de Peter.

Foi um dia horrível. A melhor coisa que aconteceu é que papai já estava quase em coma alcoólico às onze da manhã.

Estava tão desesperada para ter alguém com quem conversar e desabafar, qualquer pessoa que servisse para diluir a presença de papai, que me senti quase ansiosa para voltar ao trabalho.

CAPÍTULO 73

Já que o Natal fora tão terrível, eu, tolamente, esperava a chegada do Ano-Novo com um pouco mais de esperança.

No dia 4 de janeiro, porém, papai embarcou em um porre federal, um dos maiores das últimas semanas. Ele obviamente planejara com cuidado a forma de obter a grana para a bebida, porque, quando tentei comprar um pacote de jujubas no caminho do trabalho, vi que todo o meu dinheiro sumira da bolsa. Poderia ter corrido de volta para casa e tentado evitar que ele bebesse a grana toda, porém, por algum motivo, não quis me dar àquele trabalho.

Ao chegar à cidade, tentei sacar um pouco de dinheiro em um caixa eletrônico, mas a máquina engoliu o meu cartão. "Você está com sua conta no vermelho, espantosamente além do limite, entre em contato com o seu gerente o mais rápido possível", era o que a mensagem piscava na tela. Jamais farei isso, pensei. Se eles me querem, vão ter de vir até aqui para me pegar (jamais conseguirão me agarrar com vida etc. etc.).

Tive de pedir dez libras emprestadas a Megan.

Ao voltar para casa, encontrei debaixo da porta uma carta oficial com palavras ameaçadoras. Era do meu banco, instruindo-me a devolver o talão de cheques imediatamente.

As coisas começaram a escapar ao meu controle. Tentava superar o medo glacial que crescia dentro de mim. Onde tudo aquilo ia parar?

Ao me encaminhar para a cozinha, alguma coisa estalou debaixo dos meus sapatos. Olhei para baixo e vi que todo o carpete da sala estava coberto de cacos de vidro. O piso da cozinha também. A mesa estava cheia de cacos, pratos quebrados, pires e tigelas. No quarto da frente, o tampo de vidro fumê da mesinha lateral estava em mil pedacinhos, livros e fitas estavam todos espalhados pelo cômodo. Toda a parte de baixo da casa (ou o que sobrara dela) estava em pedaços.

Obra de papai.

Ele já ensaiara algumas sessões de quebradeira antes, mas nada tão espetacular quanto aquilo.

Naturalmente, ele não estava em parte alguma.

Fui da cozinha para o quarto da frente e voltei para a cozinha outra vez, sem conseguir acreditar na extensão dos estragos. Se alguma coisa era quebrável, ele a quebrara. Mesmo que não fosse quebrável, ele *tentara* quebrá-la. Havia uma bacia amarela, de plástico, no chão da cozinha, e papai tinha, pelo jeito, tentado destruí-la de todas as formas, a julgar pela borda cheia de pontas e dobras. No quarto da frente havia uma prateleira cheia de medonhos bibelôs de porcelana, cãezinhos, meninos e sinos, dos quais minha mãe gostava tanto. Pois o meu pai eliminara todos da face da Terra. Senti uma fisgada de tristeza pela minha mãe. Ele sabia muito bem o que aquelas pecinhas significavam para ela.

Nem consegui chorar. Simplesmente comecei a limpar tudo.

Quando estava agachada, recolhendo os caquinhos de porcelana quebrada de cima do carpete, o telefone tocou. Era a polícia, informando que papai acabara de ser preso. Fui cordialmente convidada a ir até a delegacia para soltá-lo, sob fiança.

Estava sem dinheiro e sem energia.

Resolvi chorar.

Depois, decidi ligar para Daniel.

Milagrosamente, ele estava em casa. Não sei o que teria feito se ele não estivesse.

Eu estava chorando tanto ao telefone que ele não conseguiu entender nada do que eu estava dizendo.

— É o papai. — Chorava, sem conseguir falar direito.

— O que aconteceu com ele?

— Nada... tudo.

— Lucy, o que houve, afinal? Aconteceu ou não alguma coisa com ele?

— Ai, pelo amor de Deus, dá pra você vir até aqui agora mesmo?

— Vou o mais rápido que puder — prometeu ele.

— Traga um monte de dinheiro — acrescentei.

Ele chegou dois cãezinhos de porcelana, um sininho e meia mesinha mais tarde.

— Desculpe a demora, Lucy — pediu ele, assim que abri a porta. — Custei a compreender você. É algum problema com o seu pai?

Ele chegou mais perto para colocar os braços em volta de mim, mas eu me afastei, meio zonza. A última coisa que minha panela fervente de emoções precisava era de um acesso de atração sexual.

— Foi sim, um problema com o meu pai — confirmei enquanto as lágrimas escorriam pelo meu rosto. — Ele está...

— Ferido? — completou ele, para mim. — Sei, deu para perceber que era algo desse tipo. Desculpe, mas não deu para entender muita coisa, mas... nossa. O que aconteceu nesta casa? Um terremoto?

— Não, é que...

— Vocês foram assaltados. Não toque em coisa alguma, Lucy.

— Não, nós não fomos assaltados porcaria nenhuma — explodi, com nova crise de choro. — Aquele idiota, canalha e bêbado do meu pai é que destruiu todas essas coisas.

— Não acredito, Lucy. — Ele parecia horrorizado de verdade, o que fez com que eu me sentisse ainda pior.

— Mas, por quê? — perguntou Daniel, passando as mãos pelos cabelos.

— Sei lá. Mas as coisas ficaram ainda piores. Ele foi preso.

— Desde quando a polícia prende uma pessoa por quebrar coisas na própria casa? Nossa, este país está se parecendo cada dia mais com uma grande delegacia. Qualquer dia vai ser considerado ilegal deixar a torrada queimar ou então comer sorvete direto da caixa, e...

— Cale a boca, seu liberal de araque, leitor de jornais conservadores. — E comecei a rir, sem conseguir evitar. — Ele não foi preso por quebrar bibelôs. Nem sei o motivo de sua prisão, mas *tremo* só de pensar.

— Então ele vai ter que ser solto sob fiança?

— Isso mesmo.

— Certo, Lucy, direto para o fodomóvel. Vamos salvá-lo.

Papai tinha sido acusado de um milhão de coisas. Bebedeira, causar desordem nas ruas, provocar tumultos, acarretar danos à propriedade alheia, tentativa de agressão, comportamento obsceno, e a lista seguia, interminável. Jamais imaginei que chegaria o dia em que eu ia ter de comparecer a uma delegacia para liberar meu próprio pai sob fiança, depois de sua prisão.

Quando papai foi libertado da cela, estava manso como um cordeirinho, toda a energia e agressividade se fora. Daniel e eu o levamos para casa e o colocamos na cama.

Então, preparei uma xícara de chá para Daniel.

— Muito bem, Lucy... e agora, o que nós vamos fazer a respeito disso? — perguntou ele.

— Nós? "Nós" quem? — perguntei, na defensiva.

— Você e eu.

— O que isso tudo tem a ver com você?

— Pelo menos uma vez na vida, Lucy, só essa vezinha, será que dá para você parar de entrar em confronto comigo? Estou apenas querendo ajudar.

— Não quero a sua ajuda.

— Quer sim — afirmou ele. — Se não quisesse, não teria me telefonado. Não é vergonha alguma, Lucy — acrescentou. — Não há necessidade de você se mostrar tão melindrada.

— Você também ficaria melindrado se o seu pai fosse alcoólatra — exclamei, enquanto as lágrimas me escorriam pelo rosto *novamente*. — Bem, talvez ele não seja propriamente alcoólatra e...

— Ele *é* alcoólatra. — Daniel estava com ar sombrio.

— Pode chamá-lo do que quiser — solucei. — Estou cagando e andando para ele ser alcoólatra ou não. Tudo o que sei é que meu pai é um bêbado que está arruinando a minha vida.

Solucei por mais algum tempo, colocando para fora o fardo de meses e meses de estresse, e deixei tudo escorrer rosto abaixo.

— Você sabia? — perguntei a Daniel. — Já sabia a respeito do meu pai?

— Hã, eu... já.

— Mas como?

— Chris me contou.

— E por que ninguém contou para mim?

— Eles contaram.

— Bem, então por que ninguém veio me ajudar?

— Eles tentaram. Você não deixou.

— E o que vou fazer agora?

— Que tal sair fora e deixar outra pessoa tomando conta dele?

— Ah, isso não — reagi, com medo.

— Tudo bem. Se você não quiser se mudar daqui, não precisa fazer isso, mas há um monte de gente que tem condições de ajudá-la. Além dos seus irmãos, há pessoas que vêm prestar esse serviço em casa, assistentes sociais, empresas de cuidados domiciliares e vários profissionais desse tipo. Você vai continuar sendo capaz de cuidar dele, mas não precisa mais fazer isso sozinha.

— Vou pensar no assunto.

À meia-noite, enquanto Daniel e eu ainda estávamos sentados, com cara desgostosa, à mesa da cozinha, o telefone tocou.

— O que será agora? — perguntei, receosa.

— Alô? — atendi.

— Será que eu poderia falar com Lucy Sullivan? — gritou uma voz que me pareceu familiar.

— Gus? — perguntei, sentindo a alegria me inundar por dentro.

— Aqui fala o próprio — berrou ele.

— Oi!! — Fiquei com vontade de sair dançando. — Como foi que você conseguiu meu telefone?

— Encontrei aquela branquela loura com cara de assustada no McMullens, e ela me contou que você estava morando onde Judas perdeu as botas. E, veja só... não é que tenho pensado muito em você e sentido saudades?

— Sério? — Estava quase chorando de alegria.

— Sério, Lucy. Então eu falei para ela: "Diga para mim o número do telefone da Lucy, que vou ligar e convidá-la para dar uma saída comigo." Portanto, aqui estou, Lucy, ligando e convidando você para dar uma saída comigo.

— Que ótimo — disse, maravilhada. — Eu adoraria me encontrar com você.

— Então está certo. Fale qual é o seu endereço e eu vou para aí já, já.

— Você quer dizer, *neste instante*?

— E quando mais?

— Olhe, agora não é um bom momento, Gus. — Eu me senti muito ingrata.

— Bem, quando pode ser, então?

— Depois de amanhã.

— Combinado. Quinta-feira, depois do seu trabalho. Eu passo lá para pegar você.

— Ótimo.

Desliguei e me virei para Daniel, com os olhos brilhando.

— Era o Gus — informei, quase sem fôlego.

— Deu pra sacar.

— Ele estava pensando em mim.

— Estava, é?...

— Quer me ver.

— Que sorte a dele você ser tão compreensiva.

— Por que você está tão pau da vida, hein?

— Será que não lhe ocorreu fazer um pouco de jogo duro com ele, Lucy? Eu ficaria mais satisfeito se você não tivesse cedido assim tão fácil.

— Daniel, o fato de Gus ter ligado foi a melhor coisa que me aconteceu em muitos meses. Não estou com energia para ficar brincando de joguinhos com ele.

Daniel deu um sorriso rápido e tenso.

— Então é melhor preparar toda a sua energia para brincar de joguinhos com ele na quinta à noite — avisou ele, bem direto.

— E daí se isso acontecer? — perguntei, zangada. — Eu tenho direito a uma boa transa, sabia? Por que você está com esse papo de pai antiquado pra cima de mim?

— Porque você merece muito mais do que ele.

E levantou-se da cadeira, perguntando:

— Tem certeza de que não precisa que eu passe a noite aqui?

— Tenho sim, obrigada.

— E você vai pensar sobre aquilo que eu disse, a respeito de arrumar ajuda para cuidar do seu pai?

— Tá, vou pensar.

— Eu ligo amanhã. Até logo.

Quando ele se inclinou para me dar um beijo... no rosto... eu disse:

— Ahn... Daniel... dá para você me emprestar alguma grana?

— Quanto?

— Ahn... vinte, se você puder.

Ele me deu sessenta libras.

— Divirta-se com Gus — disse ao sair.

— Este dinheiro não é para gastar com Gus — repliquei, na defensiva.

— Eu não disse que era.

CAPÍTULO 74

Fiquei *além da empolgação* só de pensar que ia rever o Gus. Obviamente, pelo fato de eu ter estado fora de circulação por uns três meses, um pouco da animação era devido à velha síndrome do confinamento. Mas não se tratava disso, apenas. Eu ainda era louca por ele. Jamais perdera as esperanças de que as coisas poderiam dar certo para nós. Estava tão animada que consegui deixar minhas preocupações com meu pai em compasso de espera.

Quando contei ao pessoal do escritório que ia me encontrar com Gus, foi um rebuliço. Meredia e Jed soltaram um suspiro de alegria, depois deram os braços um ao outro e vieram pulando pela sala, derrubando uma cadeira pelo caminho. Então, ao mudar de direção, o generoso quadril de Meredia esbarrou em um porta-objetos que saiu voando e foi parar no chão, espalhando clipes, rolos de fita adesiva, canetas e marca-textos por toda parte.

Eles ficaram quase tão agitados quanto eu, provavelmente porque tanto sua vida social quanto a romântica andavam monótonas, como a minha, e eles estavam contentes por algum tipo de diversão, pessoal ou por tabela.

Só Megan pareceu não gostar da notícia.

— Gus? — perguntou ela. — Você vai tornar a sair com *Gus*? O que aconteceu? Onde foi que você o achou?

— Eu não o achei, ele ligou para mim.

— Ele é um canalha mesmo — exclamou.

Houve um coro de discordância em uníssono de todos nós.

— Não, ele não é canalha não! — berrou Meredia.

— Deixe-o em paz, ele é um grande sujeito! — gritou Jed.

— Então, o que houve? — quis saber Megan, ignorando-os. — Ele ligou para você... e depois?

— Pediu para sair comigo — disse eu.

— E explicou o porquê desse pedido? — interrogou ela. — Ele falou o que queria de você?

— Não.

— E você *vai* se encontrar com ele?

— Vou.

— Quando?

— Amanhã.

— Podemos ir junto? — implorou Meredia, enquanto se agachava para recolher um monte de grampos do chão.

— Não, Meredia, dessa vez não — determinei.

— Não acontece nada de interessante conosco — reclamou ela, fazendo beicinho.

— Ah, não diga isso — lembrou Jed, de forma jovial, tentando animá-la. — E quanto à simulação de incêndio?

Tínhamos passado por uma simulação de incêndio no prédio, uma semana antes, e, para ser justa, foi muito divertido. Especialmente porque fomos avisados por antecipação. É que Gary, do Departamento de Segurança do edifício, deu a dica para Megan, em uma inútil tentativa de conseguir algum avanço em suas investidas sexuais sobre ela. Assim, duas horas antes de o alarme disparar, já estávamos com os casacos, bolsas e sacolas prontinhos, em cima da mesa, preparados para a largada.

De acordo com o memorando que circulara algum tempo antes, eu deveria ser monitora no caso de combate a incêndios, mas não tinha a menor ideia de como proceder, e ninguém me explicou nada. Assim, em vez de ficar por ali, aproveitamos a muvuca completa que se instalou e fomos correndo para a Oxford Street, a fim de visitar algumas lojas de sapatos.

— Não se encontre com ele, Lucy — disse Megan. Parecia preocupada.

— Está tudo bem — tranquilizei-a, comovida por sua atitude protetora. — Eu sei cuidar de mim.

Mas ela balançou a cabeça, afirmando:

— Ele não é flor que se cheire, Lucy.

E em seguida permaneceu estranhamente calada.

No dia seguinte, quando Jed chegou para trabalhar, informou que não conseguira pregar o olho a noite toda, de tanta empolgação. Depois, reclamou o dia inteiro que estava com friozinhos na barriga.

Fez questão de examinar cuidadosamente minha aparência, antes de meu encontro com Gus.

— Boa sorte, agente Sullivan — desejou-me. — Todos nós contamos com você.

Já fazia muito tempo desde que eu me sentira assim tão jovem e feliz. Como se a vida apresentasse novas possibilidades.

Gus estava me esperando do lado de fora do prédio, e dava a impressão de estar trocando insultos com Winston e Harry (depois descobri que estava mesmo). Assim que eu o vi, meu estômago deu uma cambalhota. Ele estava lindo, com o cabelo preto e brilhante caindo por sobre os olhos verdes.

Os quatro meses que haviam se passado não prejudicaram em nada o seu jeito atraente.

— Lucy! — berrou ele assim que me viu, e veio caminhando lentamente na minha direção, com um balanço sexy, abrindo os braços.

— Gus — sorri, quase sem fôlego, torcendo para que ele não reparasse que as minhas pernas estavam tremendo de excitação e nervoso.

Ele atirou os braços em torno do meu corpo e me abraçou com força, mas a minha felicidade, já pronta para decolar, freou bruscamente ao sentir o cheiro de álcool que emanava dele.

Não era nem um pouco estranho para Gus feder a álcool. Na verdade, era mais estranho quando ele *não fedia* a álcool. Aquela era uma das coisas que eu achava atraente nele.

Ou, melhor, *havia*, no passado, achado atraente nele.

Pelo jeito, aquilo mudara em mim.

Por um momento senti uma fisgada bem definida de raiva: se eu estivesse a fim de passar a noite com um bêbado fedorento, poderia ter ficado em casa mesmo, com papai. Minha noitada com Gus era para ser a Grande Escapada, e não uma figurinha repetida.

Ele recuou um pouco para poder me olhar melhor, mas manteve os braços em volta de mim enquanto sorria, sorria, sorria sem parar. Acabei me animando.

Estava tonta por me sentir assim tão perto dele, apenas a um beijo de distância daquele rosto lindo e sexy.

Estou com Gus, pensei, sem acreditar. *Estou com o homem dos meus sonhos nos braços.*

— Vamos beber alguma coisa, Lucy — sugeriu ele.

Senti aquela sensação de novo, uma fisgada de aborrecimento.

Ora, surpresa!... surpresa!, pensei, chateada. Imaginara que íamos fazer alguma coisa mais criativa na noite da nossa reconciliação. Eu era mesmo uma idiota.

— Vamos lá! — Ele me agarrou e começou a caminhar bem depressa. Para falar a verdade, ele quase saiu correndo. Devia estar doido para tomar um drinque, pensei, enquanto eu tropeçava, correndo atrás dele. Chegamos a um pub próximo, onde já havíamos estado uma montanha de vezes no passado. Era um dos pubs favoritos de Gus, ele conhecia o barman e quase toda a clientela.

Ao passar pela porta, atrás do apressado Gus, subitamente me dei conta... *Eu odeio este pub.* Jamais reparara naquilo antes, mas sempre me sentira pouco à vontade ali.

O lugar era sujo e ninguém limpava as mesas, nunca. Vivia cheio de homens que ficavam me encarando sempre que eu entrava, e os atendentes eram extremamente grosseiros com as mulheres. Ou talvez agissem assim apenas comigo.

Tentei manter uma atitude positiva, porém.

Estava ali com Gus, e ele continuava lindo. Era uma graça, muito divertido e sexy. Apesar de continuar usando aquele casaco de pele de carneiro medonho, que eu suspeitava que tinha pulgas.

Houve uma momentânea quebra da tradição no momento em que Gus pediu o primeiro drinque: foi ele que pagou.

E transformou aquele gesto em uma superprodução cheia de efeitos especiais.

Foi assim:

Naturalmente, assim que nós entramos, sentamo-nos à mesa e eu peguei a bolsa na mesma hora, como sempre fazia quando estava com Gus. Quando estava com todo mundo, lembrei, com ar sombrio. Em vez de me dizer o que queria beber, como normalmente fazia, ele deu um pulo e só faltou rugir, dizendo:

— NÃO, NÃO! De jeito nenhum!

— O que foi? — perguntei, meio irritada.

— Guarde o seu dinheiro, guarde o seu dinheiro — disse, fazendo amplos gestos com o braço e acenando para mim no estilo "deixe que eu pago", do mesmo jeito que os tios bêbados fazem em casamentos. — Essa rodada é por minha conta!

Aquilo foi como um raio de sol que saía das nuvens. Gus tinha dinheiro. Era um sinal que significava que tudo ia acabar bem, que Gus ia cuidar direitinho de mim.

— Está bem — sorri.

— Não, eu insisto — disse, falando mais alto, fazendo movimentos com as mãos para a frente e para trás na direção da minha bolsa.

— O.k. — disse eu.

— Vou me sentir insultado se você não me deixar pagar a bebida. Vou considerar uma *ofensa pessoal* se você não me permitir pagar essa rodada — insistiu ele, magnânimo.

— Gus — disse eu. — Eu não estou discutindo.

— Oh... oh... tudo bem, então. — E pareceu meio decepcionado. — O que você vai querer?

— Um gim-tônica — murmurei, humilde.

Ele voltou logo depois com o meu gim, uma tulipa de cerveja e uma dose de uísque para ele.

Seu rosto estava contorcido de indignação.

— Puxa vida — reclamou. — Isso é roubo em plena luz do dia. Sabe quanto é que me cobraram por esse gim-tônica?

Muito menos do que vou ter de gastar para pagar a próxima rodada, pensei. Por que será que ele precisava sempre tomar dois drinques de cada vez, quando todo mundo tomava apenas um?

Tudo o que respondi, porém, foi um fraco "desculpe", porque eu não queria arruinar a noite com a qual sonhara tanto.

O mau humor dele não durou muito. Nunca durava.

— Saúde, Lucy. — Sorriu, brindando com a tulipa dele de encontro ao meu gim de custo exorbitante.

— Saúde. — Acompanhei, tentando aparentar sinceridade.

— Bebo, logo existo — filosofou ele, dando um sorriso e bebendo metade da cerveja de um gole só.

Sorri, mas tive de fazer um esforço. Normalmente eu adorava as observações geniais que ele fazia, mas não naquela noite.

As coisas não estavam caminhando do jeito que eu imaginara.

Eu não sabia exatamente o que conversar com Gus, e ele, pelo jeito, nem queria se dar ao trabalho de falar também. Antes, sempre tínhamos um monte de coisas sobre o que conversar, lembrei, com melancolia. De repente, ali havia apenas um clima estranho e silêncios tensos, pelo menos de minha parte.

Queria desesperadamente que tudo desse certo, queria forçar as coisas para quebrar aquela barreira de tensão, mas não estava com disposição nem de dar a partida na conversa.

Gus também não fazia esforço algum nesse sentido. Na verdade, ele nem parecia estar reparando no silêncio. Não estava reparando em mim também, conforme descobri depois de algum tempo.

Era um homem em paz consigo mesmo e com o mundo, bem acomodado em sua cadeira, com seus drinques e seus cigarros, confortável, satisfeito com tudo aquilo, inspecionando o pub, acenando com a cabeça e piscando para as pessoas que conhecia, um espectador do mundo.

Tão relaxado quanto um lagarto ao sol.

Sorrindo, ele matou os dois drinques em uma velocidade recorde, foi até o bar e voltou com mais duas doses.

Nem ao menos me ofereceu uma bebida. Nem uma dose pequena. Por falar nisso, agora que eu estava lembrando o fato, ele quase nunca havia me oferecido coisa alguma. Só que eu não me lembrava de ter me incomodado com aquilo antes. Bem, certamente me sentia incomodada naquele momento.

Ficamos sentados ali, calados, eu sem dizer uma palavra, muda devido às minhas expectativas não alcançadas, enquanto ele bebia seus dois drinques e fumava um cigarro. De repente, entornou de um só gole o que restava da cerveja e, antes mesmo de terminar de engolir, falou, ofegante:

— Agora é a sua vez, Lucy.

Como um robô, levantei-me da cadeira e perguntei o que ele queria.

— Uma cerveja e uma dose de uísque — pediu ele, com cara de inocente.

— Algo mais? — perguntei, sarcástica.

— Muito obrigado, Lucy — replicou ele, parecendo deliciado. — Já que você é uma garota tão legal, podia me trazer um pouco de fumo.

— Fumo?

— Cigarros.

— Ah, cigarros? De que marca?

— Benson and Hedges.

— Quantos? Uns mil?

Ele pareceu achar aquilo muito engraçado.

— Apenas os vinte que vêm no maço, a não ser que você *queira* realmente me comprar mais.

— Não, Gus, não quero — disse, com frieza.

Enquanto esperava para ser atendida no bar, fiquei tentando descobrir por que estava tão pau da vida.

A culpa era só minha, decidi. Eu mesma preparara o meu desapontamento. Chegara ali com tantas expectativas, e tão carente...

Ansiava que Gus fosse legal comigo, me cobrisse de atenções, me dissesse que sentiu saudades, que eu era linda e que ele estava loucamente apaixonado por mim.

E ele não fizera nada disso. Não perguntou como eu estava, não explicou por onde andara nem por que não me procurara por quase quatro meses.

Mas talvez eu exigisse demais dele. Estava me sentindo tão infeliz com o resto da minha vida que tinha a esperança de que Gus pudesse ser o meu salvador. Alguém que cuidasse de mim, alguém a quem eu pudesse entregar a minha vida, dizendo "tome, cuide disso".

Queria o serviço completo.

Relaxe, aconselhei a mim mesma enquanto tentava olhar fixamente para o barman. Divirta-se. Pelo menos você está *com* ele. Ele não apareceu de volta? E continua o mesmo cara esperto e divertido que sempre foi. Então, o que mais você quer?

Voltei para a mesa, carregada de drinques e esperanças renovadas.

— Muito bem, Lucy — recebeu-me Gus, e caiu de boca nos copos com a avidez de uma mulher no período pré-menstrual que se vê diante de uma tigela de creme de nozes.

Segundos depois, anunciou:

— Vamos tomar mais um.

E lembrou de acrescentar:

— Você paga!

Alguma coisa despencou dentro de mim e se despedaçou no chão.

Eu não era uma instituição de caridade. Pelo menos deixara de ser.

— É mesmo? — perguntei, sem conseguir esconder a minha raiva. — Desde quando eles começaram a aceitar ar fresco como moeda corrente?

— Sobre o que está falando, Lucy? — perguntou ele, olhando para mim, desconfiado. Sentiu algo em mim com o qual ele não estava nem um pouco familiarizado.

— Gus — expliquei, com uma satisfação amarga. — Fiquei dura.

Aquilo não era bem verdade, sobrara um pouco para eu voltar para casa, e até mesmo para comprar um pacote de batatas fritas no caminho, mas eu não queria contar, pois ele ia tentar me adular para conseguir tudo se soubesse que ainda havia algum.

— Você é uma mulher muito cruel. — Riu ele. — Imagine, tentando me apavorar desse jeito...

— Estou falando sério.

— Ah, sai dessa, para com isso, Lucy — exclamou, em tom de brincadeira. — Sei que você tem um daqueles cartões mágicos que fazem a maquininha cuspir dinheiro pelo buraco e tocar um sininho.

— Sim, mas...

— Bem, e então, o que estamos esperando? Vá até lá, Lucy, avante, não temos tempo a perder. Corra até lá e pegue a bufunfa enquanto fico aqui tomando conta do nosso lugar.

— E quanto a você, Gus?

— Bem, acho que vou aceitar mais uma cerveja enquanto você vai até lá, obrigado.

— Não, estou perguntando se você não tem um cartão eletrônico, Gus.

— Eu?!... — Ele deu um urro e começou a rir sem parar. — Você está falando sério?

Ele ria e ria, sem parar, e de repente fez cara de quem achava que eu tinha pirado.

Fiquei sentada, em silêncio, esperando que ele terminasse a cena.

— Não, Lucy — continuou ele, limpando a garganta e finalmente se acalmando, embora a sua boca continuasse tentando rir. — Não tenho um cartão desses não, Lucy.

— Bem, nem eu, Gus.

— Eu *sei* que você tem — ele debochou. — Já vi você usando um.

— Mas eu não tenho mais.

— Ah, para com isso.

— Sério, Gus.

— Ué... por que você não tem mais?

— A máquina engoliu o meu cartão. Ele foi bloqueado, porque eu não tinha mais dinheiro algum na conta.

— É mesmo? — Ele pareceu aturdido.

Aquilo ia mostrar a ele, pensei, com uma certa satisfação.

Depois, me senti envergonhada. Não era justo descontar tudo em Gus só porque eu estava chateada com papai.

Subitamente me deu vontade de contar a Gus tudo o que estava me acontecendo, explicar a ele o motivo de eu estar assim tão estranha e mal-humorada. Queria compreensão e perdão, solidariedade e afeto. Assim, sem esperar nem mais um segundo, lancei sobre ele toda a saga, detalhando como eu tinha ido morar com o meu pai, estava bancando tudo em casa e dava dinheiro para ele, até ficar sem nada para mim...

— Lucy — interrompeu Gus, de forma gentil.

— Sim? — atendi, esperançosa, já esperando um pouco de apoio.

— Já sei o que vamos fazer — concluiu ele, com um sorriso brilhante.

— Sabe? — *Que bom!*, pensei.

— Você tem um talão de cheques, não tem? — perguntou ele.

Talão de cheques. *Talão de cheques?!* O que aquilo tinha a ver com o fato de eu estar infeliz?

— Olha, é que eu conheço o barman — continuou Gus, com os olhos brilhando. — Ele pode descontar um cheque seu se eu der o meu aval.

Engoli em seco. Não era aquilo que eu esperava ouvir.

— Vamos, preencha o cheque, Lucy, e estamos novamente no páreo. — E sorriu.

— Mas, Gus. — Embora eu não devesse, estava me sentindo como uma estraga-prazeres. — Estou sem dinheiro na conta. Na verdade, já até estourei o limite do cheque especial, e estourei bonito.

— Ah, não se preocupe com isso — aconselhou Gus. — Trata-se apenas de um banco, o que podem fazer contra você? A estrutura econômica é baseada no roubo, Lucy, vamos derrotar o sistema.

— Não — disse, quase pedindo desculpas. — Eu não posso fazer isso.

— Bom, isso é uma falta de sorte sua, Lucy. Com esse cavalo manco que você está montando, é melhor voltar logo para casa — disse ele, com cara amarrada. — Tchau, Lucy, foi bom rever você.

— Ah, tá legal — suspirei, pegando a bolsa e o talão de cheques, tentando não pensar no aterrorizante telefonema que fatalmente eu ia receber do meu gerente.

Gus tinha razão, pensei. Afinal de contas, tratava-se apenas de dinheiro. Não consegui, porém, evitar a sensação de que era eu que dava e dava, sempre, o tempo todo, e de repente desejei alguém que desse alguma coisa para mim, só para variar.

Preenchi um cheque, e Gus foi direto para o balcão, com ele na mão. Pelo tempo que demorou, e pela cara do barman, acho que ele não estava sendo muito fácil de convencer.

Finalmente Gus voltou, cheio de drinques.

— Missão cumprida. — Sorriu, enfiando um monte de notas no bolso. Reparei que a braguilha de sua calça estava presa por um alfinete de fralda.

— Cadê meu troco, Gus? — pedi, tentando manter a voz sem raiva.

— Ei, o que há com você, Lucy? — resmungou ele. — Você está muito mão-fechada e implicante comigo.

— É mesmo? — Estava sentindo enjôo de tanto segurar a fúria. — Por que você acha que estou sendo pão-dura e implicante? Não fui eu que banquei quase todos os drinques que tomamos esta noite?

— Bem — disse ele, com cara de indignado. — Se você vai começar a me jogar as coisas assim na cara, me diga logo quanto é que estou lhe devendo que devolvo, assim que conseguir alguma grana.

— Ótimo! — reagi. — Vou fazer isso mesmo.

— Tome, pegue o seu troco — disse ele, jogando em cima da mesa um monte de notas amarrotadas e algumas moedas.

Chegáramos ao ponto em que ficara óbvio que a noite estava arruinada, sem salvação. Não que tivesse sido um sucesso até ali. Pelo menos, até aquele momento, eu ainda tinha esperança de que as coisas fossem melhorar.

Sabia que aquilo era um insulto, mas peguei uma por uma das notas e comecei a contar o dinheiro que sobrara.

Eu preenchera um cheque de cinquenta libras, e ele me devolvera mais ou menos trinta. Drinques para dois, mesmo um dos dois sendo Gus, não custava vinte libras.

— Cadê o resto do meu troco? — perguntei.

— Ahn, o resto?... — Ele estava chateado, mas tentava disfarçar. — Achei que você não ia se importar e paguei um drinque para Vinnie, o barman, para que ele facilitasse as coisas e trocasse o cheque. Achei que era uma coisa justa e decente.

— E quanto ao resto?

— É que na hora em que eu estava no balcão, Keith Kennedy apareceu e achei que devia acertar as coisas com ele também.

— Acertar as coisas com ele?

— Pagar um drinque para ele, que tem sido uma pessoa tão legal comigo ultimamente, Lucy.

— Mesmo assim, ainda fica faltando um bocado de grana — afirmei, admirando a própria firmeza.

Gus deu uma risada, mas me pareceu aguda e meio forçada.

— É que eu... estava devendo dez libras para ele — admitiu, finalmente.

— Você devia dez libras a ele e resolveu pagar a dívida com o meu dinheiro? — perguntei, com a maior calma.

— Hã... foi. Não pensei que você fosse se importar. Você é igual a mim, Lucy, um espírito livre. Não dá importância ao dinheiro.

E foi em frente, começando a cantar a canção *Imagine*, de John Lennon, só que o único verso do qual ele parecia se lembrar era aquele que falava como seria o mundo se ninguém tivesse posses. Gus apresentou um tremendo show, abrindo os braços com ar de súplica e fazendo caretas criativas enquanto cantava: — Ó, Lucy, imagine um mundo sem posses... imagine um mundo sem posses...

Vamos, cante comigo, você sabe a letra... Imagine... sem posses... Ta-rã-rã, dã-dã-dã-dã...

Parou de cantarolar, esperando que eu começasse a rir. Como não ri, ele continuou cantando o refrão, só que mudando a letra:

— Você diz que eu sou frouxo... Que eu não passo de um bundão...

No passado, eu ficaria encantada com a sua cantoria. Teria morrido de rir, por fim comentaria que ele não era fácil, e o perdoaria.

Mas, naquela noite, não.

Não dei uma palavra. Não consegui. Estava cheia de tanta indignação. Sentia que era uma idiota completa. Estava envergonhada demais comigo mesma para sentir raiva.

A noite inteira fora um exercício para tentar tapar o sol com a peneira, tentando esconder de mim mesma o quanto estava chateada. Agora, a máscara caíra e tudo estava às claras.

Por que será que havia no ar a estranha sensação de que aquilo vivia acontecendo comigo?, perguntei a mim mesma. Fiz uma rápida avaliação da minha vida e compreendi que o motivo era exatamente este: aquelas coisas *viviam* acontecendo comigo, de verdade.

Acontecia todos os dias com o meu pai. Eu acabava me metendo em apuros financeiros só para conseguir algum dinheiro para ele.

Não era de estranhar que a situação me parecesse tão familiar.

Gus não vivia se encostando em mim para conseguir alguma grana? Ele jamais tivera um centavo.

Ficava feliz de lhe dar dinheiro, no início. Achava que o estava ajudando, que ele precisava de mim.

Perceber tudo aquilo de repente me deu enjoo. Eu era uma tola, uma babaca. Todo mundo já sabia disso, menos eu. Era uma bundona. Vejam, a pobre Lucy, vive tão desesperada em busca de amor e afeto que está disposta até a pagar por isso. Ela é capaz até de lhe dar a roupa do corpo, pois acha que você merece usá-la mais do que ela. Você jamais vai passar fome ao lado de Lucy, mesmo que ela própria passe. Mas e daí? O que importa ela?

Gus não era o único namorado que eu bancara financeiramente. A maioria deles não tinha empregos. E mesmo os que possuíam empregos conseguiam viver sempre duros.

Por todo o resto da noite, senti como se estivesse fora do meu corpo, olhando para mim e Gus.

Ele ficou completamente bêbado.

Eu devia ter me levantado dali e ido embora, mas não consegui. Estava fascinada, repelida por aquilo, mas estarrecida com o que presenciava. Não conseguia olhar para outro lugar.

Ele queimou minha meia com o cigarro aceso e nem notou. Entornou metade de um copo de cerveja em mim e nem reparou, também falava engrolado, dizia um monte de besteiras, começava a contar uma história, dava mil voltas e esquecia sobre o que estava falando. Ficou batendo papo com o casal da mesa ao lado e continuou a falar, mesmo quando se tornou óbvio que os estava aborrecendo.

Pegou uma nota de cinco libras do bolso, depois de ter me falado que não tinha um centavo, e interrompeu a conversa do casal da mesa ao lado, mais uma vez, balançando a nota na direção deles, apontando para a efígie da rainha Elizabeth e gritando:

— Venham ver a foto da minha namorada. Foi tirada quando ela fez vinte e um anos. Olhem só, ela não é linda?

Aquilo era o tipo de coisa que ia me deixar sem ar de tanto rir no passado. Agora, era apenas embaraçoso e, pensando melhor, simplesmente chato.

Quanto mais bêbado ele ficava, mais sóbria eu permanecia. Eu já quase não falava mais nada, e Gus não reparava ou não se importava.

Será que ele sempre fora daquele jeito?, eu me perguntava.

A resposta era *sim*, é claro.

Ele não mudara. Eu sim. Via as coisas de modo diferente.

Pouco importava a ele que eu estivesse ali ou não. Eu era apenas uma fonte de dinheiro.

Daniel tinha razão. Como se eu já não estivesse me sentindo desconfortável o suficiente, tinha de admitir que aquele presunçoso estava com a razão. E nunca mais ia me deixar esquecer esse fato. Embora, pensando melhor, talvez ele não me zoasse tanto... Daniel já não me parecia tão presunçoso quanto eu costumava achar. Na verdade, ele não era nem um pouco presunçoso. Era um cara legal. Pelo menos me pagava um drinque de vez em quando. E um jantar também, de vez em quando...

Fiquei ali sentada, com um copo vazio diante de mim, por mais de uma hora. Gus nem notou.

Foi ao banheiro, demorou mais de vinte minutos, não deu nenhuma explicação nem pediu desculpas pela demora ao voltar. Não havia nada de incomum naquele comportamento. As noites com Gus eram sempre daquele jeito.

De algum modo, eu vivia rodeada de homens que bebiam demais, se aproveitavam de mim e eu não conseguia entender como foi que aquilo acontecera.

Mas me dei conta de que já aturara demais!

Na hora de o pub fechar, Gus arrumou uma briga com um dos caras que serviam no balcão, uma ocorrência igualmente bem comum. Começou com o barman, que disse, a certa altura, dispensando o pessoal:

— Ei, vocês não têm casa, não?

Gus decidiu que aquilo era algo terrível de se dizer, porque acontecera um terremoto na China alguns dias antes.

— E se um chinês estivesse aqui e ouvisse você falando assim? — berrou Gus, zangado. Descrever o resto das baboseiras incoerentes que se seguiram a isso seria um tédio só, se colocado em palavras. Basta completar dizendo que o barman foi fisicamente empurrando Gus até a porta, enquanto ele se remexia todo, berrando:

— Espero que você morra implorando por um padre!

E pensar que um dia eu *admirara* aquele tipo de comportamento, achando que Gus era uma espécie de rebelde.

Ficamos em pé na calçada enquanto a porta do pub era batida com força às nossas costas.

— Tudo bem, Lucy. Direto para casa agora — disse Gus, cambaleando ligeiramente e olhando para mim meio fora de foco.

— Para casa? — perguntei, com educação.

— É... — disse ele.

— Tá legal, Gus — disse eu, com suavidade.

Ele sorriu, o sorriso de um homem vitorioso.

— Onde é que você está morando agora? — perguntei.

— Continuo em Camden — disse ele, de modo vago. — Por quê?

— Bem, então vamos direto para Camden — decidi.

— Não — reagiu Gus, alarmado.

— Por que não? — perguntei.

— Não podemos — explicou ele.

— E por que não?

— Ah, porque... porque não.

— Bem, você não vai para a minha casa, porque é a casa do meu pai.

— Mas, por que não? Eu tenho a impressão de que o seu velho e eu íamos nos dar muito bem.

— Tenho certeza de que sim — concordei. — É isso que eu receio.

Havia alguma coisa por trás daquilo, eu desconfiava há muito tempo. Provavelmente Gus tinha uma namorada em Camden, uma mulher com quem ele vivia, algo desse tipo.

Mas eu não me importava. Não teria encostado nele nem com uma vara de pescar. Não conseguia compreender o motivo de eu ter gostado tanto dele um dia. Ele me parecia um gnomo, um duende baixinho e bêbado. Usando um casaco nojento de pele de carneiro e um suéter por baixo, marrom e imundo.

O encanto se quebrara. Tudo nele me revoltava o estômago. Até mesmo o cheiro dele era horrível. Nojento, aquele cheiro parecia o de um carpete pela manhã, depois de uma festa bem animada.

— Pode guardar as suas desculpas — disse eu. — Não precisa me explicar por que você não pode me levar até o seu apartamento. Você nunca me levou lá, na verdade. Economize suas histórias ridículas.

— Que histórias ridículas? — perguntou ele, com alguma dificuldade para pronunciar "ridículas".

— Vamos ver... — disse eu. — Você poderia me dizer que está tomando conta de uma vaca para o seu irmão, e que não há lugar algum no apartamento para ela ficar, a não ser o seu quarto, e ainda por cima ela é tímida e tem medo de estranhos.

— É mesmo? — perguntou ele, pensativo. — Sabe que você tem razão, essa história tem a minha cara mesmo. Você é uma mulher excepcional, Lucy Sullivan.

— Não, Gus, não sou não. — Sorri. — Não sou mais não.

Aquilo deixou a sua cabeça já cheia de álcool ainda mais confusa.

— Então, viu só, Lucy? — argumentou. — Vamos ter que ir mesmo para a sua casa.

— *Eu vou* para lá — expliquei. — Você não.

— Mas... — disse ele.

— Adeuzinho — cantarolei.

— Não, espere, Lucy! — gritou, alarmado.

Eu me virei e sorri para ele, com ar benévolo, dizendo:

— Sim?

— Como é que vou fazer para chegar em casa? — perguntou.

— E eu tenho cara de quem consegue prever o futuro? — perguntei, com cara inocente.

— Mas, Lucy, eu não tenho um centavo...

Coloquei o meu rosto bem diante do dele e sorri.

Ele sorriu de volta.

— Francamente, meu caro — e abri um sorriso —, eu não ligo a mínima para isso.

A vida inteira eu quis falar essa frase

— O que quer dizer com isso, Lucy?

— Quero dizer, em uma linguagem que você vai compreender melhor — e fiz uma pausa para dar mais impacto, quase colando meu rosto no dele —, VÁ SE FODER, GUS!

Fiz uma pequena pausa para respirar bem fundo e continuei:

— Vá extorquir grana de outra otária, seu baixinho canalha e bêbado! Estou fechada para negócios!

Dei meia-volta e saí pela rua, com um sorriso satisfeito como o de um gato, deixando Gus olhando para mim.

Alguns segundos mais tarde, notei que estava indo na direção errada, pois a estação do metrô ficava para o outro lado. Assim, voltei pelo mesmo caminho, torcendo para que o porcalhão já não estivesse lá para me ver.

CAPÍTULO 75

Estava transtornada de tanta raiva.

Fui até Uxbridge, mas só para pegar as minhas coisas. Os outros passageiros do metrô olhavam para mim de forma estranha e mantinham distância. Fiquei me lembrando de como eu havia sido cruel com Gus, e uma voz triunfante dentro da minha cabeça ficava repetindo que *é preciso ter coragem para ser cruel.*

Com um ar divertido, embora amargo, fiquei me perguntando o que será que meu pai conseguira destruir durante a minha ausência. Era bem capaz de o bêbado idiota ter colocado fogo na casa. Caso realmente ele tivesse feito isso, eu esperava que também tivesse conseguido queimar a si próprio no fogo.

Pela quantidade de álcool dentro dele, aquilo provocaria um incêndio de grandes proporções. Apesar de tudo, comecei a rir. Senti novos olhares estranhos dos outros passageiros. Iam levar mais de uma semana para conseguir apagar o meu pai. Ele ia ficar brilhando tanto no meio das chamas que era capaz de ser avistado do espaço sideral, tal e qual a Muralha da China.

Se conseguissem ligá-lo a um gerador, ele poderia fornecer eletricidade para toda a cidade de Londres por uns dois dias.

Eu o odiava.

Descobrira o quanto havia deixado Gus me tratar mal, e aquilo era uma cópia exata do jeito que meu pai me tratava. Eu só conseguia amar homens duros, bêbados e irresponsáveis. Porque foi isso o que meu pai me ensinara.

Só que agora eu já não sentia mais como se o amasse. Estava cheia. Ele podia muito bem tomar conta de si próprio dali pra frente. E eu não daria mais dinheiro para nenhum dos dois. Gus e papai haviam se fundido em uma mesma pessoa no meu caldeirão de ódio.

Papai jamais acariciara os cabelos de Megan na minha frente, mas, mesmo assim, eu estava furiosa com ele por ter feito isso. Gus não havia me enchido de lágrimas quando eu era criança, nem me dissera que o mundo era um buraco, mas isso não era motivo para eu perdoá-lo por ter feito isso.

Estava até grata, tanto a meu pai quanto a Gus, por serem tão terríveis comigo. Por terem conseguido me levar até um ponto em que eu já não me importava mais com eles. E se eu jamais tivesse conseguido isso? Se eles tivessem sido um pouco melhores comigo, a situação poderia se eternizar, e eu continuaria perdoando-os a cada vez, pelo resto da vida.

Lembranças de outros relacionamentos voltavam à minha cabeça, casos que eu achava que já havia esquecido. Outros homens, outras humilhações, outras situações em que eu resolvera transformar em missão a tarefa de cuidar de uma pessoa difícil e egoísta.

Com a raiva pouco familiar, outra emoção estranha subiu à superfície. Esse novo sentimento se chamava Autopreservação.

CAPÍTULO 76

— Você é tão sortuda — suspirou Charlotte, com cara de inveja.

— Por quê? — perguntei, surpresa. Não conseguia descobrir ninguém que tivesse menos sorte do que eu.

— Porque agora seus problemas estão todos resolvidos — afirmou ela.

— Estão?

— Estão. Quem me dera que o *meu* pai fosse alcoólatra, quem me dera que eu odiasse a *minha* mãe.

Essa conversa bizarra com Charlotte aconteceu no dia seguinte àquele em que em deixei meu pai e voltei para o meu apartamento em Ladbroke Grove. Só esse papo já era quase o suficiente para me fazer ter vontade de voltar a morar com papai.

— Se pelo menos eu pudesse ser como você — continuou Charlotte. — Meu problema é que o meu pai quase não bebe, e eu adoro a minha mãe.

— Não é justo — acrescentou ela, com ar amargo.

— Charlotte, me explique esse seu raciocínio. Sobre o que você está falando?

— Homens, é claro. — Ela pareceu surpresa. — Garotos, caras, rapazes, gatos, aqueles com cassetetes pendurados.

— Mas o que têm eles?

— É que agora você vai encontrar o seu príncipe encantado e viver feliz para sempre.

— Vou, é? — Aquilo era gostoso de ouvir, mas fiquei pensando em onde será que ela estava conseguindo aquela informação.

— Vai sim! — E balançou um livro na minha frente. — Li tudo isso aqui. É um daqueles seus livros doidos. Fala de pessoas como você, explica por que você sempre arranja homens iguais ao seu pai... Você sabe, aqueles que bebem demais, não querem nenhum tipo de responsabilidade e tudo o mais.

Senti uma fisgada de dor, mas deixei que ela continuasse a falar.

— A culpa não é sua — explicou ela, consultando o livro. — Veja só, a criança... essa é você, Lucy, sente-se infeliz. E pelo fato de que, bem, não sei exatamente, mas pelo fato de as crianças serem burras, imagino, ficam achando que a culpa é delas. Acham que é função delas fazer o pai se sentir melhor. Viu só?

— Acho que vi. — Ela tinha razão. Eu tinha tantas lembranças de papai chorando, e jamais sabia por quê. Mas me lembrava muito bem da necessidade intensa de saber que aquilo não era culpa minha. E do medo de que ele jamais voltasse a ser feliz novamente. Teria feito qualquer coisa para ajudá-lo a se sentir melhor.

Charlotte continuava, de forma descontraída, a tentar encaixar a minha vida nas teorias do livro:

— E à medida que a criança, novamente você, Lucy, vai ficando mais velha, ela passa a sentir atração por situações em que os sentimentos da infância são... que droga de palavra é essa? Re... re... rep...?

— Replicados — completei, ajudando-a.

— Uau, Lucy! Como é que você sabia? — Ela ficou impressionada.

Mas é claro que eu sabia, já lera aquele livro um monte de vezes. Bem, pelo menos, uma. Estava bem familiarizada com as teorias dele. Só que eu jamais achara que elas se aplicavam ao meu caso, até aquele momento.

— Essa palavra significa "copiados", não é, Lucy?

— Sim, Charlotte.

— Ah, sei... então você sentia que o seu par era um bebum e tentava fazê-lo se sentir melhor. Mas não conseguia. Não que fosse culpa sua, Lucy — acrescentou, depressa. — Isto é, você era apenas uma garotinha e o que poderia fazer? Esconder as garrafas?

Esconder as garrafas.

Foi como se um sino badalasse dentro da minha cabeça, e eu voltei no tempo, mais de vinte anos antes. Subitamente me lembrei de um dia em que eu, ainda muito novinha, talvez com quatro ou cinco anos, ouvi Chris falar para mim: "Venha comigo, Lucy, vamos esconder as garrafas. Se escondermos as garrafas, eles não vão mais ter motivo para brigas."

Uma onda de tristeza me inundou ao lembrar-me da garotinha que escondeu uma garrafa de uísque que era quase do tamanho dela na cesta onde o cachorro dormia. Charlotte continuava com a matraca solta, então eu tive de guardar a lembrança para mais tarde.

— Então a criança... ainda é você, Lucy... fica adulta e conhece todo tipo de homens. Só que aqueles pelos quais ela se sente mais atraída são os que têm os mesmos problemas do pai... O seu pai, no caso, entendeu?

— Entendi.

— A mulher adulta se sente mais confortável e à vontade com um homem que bebe demais ou é irresponsável com dinheiro, ou que costuma usar de violência... — continuou ela, lendo alto.

— Meu pai jamais foi violento. — Eu estava quase às lágrimas.

— Ora, ora, Lucy. — Charlotte balançou o dedo com calma na minha direção. — Estes são apenas exemplos. Significa que se o pai sempre jantava vestindo uma fantasia de gorila, a filha cresce e se sente mais à vontade com namorados que usam casacos de pele ou têm as costas peludas. Entendeu?

— Não.

Charlotte suspirou com paciência exagerada.

— Significa que você sempre preferiu rapazes que viviam mamados, não tinham empregos fixos, às vezes eram irlandeses e faziam você se lembrar do seu pai. Só que você não conseguia fazer o seu pai mais feliz, então era como se pressentisse que aquela era uma segunda chance e achasse: "Bem, pelo menos *este aqui* eu posso consertar, apesar de não ter conseguido consertar o meu pai." Entendeu?

— Talvez. — Ouvir tudo aquilo era tão doloroso que eu quase pedi para ela parar.

— Com certeza — disse Charlotte, de modo firme. — Não que você tenha feito tudo isso de propósito, Lucy. Não estou dizendo que a culpa foi sua. Foi a sua consciência que fez isso.

— Você quer dizer minha *subconsciência*.

Ela consultou o livro e exclamou:

— Ué... é isso mesmo, foi a *sub*consciência. Qual será a diferença?

Eu não tinha forças para explicar.

— Foi por isso que você sempre se apaixonou por sujeitos porras-loucas, como Gus e Malachy, e... qual é mesmo o nome daquele que despencou da janela?

— Nick.

— Isso mesmo, Nick. Como ele está, por falar nisso?

— Ainda na cadeira de rodas, pelo que sei.

— Ai, isso é terrível — exclamou ela em tons subitamente sussurrados. — Ele ficou *aleijado*?

— Não, Charlotte — disse, de forma brusca. — Ele está muito melhor, mas diz que a cadeira de rodas é muito mais prático para andar por aí, já que ele vive se mijando nas calças o tempo todo.

— Ah, ainda bem — suspirou Charlotte, aliviada. — Achei que o pinto dele tivesse escangalhado.

Não fazia a menor diferença se Nick *tinha perdido* ou não o uso dos genitais. Na maior parte do tempo ele vivia tão bêbado que nem conseguia se levantar. Se a sua carteira não tivesse sido roubada numa noite de sábado, ainda cedo, acho que o nosso relacionamento jamais teria se consumado.

Charlotte continuava:

— Agora que você sabe o motivo de escolher sempre os homens errados, não vai mais fazer isso. — E sorriu para mim. — Vai dizer a todos os sujeitos que são esponjas de bebida como Gus para cair fora da sua vida, vai conhecer o homem certo, e vocês serão felizes para sempre!

Não consegui retribuir o seu sorriso fulgurante.

— Só pelo fato de eu saber o motivo de escolher os homens errados, isso não significa que vou parar de fazer isso agora, sabia? — E ri, desesperada.

— Besteira — declarou ela.

— Pode ser que eu me transforme em uma mulher cruel e amarga, e passe a odiar todos os homens que bebem.

— Não, Lucy, você vai permitir a você mesma ser amada por um homem que seja digno de você — leu ela, devagar. — Capítulo 10.

— Só que, antes disso, vou ter que reaprender os hábitos de uma vida inteira... Não esqueçamos que eu também já li este livro. Capítulo 12.

Minha ingratidão deixou-a preocupada.

— Por que você está se comportando assim de forma tão estranha, hein? — perguntou. — Você *não faz ideia* de o quanto é sortuda. Eu daria qualquer coisa para ter uma família desajustada.

– Pode acreditar em mim, Charlotte, você não ia gostar.

— Ia sim — disse ela, com firmeza.

— Pelo amor de Deus, por quê? — Eu estava ficando cada vez mais perturbada com tudo aquilo.

— Porque se não há nada de errado comigo nem com a minha família, como vou poder explicar o fato de todos os meus relacionamentos serem um desastre? Não vou ter mais ninguém em quem colocar a culpa, a não ser em mim mesma.

Ela olhou novamente para mim, com um ar de inveja e ressentimento.

— Lucy, você não acha que o meu pai é um tirano cruel? — perguntou, esperançosa.

— Não — respondi. — Não o conheço muito bem, mas ele me parece ser um homem muito bom.

— Você não acha que ele é fraco, ineficiente, com pouco espírito de liderança? Não acha que ele inspira desrespeito? — continuou ela, perguntando coisas que lia em voz alta no livro.

— Ao contrário — afirmei. — Ele parece inspirar muito respeito.

— Então você diria que ele é um controlador monstruoso? — implorou ela. — Um melagomaníaco?

— A palavra é megalomaníaco e... não, eu não acho.

— Desculpe, Charlotte — acrescentei.

Ela estava arrasada.

— Bem, Lucy, sei que a culpa não é sua, mas foi você que inventou todas essas coisas.

— Inventei o quê? — quis saber, já pronta para me aborrecer.

— Bem, você não as inventou, exatamente — retirou ela. — Só que eu não ia saber nada a respeito dessas coisas se não fosse por você.

— Você conseguiu colocar um monte de ideias na minha cabeça — acrescentou, com cara amarrada.

— Nesse caso, eu devia ganhar uma medalha — murmurei.

— Isso é cruel de se dizer — reclamou ela, com os olhos brilhantes, cheios de lágrimas prontas para serem vertidas.

— Desculpe — disse eu. Pobre Charlotte. Como era horrível ser brilhante apenas o suficiente para reconhecer a extensão da própria burrice.

Mas ela nunca ficava de baixo astral por muito tempo.

— Vamos lá, conte-me novamente a parte em que você mandou o Gus se foder — pediu ela, toda empolgada.

Então, não pela primeira nem pela última vez, contei.

— E como foi que você se sentiu? — perguntou ela. — Poderosa? Vitoriosa? Eu adoraria ter a coragem de fazer a mesma coisa com aquele porco do Simon.

— Você tem falado com ele ultimamente?

— Transei com ele na terça à noite.

— Sim, mas você tem falado com ele ultimamente?

— Não exatamente.

Isso a fez rir.

— Ah, Lucy, estou tão contente por você ter voltado. — E suspirou. — Senti saudades.

— Senti saudades de você também.

— E agora que você voltou, podemos ter aqueles maravilhosos papos a respeito do Fred...

— Quem? Ah, *Freud*.

— Hein...? Fale de novo, como é que se pronuncia mesmo?

— Como em "debiloide", só que arrastando no *oide*. Froyd!

— Froyd — murmurou ela. — Bem, eu estava lendo a respeito de *Froyd*. Então, *Froyd* costumava dizer que...

— Charlotte, o que está fazendo?

— Treinando para a festa de sábado. — E exibiu subitamente um ar amargo. — Já não aguento mais que os homens pensem que só porque eu tenho peitos grandes sou burra. Vou mostrar a eles. Vou dar uma aula sobre o Fred, isto é, o *Froyd*. Embora eu ache que eles provavelmente não vão nem notar, porque os homens nunca escutam o que eu falo, batem papo só com os meus seios.

E ficou com ar sombrio por um instante.

— E você, o que vai usar na festa? Já tem séculos desde que você saiu para ir a um lugar decente.

— Eu não vou à festa.

— O *quê?*

— Não vou. Ainda é cedo demais para isso.

Charlotte começou a rir sem parar.

Pelo jeito como ela ria, pessoas tentando superar o pai alcoólatra disputavam a taça de mais ridículos com os que tropeçavam em mangueiras e caíam dentro de piscinas com roupa e tudo ou ficavam trancados do lado de fora no meio da noite usando uma fantasia de coelho e eram obrigados a pedir ao vizinho (que já achava que o sujeito era maluco) para usar o telefone.

— Sua grande tola — gargalhava Charlotte. — Pelo jeito como você fala, até parece que está de luto.

— E estou mesmo — repliquei, de forma recatada.

CAPÍTULO 77

A raiva que senti na noite em que saí com Gus me impeliu a sair da casa de meu pai com o mínimo de angústia e peso na consciência. Voltei a morar com Karen e Charlotte, esperando que a vida voltasse ao normal.

Não sei como pude imaginar que ia escapar assim tão fácil.

Levou menos de um dia para que a Culpa, a velha pistoleira de aluguel, acompanhada de seus capangas, começasse a me perseguir. Eles vieram para cima de mim com tudo, e continuaram assim, dia após dia. Fiquei quase irreconhecível, e levei a maior surra do Pesar, da Raiva e da Vergonha.

Sentia como se o meu pai tivesse morrido. De certa forma, ele morrera mesmo: o homem que eu pensara que era meu pai não existia mais. Jamais existira, na verdade, só mesmo na minha cabeça. Mas eu nem podia usar luto, porque ele ainda estava vivo. Pior do que isso, estava vivo e eu optara por abandoná-lo. Perdera o direito de sentir pesar.

Daniel foi maravilhoso. Disse-me para não me preocupar com nada, que ele ia arrumar as coisas. Só que eu não podia deixar que ele fizesse isso. Tratava-se da minha família, do meu problema, e era eu que tinha de cuidar das coisas. Antes de mais nada, arranquei as cabeças de Chris e Peter de onde eles a haviam enfiado, dentro da areia, como avestruzes. Para ser justa com os dois imprestáveis, eles me disseram que iam ajudar a cuidar do papai.

Daniel sugerira contactar alguém do serviço de assistência social. Houve um tempo em que eu achava que isso era a coisa mais vergonhosa de se fazer com o papai. Agora, porém, eu estava além dessa fase, a bateria da minha vergonha ficara descarregada.

Assim, comecei a ligar para um monte de autoridades locais. No primeiro número me disseram que eu teria de ligar para outro departamento, e quando liguei para o número informado me garantiram que o pessoal do primeiro número é que era o responsável por cuidar de casos como aquele. Então, quando tornei a ligar para o primeiro número de novo, eles me informaram que as regras haviam mudado e, a partir de agora, era realmente o pessoal do segundo número que deveria me prestar assistência.

Gastei mais ou menos um milhão de horas em tempo do meu empregador pendurada no telefone, e tudo o que ouvia era "esse caso não é da nossa área".

Finalmente, quando viram que papai era um perigo para si mesmo e para os outros, transformaram-no em prioridade, e designaram uma assistente social e uma empregada para ficar cuidando dele.

Eu estava esgotada.

— Ele vai ficar bem, Lucy — prometeu Daniel. — Está sendo bem cuidado.

— Mas não por mim. — Eu estava me sentindo dilacerada pela sensação de fracasso.

— Não é função sua cuidar pessoalmente dele — argumentava Daniel, de forma gentil.

— Eu sei, mas... — replicava, sentindo-me muito mal.

O mês de janeiro seguia. Todo mundo estava duro e deprimido.

Ninguém saía muito, mas eu não saía para lugar nenhum. A não ser com Daniel.

Pensava no meu pai o tempo todo, tentando justificar para mim mesma o que fizera.

As coisas haviam chegado a um ponto em que eu tinha de escolher entre mim e ele, decidi. Um dos dois tinha de ficar comigo, mas não havia o bastante de mim para ser dividido pelos dois.

Eu me escolhera.

A sobrevivência não era uma coisa muito bonita de se apreciar. Sobreviver à custa de outra pessoa era ainda mais desagradável. Não houve lugar para amor, nobreza ou sentimento pelo meu próximo — no caso, papai. A coisa se resumia a mim, apenas a mim.

Eu sempre me achara uma pessoa legal, simpática, generosa e altruísta. Foi um choque descobrir que, na hora em que a coisa pegava fogo, a simpatia e a generosidade eram apenas um verniz. Por trás eu era um animal selvagem e enfurecido, como todo mundo.

Não gostei muito dessa minha imagem, não gostei muito de mim, embora isso não fosse nenhuma novidade.

Meredia, Jed e Megan andavam intrigados com o meu estado de espírito. Ou, melhor, meus vários estados de espírito. A cada dia eu apresentava uma emoção diferente, e eles se chegavam loucos para saber como eu estava, a fim de oferecer conselhos e opiniões.

Como eu disse, era janeiro e ninguém saía muito.

— O que está sentindo hoje? — perguntavam em coro, assim que eu colocava os pés no escritório.

— Raiva. Raiva por não ter tido um pai decente quando era pequena.

Ou...

— Tristeza. O homem que eu amei, o homem que sempre achei que meu pai fosse acabou de morrer.

Ou...

— Incapacidade. Eu deveria ter sido capaz de cuidar dele.

Ou...

— Culpa. Sinto-me tremendamente culpada por tê-lo abandonado.

Ou...

— Ciúme. Sinto ciúme das pessoas que aproveitaram uma infância normal.

Ou...

— Tristeza...

— O quê? Outra vez? — reclamou Meredia. — Já tivemos tristeza uns dois dias atrás.

— É... eu sei — concordei. — Só que dessa vez é um tipo diferente de tristeza, agora é tristeza por mim mesma.

Tínhamos todo tipo de discussões maravilhosas e metafísicas.

Eu os provocava com um monte de conversas a respeito de sobrevivência em circunstâncias extremas.

— Vocês se lembram daqueles rapazes que estavam no avião que caiu nos Andes? — perguntei.

— Aqueles que comeram a carne dos outros passageiros mortos para sobreviver? — perguntou Meredia.

— E foram hostilizados pelo resto da cidade, ao voltarem para casa, por terem comido seus vizinhos? — perguntou Jed.

Ali, no escritório, a gente não se limitava a ler apenas os tabloides.

— Isso mesmo — confirmei. — Então vocês acham que é melhor morrer com honra ou enfiar as mãos na lama nojenta durante a luta ignóbil pela sobrevivência?

Argumentávamos contra e a favor por horas a fio, e analisávamos questões morais da maior relevância.

— Qual será o gosto de carne humana? O que acham? — perguntava Jed. — Acho que ouvi alguém dizer que se parece um pouco com frango.

— Peito ou coxa? — perguntou Meredia, pensativa. — Porque, se for peito, até que eu não me importaria, mas se fosse coxa, eu não ia conseguir suportar.

— Nem eu — concordei. — A não ser que fosse embebida em molho de churrasco.

— Mas eles tinham algum molho para passar? Maionese, ketchup ou algo assim? — especulou Jed.

— Será que o piloto tinha um sabor diferente dos outros passageiros? — quis saber eu.

— Ah, muito provavelmente. — Meredia confirmou com a cabeça, com ar de quem conhecia o assunto a fundo.

— E vocês acham que eles cozinharam a carne ou comeram todo mundo cru? — perguntou Megan.

— Provavelmente cru — disse eu.

— Argh! Acho que vou vomitar — reagiu Megan.

— Sério? — Todos nós olhamos para ela, surpresos. Megan não era assim tão fresca.

— Mas, Megan, você nem esteve na gandaia ontem — argumentei, confusa.

Ela estava *mesmo* pálida. Mas aquilo podia ser devido ao seu bronzeado que, finalmente, desaparecera.

Ela colocou a mão no peito e começou a fazer gestos com a mão para cima e para baixo, como quem vai colocar tudo para fora.

— Você vai *mesmo* vomitar? — perguntei, alarmada. Jed, na mesma hora, colocou um cesto de papéis no colo dela.

Nós três ficamos olhando fixamente para Megan, adorando o drama, com a esperança de que ela pudesse vomitar tudo e trazer um pouco de empolgação para o nosso dia. Mas ela não fez isso. Depois de alguns minutos de suspense, jogou o cesto de papéis no chão e sentenciou:

— Certo, já estou legal. Vamos fazer uma votação. Os que forem a favor de comer os vizinhos mortos levantem as mãos.

Três mãos se levantaram.

— Vamos lá, Lucy — pediu Jed. — Levante a mão.

— Não tenho certeza...

— Lucy, quem você permitiu que sobrevivesse? Você ou o seu pai? Hein?

Com a maior vergonha, levantei a mão. Então, enquanto Meredia ainda estava com a mão levantada, Jed fez cosquinhas embaixo do seu braço. Ela se remexeu toda, dando gritinhos e risadinhas, enquanto falava:

— Ohhhh, seu pequeno... — Sem dar bola para a plateia, começaram a se chamar de nomes estranhos enquanto fingiam estar lutando. Levantei as sobrancelhas de forma significativa e olhei para Megan, que fez a mesma coisa comigo.

Janeiro foi se arrastando, cinzento. E minha vida social continuava parada.

Reavivei o relacionamento mais regular que tinha com Adrian, da locadora de vídeos.

Tentei alugar *Quando um Homem Ama uma Mulher*, e acabei saindo da loja com *A Dupla Vida de Veronique*, de Krzysztof Kieslowski. Quis alugar *Lembranças de Hollywood* e de algum modo acabei levando *O Carteiro e o Poeta* (versão original em italiano e sem legendas). Implorei a Adrian que me deixasse levar *Despedida em Las Vegas*, mas, em vez disso, ele me entregou um filme chamado *Eine Sonderbare Liebe*, que eu nem me dei ao trabalho de assistir.

Não precisava sair de casa, porque havia uma verdadeira novela se desenrolando, ao vivo, no trabalho.

Meredia e Jed se tornaram muito chegados. Muito chegados *mesmo*. Saíam sempre do trabalho exatamente na mesma hora, embora isso, por si só, não significasse muita coisa, pois todos os empregados do prédio se ejetavam das cadeiras no exato segundo que o relógio dava cinco horas. O caso é que os dois também chegavam, de forma significativa, no mesmo horário. E o seu comportamento no escritório era muito amoroso e cúmplice. Estavam sempre de gracinhas um com o outro, fingindo timidez, rindo feito bobos e ficando vermelhos. Além do mais, tinham uma brincadeirinha só entre eles, e na qual ninguém mais podia entrar, que era a de Meredia ficar atirando balinhas, jujubas e uvas para cima, formando um arco que atravessava a sala de um lado a outro, enquanto Jed tentava agarrá-las com a boca, para depois ficar aplaudindo com os braços moles, imitando foca.

Eu invejava a felicidade deles.

Estava adorando ver que *eles* estavam se apaixonando ali, bem diante dos meus olhos. Porque já não podia mais contar com Megan para me fornecer elementos românticos. Ela mudara. Não parecia mais a Megan de antes, e a queda brusca no número de rapazes que ficavam azarando o escritório era a prova disso. Agora, já podíamos sair da sala sem termos de empurrar um monte de caras e afastá-los do caminho, pedindo: "Dá pra dar licença, por favor?" Eu não conseguia descobrir o que havia de tão diferente nela, até que enfim me bateu: É claro! O bronzeado. Já era. O inverno finalmente conseguira derrubá-la e a despira do lindo tom dourado, iluminado por uma luz interior âmbar e translúcida. Ela desbotara e deixara de ser uma deusa magnífica para se transformar em uma garota comum e meio robusta cujos cabelos às vezes pareciam um pouco ensebados.

Mas notei que não eram apenas os seus belos atributos físicos que haviam desaparecido. Ela já não era a pessoa espevitada, feliz e cheia de energia de antes. Já não ficava tentando descobrir o verdadeiro nome de Meredia. Muitas vezes ficava irritada e mal-humorada, e isso me preocupava.

Isso era um grande avanço, se considerarmos o quanto eu andava ocupada sentindo pena de mim mesma, mas a verdade é que eu estava preocupada com ela.

Tentei descobrir o que estava errado, e não foi apenas por curiosidade mórbida. Fiquei rodeando o assunto, até que um dia, meio hesitante, lhe perguntei se ela sentia falta da Austrália. Ela se virou para mim e gritou:

— Tudo bem, Lucy, estou morrendo de saudades de casa, sim! Agora, *pare* de me perguntar o que há de errado comigo.

Eu sabia como ela se sentia. Passara a minha vida inteira sentindo saudades de casa. A única diferença entre nós duas era que eu não sabia *onde* nem o *quê* era a minha casa.

Assim que descobri que a felicidade de Megan era movida a energia solar, fiquei doida para lhe proporcionar um pouco de sol. Apesar de não ter condições de lhe comprar uma passagem para a Austrália, eu podia dar a ela, de presente, um vale para uma clínica de bronzeamento artificial perto do trabalho. Mas quando o entreguei a ela, Megan ficou estarrecida. Olhou para aquilo como se fosse uma sentença de morte e finalmente soltou, com a voz embargada:

— Não, Lucy... Não posso aceitar.

E foi nesse momento que fiquei preocupada *de verdade* com ela. Não que Megan fosse uma pessoa pão-dura, mas ela demonstrava um grande respeito pelo dinheiro, especialmente pelas coisas que eram *grátis*. Mesmo assim, por mais que eu insistisse, ela continuava a dizer que era muito simpático de minha parte, mas ela jamais poderia aceitar o presente.

Assim, no fim acabei indo lá eu mesma, e tudo que o tratamento fez por mim foi acrescentar oito milhões de sardas às que eu já tinha.

CAPÍTULO 78

A única pessoa que eu ainda via socialmente era Daniel. Ele estava sempre disponível para sair comigo, porque continuava sem namorada, no que deve ter sido o maior período sem namorada em sua vida, desde que nascera. Eu não me sentia culpada pelo tempo que ele gastava comigo, porque reconhecia que estava apenas mantendo-o afastado do caminho do mal, além de evitar que alguma pobre mulher desavisada se apaixonasse por ele.

Eu sempre gostava muito de vê-lo, mas, no fundo, sabia que era apenas porque ele preenchia o vácuo da ausência de um pai na minha vida. E achava que era muito importante dizer-lhe exatamente isso, pois não queria que ele ficasse com a ideia de que eu — Deus me livre — estivesse *gostando* dele. Assim, toda vez que nos encontrávamos, a primeira coisa que eu dizia era:

— É legal sair com você, Daniel, mas só pelo fato de que você está preenchendo um espaço vazio na minha vida.

E ele se mostrava estranhamente controlado, sem soltar uma daquelas piadinhas vulgares sobre qual dos meus espaços vazios ele gostaria de estar preenchendo. Isso acabava por me deixar um pouco triste, com saudade da época em que ele falava gracinhas sugestivas como essa o tempo todo.

Usei a frase do espaço vazio tantas vezes que, no final, era ele que continuava a frase. Sempre que eu falava:

— Oi, Daniel, legal você ter vindo... — ele me interrompia, completando:

— Sim, sim, eu sei disso, Lucy, mas é só porque estou preenchendo o espaço vazio que seu pai deixou em sua vida.

Saíamos juntos duas ou três vezes por semana e, por algum motivo, jamais tive coragem de contar isso a Karen. Eu *queria* contar, é claro, mas estava tão preocupada em diminuir o número de vezes em que saía com Daniel que não tinha energia suficiente para enfrentar Karen.

Pelo menos era nisso que eu gostava de acreditar. E era *muito difícil* ficar sem ver Daniel todas essas noites.

— Pare de me chamar para sair! — ralhei com Daniel, certa vez em que ele me preparou um jantar em seu apartamento.

— Desculpe, Lucy — pediu, humildemente, enquanto picava cenouras.

— Não posso me deixar ficar muito dependente de você não — reclamei —, e há uma grande chance de isso acontecer, porque, sem o papai, abriu-se um grande vazio em minha vida...

— ... E o seu instinto imediato é preenchê-lo — terminou ele, para mim. — Você está muito vulnerável neste momento, muito carente, e não pode se dar ao luxo de se colocar muito próxima de ninguém.

Olhei para ele com admiração.

— Muito bem, Daniel. Agora, termine a frase. Especialmente, não devo ficar muito próxima de quem? De quem, especialmente, devo evitar me colocar muito próxima?

— Especialmente de um homem — disse ele, com orgulho.

— Exato — sorri para ele. — Nota dez!

Eu adorava o fato de ele saber tantas coisas daquele tipo, psicobaboseiras. Especialmente quando considerávamos o fato de que ele era um homem bonito, que adorava fazer muito sucesso com as mulheres e não tinha necessidade de ficar consumindo psicologia de revistas.

— Ah, por falar nisso — disse eu —, está a fim de ir ao cinema comigo amanhã?

— Claro que sim, Lucy, mas você não acabou de me dizer que não quer ficar muito perto de um homem e...

— Não quis dizer *você* — disse, distraída. — *Você* não conta como homem.

Ele me lançou um olhar magoado.

— Ah, você sabe o que eu quis dizer. — Fiquei irritada. — É claro que você é um homem para *outras* mulheres, mas, para mim, você é *apenas* um amigo.

— Mesmo assim sou homem — murmurou —, mesmo sendo seu amigo.

— Daniel, você não vai esquentar com isso agora, vai? Pense só... Não é muito melhor, para mim, estar em sua companhia do que com algum outro cara por quem eu possa me apaixonar? Então, não é?

— Sim, mas... — Ele parou de falar. Parecia confuso.

Ele não era o único. Eu já não sabia se estava a salvo com Daniel porque ele me deixava fora de perigo ou se eu estava me colocando em um perigo ainda mais mortal por ficar perto demais dele. Entre os prós e os contras, achei que era mais seguro com ele do que sem ele. E mantinha as barreiras levantadas simplesmente lembrando a ele que elas continuavam lá. Estava tudo bem, permanecer em companhia dele, desde que eu lembrasse a nós dois, o tempo todo, que isso não era legal. Ou *algo* desse tipo. No fundo, era mais fácil nem pensar nessas coisas.

De vez em quando eu me lembrava da noite em que ele tinha me beijado, e ficava mais do que feliz, ficava até mesmo *empolgada* só de lembrar cada um dos detalhes daquele momento. Porém, sempre que eu recordava aquela cena — e, para falar a verdade, isso era muito raro —, na mesma hora, mais do que depressa, eu lembrava também da outra noite em que ele *não quis* me beijar, e a sensação de vergonha que se seguia a essa lembrança colocava um ponto final na parte boa, no mesmo instante.

Enfim, Daniel e eu acabamos voltando à nossa velha fase, e ficamos tão relaxados um com o outro, tão à vontade, que já conseguíamos rir juntos do nosso rápido contato romântico/sexual.

Bem, quase.

Às vezes, quando ele me perguntava: "Quer outro drinque?", eu forçava uma risada e dispensava, como quem não quer nada, dizendo: "Não, não, já bebi muito. Afinal, não quero repetir o mico daquela noite na casa do meu pai, quando tentei seduzir você."

Eu sempre morria de rir ao dizer isso, esperando que o riso afastasse de vez qualquer resto de vergonha ou embaraço. Daniel jamais ria de verdade, quando eu falava assim, mas, por outro lado, ele não precisava, pois o mico era meu.

CAPÍTULO 79

Janeiro se transformou em fevereiro. Os arbustos de açafrão e os pequenos sininhos brancos começaram a florir. As pessoas começavam a sair de seus casulos, especialmente depois que acabavam de receber o salário e tinham algum dinheiro pela primeira vez desde o holocausto financeiro do Natal. Meredia, Jed e Megan perderam o interesse na minha vida pessoal, agora que eles já tinham dinheiro para cair na gandaia e viver vidas próprias. O que era uma tremenda pena, porque eu ainda tinha tanto a lhes oferecer: não havia um dia sequer em que eu não estivesse me torturando, com vergonha e autorrecriminação.

Ia visitar papai uma vez por semana. Todo domingo, porque eu sempre tinha tendências suicidas aos domingos, *de qualquer jeito,* e seria uma pena desperdiçá-las. No entanto, por mais terrível que a minha autorrecriminação fosse, aquilo não era nada quando comparado ao ódio que papai sentia por mim. Evidentemente, eu recebia esse sentimento de desprezo e hostilidade com alegria, pois sentia que aquilo era simplesmente o que eu merecia.

Fevereiro foi se chegando para os lados de março e eu ainda era a única criatura em estado de hibernação. Mesmo sabendo que papai estava sendo bem cuidado, no sentido de cuidados físicos, eu me sentia *podre*, corroída pela culpa. E Daniel era a única pessoa com quem eu me sentia à vontade para me lamentar. Não importa o que as pessoas digam, *existe* um limite de tempo para alguém ficar de luto, seja por um pai, por um namorado ou um par de sapatos que a loja não tinha no seu tamanho. O limite de tempo de Daniel para me aguentar, no entanto, era muito maior do que o de qualquer outra pessoa.

Ninguém mais no escritório se dava sequer ao trabalho de me ouvir. Às segundas, quando alguém perguntava: “E aí, como foi o fim de semana?", eu sempre respondia: "Horrível, gostaria de estar morta!", e nenhum deles ligava a mínima.

Acho que teria enlouquecido se não fosse por Daniel. Ele era exatamente igual a um terapeuta, só que não me cobrava quarenta libras por hora, não usava calças de veludo cotelê nem sandálias com meia.

Nem sempre eu estava sombria ou arrasada quando me encontrava com ele, mas, quando isso acontecia, ele era ótimo. Todas as vezes ele me ouvia repetir a mesma lenga-lenga, relatando os mesmos sentimentos de angústia.

Eu podia me encontrar com ele para tomar um drinque depois do trabalho, me largar na cadeira ao lado e dizer: "*Não* me interrompa se você já tiver ouvido, mas o caso é que...", e me lançava em outra saga a respeito de, digamos, uma noite insone, um domingo lacrimoso ou uma noite infeliz em que eu me sentira preocupada, culpada ou envergonhada por causa de papai. Daniel nunca reclamou nem uma vezinha da minha falta de material novo.

Jamais levantou a mão como um policial que interrompe o tráfego e diz: "Não, calma aí! Espere um instante, Lucy, acho que essa história eu já ouvi."

E ele tinha todo o direito de agir assim. Porque, se Daniel estava ouvindo uma história relacionada com os meus infortúnios e tristezas, então ele já devia tê-la ouvido um milhão de vezes. Às vezes as palavras eram ligeiramente diferentes, mas o enredo era sempre o mesmo. Pobrezinho.

— Desculpe, Daniel — dizia eu. — Bem que eu gostaria que as minhas tragédias fossem um pouco mais variadas. Deve ser um saco para você.

— Está tudo bem, Lucy. — E sorria. — Eu sou feito um peixinho dourado, tenho memória muito curta. Toda vez que escuto uma história sua, é como se fosse a primeira vez.

— Bem, se você tem certeza disso — dizia eu, meio sem graça.

— Tenho sim — confirmava ele, com a cara animada. — Vamos lá, conte-me novamente sobre o trato imaginário que você fez com o seu pai.

Lancei-lhe um olhar rápido, meio de lado, para ver se ele não estava me zoando, mas ele não estava.

— Certo — disse, meio envergonhada, tentando (mais uma vez) achar as palavras adequadas para exprimir o que eu sentia. — É como se eu tivesse feito um trato com o meu pai.

— Que tipo de trato? — dizia ele, com o mesmo tom de voz que um comediante usa para dar a deixa para a fala seguinte do colega, servindo de escada para a frase final da cena. Nós faríamos uma grande dupla, juntos.

— Está tudo na minha cabeça — explicava. — É como se eu tivesse dito: "Tudo bem, papai, sei que abandonei o senhor, mas a minha vida ficou uma porcaria depois disso, porque me odeio demais por ter salvo a mim em vez de salvar o senhor. Portanto, estamos iguais. Quites!" Isso faz algum sentido para você, Daniel?

— Totalmente — concordou ele, pela enésima vez.

Eu me surpreendia ao reparar o quanto apreciava o altruísmo de Daniel. Ele tinha sido tão bom para mim durante toda a crise com o meu pai.

— Você é um cara muito legal — disse a ele, certa noite, quando consegui parar de me lamentar para tomar fôlego.

— Não, não sou não. Eu não aturaria isso de mais ninguém, só de você. — E sorriu.

— Mesmo assim, não posso ficar dependente demais de você — acrescentei depressa. Eu não falava aquela frase há pelo menos cinco minutos, e o sorriso dele me intimidara. Precisava neutralizá-lo. — Estou no rebote emocional, sabia?

— Sim, Lucy.

— Estou tentando superar a perda do meu pai, entende?

— Sim, Lucy.

Queria que a minha vida continuasse naquele estado de crepúsculo para sempre, pois assim não precisava ter nenhum contato de verdade com ninguém, exceto o meu terapeuta, isto é, Daniel. Até o dia em que Daniel decidiu que já me aturara demais, o que ameaçou destruir o maravilhoso mundinho seguro que eu criara.

Ele nem me avisou com antecedência.

Uma noite, quando nos encontramos e eu disse o de sempre:

— Oi, Daniel, é legal vê-lo, mas só porque você está preenchendo um espaço vazio em minha vida. — Ele segurou minha mão e disse, com toda a delicadeza:

— Lucy, já não está na hora de parar com isso?

— Qu... O quê? — perguntei, sentindo que o chão me fugia de sob os pés. — Sobre o que você está falando?

— Lucy, a última coisa que eu quero é deixar você chateada, mas andei pensando e fiquei me perguntando se já não é hora de você tentar superar isso — continuou, com um tom ainda *mais* gentil. A expressão de meu rosto estava na linha mais baixa da escala de choque, onde está escrito *rigor mortis*.

— Talvez eu não devesse ter paparicado tanto você — disse ele. Parecia chateado. — Talvez isso tenha sido mau para você.

— Não, não — apressei-me em dizer. — Você foi *ótimo* para mim... *Brilhante*.

— Lucy, acho que já está na hora de você começar a sair de novo — sugeriu ele, em um tom suave que só conseguiu me apavorar.

— Mas estou saindo, estou na rua, agora. — Estava apreensiva. Para não dizer na defensiva. Sentia que os meus dias sob o abrigo seguro estavam terminando.

— Quando eu falo em sair, é sair mesmo, *sair* — disse Daniel. — Quando é que vai começar a viver direito novamente? Ver outras pessoas? Ir a festas?

— Só quando a culpa que sinto pelo meu pai for embora, é claro. — E olhei para ele, meio desconfiada. — Daniel, você devia me *compreender*.

— Tá... Então você não pode viver a sua vida porque se sente culpada a respeito do seu pai?

— Isso. — Esperava que, com aquilo, o assunto estivesse encerrado, mas não estava, pois Daniel replicou:

— A culpa não vai embora sozinha. Você tem que fazer com que isso aconteça.

Ah, não! Eu não queria ouvir aquilo.

Decidi influenciá-lo lançando um dos meus olhares femininos bem charmosos, dando uma piscadela recatada.

— Por favor, não olhe para mim desse jeito, Lucy — disse ele. — Isso não funciona.

— Merda — murmurei, e então fiquei sentada, embaraçada, em um silêncio mal-humorado.

Tentei lançar-lhe uma careta, mas também não funcionou. Dava para ver que ele estava falando sério.

— Lucy — disse ele —, não quero deixá-la chateada, por favor, deixe-me ajudá-la. — Para ser justa com ele, Daniel parecia *mesmo* bastante angustiado.

Dei um suspiro e desisti, dizendo:

— Está bem, seu patife sem coração, ajude-me então.

— Lucy, sua culpa provavelmente vai diminuir, mas não vai desaparecer de todo. Você vai ter que aprender a conviver com ela.

— Mas eu não quero isso.

— Eu sei, mas vai ter que querer. Não pode simplesmente jogar sua vida fora até que em algum momento, no futuro distante, você deixe de sentir culpa, pode ser que isso jamais aconteça.

Eu ficaria bem feliz se fosse assim.

— Você é como a Pequena Sereia, Lucy — comentou ele, subitamente mudando de assunto.

— Sou, é? — Meus olhos brilharam de prazer. Agora sim aquela conversa estava muito mais do meu agrado. E o meu cabelo parecia mesmo longo, brilhante e cacheado, agora que ele mencionara.

— Ela teve que sofrer a agonia de caminhar sobre o fio da navalha em troca de se sentir capaz de sobreviver na terra seca. Você fez o mesmo tipo de acordo: pagou pela sua liberdade com culpa.

— Ah. — Nem falou do meu cabelo.

— Você é uma boa pessoa, Lucy, não fez nada de errado e merece ter uma vida legal — explicou ele. — Pense nisso, é tudo o que lhe peço.

Então pensei no assunto. E pensei no assunto. E pensei no assunto. Fumei um cigarro e pensei no assunto. Bebi meu gim-tônica e pensei no assunto. Enquanto Daniel foi até o balcão pegar outro drinque, pensei no assunto. Finalmente, eu disse:

— Pensei no assunto, Daniel. Talvez você tenha razão. Talvez já esteja na hora de eu tocar a vida pra frente.

A verdade completa é que talvez eu estivesse ficando entediada de tanta tristeza em estado bruto. *Cansada* de ser autoindulgente. E poderia ter continuado nessa por muito mais tempo, durante anos, provavelmente, se Daniel não tivesse puxado as minhas rédeas.

— Ótimo, Lucy — ele ficou empolgado. — E, já que estou sendo bem malvado com você, vou aproveitar a chance para falar que talvez já esteja na hora de você fazer uma visitinha à sua mãe.

— Que é isso? — perguntei, com a língua afiada. — Você virou a porcaria da minha consciência agora?

— E já que você está completamente pau da vida comigo — sorriu —, acho que é melhor dizer logo que já está na hora de você parar de aturar os desaforos do seu pai. Chega de ficar se punindo. Você já pagou o seu débito com a sociedade, e sua sentença já foi cumprida.

— Isso quem tem que julgar sou eu — retruquei, zangada. Chega de ficar me punindo, ora, que audácia. Era óbvio que Daniel não havia sido criado como um bom católico. Eu nem conseguia *imaginar* uma vida que não envolvesse muitas crises de autoflagelação.

Embora, pensando melhor, talvez dar um refresco a mim mesma fosse uma boa ideia, uma opção muito tentadora e agradável, na verdade. E, enquanto eu estava naquela linha divisória, quase cedendo, Daniel falou a seguinte frase, que mudou tudo para mim:

— Pense só, Lucy, se você se sente assim tão culpada, pode voltar a cuidar do seu pai, a qualquer hora que queira.

Essa sugestão me deixou indignada. Eu jamais faria aquilo. Nunca. E foi só nesse momento que percebi o que Daniel estava tentando me dizer. Eu escolhera a liberdade porque era isso que desejara ter. Já que a consegui, era melhor usá-la.

Olhei para ele e a compreensão disso iluminou-me o rosto.

— Você tem razão, sabia? — disse, baixinho. — A vida é para ser vivida.

— Ah, pelo amor de Deus, Lucy. — Ele pareceu chocado. — Não tinha um clichê melhor do que esse não?

— Seu palhaço. — E sorri para ele.

— Você não pode ter medo para sempre — disse ele, aproveitando o meu momento de bom humor. — Não pode ficar aí se escondendo dos próprios sentimentos, das outras pessoas.

Fez uma pausa para dar ênfase e continuou:

— Lucy, você não pode se esconder dos homens.

Nesse ponto comecei a achar que ele estava indo longe demais. Queria me fazer correr antes mesmo de eu aprender a andar.

— Um *namorado*! — disse, alarmada. — Você ainda quer que eu arranje um namorado depois de todos os desastres pelos quais passei?

— Por Deus, Lucy, espere um pouco — disse Daniel. Agarrou-me pelo braço como se eu estivesse a ponto de sair correndo para fora do restaurante e me oferecesse em casamento ao primeiro homem que aparecesse. — Não de imediato. Eu quis dizer *em algum momento*, não agora...

— Mas, Daniel — choraminguei. — Eu sou péssima para julgar homens. Você, mais do que ninguém, sabe o quanto eu sou imprestável nessa área.

— Não, Lucy, quero apenas que você *pense* a respeito do assunto — disse ele, com ansiedade.

— Não posso acreditar que você ache que eu já esteja pronta para um namorado — reagi, surpresa.

— Lucy, eu não quis dizer... o que estou falando é que...

— Mas eu confio na sua sensibilidade — disse, meio em dúvida. — Se você acha que é o melhor para mim, então é porque deve ser mesmo.

— É só uma sugestão, Lucy. — Daniel pareceu nervoso.

Mas alguma coisa cutucara um canto da minha mente, bem lá no fundo, a lembrança da alegria que era estar apaixonada. Vagamente, eu me lembrava de como tinha sido bom. Talvez, ao ficar cheia de estar infeliz, eu também tivesse ficado cheia de estar sem uma companhia masculina.

— Não, Daniel — disse, com ar sério e pensativo. — Agora que você tocou no assunto, talvez não seja uma má ideia.

— Espere um instante, Lucy, eu apenas disse que... Olhe, pensando melhor, é uma má ideia, sim, uma ideia péssima, me desculpe por ter falado nisso.

Levantei a mão com ar autoritário.

— Bobagem, Daniel, você tinha toda a razão em dizer tudo isso para mim. Obrigada.

— Mas...

— Sem mas nem meio mas, Daniel, você tem toda a razão. Na próxima vez que souber de uma festa, estou dentro — terminei, de forma definitiva.

Depois de alguns minutos triunfantes, perguntei, com uma voz bem fraquinha:

— Mas nós vamos continuar nos vendo, não vamos? Não todo dia, como agora, mas, você sabe...?

E ele replicou, com ar decidido:

— Claro que vamos, Lucy, claro que nós vamos continuar nos vendo.

Não me passou pela cabeça, nem por um momento, que Daniel pudesse estar com algum outro motivo para querer se afastar de mim, para querer que eu voasse com as próprias asas. Que a sua preocupação com a minha independência talvez não fosse totalmente altruísta. Que, talvez, ele tivesse uma namorada nova esperando por ele, impaciente, em algum lugar. Torcendo para que eu fizesse logo a minha reverência final para o público e caísse fora do palco para que ela pudesse assumir seu recém-conquistado posto sob os refletores. Jamais duvidei que a preocupação dele comigo fosse genuína, sincera e desinteressada. Confiei nele de forma completa. E, por causa disso, decidi ir em frente com aquilo que ele sugerira.

CAPÍTULO 80

A nova Lucy. Uma força radiante. Independente. Renascida. De volta à cena. Mais em forma do que nunca. Um aperto de mão firme. Conhecendo gente nova. Cheia de interação social. Com muito flerte. Uma mulher forte. Uma mulher que sabe o que quer.

Nossa, era de deixar qualquer uma *exausta*.

E era tão *chato*. Até onde eu enxergava, o que Reaprender a Viver significava *mesmo* era simplesmente ficar longe de Daniel. Ou ao menos cortar drasticamente a quantidade de tempo gasto com ele. E eu sentia falta dele, terrivelmente. Ninguém era tão divertido quanto ele. Mas, enfim, aquilo tudo era para o meu próprio bem, até mesmo *eu* conseguia ver isso, e regras eram regras. De qualquer forma, não foi o sufoco total que eu esperava, porque ele continuava a me telefonar todo dia. E eu sabia que ia me encontrar com ele no sábado seguinte, porque tínhamos combinado de sair juntos para comemorar o seu aniversário.

Essa história de Reaprender a Viver era mais fácil de falar do que de fazer. Eu estivera fora de circulação por muito tempo e não tinha mais ninguém com quem sair. Entrei de penetra em um drinque depois do expediente com Jed e Meredia, e foi um erro. Os dois se comportaram como se eu fosse invisível.

Na noite seguinte, saí com Dennis e, embora ele tivesse me prometido uma noite selvagem, de tanta agitação, aquilo também acabou sendo um desastre. Para começar, ele se recusou a ir a qualquer pub que não fosse gay, e passei a noite toda desesperadamente tentando fazê-lo olhar para mim enquanto ele se rebolava todo na cadeira, de um lado para outro, olhando para rapazes com camisetas brancas apertadas, bem por cima dos meus ombros. Mal consegui puxar assunto com ele. E quando ele, finalmente, se dignou a conversar comigo, só falou de Daniel. O que era uma irresponsabilidade da parte dele. Desse jeito, ele estava apenas alimentando o meu vício, em vez de me curar dele.

Megan ainda continuava muito desanimada com a sua Desordem Afetiva Sazonal, pois, quando sugeri sair para tomar um porre e arrumar namorados, ela simplesmente suspirou e disse que estava muito cansada.

Assim, sobraram Charlotte e Karen e, com todo o respeito, amigas que dividiam o apartamento eram uma espécie de último recurso, pois eu podia sair e ficar bêbada com elas *a qualquer hora.*

— Será que vocês não tinham nada melhor para a gente fazer do que vir a um pub chamado O buraco é mais embaixo para ficar rodeada de operários escoceses entornando cerveja em cima de nós? — reclamei.

— Não que eu tenha alguma coisa contra operários escoceses — acrescentei, depressa, ao notar a cara feia que Karen armou.

— Deixe comigo. — Charlotte, com ar misterioso, bateu com o dedo na ponta do nariz e, com a presteza de um mágico que tira um coelho da cartola, arrumou uma festa para irmos no sábado à noite. O primo do irmão do namorado da garota que dividia o apartamento com uma colega do mesmo andar que ela resolvera dar uma festa, porque estava sem namorada há muito tempo. Exatamente por esse motivo, Charlotte, Karen e eu éramos extremamente bem-vindas.

No sábado à noite, os preparativos para a festa eram exatamente iguais aos dos velhos tempos. Charlotte e eu abrimos uma garrafa de vinho e começamos a nos aprontar juntas, no meu quarto.

— Será que vai ter alguns caras bem legais lá hoje à noite? — perguntou Charlotte enquanto tentava passar rímel nos cílios inferiores com a mão ligeiramente bêbada.

— Estou me perguntando é se vai haver *algum cara* nessa festa — comentei, meio em dúvida. — Especialmente se o anfitrião está oferecendo essa tal comemoração só para ver se consegue sair com alguma garota.

— Não se preocupe — tranquilizou-me Charlotte, balançando a mão. — *Tem que ter* alguns caras por lá, e um ou dois deles provavelmente vão ser legais.

— Não me importo que não sejam tão legais assim, contanto que não sejam como o Gus — disse eu.

Karen entrou quase marchando no quarto e abriu o meu guarda-roupa.

— Quer dizer que a sua fase de trazer para casa lunáticos sem um tostão no bolso que roubam nossas garrafas de tequila já acabou, Lucy? — quis saber ela, enquanto futucava por todos os meus cabides com uma rapidez impressionante.

— Sim, acabou.

— Ai, merda — exclamou Charlotte. — Alguém aí me arruma um lenço de papel, o rímel borrou meu rosto todo!

— E essa mudança toda aconteceu por causa dessa história do seu pai? — perguntou Karen, ignorando Charlotte.

— Quem sabe? Talvez eu já tenha amadurecido e terminado mesmo com a fase dos músicos sem grana — afirmei.

— *É ruim, hein?* — disse Charlotte, enquanto pegava um lenço de papel e o passava com todo o cuidado sobre as marcas de rímel espalhadas nas bochechas. Não estava disposta a abrir mão de sua teoria. — Vamos ser realistas, Lucy, você já não é uma garotinha. *Froyd* diz que...

— Ah, cale a boca, Charlotte — lançou Karen. — Volte para os seus livrinhos infantis de Enid Blyton. Lucy, onde está o seu casaco de camurça? Eu queria usá-lo esta noite.

Meio a contragosto, entreguei o casaco a ela.

Finalmente, ficamos prontas.

— Lucy, você está *linda*! — elogiou Charlotte.

— Não estou não.

— Está *sim*. E eu, ficou parecendo que estou usando blush cinza?

— Não muito. De qualquer modo, você está linda.

Na verdade, dava para ver riscos do rímel no lugar onde ela o espalhara sobre o rosto, mas o táxi já estava chegando e não havia tempo para Charlotte refazer a maquiagem. Quando chegássemos à festa, eu a mandaria para o banheiro para retocar tudo.

— Karen, temos que aprender com Lucy ao vê-la em ação esta noite — disse Charlotte. — Aposto que ela vai fisgar o homem mais bonito e rico da festa, e sair de lá com ele.

— Não, não vou não. — Eu não queria deixar Charlotte desapontada. Minha transformação não podia acontecer assim, de modo miraculoso e repentino, como ela esperava. — Homens decentes já andam tão raros na praça. Por que você acha que assim, de repente, vou topar com um sujeito lindo, maravilhoso e que idolatra o chão onde piso só porque descobri que o meu pai é alcoólatra?

— Você vai, sim. — Ela estava inflexível.

— Escutem aqui uma coisa — avisou Karen. — Se tiver algum homem bonito e bem gato dando sopa por lá, podem ter certeza de que ele já está reservado para mim.

A palavra "Daniel" continuava suspensa no ar entre mim e Karen, sem ser pronunciada.

Então, de forma destemida, Karen a pronunciou:

— Lucy, você se lembra de quando eu achava que andava rolando algum lance entre você e Daniel? — perguntou, com uma risada ameaçadora. — Bem, saiba que eu ainda não estou completamente convencida de que você não tem um tesão enrustido por ele.

— Não que vá adiantar alguma coisa para você — continuou ela. — Vamos ser francas, agora, Lucy. — E lançou um olhar de loura sofisticada para o meu corpo baixo e sem peitos. Automaticamente, respondi ao seu olhar fazendo cara de envergonhada e sem valor. — Você não é exatamente o tipo de mulher de que ele gosta, é?

Na verdade, eu não era. Isso era uma versão oficial. O próprio Daniel já me informara disso. A lembrança da noite em que ele me dispensara continuava bem marcada na minha cabeça.

CAPÍTULO 81

Assim que cheguei à festa, avistei alguém especial, um cara por quem eu me interessaria na mesma hora, em minha outra vida. Era jovem, com cabelos alourados pelo sol, típicos de surfista, e longos o bastante para indicar que ele não era corretor da Bolsa. Ele era bonito e agitado, difícil de encarar, e tinha olhos brilhantes que faiscavam. As centelhas que saíam de seus olhos provavelmente haviam sido obtidas por meios químicos. Dava para ver, só de olhar para ele, que jamais conseguira chegar na hora em um único lugar em toda a sua vida.

Seu suéter era o que eu no passado poderia ter descrito como "com personalidade" e "diferente", quando a palavra *horrível* teria funcionado melhor. Falava alto e estava animado, contando uma história que envolvia movimentos grandes e largos com os braços. O grupo em volta dele estava se dobrando de tanto rir. Por outro lado, todos pareciam drogados. Provavelmente ele estava contando a eles sobre uma das vezes em que havia sido preso, pensei, de forma cruel.

Tentei me segurar. Quando foi que eu começara a ficar assim tão amarga? Não era justo encaixar todo cara malvestido e com o cabelo comprido na mesma categoria de Gus. Aquele sujeito louro ali, por exemplo, podia até ser legal, generoso, com um bom coração e muita grana.

Olhei para ele e pensei: "Sabe de uma coisa, ele *é* uma gracinha."

Ele me pegou bem na hora em que estava olhando para ele, piscou e sorriu para mim. Eu virei a cara.

Alguns minutos mais tarde, alguém bateu em meu ombro. Eu me virei e era ele: o canarinho louro bonitinho e que falava alto.

— Oi! — berrou ele. Seus olhos tinham um surpreendente tom prateado, bem brilhante. O padrão de seu suéter parecia ter sido idealizado durante um ataque epiléptico.

— Oi. — Sorri. Não pude evitar, foi uma coisa totalmente automática.

— Saquei você lá do outro lado da sala — sorriu —, e saquei que você estava me sacando também. Fiquei imaginando se você não estava a fim de ir comigo até a varanda, a fim de fumar uma tora de baseado da melhor qualidade e...

Parou de falar na mesma hora quando viu que eu fiquei olhando para ele fixamente. Não queria ser mal-educada, mas tinha que verificar meus sinais vitais para saber se estava me sentindo atraída por ele. Só que não me aconteceu nada por dentro, eu continuava fria como uma pedra.

— Hã... acho melhor não... — desculpou-se ele. — Foi só uma ideia. — Afastou-se de mim, andando de costas, e o sorriso fora substituído por um olhar de apreensão e nervoso. — Idiotice minha eu falar isso, porque não transo drogas, nem chego perto... "Recuse sempre!" é o meu lema.

Voltou correndo para os amigos e o ouvi falar que eu era uma policial disfarçada. Todos ficaram com uma cor acinzentada no rosto e, como se fossem um corpo único, saíram de fininho da sala.

O que quer que ele imaginara ter reconhecido em mim — os sinais que eu costumava emitir para atrair homens daquele tipo — havia sumido. Deve ter sido apenas o fantasma do meu antigo jeito que surgira por alguns centésimos de segundo e o induzira ao erro.

Uma pena, pensei, porque ele era mesmo uma graça.

Mais tarde, ouvi alguém reclamar de que não havia ninguém na festa vendendo drogas. Tive a gentileza de me sentir culpada.

Era uma festa horrorosa, caidaça... Os vizinhos nem chamaram a polícia. A música era horrível, não havia quase nada para se beber nem um homem, *um sequer*, que fosse interessante.

Pelo menos ninguém por quem eu me interessasse.

Karen ficou logo com as calcinhas pegando fogo por causa de um cara grande, com o corpo muito malhado, cujo pai, diziam na festa, era muito rico. Com sua determinação habitual, ela foi apresentada a alguém que sabia de uma pessoa que era amiga de outra que conhecia o Mister América grandalhão, e acabou conseguindo ficar de papo com ele.

Charlotte e eu ficamos sentadas no sofá enquanto todo mundo em volta ignorava a gente por completo. Eu estava de saco cheio daquele lugar, chegava a arrastá-lo pelo chão. Charlotte mantinha um contínuo sistema de comentários sobre todo mundo que passava, do tipo "olhe aquele ali, Lucy, o jeito como ele fica com os braços estendidos ao longo do corpo, uma clássica demonstração de fixação anal tentativa" e "veja aquela outra, Lucy, parece desesperada pelo afeto do cara ao lado; quando era bebê, não deve ter sido alimentada no seio".

E eu resmungava:

— É "fixação anal retentiva" que se fala, e o cara de mãos dadas com a mulher carente é o marido dela.

Como eu lamentava o dia em que Charlotte colocara as mãos nos meus livros de psicologia prática para mulheres infelizes.

O tédio continuava. Pelo menos havia a caminhada até o ponto de táxi e o churrasco grego na esquina para curtirmos depois que saíssemos dali.

Karen circulava como um cisne em volta do touro premiado.

— Garotas! — disse para Charlotte e para mim, com uma cara de "sou tão charmosa, vocês não acham?". — Este aqui é o Tom. Ele queria que eu o apresentasse a vocês duas... sabe lá Deus por quê.

Charlotte e eu rimos. Porque sabíamos que estaríamos em apuros se não o fizéssemos.

— Tom, esta é a Charlotte e esta é a Lucy.

De perto até que ele não parecia tão mau, na verdade. Olhos castanhos, cabelos castanhos, um rosto bem simpático. O problema é que eu não conseguia parar de imaginá-lo todo coberto de molho de churrasco, pronto para ser servido.

A pessoa que estava ao meu lado no sofá se levantou para acudir uma amiga que desabara dentro do banheiro. Tom perguntou a Karen se ela não queria se sentar no lugar que vagara.

— Não — garantiu ela. Porque preferia ficar ali em pé ao lado dele, é claro.

— Tem certeza? — perguntou ele, intrigado.

— Absoluta. — E ria alegremente para ele. — Adoro ficar em pé.

— Tudo bem — respondeu ele, *muito* intrigado a essa altura. Para completar, e para o horror de Karen, que deixou cair o queixo de espanto, ele se sentou bem ao meu lado.

Rápida como um raio, em um exercício estratégico de diminuição de danos, Karen se sentou no braço do sofá, junto de Charlotte. Na verdade, ela se sentou *em cima* de Charlotte. Então se debruçou toda por cima de nós, para poder conversar com o Senhor Filé, quase apagando a mim e Charlotte.

Mas ela estava desperdiçando o seu tempo.

— Fiquei tão feliz por ter sido apresentado a Karen — comentou Tom comigo.

Sorri, de modo educado.

— Porque — continuou ele — andei observando você a noite toda, e estava tentando arrumar coragem para chegar em você e puxar assunto.

Sorri, de modo educado, novamente.

Caramba! Karen ia me *trucidar.*

— Então eu mal pude acreditar na minha sorte quando acabei conhecendo a sua amiga.

— Sobre o que vocês estão falando? — sorriu Karen.

— Estava só contando a Lucy como fiquei contente quando consegui ser apresentado a você — disse Tom.

Karen jogou os cabelos para trás, em um gesto de triunfo.

— É que passei a noite toda me perguntando como conseguiria me aproximar de Lucy — explicou ele.

Karen congelou o movimento, com os cabelos no ar. Até as pontas dos fios pareciam ter ficado rígidas de repente.

Jogou aquele olhar estilo: "Lucy, você vai morrer por causa disso, sua vaca", para cima de mim.

Eu me encolhi toda no sofá. Alguns dias mais tarde, me contaram que todas as plantas do apartamento morreram naquela mesma noite.

Eu não achava Tom nem remotamente atraente. Afinal, eu era quase vegetariana.

— Que bom que servi de alguma coisa para você, Tom — disse Karen, com um tom corrosivo. Ficou em pé e foi, a passos largos, para o outro lado da sala.

Tom e eu olhamos um para o outro, ele em choque, eu morrendo de medo. Então, de repente, nós dois caímos na gargalhada.

Era bem típico que Tom estivesse a fim de mim. Porque eu não estava a fim dele. Eu nem sequer reparara nele. Sempre achei que a melhor forma de fazer os homens ficarem interessados em mim era não me interessar por eles. Só que a coisa tinha de ser a sério. Fingir que não estava a fim jamais funcionava. Os homens sempre sacavam que, quando os ignorava e levantava o queixo de forma altaneira e esnobe, eu estava, na verdade, quase babando por eles (ouvi essa frase de um deles, exatamente desse jeito).

Charlotte, obviamente em uma manobra suicida, correu atrás de Karen, e me deixou ali batendo papo com o musculoso Tom. Fiquei comovida pela sua pequena confissão a respeito daquela história de ficar todo nervoso para falar comigo etc. etc. E ele me pareceu um cara legal. É claro que pareceu: queria me levar para a cama... quase estremeci só de pensar. Ele era tão... *grande*, seria como transar com um boi.

Não era como Daniel. *Ele* também era grande, mas era grande assim, de um jeito legal. Distraída, me pus a pensar onde é que ele deveria estar naquela noite. De repente me veio um pensamento horrível: talvez ele estivesse em uma festa como aquela, fazendo o papel de Tom, tentando convencer alguma garota a voltar para casa com ele. Meu estômago se contorceu todo de medo e me deu uma vontade louca de ligar correndo para ele, na esperança de que pudesse encontrá-lo em casa, já na cama... sozinho.

— Ah, não — disse para mim mesma, horrorizada. — Eu bem que avisei você, Lucy, de que era capaz de isso acontecer.

Será que, mesmo depois de tudo o que eu dissera, acabara ficando dependente demais de Daniel?

Forcei a mim mesma a ficar sentada ali, bem quietinha. Não podia simplesmente telefonar para ele só para perguntar se ele estava na cama com alguém. E, por falar nisso, por que é que eu queria tanto saber?

Isso me apavorou tanto que serviu para me acalmar. Eu *jamais* havia sido possessiva com Daniel. *Jamais* me importara com as pessoas com as quais ele batia papo, ou quem ele seduzia, quem levava para casa, colocava em cima da cama e começava a tirar as roupas dela, devagar e...

O pânico começou a surgir de novo. Ele já estava sem namorada há muito tempo, e aquilo não podia continuar para sempre. Ia acabar acontecendo, ele ia encontrar alguma garota legal, em algum momento. Mas... se ele começasse a sair com alguém, o que ia acontecer comigo? Como é que eu ia me encaixar na vida dele?

O que estava acontecendo?, perguntei a mim mesma, cheia de medo. Eu estava agindo como se estivesse com ciúmes, como se... como se... como se eu *gostasse de Daniel.* Não, não, não queria nem pensar! NÃO IA PENSAR NAQUILO, quase berrei, bem alto.

Minha cabeça voltou ao presente. Tentei focalizar o pobre Tom, porque ele me perguntara alguma coisa e parecia estar esperando avidamente por uma resposta.

— O quê? — perguntei, me sentindo meio tonta.

— Lucy, nós dois podemos sair juntos uma noite dessas?

— Mas eu não estou a fim de você, Tom — soltei, sem querer. Na verdade o que eu quis dizer foi "não é *de você* que estou a fim".

Ele me pareceu meio desbundado.

— Desculpe — disse eu. — É que eu não estava prestando atenção...

Mas eu *estava* prestando atenção, sim. Descobri que ficara muito possessiva com Daniel, e obviamente Daniel sentira aquilo. Provavelmente ele estava achando que eu estava a fim dele. Que cara de pau.

— Quero apenas levá-la para jantar, Lucy — disse Tom, humildemente. — Você precisa estar a fim de mim para isso?

— Desculpe, Tom.

Eu mal conseguia falar com ele. Daniel queria era se ver livre de mim, compreendi, então. *Esse* era o motivo de todo aquele papo de eu precisar começar a viver de novo. Pequena Sereia, francamente! Ele estava apenas tentando desgrudar as minhas mãos de cima dele, dedo por dedo. De repente, senti uma pontada de humilhação, que rapidamente se transformou em raiva. Tudo bem, então, pensei, enfurecida, não quero mais papo com Daniel, de jeito nenhum. Ia arranjar um namorado novo só para mostrar a ele. Ia aceitar sair com Tom, nos apaixonaríamos e seríamos felizes de verdade.

— Tom, eu adoraria sair com você — disse. Fiquei com vontade de estar morta.

— Que legal. — Sorriu Tom. Se eu não estivesse com tanta pena dele, até que seria legal dar-lhe um soco na cara.

— Quando você quer sair comigo? — perguntei, tentando enfiar à força um pouco de entusiasmo na voz.

— Que tal agora? — perguntou ele, cheio de esperança.

Apenas com um pequeno levantar de sobrancelha consegui transmitir a Tom que ele estava correndo o perigo de morrer ali, em questão de segundos.

— Desculpe — pediu ele, amedrontado. — Desculpe, desculpe, desculpe. Que tal amanhã à noite?

— O.k.

Então ficou combinado. E bem na hora, porque a festa logo a seguir caiu do galho, deu dois suspiros e depois morreu.

CAPÍTULO 82

Eu estava decidida a nunca mais tornar a ver Daniel. O único problema é que, no dia seguinte, tínhamos combinado de sair para almoçar, em comemoração ao seu aniversário. Senti que não podia cancelar aquilo. Não apenas era algo que já fora combinado há semanas, como, enfim, era o *aniversário* dele.

Talvez eu me sentisse aliviada, mas tentava não pensar no assunto. Isso era fácil, porque a atmosfera entre mim e Karen ficara péssima. Ela estava sem falar comigo, e andava de um lado para outro pelo apartamento, abrindo todas as portas só para poder batê-las, logo em seguida, fazendo um estrondo.

Era muito desagradável. Eu me arrependi amargamente de ter comentado que ia sair com Tom. Devia estar fora de mim quando aceitei. Tom era horrível, Karen seria a companhia ideal para ele. Eu tinha certeza de que não ia me apaixonar por ele nem provar nada para Daniel.

O medo terrível de que Daniel tivesse conhecido uma nova garota voltou de mansinho enquanto eu dormia. Eu tinha certeza de que o terror que eu sentira na noite anterior era uma suspeita. Já não era apenas uma ideia, se transmutara em *premonição*.

Tentei me comportar de forma sensata enquanto me aprontava para sair. Tinha quase certeza de que não estava a fim de Daniel, *de certo modo*. O que sentia por ele não era nada romântico nem sexual. Na mesma hora, lembranças do Grande Beijo voltaram, sem convite, mas eu as bloqueei (eu ainda era muito boa nessa coisa de bloquear as lembranças indesejáveis, era uma habilidade maravilhosa). Mas será que eu acabara ficando dependente demais dele, como amigo? Na esteira da desintegração da minha família, será que eu começara a gostar dele?

Bem, se era isso, aquilo tinha de ter um fim.

Eu estava satisfeita comigo mesma por ser tão sensata. Embora tudo aquilo durasse apenas um minuto. O pânico voltava quase na mesma hora.

E se ele estivesse na cama com ela *naquele exato momento*?

No fim, acabei telefonando para ele. Não consegui me segurar. Fingi que estava ligando só para confirmar o lugar onde ia me encontrar com ele, embora estivesse farta de saber que era na Estação Green Park do metrô, às duas horas. Para meu alívio, ele não *estava com voz* de quem tinha uma mulher na cama, ao seu lado. Embora nunca pudéssemos ter certeza. A vida de Daniel não era como naqueles filmes idiotas em que as mulheres ficam dando gritinhos e risadinhas quando estão na cama.

Foi uma bênção eu estar às turras com Karen, porque assim não foi preciso inventar desculpas elaboradas quando saí para me encontrar com Daniel. Se ela estivesse falando comigo, ia acabar desconfiando de alguma coisa, porque, em uma tentativa de provar a Daniel que eu não era uma bundona na cola dele, me produzi toda. Meu vestido curtinho com casaquinho combinando não eram uma proteção apropriada para um dia frio de março como aquele, mas eu não ligava. O orgulho ia me manter aquecida.

Ele já estava esperando do lado de fora da entrada da Estação Green Park, no horário marcado. Quando apareci, toda agitada, tremendo de frio, correndo na direção dele com minhas sandálias de tirinhas, ele me lançou um sorriso tão intenso e fulgurante que quase perdi o equilíbrio e torci o tornozelo. Fiquei chateada e meio desconfiada. De que ele estava rindo tanto? Será que era a alegria de ter uma nova namorada secreta em sua vida que o fazia dar um sorriso tão largo? Será que era algum tipo de brilho pós-transa que fazia com que ele parecesse tão lindo?

— Lucy, você está maravilhosa — disse ele. Depois, me deu um beijo no rosto e minha pele se arrepiou toda. — Você não está com frio?

— Nem um pouco — disse, com ar vago, enquanto examinava discretamente o pescoço dele, em busca de marcas de chupão, batom, arranhões, dentadas etc.

— Aonde vamos, Lucy? — perguntou ele.

Não consegui descobrir nenhum sinal de recente atividade sexual nele, mas, como a maior parte de seu corpo estava coberta por um casacão de inverno, não havia motivos para respirar aliviada.

— É surpresa — informei, enquanto imaginava se ele colocara a gola do casaco para cima a fim de esconder o pescoço cheio de marcas vermelhas. — Vamos logo, porque estou morrendo de frio!

Droga!, pensei, ao ver que falara a verdade sem querer. Nossos olhos se encontraram, e a sua boca começou a tremer nos cantos, enquanto ele tentava segurar o riso.

— Nem pense em me zoar — ameacei.

— Eu não ia fazer isso — disse ele, com humildade.

Levei-o até a rua Arbroath, e quando chegamos à porta do restaurante Shore apontei para a vitrine e disse:

— Ta-rám!

Ele pareceu impressionado, e fiquei feliz. O restaurante Shore era um dos mais novos e badalados de Londres, frequentado por modelos e atrizes. Pelo menos era o que as revistas diziam. Aquela, provavelmente, ia ser a primeira e última vez que eu ia lá.

Assim que colocamos o pé lá dentro, percebi que tinha subestimado a informação de que o Shore era um lugar descolado, badalado e chique. Foi a grosseria dos funcionários que provou o quanto o lugar era realmente o máximo!

O recepcionista, um rapaz jovem com cara triste, olhou para mim de cima a baixo como se eu tivesse acabado de fazer xixi na entrada, de cócoras.

— Sim? — sibilou ele.

— Uma mesa para dois, no nome de...

— Reservaram a mesa com antecedência? — ele me interrompeu.

Imediatamente me deu vontade de dizer:

"Escute aqui, seu babaca, você é apenas o *recepcionista,* sabia? *Sinto muito* pelo fato de que vou gastar mais em uma refeição aqui do que você ganha em uma semana de ralação, mas tentar estragar o nosso almoço não vai ajudar em nada a distribuição de renda no país. Já pensou em fazer algum curso noturno para subir na vida? Podia voltar a estudar e tentar passar em alguns concursos. Aí, talvez, conseguisse um emprego mais decente."

Porém, como era o aniversário de Daniel e eu queria que tudo corresse maravilhosamente bem, humildemente respondi:

— Sim, reservei uma mesa. Está no nome de Sullivan.

Mas eu disse essa frase para o ar. Ele já saíra de trás do seu pequeno pódio e estava beijando o ar em volta de uma mulher toda vestida de Gucci, que chegara atrás de nós.

— Kiki, querida — cumprimentou ele, com um jeito fresco. — Como estava Barbados?

— Sabe como é... apenas Barbados! — E passou na minha frente. — Acabamos de pousar. David está estacionando o avião.

Ela deu uma olhada em volta do restaurante. Daniel e eu, na mesma hora, nos encostamos à parede.

— Somos apenas nós dois — informou ela. — Uma mesa junto da janela seria ótimo.

— Você... hã... reservou mesa? — Tossiu discretamente o recepcionista.

— Ai, que distração! — E sorriu de forma gélida. — Sei que eu devia ter ligado do celular, mas tenho toda a confiança em você, Raymond.

— Hã... o nome é Maurice — disse Raymond. Ele pronunciou "Môôôrriiiss".

— Que seja — ela acenou, dispensando a informação. — Simplesmente nos arrume uma mesa, e depressa. David está morrendo de fome.

— Sem problemas, meu bem, vamos encontrar um lugarzinho para vocês em algum lugar. — E sorriu. — Deixe tudo por conta de Môôôrriiiss.

Verificou seu livro de reservas. Era como se Daniel e eu tivéssemos nos mesclado com o padrão do papel de parede Mesmo que não houvesse nenhum.

— Vamos ver... — murmurava Maurice, ansioso. — Mesa dez! Eles estão saindo...

Continuava a me ignorar e a Daniel.

Odeio você!, pensei.

Se eu estivesse ali sozinha, teria esperado por toda a eternidade. Mas estávamos ali por causa do aniversário de Daniel, e eu queria que ele se divertisse e, portanto, decidi assumir o problema e resolvê-lo com as próprias mãos.

— Desculpe-me, Maurice — pronunciei Morris. — Daniel está morrendo de fome também. Para falar a verdade, ele está quase tão faminto quanto David. Gostaríamos de ir logo para a nossa mesa, por favor. Aquela que nós deixamos *reservada.*

Daniel deu uma gargalhada. Maurice virou os olhos vidrados para mim. Arrancou dois menus à força de seu montinho e lançou para Kiki um olhar do tipo "meu Deus, dá pra acreditar?", e saiu na nossa frente pelo restaurante, em alta velocidade. Parecia ter uma moeda de dez centavos espetada entre as nádegas de sua bunda magra, e lhe doía muito não deixá-la cair. Apertado. Muito apertado, travado... Era tenso o rapaz.

Arremessou os menus em uma mesinha e sumiu. Queria se livrar da gente o mais depressa possível. Pessoas comuns, argh!

Daniel e eu nos sentamos. Daniel não parava de rir.

— Essa foi grande, Lucy!

— Desculpe a cena, Daniel. — Sentia-me quase às lágrimas. — É que eu queria muito que você curtisse este almoço, porque é o seu aniversário, você tem sido muito bom para mim, tenho tanto para lhe agradecer, o que andou fazendo a noite passada?

— Como? — Ele pareceu confuso. — Você quer saber o que eu fiz ontem à noite?

— Hã... quero — assumi. Não planejei soltar aquilo tão de repente.

— Saí para tomar umas cervejas com Chris.

— E quem mais?

— Mais ninguém.

Ufa!

O alívio foi grande, mas durou apenas trinta segundos, só até eu descobrir que haveria milhares de outras noites de sábado no futuro, estendendo-se até a eternidade. E em cada uma delas havia uma chance de que Daniel conhecesse uma mulher.

Aquilo me deixou com o farol tão baixo que mal conseguia ouvir o que ele dizia. Parece que estava falando sobre nós irmos à apresentação de um comediante naquela noite.

— Não, Daniel, espere — disse eu, bem depressa —, eu não posso sair com você esta noite.

— Não pode?

Aquilo era desapontamento?, perguntei a mim mesma, esperançosa.

— Marquei um encontro com um cara quente — respondi.

— Sério? Isso é muito legal, Lucy. — Ele precisava parecer assim tão empolgado por causa daquilo?

— Sim, *é* ótimo. — Eu me sentia na defensiva e zangada. — Ele não é um bêbado nem um vagabundo sem grana. Tem um emprego, um carro e Karen estava a fim dele.

— Que legal — disse ele. De novo!

Confirmei com a cabeça, em um gesto rápido.

— Bom trabalho — elogiou ele, com entusiasmo.

Bom trabalho?, pensei, com raiva. Será que eu estava em um estado tão patético?

O dia subitamente pareceu nublado. Fiquei sentada ali, em silêncio. Aniversário dele ou não, eu me sentia muito revoltada com Daniel para ser simpática.

— Portanto — avisei —, acho que você não vai me ver muito de agora em diante.

— Entendo, Lucy — disse ele, gentil.

Eu queria chorar.

Continuei sentada, com a cara amarrada, olhando para a mesa. Daniel deve ter entrado no meu clima, porque, de forma pouco comum para ele, também ficou muito calado.

Apesar da grosseria dos atendentes, o almoço não foi um sucesso. A comida estava boa, mas eu não queria comer nada. Estava muito pau da vida com Daniel. Como ele ousava ficar assim tão feliz por mim? Como se eu fosse a aleijada que arrumou um namorado ou algo assim.

Felizmente, o comportamento rude dos garçons nos deu a oportunidade de ter alguma coisa sobre o que conversar. Todos eles eram tão condescendentes, com ar de superioridade, e alguns, pura e simplesmente, grossos à moda antiga, que, perto do fim do almoço, começamos, com hesitação, a nos comunicar de novo.

– Babaca! — Daniel me lançou um sorriso enquanto o nosso garçom ignorava acintosamente o nosso chamado para pedir o café.

— Canalha estúpido — concordei, sorrindo.

Quando a conta chegou, voamos em cima dela.

— Não, Daniel — insisti —, deixe que eu pago, pelo seu aniversário.

— Tem certeza?

— Tenho. — Sorri. Mas não por muito tempo, ao ver o valor que ia ter de pagar.

— Deixe que eu pague a metade — sugeriu Daniel ao ver minha cara de estarrecida.

— De jeito nenhum.

Novas briguinhas. Daniel tentava pegar a conta da minha mão, eu a afastava dele etc. No final, ele, de forma gentil, deixou que eu pagasse.

— Obrigado por um almoço adorável, Lucy.

— Não foi assim tão adorável, foi? — perguntei, tristonha.

— Foi, sim — confirmou ele, de forma vigorosa e honrada. — Eu queria mesmo vir até aqui para conhecer o lugar, e agora já sei como ele é.

— Prometa-me uma coisa, Daniel — pedi, com ar fervoroso.

— Qualquer coisa.

– Que você jamais vai voltar aqui por vontade própria, sob hipótese alguma.

— Prometo, Lucy.

Caminhamos juntos até a estação do metrô, e então fui até o ponto do ônibus. Estava me sentindo muito deprimida.

Tom se mostrou um perfeito cavalheiro.

Tocou a campainha às sete em ponto, como combinado. E, também como combinado, não subiu até o apartamento. O que lhe faltava em graça, elegância e feições suaves ele mais do que compensava com instinto de autopreservação. Não era nada bobo, e suspeitava que Karen era má perdedora e vingativa.

Desci correndo as escadas e fui até onde ele estava me esperando, no carro. Senti um pequeno choque ao vê-lo sentado atrás do volante.

Não havia nada de errado, só que ele tinha um jeito de quem estaria mais à vontade pendurado no gancho em um açougue, para exibição. Ainda tornava as coisas piores por usar uma camisa vermelha. Torci para que ele jamais colocasse *piercing* no nariz.

Ele me levou a um restaurante. Foi o *mesmo* restaurante A Roupa Nova do Imperador ao qual eu fora com o Daniel no almoço. Maurice estava lá, seu turno ainda não acabara. Ele olhou com aversão e sem querer acreditar no que via quando Tom entrou como um estouro de boiada porta adentro e veio arranhando o chão com o casco, trazendo-me a seu lado.

Tom me ofereceu jantar, me deu vinho, depois tentou me carregar para o seu apartamento, com ideias de fazer "sessenta e nove" comigo, imagino.

Não tinha a menor chance.

Era um cara legal, mas eu não iria para a cama com ele nem que fosse o último homem do planeta. Ele me *adorava* por isso

Seus olhos brilhavam de admiração por mim enquanto eu o dispensava.

— Gostaria de tornar a sair comigo durante a semana, Lucy? — perguntou, com avidez. — Poderíamos ir ao teatro.

— Talvez... — concordei, meio em dúvida.

— Bem, não precisa ser teatro — continuou ele, ansioso. — Podemos ir jogar boliche. Ou andar de kart. O que você escolher, na verdade.

— Vamos ver — disse eu, sentindo-me mal. — Eu telefono para você.

— O.k. -- concordou ele. — Aqui está o meu número. E este aqui é o telefone do meu trabalho. Este outro é o meu celular. Este aqui embaixo é o fax. O último é o meu e-mail. E aqui está o meu endereço.

— Obrigada.

— Ligue a qualquer hora — disse, com fervor. — A qualquer hora do dia ou da noite.

CAPÍTULO 83

Charlotte soltou a bomba na quinta à noite. Chegou correndo do trabalho, toda afobada.

— Adivinhe quem foi que encontrei? — guinchou ela.

— Quem? — Karen e eu perguntamos, em uníssono.

— Daniel — sorriu ela. — E ele está de namorada nova!

Eu não podia ver meu rosto, mas *senti* que fiquei pálida.

— Está de *o quê* nova? — sibilou Karen. Não parecia assim tão abalada.

— Namorada — confirmou Charlotte. — E ele estava lindo. Pareceu muito feliz por me ver.

— E como é que ela era, a piranha? — perguntou Karen, entre dentes.

Graças a Deus por Karen. Ela estava perguntando todas as coisas horríveis que eu não conseguia fazer passar pela garganta.

— Linda — descreveu Charlotte, com entusiasmo. — É toda *mignon* e delicada, eu me senti uma elefanta perto dela. Tem um monte de cabelos pretos, bem cacheados. Parece uma boneca, e faz lembrar a Lucy. E Daniel está *louco* por ela, vocês deviam ter visto a linguagem corporal dele...

— Lucy não parece uma boneca — interrompeu Karen.

— Ah, parece sim.

— Não parece não. Há uma diferença entre ser baixinha e parecer uma boneca, sua tonta.

— Bem, ela se parecia com Lucy, de rosto. E o cabelo também — berrou Charlotte.

— Mas pensei ter ouvido você dizer que ela era linda — fungou Karen.

A princípio, achei que ela estava fungando daquele jeito só para mostrar desprezo. Quando, porém, começou a fungar sem parar e balançar os ombros, seguindo-se uma sessão de soluços, percebi que ela estava chorando.

Sorte a dela. Em sua posição de ex-namorada, lhe era permitido chorar por ele. Eu não tinha aquele direito.

— O nojento, asqueroso, canalha safado! — fumegou ela. — Como ele ousa estar feliz longe de mim? Ele não devia conhecer ninguém, era para acabar descobrindo que não conseguiria viver sem a minha presença. Tomara que ele perca o emprego, que sua casa pegue fogo e desabe, quero que ele pegue sífilis... não, não, espere... AIDS, não, não... pior ainda... *acne*, ele ia detestar isso. Tomara que sofra um acidente de carro e seu fodomóvel sofra perda total, e seu pinto fique preso nas ferragens de uma moedora de carne e depois ele ainda seja preso por um crime que não cometeu e...

As coisas normais que falamos quando descobrimos que o ex-namorado teve a audácia de estar namorando outra pessoa.

Charlotte dava tapinhas nas costas dela para acalmá-la, mas eu saí de fininho. Não sentia nada por ela, estava muito ocupada, sofrendo por mim mesma.

Estava em estado de choque.

Acabara de descobrir que estava apaixonada por Daniel.

Mal podia acreditar na minha estupidez, sem mencionar a minha falta de mancômetro. Suspeitara, por algum tempo, que gostava dele. Deixar aquilo passar já fora muito descuido. Mas estar apaixonada por ele, *apaixonada*, e não ter me dado conta disso já era negligência criminal.

E pensar no quanto eu gargalhara ao ver todas as mulheres que haviam se apaixonado por ele no decorrer dos anos. Mal sabia que um dia aquilo ia acontecer comigo. Sem dúvida, havia alguma grande lição a ser aprendida daquilo: "Não zoe os outros para não ser zoada", ou algo assim.

Não conseguia raciocinar direito, porque as fisgadas provocadas pelas lágrimas de ciúme estavam me colocando em estado de demência.

Pior do que o ciúme era o medo de que eu tivesse perdido Daniel para sempre. Já fazia tanto tempo que ele não saía com ninguém que eu começara a pensar nele como propriedade *minha*.

Grande erro.

Então, fiz a coisa mais idiota que poderia fazer: liguei para ele.

Ele era a única pessoa que ia conseguir me confortar e aplacar a minha dor, mesmo tendo sido a mesma pessoa que a causara.

Aquilo era uma atitude estranha, chorar no ombro de um amigo por causa de um coração partido, quando a pessoa no ombro de quem eu estava chorando era, na verdade, a mesma pessoa que fizera o estrago. Mas eu jamais conseguia fazer as coisas do jeito normal mesmo.

— Daniel, você está sozinho? — Esperava que ele fosse dizer que não.

— Estou.

— Posso dar uma passada aí?

Ele não disse "está tarde" ou "o que é que você quer?", nem "não dá para esperar até amanhã?". Simplesmente disse:

— Pode deixar que eu passo aí e apanho você.

— Não — reagi. — Eu pego um táxi, a gente se vê já, já.

— Aonde você vai? — Karen me pegou no flagra, tentando escapar sorrateiramente pela porta da frente.

— Sair — respondi, com um fiapo de desacato. A infelicidade tinha me tirado um pouco o medo dela.

— Sair para onde?

— Simplesmente sair.

— Você vai se encontrar com Daniel, não vai?

Ou ela era muito observadora ou altamente paranoica e obsessiva.

— Vou. — Encarei-a de frente.

— Sua babaca burra, você não tem a mínima chance com ele.

— Eu sei. — E desci as escadas.

— *Mesmo assim* você vai? — perguntou ela, com surpresa e um pouco de zanga na voz.

— Vou.

— Você não pode ir lá! — ladrou ela, falando sílaba por sílaba.

— Quem é que disse? — A essa altura, eu já estava no meio do segundo lance de escadas, de onde era muito mais fácil ser valente.

— Eu proíbo você de ir lá!

— Já estou indo...

Ela ficou incandescente de tanta raiva. Mal conseguia falar.

— Não quero que você faça papel de idiota — finalmente conseguiu articular.

— Pode ser que não, mas acho que você adoraria me ver fazer papel de idiota.

— Volte aqui!

— Se manca — disse, corajosa, e caí fora.

— Vou esperar por você! — berrou. — É melhor voltar para casa...

CAPÍTULO 84

No táxi, pelo caminho, decidi que a única coisa que podia fazer era contar a Daniel o motivo de eu estar tão abalada, embora um coro de tragédia grega dentro da minha cabeça ficasse me implorando para que eu não fizesse aquilo.

"Você sabe que a última coisa que uma mulher deve dizer para o homem que ama é que ela o ama!", cantava o coro na minha cabeça, e clamava: "*Especialmente* quando ele não está apaixonado por você."

— Eu sei! — reagi, desesperada. — Mas é diferente, comigo e com Daniel. Ele é meu amigo, ele vai me tirar dessa. Vai me lembrar do quanto ele é terrível com as namoradas.

"Procure outra pessoa com quem desabafar", cantava o coro grego. "O mundo está cheio de gente, por que contar logo para ele?"

— Ele vai me livrar da dor, vai fazer com que eu me sinta melhor.

"Mas..."

— Ele é o único capaz disso — disse, com firmeza e determinação.

"Você não nos engana...", cantou o coro. "Sabemos que você está aprontando alguma."

— Calem a boca, não estou, não — protestei.

Eu conhecia bem aquela história vitoriana. "Ele não pode descobrir, jamais, o quanto o amo, pois não suportaria que ele sentisse pena de mim." Especialmente se o cara não fosse muito legal, começasse a rir do caso e contasse a história toda aos amigos, quando eles saíssem para caçar gansos. Mas nada daquilo se aplicava a mim, decidi. Não precisava manter a dignidade com Daniel.

Quando ele abriu a porta para mim, senti-me tão feliz de vê-lo que meu coração deu um pulo.

Droga, pensei, então é verdade mesmo, eu realmente *estou* apaixonada por ele.

Corri direto para os seus braços. Ser amiga dele tinha um monte de vantagens das quais eu não tinha a mínima intenção de desistir só porque ele arranjara uma namorada nova.

Pendurei-me no pescoço de Daniel com toda a força, e ele, justiça seja feita, me abraçou bem apertado.

Ele deve ter achado que eu estava me comportando de modo muito estranho, mas, sendo o cara decente que era, não tocou no assunto. Eu ia explicar tudo a ele logo em seguida, decidi. Por enquanto, porém, queria ficar bem ali onde estava. Ele ainda era meu amigo, eu ainda tinha o direito de ser abraçada por ele. E por alguns momentos eu podia ficar ali, fingindo que ele era meu amante.

— Desculpe por tudo isso, Daniel, mas preciso que você seja meu amigo neste momento.

Mentira, é claro, mas não podia dizer "desculpe por tudo isso, Daniel, mas quero me casar com você e ser a mãe dos seus filhos".

— Eu vou ser sempre seu amigo, Lucy — murmurou ele enquanto acariciava o meu cabelo.

Grande coisa!, pensei, de modo amargo, mas só por um momento. Ele era um grande amigo. Não era sua culpa que eu fosse idiota o suficiente para me apaixonar por ele.

Depois de algum tempo, senti-me forte o bastante para me desembaraçar dele.

— Então, o que há de errado com você? — perguntou-me ele. — É alguma coisa com o seu pai?

— Ah, não, nada desse tipo.

— Tom?

— Quem? Ah, não, coitado do Tom, não é nada com ele. Por que as pessoas por quem não nos apaixonamos sempre se apaixonam por nós, Daniel?

— Não sei dizer, Lucy, mas é assim que as coisas são.

E você não sabe nem metade da história, pensei, nervosa. Tomei fôlego e disse:

— Daniel, preciso falar com você.

Mas quando tentei contar a ele o que havia de errado comigo, não foi tão fácil quanto imaginei que seria. Na verdade, foi esquisito e embaraçoso.

A ideia romântica que eu construíra de voar nos braços dele, esperando que me beijasse e magicamente acabasse com a minha dor, se evaporara. Ele tinha uma nova namorada, pelo amor de Deus! Eu não tinha direito algum sobre ele. O que poderia falar? "Olha, Daniel, quero que você termine com a sua nova namorada"? Claro que não!

— Hã... Lucy, o que você quer falar comigo? — perguntou, depois que os segundos começaram a passar e eu continuava sem dizer nada.

Fiquei olhando para minhas mãos durante séculos, tentando achar as palavras certas.

— Charlotte me disse que você arranjou uma namorada nova, e eu fiquei... hã... com ciúmes — consegui soltar, finalmente. Não conseguia olhar para ele nos olhos e me encolhi toda.

Talvez contar aquilo a ele não fosse uma boa ideia.

Talvez fosse uma péssima ideia.

Eu não devia ter ido até lá. Compreendi que só podia estar doida. Devia ter ido para a cama e esperado, quieta. A dor ia acabar passando.

— Só porque ela é baixinha e tem cabelo escuro — acrescentei, depressa, em uma tentativa de recuperar um pouco do terreno e da dignidade perdida. Eu estava errada a respeito da dignidade: *precisava* manter a minha com ele. — Não tenho problemas quando você transa com louras peitudas, mas fico me lembrando o tempo todo daquela noite na casa do meu pai, quando você me dispensou e fiquei achando que era porque eu não era o seu tipo. Não me senti muito bem quando Charlotte contou que a garota nova que você conheceu se parecia um pouco comigo, porque fiquei pensando... O que havia de errado comigo naquela noite, então?...

— Ah, Lucy. — Ele deu uma espécie de risada. Estava rindo de mim ou para mim? Aquilo era bom ou mau?

— Acho que a Sascha realmente se parece um pouco com você — disse ele. — Eu nem tinha reparado, mas, agora que você mencionou o fato...

Sascha. Tinha de ser um nome assim. Por que ela não podia se chamar Madge?

— Enfim, era isso que havia de errado comigo — disse, falando depressa, em uma tentativa atrasada de recuperar o terreno perdido. — Nada de importante, reagi com exagero ao fato, como sempre. Você sabe como é que sou. Bem, de qualquer modo, foi bom desabafar. Agora, tenho que ir andando...

Levantei-me para ir embora, e se tivesse saído naquela hora, naquele segundo, teria evitado a chegada da minha raiva. Mas não, acabamos nos encontrando bem na porta, e ela chegou cambaleando, suada e ofegante, cansada da longa jornada do outro lado da cidade.

"Desculpe por ter me atrasado", disse ela, quase sem fôlego, apertando o peito. "O engarrafamento estava horrível! Mas, agora, cheguei!...", e, com isso, girei o corpo e fiquei de frente para Daniel, furiosa, dizendo:

— Você podia ter me contado, sabia, que tinha arranjado uma namorada nova. Em vez de ficar me dando aqueles conselhos todos, aquela... *bosta toda* — joguei na cara dele — ... me dizendo que eu precisava começar a sair mais. Bastava apenas me avisar que eu estava atrasando o seu lado e que a *Sascha* precisava de você mais do que eu. Eu teria compreendido, sabia?

Ele abriu a boca para falar alguma coisa, mas não deixei.

— Se você me queria fora do seu caminho, era só falar. Você acha que eu ia me importar, que ia ficar cheia de ciúmes? Que presunção a sua! Você se acha lindo, não é? Acha que toda mulher é louca por você.

Mais uma vez, ele tentou falar alguma coisa, parecia estar balançando a cabeça, tentando negar alguma coisa, mas ele não tinha a mínima chance.

— Nós éramos para ser amigos, sabia, Daniel? Como é que você pôde fazer isso, ficar fingindo que estava *preocupado* comigo? Que se importava comigo?

— Mas...

— Quando é óbvio que a única pessoa com quem você se importa é com você mesmo!

Essa é a parte, na maior parte das brigas, em que a troca de insultos aos berros se transforma em um lamentar choroso. E aquela não foi exceção. Dava para acertar o relógio de tanta precisão. Minha voz começou a vacilar, quase no final da escala de firmeza, e compreendi que estava perigosamente próxima de cair no choro. Mesmo assim, não fui embora. Como uma idiota, fiquei ali, parada, na esperança de que ele pudesse ser legal comigo, de que pudesse me dizer algo que fizesse com que eu me sentisse melhor.

— Eu não estava fingindo — protestou ele. — Eu estava preocupado *de verdade* com você.

Odiei aquele olhar de pena que senti em seus olhos.

— Bem, pois não precisava — disse, com grosseria. — Sei cuidar de mim muito bem sozinha.

— Sabe mesmo? — Ele me pareceu pateticamente esperançoso. Que ousadia!

— Claro que sei! — joguei na cara dele.

— Isso é ótimo — disse ele.

Como é que ele podia ser tão cruel?, perguntei a mim mesma, sentindo a dor me cortar ao meio.

Era fácil para ele, compreendi, então. Muito fácil. Ele já havia feito isso um monte de vezes, com um monte de mulheres, por que eu receberia tratamento especial?

— Adeus, Daniel! Espero que as coisas corram muito bem para você e a sua maravilhosa Sascha — disse eu, com sarcasmo.

— Obrigado, Lucy, e desejo também toda a sorte do mundo para você e o seu rico Tom.

— E por que *você* está sendo assim tão desagradável agora? — perguntei, surpresa.

— Qual é o seu palpite a respeito? — Sua voz de repente aumentou em vários decibéis.

— E como é que posso saber? — berrei de volta.

— Acha que é a única que pode ter ciúmes? — gritou ele. Parecia furioso.

— Sei que não — disse eu. — Só que, para ser franca, Daniel, não estou dando a mínima para os ciúmes de Karen neste instante.

— Mas de que diabos você está falando? — perguntou ele. — Eu estou falando de *mim*. Estou louco de ciúmes também! Passei meses e meses esperando pelo momento certo, esperando que você conseguisse superar os problemas com o seu pai. Fiz tudo o que pude para impedir a mim mesmo de dar uma cantada em você. Tive tanta paciência que só faltava me matar.

E fez uma pausa para tomar fôlego. Fiquei olhando para ele, sem conseguir falar. Antes de conseguir colocar tudo o que sentia para fora, ele começou a gritar de novo:

— E então! — ele rugiu na minha cara. — E então, quando finalmente consegui convencer você de que já estava na hora de voltar a ter um relacionamento com um homem, você vai e sai com outro cara! Eu queria dizer que era *eu*. Queria que você pensasse em ter um relacionamento comigo, e, em vez disso, um cara riquinho, sortudo de uma figa, se dá bem com você.

Minha cabeça girava enquanto eu tentava absorver tudo aquilo.

— Espere um instante, dá um tempo aqui. Por que você está dizendo que Tom é um sortudo de uma figa? — perguntei. — Só porque ele é rico?

— Não! — berrou Daniel. — Porque ele está saindo com você, é claro!

— Mas ele não está saindo comigo — reagi. — Saí com ele apenas uma vez, e fiz isso só para deixar você chateado. Não que tenha funcionado.

— Não que tenha funcionado? — soltou Daniel. — É claro que funcionou! Tomei um porre tão grande no domingo à noite que fiquei de ressaca na segunda e não fui nem trabalhar.

— Sério? — perguntei, momentaneamente distraída pela informação. — Você ficou assim, tipo vomitando? Ficou assim tão mal?

— Não consegui comer nada até terça à noite — disse ele.

Houve um pequeno silêncio e, por um momento, éramos apenas Daniel e Lucy novamente.

— E que lance foi aquele mesmo de você querer passar uma cantada em mim? — perguntei.

— Nada, esqueça aquilo — disse ele, com a cara amarrada.

— Conte logo! — berrei.

— Não há nada a contar — murmurou ele. — É que simplesmente era muito difícil manter minhas mãos longe de você, mas eu sabia que era o que eu devia fazer, porque você estava vulnerável demais. Se alguma coisa tivesse acontecido entre nós naquele momento, eu ficaria eternamente achando que você tinha topado apenas por estar confusa.

— Foi por isso que vim com aquele papo de trazer você de volta para o mundo dos vivos — continuou ele. — Queria que estivesse com a cabeça clara e tivesse condições de tomar decisões por si mesma, para que quando eu a convidasse para sair, e você aceitasse, eu não sentisse que estava me aproveitando da situação.

— Me convidar para sair? — perguntei, cautelosa.

— Para sair, para *sair* — disse Daniel, meio tímido. — Assim, feito namorado e namorada.

— Sério? — perguntei. — Tá falando sério? Então aquele papo todo de que eu devia conhecer gente nova não era só para me tirar do caminho para a Sascha entrar?

— Não.

— Mas, então, quem é essa tal de Sascha, afinal? — perguntei, com ciúmes.

— Uma garota do meu trabalho.

— E ela é parecida comigo?

— Acho que faz lembrar você um pouco. Embora ela não chegue nem perto de ser tão maravilhosa quanto você — comentou ele, de passagem. — Nem tão engraçada, nem tão sexy, nem tão linda ou inteligente.

Fiquei sentada, muito quieta. Aquilo estava prometendo. Mas não o bastante.

— Há quanto tempo você vem saindo com ela? — perguntei.

— Mas eu não estou saindo com ela! — Ele pareceu chateado.

— Mas a Charlotte disse que...

— Por favor! — Daniel colocou a mão na testa, como se estivesse com dor de cabeça. — Aposto que Charlotte falou um monte de coisas, e você sabe o quanto gosto dela, mas nem sempre ela entende as coisas do jeito certo.

— Então você *não* está saindo com a Sascha? — perguntei.

— Não.

— E por que não está?

— Achei que não seria certo sair com ela sabendo que estou apaixonado por você.

Meu cérebro entrou em estado de choque. As palavras chegaram muito antes dos sentimentos.

— Oh... — disse eu, surpresa.

Não conseguia achar nada para dizer. Para mim já teria sido bom o bastante se ele dissesse que gostava de mim.

Nossa, isso era demais!

— Eu não devia ter dito isso. — Daniel pareceu arrasado.

— Por que não? Não é verdade?

— É claro que é verdade! Não saio por aí dizendo para um monte de mulheres, a torto e a direito, que estou apaixonado por elas. Só que não quero deixar você assustada. Por favor, Lucy, esqueça o que falei.

— Não esqueço não — disse, irritada. — Essa é a coisa mais legal que alguém já falou para mim.

— É mesmo? — perguntou ele, esperançoso. — Quer dizer que você também...

— Sim, sim... — E abanei a mão, distraída. Queria um tempinho para me concentrar no que ele me dissera. Não podia ficar dando atenção a ele.

— Eu amo você também — acrescentei. — Acho que o amo há séculos.

Felicidade e alívio começaram a me formigar por dentro, aumentando de intensidade até se transformar em um fluxo constante, para finalmente jorrar como se estivesse escorrendo por um cano quebrado. Mas eu precisava ter certeza.

— Você está mesmo apaixonado por mim? — perguntei, meio desconfiada.

— Ai, meu Deus, estou!

— Desde quando?

— Há muito tempo.

— Desde a época do Gus?

— Desde muito antes do Gus.

— E por que você nunca me contou isso?

— Porque você ia se acabar de tanto rir, ia me zoar, me humilhar e...

— Eu *não faria* isso — repliquei, ofendida.

— Ah, faria sim.

— Faria?

— Sim, Lucy.

— É... talvez fizesse mesmo — concordei, relutante.

— Puxa, desculpe, Daniel — precisava me desculpar muito com ele —, mas *eu tinha* que ser má e implicante com você, porque você é atraente demais!

— E isso é um elogio — acrescentei.

— Sério? — perguntou ele. — Mas todos os caras com quem você saía eram completamente diferentes de mim. Como é que eu podia competir com um cara como o Gus?

Ele tinha razão. Até há bem pouco tempo eu não suportaria um namorado que não tivesse um terrível problema de falta de grana e não bebesse demais.

Refleti um pouco mais sobre isso.

— Você está mesmo, *de verdade*, apaixonado por mim, Daniel?

— Sim, Lucy.

— Não, estou falando apaixonado *a sério*?

— Sim, *a sério*.

— Bem, nesse caso, será que podemos ir para a cama?

CAPÍTULO 85

Aturdida pela minha audácia, levei-o pela mão até o quarto.

Estava dividida, cheia de tesão, por um lado, e morrendo de vergonha, por outro. Porque, no fundo, eu ainda tinha medo de que alguma coisa pudesse sair terrivelmente errada.

Era muito fácil para ele sair por aí me dizendo que me amava, mas o teste verdadeiro, o lance mais importante, era o da cama.

E se eu fosse uma merda na cama?

E quanto ao fato de que tivéramos apenas amizade por mais de dez anos? O potencial para haver inibições era alto. Como é que podíamos ficar todos melosos e românticos um com o outro sem cair na risada?

E se ele me achasse horrorosa? Daniel estava acostumado a mulheres com peitos imensos. O que diria ao ver meus seios achatados como dois ovos fritos?

Estava tão nervosa que quase mudei de ideia.

Mas também nem tanto assim.

Tinha uma oportunidade de dormir com ele e estava disposta a ir até o fim. Eu o amava. E também estava muito a fim dele.

Entretanto, após a minha iniciativa promissora, quando audaciosamente o carreguei pela mão, meu ataque de galinhagem acabou. Ao chegar ao quarto dele, fiquei sem saber exatamente o que fazer. Será que eu deveria me envolver sedutoramente com as pontas do edredom? Será que devia empurrá-lo de costas sobre a cama e pular em cima dele? Não ia conseguir, aquilo era mortificante.

Sentei-me quieta, bem na pontinha da cama. Ele se sentou ao meu lado.

Puxa, essa parte era muito mais fácil quando eu estava bêbada.

— O que foi? — sussurrou ele.

— E se você me achar medonha?

— E se você achar que *eu* sou medonho?

— Mas você é lindo! — Dei uma risadinha.

— Você também.

— Estou tão nervosa — cochichei.

— Eu também.

— Não acredito em você.

— Mas estou sim, sinceramente — afirmou ele. — Olhe aqui, sinta só os batimentos do meu coração.

Aquilo me deixou cabreira. No passado, sempre que eu esticava a mão para sentir os alegados batimentos do coração de um rapaz, a minha mão era colocada sobre o membro ereto do tal rapaz, e depois esfregada para cima e para baixo ao longo do citado membro, em alta velocidade.

Só que Daniel realmente colocou a minha mão sobre o seu coração. E, sim, era verdade. Parecia estar havendo um bocado de movimento dentro do seu peito.

— Eu amo você, Lucy — disse ele.

— Eu amo você também — afirmei, tímida.

— Deixe eu lhe dar um beijo — pediu ele.

— O.k. — Levantei o rosto, mas fechei os olhos. Ele beijou meus olhos, minhas sobrancelhas, foi beijando ao longo da minha testa, junto do cabelo, e depois veio descendo lentamente até o pescoço. Beijos leves e sedutores que quase não dava para aguentar de tão prazerosos. Então ele beijou o canto da minha boca e suavemente puxou meu lábio inferior com os dentes.

— Pode pular a parte de me deixar com as costas arqueadas de prazer — reclamei — e me beije direito.

— Bem, se a minha forma de beijar não está de acordo com as expectativas da madame... — E riu.

Então fez aquele jeito maroto, com a boca torta, que ele sabia fazer tão bem. E eu o beijei. Não consegui me segurar.

— Achei que você havia dito que estava nervosa — comentou ele.

— Shh... — Coloquei meu dedo sobre seus lábios. — Quase me esqueci disso por um segundo.

— Que tal se eu me deitar aqui na cama e você deitar bem aqui junto de mim, em meus braços? — perguntou ele, enquanto me puxava para trás, junto dele, por sobre a cama. — Isso é muito teatral para você?

— Não, isso foi legal, embora tenha sido feito de forma desajeitada — disse eu para o peito dele.

— Há alguma chance de você tornar a me beijar, Lucy? — sussurrou ele.

— O.k. — sussurrei de volta. — Mas não quero nenhum movimento brusco e astuto de sua parte, como arrancar o meu sutiã de uma vez só, por exemplo.

— Não se preocupe, Lucy, vou ficar só apalpando, de forma meio desajeitada.

— E não me venha com essa de perguntar: "Ora, o que é isso, Lucy?", e fazer surgir as minhas calcinhas de trás da minha orelha. Entendeu? — perguntei, com a cara feia.

— Mas esse era o meu truque especial — reclamou ele. — É a coisa mais espetacular que consigo fazer na cama.

Tornei a beijá-lo e relaxei um pouco. Era maravilhoso ficar ali deitada, tão junto dele, inalando o cheiro de Daniel, tocando o seu rosto maravilhoso. Nossa, ele era muito sexy!

— Você me ama mesmo? — tornei a perguntar.

— Lucy, eu amo você tanto, tanto...

— Não, quero saber se me ama no duro, *de verdade* mesmo.

— No duro, sério, *de verdade* mesmo — disse ele, olhando-me nos olhos. — Mais do que já amei qualquer outra pessoa, mais do que você pode imaginar.

Relaxei por um segundo. Apenas por um segundo.

— Sério mesmo? — perguntei.

— Sério.

— Não, Daniel, estou perguntando na boa, é sério *mesmo*?

— Sério, *sério*!

— O.k.

Houve um curto silêncio.

— Você não se incomoda de eu ficar perguntando toda hora, não é? — perguntei.

— Nem um pouco.

— É que preciso ter certeza total.

— Compreendo perfeitamente. Você acredita em mim?

— Acredito.

Continuamos deitados, sorrindo um para o outro.

— Lucy? — disse Daniel.

— Que foi?

— Você me ama de verdade?

— Daniel, eu amo você de verdade.

— Não, Lucy — disse ele, meio sem graça. — Eu quero saber se você me ama de verdade, sério mesmo. No duro, *realmente?*

— Realmente, no duro, eu amo você, Daniel.

— Sério?

— Sério.

Muito, muito devagar, ele começou a tirar as minhas roupas, conseguindo de forma magistral abrir zíperes e arrancar botões de pressão que eram difíceis de ser arrancados. A cada vez que abria um botão, me beijava por mais ou menos uma hora antes de abrir o seguinte. Ele me beijou em toda parte. Bem, quase em toda parte, graças a Deus ele deixou meus pés em paz. A Fergie, do conjunto Black Eyed Peas, ia ter muito que explicar: os homens pareciam achar que precisavam lamber os dedos dos pés das mulheres antes de completar suas tarefas na cama. Há alguns anos, a onda era *cunnilingus,* que eu sempre achei a parte mais chata do sexo. Enfim, eu não gostava de homens chegando com a boca perto dos meus pés, a não ser que eu tivesse sido avisada com antecedência. Pelo menos com antecedência suficiente para ir à pedicure e dar uma caprichada.

Ele me beijou, abriu botões, continuou me beijando e abaixou a minha blusa no ombro, só de um lado, tornou a me beijar, abaixou a blusa no outro ombro, me beijou de novo, não fez comentários sobre as manchas de tinta cinza nas minhas calcinhas brancas, me beijou novamente, disse que os meus seios não pareciam ovos fritos, tornou a me beijar, disse que eles pareciam pãezinhos de hambúrguer, me beijou de novo.

— Você é tão linda, Lucy — dizia ele, sem parar. — Eu amo você.

Até que fiquei sem roupa nenhuma.

Havia algo de muito erótico em estar nua enquanto ele ainda estava completamente vestido.

Cobri meus seios com os braços e me encolhi toda de lado, como uma bola.

— Coloque seu instrumento para fora — disse eu, dando uma risadinha.

— Você é tão romântica, Lucy — disse ele, tirando um dos meus braços de cima do peito, e depois o outro.

— Não fique escondendo o seu corpo — pediu. — Você é linda demais!

Com carinho, forçou meus joelhos a se afastarem do peito também.

— Para com isso — pedi, tentando esconder minha excitação. — Como é que pode?, eu estou aqui, sem um fiapo de roupa sobre o corpo e você ainda está todo vestido?

— Posso tirar as roupas também, se você quiser — brincou ele.

— Então tire — disse eu, tentando ser esperta.

— Peça para eu tirar.

— Não.

— Então é você que vai ter de tirar minha roupa.

E eu tirei as roupas dele. Meus dedos tremiam tanto que mal consegui abrir os botões da camisa. Mas valeu a pena.

Ele tinha um peito lindo. Com a pele lisa e uma barriga perfeita, bem reta.

Tracei a linha de pelos que saía do umbigo dele com a unha, descendo até o cinto, e um arrepio me percorreu por dentro quando o ouvi gemer.

Com o canto dos olhos, dei uma olhada rápida na parte da calça que ficava entre suas pernas e fiquei assustada e excitada, quando notei o jeito como o tecido estava esticado.

Finalmente consegui reunir coragem suficiente para começar a abrir lentamente as suas calças. O problema é que eu não estava acostumada a homens que usavam terno. As calças de Daniel tinham um sistema de botões e zíperes tão complicado que rivalizava com o sistema de segurança de Fort Knox.

Finalmente, conseguimos liberar sua ereção esticada por trás da cueca.

Ele passou no teste das roupas íntimas. O que era bem mais do que o que se podia dizer das minhas. As calcinhas que eu estava usando já tinham visto dias melhores, a maior parte deles dentro da máquina de lavar, misturadas, por engano, com roupas pretas.

Ele era lindo. E havia algo que o tornava ainda mais atraente para mim. Ele não era perfeito. Embora seu corpo fosse lindo, não era elaboradamente malhado, com a musculatura toda esculpida como a daqueles caras que passavam a vida na academia.

A sensação de sua pele sobre a minha era indescritível. Tudo me parecia tão mais sensível! A pele da parte de dentro dos meus braços parecia formigar quando eu os envolvia nas costas dele. A sensação da firmeza de suas coxas em contato com a maciez das minhas me deixava toda mole, e sua ereção de encontro à minha umidade era explosiva.

Todo o embaraço se fora. Apenas o desejo permanecera. Quando eu via o seu olhar, não sentia mais uma necessidade de rir histericamente. Havíamos conseguido ultrapassar a linha: não éramos mais Daniel e Lucy, éramos um homem e uma mulher.

Não mencionamos controle de natalidade, mas, quando o momento chegou, nos comportamos como dois adultos responsáveis vivendo os tempos modernos do HIV positivo.

Ele fez surgir uma camisinha e eu o ajudei a colocá-la. E então, nós... hã... vocês sabem.

Ele gozou em menos de três segundos. Era de virar a cabeça, de tão erótico, ver o rosto de Daniel se contorcer todo em êxtase, êxtase provocado por mim.

— De-desculpe, Lucy — gaguejou ele. — Não consegui me segurar. Você é tão linda, e eu a desejava há tanto tempo...

— E eu achava que você fosse brilhante na cama — reclamei, para implicar com ele. — Nunca me disseram que você era uma mercadoria defeituosa, com ejaculação precoce.

— Mas eu não sou — protestou, ansioso. — Isso não acontecia desde a minha adolescência. Deixe passar uns cinco minutos e eu vou provar isso pra você.

Fiquei envolvida no círculo formado pelos seus braços e ele continuou com a constante cobertura de beijos, enquanto acariciava minhas costas, minhas coxas e o meu estômago.

E em um espaço de tempo admiravelmente curto, conseguiu se preparar para fazer amor comigo novamente.

A segunda vez levou séculos, e ele fez tudo de forma bem lenta, quase me levando à loucura, com toda a atenção focada apenas em mim, no que eu queria e sentia. Ninguém jamais fora assim tão generoso e desprendido comigo na cama. E atingi o clímax como jamais havia conseguido antes, estremecendo e vibrando involuntariamente, com os olhos arregalados de tanto choque e prazer.

Dessa vez, quando ele gozou, manteve os olhos abertos e olhou para mim. Quase me dissolvi com aquilo de tão erótico que foi.

Nós nos abraçamos fortemente, era como se não conseguíssemos ficar próximos um do outro o suficiente.

— Gostaria de poder abrir a minha pele para colocar você todinha dentro de mim — disse ele. E também senti o que ele queria dizer.

Ficamos em silêncio por algum tempo.

— E então, até que não foi assim tão mau, foi? — perguntou Daniel. — Do que é que você estava com medo?

— De um monte de coisas. — Ri. — De que você pudesse achar que eu tinha um corpo horrível. De que você pudesse me obrigar a fazer coisas estranhas.

— Você tem um corpo *lindo*. E que coisas estranhas são essas? Sacos plásticos e laranjas?

— Bem, não exatamente, porque você não é membro do Parlamento inglês, mas outras coisas.

— Agora eu fiquei bolado. O que é que anda rolando por aí?

— Você sabe — disse eu, meio sem graça.

— Não sei não — afirmou ele.

— Bem — expliquei —, é que tem alguns homens que falam assim, tipo "dá para você plantar uma bananeira, gata?... isso... não se preocupe com a dor, já me disseram que depois de um tempo fica mais fácil de aguentar. Agora, mantenha as suas pernas em um ângulo de cento e trinta graus uma da outra, porque vou tentar entrar por trás, e aí você vai poder mexer o corpo todo, fazendo um movimento de pinça, fechando mais ou menos *oito* graus, não, eu disse oito graus, você está fechando dez graus, sua burra, está querendo me matar?", esse tipo de coisa.

Ele começou a rir sem parar, e isso foi maravilhoso também.

E então, agora mais sonolentos e mais relaxados, fizemos amor de novo.

— Que horas são? — perguntei, mais tarde.

— Umas duas da manhã.

— Você vai ter que trabalhar de manhã?

— Vou. Você vai também?

— Vou, acho que era melhor a gente tentar dormir um pouco — disse eu.

Mas não dormimos.

Eu estava morrendo de fome, então Daniel foi até a cozinha e voltou com um pacote de biscoitos de chocolate. Ficamos ali, deitados na cama, e comemos tudo, abraçados um ao outro, nos beijando e falando sobre muitas coisas e nada em particular.

— Acho que eu devia entrar para uma academia — disse ele, com cara de lamento, espetando o estômago com o dedo. — Se eu soubesse que isto ia acontecer, teria começado a malhar há alguns meses.

Isso, mais do que qualquer outra coisa, me fez sentir ligada a ele.

Quando acabamos com os biscoitos, ele me ordenou:

— Levante-se.

Eu me levantei.

Ele começou a sacudir o lençol com vigor, para limpar as migalhas.

— Não aceito que a mulher que eu amo durma sobre migalhas de biscoito de chocolate — explicou.

Enquanto eu sorria para ele, o telefone tocou e eu dei um pulo de quase um metro. Daniel atendeu.

— Alô... Oi, alô, Karen... sim, na verdade eu *estou* na cama.

Silêncio.

— Lucy? — perguntou ele, lentamente, como se jamais tivesse escutado o meu nome. — Lucy *Sullivan*?

Outro silêncio.

— Lucy Sullivan, a garota que divide o apartamento *com você*? *Essa* Lucy Sullivan? Sim, ela está bem aqui, ao meu lado.

— Sim, isso mesmo, bem aqui ao meu lado, na cama — disse ele. — Você quer falar com ela?

Fiz todos os tipos de gestos frenéticos de negação, formei uma cruz com os dois dedos indicadores e os segurei com firmeza, bem diante do fone.

— Ah, sim! — respondeu Daniel, todo alegre. — Três vezes. Não foram três vezes, Lucy?

— O *que* foram três vezes? — perguntei.

— O número de vezes que nós fizemos amor nas últimas duas horas.

— Hã... foi sim... três — disse eu, baixinho.

— Foi sim, está confirmado, Karen... Três vezes. Mas estamos planejando fazer mais uma vez antes de o dia raiar. Há mais alguma coisa da qual você queira ser informada?

Ouvi gritos e desaforos de Karen. Deu para ouvir até o barulho do fone sendo desligado, de tanta força que ela usou para batê-lo na cara de Daniel.

— O que foi que ela disse? — perguntei.

— Que espera que peguemos Aids um do outro.

— Só isso?

— Hã... sim.

— Pára com isso, Dan, o que mais ela disse?

— Lucy, não quero deixar você chateada...

— Então, *tem* que me contar, *agora*.

— Ela disse que dormiu com o Gus enquanto você estava saindo com ele.

Daniel ficou olhando para mim com preocupação.

— Isso a deixou chateada?

— Não, estou mais é aliviada. Eu sempre senti que havia mais alguém. Mas, *e você*, ficou chateado?

— Por que eu deveria ficar chateado? Eu não estava saindo com o Gus...

— Não, mas estava saindo com Karen na mesma época em que eu estava saindo com o Gus. Se ela dormiu com o Gus, então...

— Ah, entendi — disse ele, com uma cara alegre. — Isso quer dizer que ela me chifrou.

— Você se importa? — perguntei, preocupada.

— É claro que não me importo. Não ligo a mínima para o fato de Karen ter dormido com ele. Era *você* dormindo com ele que me deixava chateado.

Continuamos em silêncio depois de nosso círculo de felicidade ter sido rompido.

— Vou ter que me mudar de lá — disse eu, finalmente.

— Pode se mudar para cá — ofereceu ele.

— Não seja ridículo — reagi. — Estamos um com o outro há

apenas três horas e meia. Não é um pouco cedo para começar com esse papo de morar junto?

— Morar junto? — Daniel pareceu chocado. — Quem é que falou em morar junto?

— Você.

— Não, eu não! Tenho o maior medo da sua mãe para fazer uma sugestão como esta: viver em pecado com a sua única filha

— Bem, nesse caso, sobre *o que* você está falando?

— Lucy — disse ele, meio sem graça —, é que eu estava .. hã... você sabe... perguntando a mim mesmo se...

— O quê?

— Será que não haveria alguma chance...? Você sabe...?

— Alguma chance de quê?

— Você provavelmente vai achar que é muita ousadia de minha parte pedir uma coisa dessas, mas é que eu a amo tanto que...

— Daniel! — implorei. — *Por favor*, me conte logo sobre o lance em que você está pensando.

— Você não precisa me dar a resposta agora mesmo, nem nada assim, correndo.

— Dar a resposta para o quê?

— Pode levar o tempo que quiser pensando no assunto, leve séculos, se achar melhor.

— Pensar EM QUE ASSUNTO? — berrei.

— Desculpe, eu não queria deixar você tão irritada, mas é que eu, hã... bem...

— Daniel, o que você está tentando me dizer?

Ele fez uma pausa, respirou bem fundo e soltou, de uma vez só:

— Lucy Carmel Sullivan, você aceita se casar comigo?

EPÍLOGO

Hetty nunca mais voltou ao escritório, se divorciou de Dick, abandonou Roger, se livrou das saias de tweed, comprou um monte de leggings, se matriculou em uma faculdade de estudos femininos e agora está envolvida romanticamente com uma sueca de cara sisuda chamada Agnetha. Segundo as informações de Meredia, nenhuma das duas depila os sovacos.

Frank Erskine também nunca mais voltou a trabalhar. Aposentou-se mais cedo e saiu da empresa sem festinha de despedida. Dizem que anda jogando muito golfe.

Adrian agora só trabalha na locadora nos fins de semana, pois arrumou uma vaga em um curso para cineastas, onde espera conhecer uma garota bem legal que saiba tudo a respeito de cinema, de Walt Disney a Quentin Tarantino.

A Graça, namorada de Daniel, com quem ele estava pouco antes de conhecer Karen, virou manchete no tabloide *Notícias do Mundo*, por fazer sexo com um famoso político.

Jed foi morar com Meredia e os dois parecem incrivelmente felizes. Apesar de sua baixa estatura, Jed se mostra um cão de guarda contra qualquer um que se aproxime da gigantesca Meredia, e está tendo muitas oportunidades de provar isso.

O verdadeiro nome de Meredia é Valerie, e ela tem trinta e oito anos. Descobri isso por acaso, quando subi para levar uma bronca no Departamento de Pessoal, por chegar atrasadíssima ao trabalho. A ficha de Meredia estava aberta bem em cima da mesa de Blandina, não consegui me segurar e olhei.

Não contei a Megan. Para falar a verdade, não contei a ninguém.

Charlotte ainda não conheceu um homem que a leve a sério, e anda falando em se submeter a uma cirurgia para redução de seios.

Vai tentar uma vaga na faculdade de psicologia. Assim que aprender como se soletra isso.

Karen começou a sair com Simon logo depois que eu e Daniel ficamos juntos, e os dois estão combinando perfeitamente os seus estilos de vida. Compram um monte de roupas caras, vão a bares badalados, daqueles que acabaram de inaugurar, e estão aparecendo em revistas de arquitetura.

Dennis ainda não encontrou seu Príncipe Encantado, embora esteja se divertindo à beça enquanto procura. Teve um choque tremendo quando soube que Michael Flatley abandonou o elenco do *Riverdance*, mas já se recuperou.

Megan está grávida.

E Gus é o pai. Pelo jeito, estavam juntos desde o verão em que eu ainda estava saindo com ele. Foi Megan que escreveu o discurso de despedida que Gus fez para mim. Embora eu nunca mais o tenha visto, imagino que a iminente paternidade não o tornou menos irresponsável. A pobre Megan vive constantemente exausta e parecendo infeliz. Sinto muito por ela, falando sério. Não estou dizendo isso do jeito que fazemos quando não sentimos a mínima pena da pessoa e, no fundo, até mesmo a odiamos. O meu coração se compadece dela, de verdade.

Minha mãe ainda está morando com Ken Kearns, e os dois parecem adolescentes apaixonados. Ken já está de dentadura nova, e seus dentes parecem daqueles bem caros, de luxo, top de linha. Minha mãe está cada dia mais jovem. Daqui a pouco vão se recusar a servir bebida a ela nos pubs. Mamãe e eu tivemos uma espécie de momento de reconciliação, e embora ainda não sejamos grandes amigas estamos trabalhando para isso.

Meu pai continua bebendo, mas está sendo bem cuidado. Tem uma assistente social que toma conta dele e uma empregada. Chris, Peter e eu fazemos rodízio para visitá-lo. Sempre que é a minha vez, Daniel vai até lá comigo, o que é ótimo, porque assim papai divide por nós dois os insultos que iriam só para mim. Ainda me sinto culpada, acho que sempre vou me sentir, mas é só culpa, e isso não vai me matar.

Daniel vive me pedindo para que eu me case com ele, e vivo dizendo para ele: se manca!

— Seja prático — argumentei. — Quem é que ia me entregar a você no altar? Mesmo que papai não me odiasse, ele não iria conseguir ficar sóbrio o suficiente para caminhar reto pela nave da igreja, mesmo comigo segurando seu braço.

O verdadeiro motivo pelo qual ainda não aceitei me casar com Daniel, porém, é que morro de medo de ser abandonada no altar. Obviamente ainda não me acostumei a ter um cara que é legal junto de mim o tempo todo. Daniel vive dizendo que vai me amar para sempre, jamais vai me deixar e que, tirando a remoção do seu pinto para me dar de presente, dentro de um jarro cheio de camisinhas, se casar comigo é a coisa mais radical que ele pode pensar para me convencer de sua devoção infinita.

Eu já disse a ele que vou pensar no assunto. A parte do casamento, é claro, não a remoção do dito-cujo.

E, se a gente se casar mesmo, quero que a Sra. Nolan seja a minha dama de honra.

Daniel jura que me ama. Certamente ele *age* como se estivesse falando sério.

E, sabem de uma coisa, estou quase acreditando nele.

De uma coisa estou certa: eu amo Daniel.

Portanto, vamos esperar para ver...